人文学のためのテキストデータ構築入門

TEIガイドラインに準拠した取り組みにむけて

【監修】一般財団法人人文情報学研究所

【編者】石田友梨／大向一輝／小風綾乃
永崎研宣／宮川　創／渡邉要一郎

【執筆者】
井上さやか
井野雅文
王　一凡
岡田一祐
小川　潤
片倉峻平
金　甫榮
小風尚樹
佐久間祐惟
左藤仁宏
中村　覚
南　亮一
矢島正豊

文学通信
Bungaku-Report.com

目次

第3部
事例編：テキストデータ構築の最新事情①

第4部
事例編：テキストデータ構築の最新事情②

はじめに：人文学のためのテキストデータ構築

永崎研宣

課題に正面から取り組むためのガイドブック

本書は、人文学のためのテキストデータを構築するための入門書である。テキストデータは、人文学のなかでも文献研究が中心となる分野においてはきわめて重要なものである。また、そうでない分野でも、ノートや論文、目録情報などの形でテキストを通じた学術情報の流通はさまざまに行われてきた。かつてはこれが紙媒体を中心として行われていたが、その頃に比べると、デジタル媒体が基盤となりつつある現在、その様相に大きな変化が生じてきていることが明らかになってきた。善し悪しではかるべきではないが、この状況を活かすことで効率化を実現しつつ学知を深める可能性がみえてくる一方で、さまざまな課題も現れてきている。

日本の人文学においては、人文学での利活用に主眼をおいたテキストデータの構築は他の先進国に比べるとあまり力を入れてこなかったようである。結果として、デジタル時代のテキストについての議論では問題点の方が前面に登場しがちであるように思われるが、一方で、人文学での利活用を前提としたテキストデータの構築への取り組みを今からでも着実に進めていくことができれば、日本における人文学とテキストデータの関係も、これまでよりももっと建設的で明るいものになる可能性がまだ十分に残されている。本書は、その課題に正面から取り組むためのガイドブックを目指したものである。

知を蓄積・共有し、より広い世界へつなげる

デジタル媒体におけるテキストデータは、紙媒体を通じて明示的・暗黙的に伝達される情報に比べて、圧倒的に多くの情報を明示的に組み込むことが可能である。それは、タグをつけたりリンクを張ったりすることで可能となるものであり、これまでノートやメモとして付与されてきたものも含めてさまざまな情報を明示的に記述し、外部の情報と連結し、さらにそれを継承することもできる。研究者ポストの削減と少子化があいまって後継者不足が歴然としつつある日本の人文学においては、現在の学問的な営為を残し伝えていくためにはもはや時空間を同じくすることで伝達されるという形式にばかり頼るわけにはいかなくなってきている。むしろ、暗黙的に蓄積されてきた知識を明示的なものとして記述し、まだ見ぬ誰かのために広く提供していくことが重要な選択肢となっている。

その一方で、学知の継承という課題だけでなく、むしろ、現在は総合知と呼ばれるような、特定の分野のみに閉じたものではない知的営為への学問的貢献を行っていくという観点においても、深く多様な知を畳み込んだテキストデータを作成し共有することは、そこに新たな可能性を

もたらすものであり、これは社会的にも大きな貢献となり得る。

しかしながら、ただいろいろなデータをテキストに書き込んでいくだけでは、そのデータをうまく読み取ることも、より広い観点から活用することも十分にはできない。それが深くなればなるほど困難さも増していく。そこで、何らかのルールに基づいてデータを構築していくことが有力な選択肢となる。欧米の先進国では、これに1980年代から取り組んできており、TEI（Text Encoding Initiative）ガイドラインという形でルールを共有し、それに基づいてすでに相当の蓄積をなしてきている。欧米に比べ、日本では文字の扱い等に困難さを抱えていたこともあり、そのような習慣が根付くことに時間がかかり、その一方で、欧米で作られたルールとの距離感も否定できないものがあった。そのようなギャップは、近年、Unicodeの普及によって文字の扱いの問題が解決したことや、TEIガイドライン策定に欧米以外の文化圏からも積極的に関わる道が確立されたことで、ようやく埋まりつつある。いまだ、全面的に解決したとは言えないものの、事態は劇的に変化しつつあり、われわれは今、そのただ中にいる。

本書が目指すのは、そのような状況において、人文学のためのテキストデータが、人文学のために、より効果的に、その知を蓄積・共有できるようになり、それがより広い世界にもつながっていけるようにするためのテキストデータの構築手法を日本語の世界に提供することである。

本書の構成

そのようなことから、本書は主に4部構成となっている。**第1部**はテキストデータの構築に関する概要とこれまでの日本での動向、**第2部**は、テキストデータ構築のための実践、**第3部・第4部**はテキストデータ構築やその利活用に関する事例の紹介である。

第2部のテキストデータの構築に関しては、二つの要素から成っている。一つは、手書き文書の自動文字起こしに関するものである。これについての技術開発が近年は国際的に広がりを見せ、ようやく実用レベルに達しつつあり、テキストデータ構築においては見過ごせない状況となっている。そこで、この技術への手ほどきとなるべく、関連するソフトウェアについての紹介とチュートリアルが提供されている。もう一つの要素は、TEIガイドラインについてのチュートリアルである。本編で詳細に紹介するが、TEIガイドラインでは、日本語テキストをはじめさまざまな非欧米圏のテキストへの適用事例が近年はようやく徐々に広がってきたところである。これに準拠しておくことで、欧米圏のテキストデータも含め、多様なテキストデータと共通の枠組みにおいて共有や処理・分析が可能となる。人工知能技術が飛躍的に進展しつつある現在、そのようにして人手をかけて構築されたデータは、不要になるどころか、むしろ、トレーニングデータやベンチマークとしてより重要な意義を持つことになるだろう。

第3部では、テキストデータ構築に関する国内のさまざまな事例のうち、情報処理学会のシンポジウムや研究会で発表されたものを中心として、古代から近代、日本や中国、中東、欧州まで、ある程度幅をもった事例が提供されている。

第4部は、近年、仏典の一大叢書である大正新脩大蔵経に対するTEIガイドライン準拠のための構造化を組織的に推進している SAT 大蔵経データベース研究会の取り組みを具体的にまとめたものである。大正新脩大蔵経にはさまざまな種類の文献が含まれており、それぞれの事例のなかには読者のみなさまの参考になる事例も含まれていることがあるかもしれない。

本書は現時点で考え得る実現可能かつ有用性の高いテキストデータ構築の手法を提示したものだが、一方で、これが唯一の正解というわけではない。本書を通じて、テキストデータ構築の意義と深さに触れていただき、それが、より建設的な議論の場を形成するきっかけとなれば幸いである。

［本書の読み方］

・TEI、Transkribus の概要や歴史など、基本的なことを知りたい

☞第 1 部へ

・実際に TEI、Transkribus に着手する方法を知りたい

☞第 2 部へ

・TEI の活用事例を知りたい（国内）

☞第 3 部・第 4 部へ

・TEI の活用事例を知りたい（海外）

☞代表的なものの中からいくつかご紹介しています

・関心がある話題、XML を探したい

☞タグ索引（用語編・XML 編）へ

・専門用語の解説を読みたい

☞用語解説へ

第1部

概説編

第１章

人文学のためのテキストデータの構築とは

永崎研宣

1．テキストデータベース構築に関する概況

テキストデータベースを作る、という取組みは、テキスト研究をしているとどうしても関心を持たざるを得ない。現在、テキストは、Unicodeなどの文字コードに準拠して文字を並べていけば高度な処理が比較的容易に可能となるが、作り方次第で後にできることがいろいろ変わってくる。したがって、貴重な時間や人的リソースを費やすことになるテキストデータベース構築をどのように実施するかということは、テキスト研究にあたっては重要な関心事となる。もちろん、Unicodeなどが出てくる以前から、いろいろなローカルな文字コードを駆使したテキストデータベース構築は行われてきており、日本でも1980年代にはすでにテキスト・データベース研究会等で活発な活動があったようである。

近年は、テキストデータと言えば、MSワードや一太郎、LibreOffice、Google Docs等の文書、エクセルやパワーポイント、GoogleやLibreOfficeの同種のソフトで作られたデータのテキスト部分、日夜大量に書き込まれ続けるSNSやブログ記事など、いわゆるボーンデジタルのテキストデータが毎日大量に作成されており、それらをおおまかに処理するだけでも有用な分析がさまざまに実施できるだろう。ePub等で販売されている電子書籍のデータもあり、テレビの字幕データや、他にもいろいろ有用そうなものがある。こういったデータを対象とした分析については、技術的には比較的容易であり、また、テキストの内容を人が読まずにコンピュータが分析するだけであれば著作権法において利用が認められるようになった（詳しくは、コラム「著作権法改正でGoogle Booksのような検索サイトを作れるようになる？」を参照されたい）。しかしながら、分析に使用したデータを広く共有することは困難であり、その点に課題がある。

ボーンデジタルなテキストが技術的には使いやすく、権利関係において困難さを抱える一方で、そうでないテキストの場合には、著作権保護期間が終了しているものといないもの、著作権の状態が不明なもの、の3種類に分けて扱うことになる。

著作権保護期間が終了しているものは、パブリックドメインということになり、基本的に誰もが自由に利用できる。しかしながら、著作権保護期間が終了しているかどうかの確認は、権利者

の没年情報が必要になる。そのため、著名人の場合は比較的確認がしやすいものの、そうでない人は確認が難しいことが多い。また、著名人であっても没年の確認が難しいこともある。没年が不明な場合、著作権がどうなっているかわからないもの、という扱いになり、権利者不明作品、オーファンワークス、などと呼ばれる。オーファンワークスは、安全な利用を心がけるなら、著作権保護期間中のものと同様に扱うことになる。

基本的に、著作権保護期間が終了しているものは自由に使えるため、それをテキストデータを活用した教育や研究のベンチマークとして扱うのが一つのわかりやすく有用な道だろう。これを通じて明らかにできたさまざまな活用方法を、ボーンデジタルテキストの大規模な分析に活用することで、より深い社会文化研究にもつなげられる可能性がある。

とはいえ、著作権保護期間が終了しているものには、現代的な日本語で書かれているものはあまり多くない。しかも、少し時代をさかのぼると古文やくずし字が多いため、テキストデータベース作りにおける難易度は高くならざるを得ない上に、そのテキストの分析手法をそのまま現代に適用することもやや難しい。

比較的新しいテキストに焦点をあてた場合には、そういった問題はある程度回避できるかもしれない。明治中期～昭和初期あたりであれば、2021年度末、国立国会図書館の次世代デジタルライブラリーにおいて、OCRによるテキストデータ化に基づく全文検索システムが公開され、この時代のテキストのOCR技術もかなり進んでいることが明らかになった。この成果を用いることで、これまでよりも一歩進んだ取組みが可能となるだろう。

なお、古い日本語の分析手法としては、すでに国立国語研究所により古い日本語を形態素解析するための辞書UniDicが時代ごとに公開されており、それぞれの時代の日本語文の形態素解析がある程度は可能となっている。また、情報処理学会人文科学とコンピュータ研究会等の関連学会では江戸時代以前のテキストデータを対象とした固有表現抽出やトピックモデリングなどに関する発表が複数の研究グループにより着々と行われており、古い日本語のテキストデータの分析手法も、まったくできないわけではない。ただ、これはまだ研究段階であり、しかし研究段階だから面白いということでもある。

また、古い日本語テキストの場合、OCRの精度が低いという問題があり、テキストデータベース作りの難関の一つだったが、最近は、くずし字OCRやクラウドソーシング翻刻など、自動文字読み取りという方向や人力作業の輪を広げていく方向など、現在の技術水準で可能なことが徐々にこの領域にも展開されるようになってきている。テキストデータベース構築を進めていくためには、こういった技術や枠組みを活かすことが今後は重要になっていくだろう。

2. 元資料とテキストデータの整合性

ボーンデジタルなものには生じないが、デジタル以外の媒体に基づくテキストデータには大きな課題がある。それは、「元の媒体上でのテキストと完全に同じではない」ということだ。

まず、字形や文字の大きさが完全に同じになることはなかなか容易ではない。内容の相違ではないことが多いため、問題になることはあまりない。しかし、読み手側が受ける印象には少し違いが出てくる場合もあるだろう。近年の資料であれば、目が悪い人向けに少し大きな文字にしているかどうか、あるいは、ディスレクシア向けにユニバーサルデザイン（UD）フォントを使っているかどうか、ということも、やはり読み手を意識した時にはやや大きな違いとなるだろう。古い資料であっても、くずし字であればまったく同じ字形を再現することは困難であり、漢字であっても時代が異なれば字体も字形もさまざまである。テキストの内容を分析する場合でも、テキストに対して読み手がどう考えたかということが研究に含まれるのであれば、そのあたりの差異も関わってくることがあるかもしれない。さらに言えば、石に彫られたものと紙に印刷されたものとでは受ける印象は大きく異なると思われるが、石から文字起しされたプレーンなテキストデータにはそういった相違も特に反映されることはない。

また、字体の違いはかなり大きな問題になることもある。旧字体と新字体を丸めてしまうことは現在も比較的よく行われるようだが、その中には、著者は異なる文字として使い分けた二つの字を丸めてしまうということもあるかもしれない。できることなら、その使い分けにどういう意味があるかを判断するのは、それを読み分析する側でありたい。しかしながら、たとえば外注として企業に文字起こしを依頼する場合などは、あらかじめ JIS の第○水準の文字で、という風に仕様書で限定をかけることになるので、どうしても丸めざるを得ないことになる。

ここまでは漢字の話だが、仮名も丸めたりいろいろなことをする場合がある。仮名については、たとえば源氏物語の研究でよく用いられてきたテキストの一つである『校異源氏物語』では字母の違う変体仮名を現代のひらがなに丸めてしまっている。一方で、近年は字母の違いを対象にした源氏物語研究も行われており、この点は今後大きな課題の一つになっていくかもしれない。

このようなルールベースでの問題とは別に、単なる誤転記という問題もある。これは、最終的には人力でチェックするしかないので、正確性を期すなら非常に難しい。むしろ、「少し間違っていても利用可能なもの」として流通させ利用することを考えるべきかもしれない。そもそも、紙媒体でも誤植が混入することはしばしば生じるのであり、デジタルだけの問題でもないと考えることもできるかもしれない。

3．元資料との関係をどう位置づけるか

ここまでみてきたことに加えて、あらゆる面において元資料とまったく同じものをテキストデータで得ようとするのは不可能である、ということも改めて確認しておきたい。たとえば、テキストが書かれた紙や石といった元資料の任意の箇所の化学的組成を確認したいと思ったら、それを行うことが技術的には一定程度可能だったとしても、現在のストレージではデータ量が膨大になってしまうので実際にはほとんど不可能である。また、字形の微細な違いもやはり再現不可能なことがあり、さらに、Unicode で符号化されていない文字であれば自分の PC や Web ページ

では外字で対応するとしても、一般に広く簡単に利用することは難しい。そういった事柄をすべて解消できたとして、その次に来るのが、誤転記問題ということになる。

というわけで、まず、上記のような状況を斟酌しつつ、「テキストデータで何をどこまで再現したいか」ということを検討する必要がある。これは「どこまで手間暇（コスト）を費やせるか」ということでもある。このようなことになると、その時点での技術水準による制約も大きく関わってくるため、かつては10年単位で長く通用する具体的な対応策を立てることは難しかったが、近年は徐々に安定してきているように思われる。それについて以下にみてみよう。

3-1．文字がUnicodeに入ってない場合

まず、使いたい文字がそもそもUnicodeの文字コード表に入っていない、という問題がいまだに時折聞かれる。この場合、文字を表示せずに「〓」等で済ませるか、当該文字の文字画像かフォントを作って対応するか、後述するXMLを使って記述するか、あるいは、Unicodeで使えるようにすべく符号化提案してしまうか、という選択肢になる。Unicodeに文字が登録されれば、その文字を用いるすべてのテキストが普通のテキストデータとして記述・処理できるようになるため、その文字を扱うすべての研究分野にとって非常に有益である。ただ、この場合、国際標準化機構等によるISO/IEC 10646に文字の符号化提案をするという時間のかかる手続きを行うことになる。学術研究のために文字を符号化提案するためのルートはいくつか存在するが、いずれにしても、国際標準化機構の委員会での英文文書の交換に基づく議論に参加して、自らが必要とする文字を符号化する必要性を、そこでのルールに従った英文文書で提示しなければならない。これは、はやくても数年を要するプロセスであり、提案書や登録のための議論にもその都度時間をかけて対応しなければならない。

欧米の資料だとアルファベットだけで済むから楽だという話が聞かれることがあるが、中世の資料では字種が多様に存在し、Unicodeでは表現できない外字もまだ残されていることから、Medieval Unicode Font InitiativeがUnicodeへの外字登録を目指した活動を続けている模様である。Unicodeへの文字の登録に関しては、近年、コンピュータの処理性能の大幅な向上に伴い、古典籍・古文書等に登場する学術用途でしか使われないような文字・文字体系も積極的に登録されるようになっている。手続きとしては、まず国際標準規格であるISO/IEC 10646への追加が承認されてからUnicode規格もそれに追従することになっており、新しい文字の追加は、ISO/IECの規格への登録という形をとることになる。カリフォルニア大学バークレー校を拠点とするSEI（Script Encoding Initiative）という団体がこの動きを幅広くサポートしている。漢字の登録に関しては、IRG（Ideographic Research Group）という漢字検討の専門グループがいったん検討した上でISOのワーキンググループ、ISO/IEC JTC1/SC2/WG2に提案するという手順を踏むことになっている。したがって、漢字を登録する場合には、まずはIRGに提案しなければならないのが現状である。ただし、IRGも近年は学術用途の漢字登録に寛容になっており、文字同定や証拠資料に関する所定のルールを踏まえた上で要登録文字であると判断されれば基本的には登

録されるようになっている。

あるいは、現在はUnicodeに入っていなくても、現在、符号化提案中となっている場合もある。符号化に関する議論の過程は、議論のための文書がすべてWebで公開されているため、符号化提案をする前に一度確認してみるとよいだろう。漢字に関してはIRGのサイト[1)]、それ以外の文字に関してはISO SC2/WG2の文書リポジトリ[2)]として公開されている。漢字は数年ごとに数千字が提案・議論されており、それ以外の文字に関しては、提案されたもののペンディングになっているものも多く、自分が使いたい文字がそこに含まれている場合は、提案者に連絡をとって符号化に向けて議論を進めるべく協力するという方法もあるだろう。

あるいは、コストを勘案した結果、Unicodeでの文字の符号化提案は諦めて、似た文字を使うとか、あるいは「外字」として扱うという方向性も考える必要はあるだろう。ただ、そのようにした場合、その文字が「本来はどういう文字であるか」を示すことがテキストデータだけではなかなか難しい。その状況を改善する手段の一つとして、人文学テキスト資料のためのXMLに準拠した記述手法を提示するTEI（Text Encoding Initiative）ガイドラインのgaijiモジュール[3)]がある。ここでは、文字についてのさまざまな情報を記述した上で、本文中に記した文字に対してその文字情報を付与できる枠組みとなっている。

一方で、データとしての互換性は少し落としつつも字形をうまく表示したいという場合には、外字フォントを作成して表示させるという方法もある。フォントを作成すれば、文字を拡大・縮小した場合にもきれいに表示でき、WebページではWebフォントを用いることでいちいち専用のフォントをダウンロードしなくても用意したフォントを自動的に利用して表示できるため、ある程度の利便性は確保できる。フォントの作成はGlyphwikiを用いれば、やや時間はかかるものの比較的容易である。この場合、文字コードとしては、UnicodeのPrivate Use Area（PUA、私用領域）と呼ばれる独自文字コード用の文字コード領域を用いてテキストデータを記述することになる。そのため、テキストのコピー&ペーストをした際には同じフォントを用いなければ文字化けしてしまうことになり、また、同じPUAの文字コード割り当てルールを用いたテキストデータとしか互換性を保てないため、作ったテキストデータを余所で作成されたテキストデータとあわせて幅広く利用しようとする場合にはかなり使いにくくなってしまう。つまり、独自フォントと独自文字割り当てルールを常にテキストデータと一緒に流通させなければならないということになる。そして、ここで設定した文字コード割り当てルールが失われてしまった場合、何が書いてあったのかわからなくなってしまうという難しさもある。この方法を選ぶ場合には、これらの点を踏まえた対応が必要になるだろう。

また、今昔文字鏡やGT書体等のいわゆる多漢字フォントにおいては、複数のフォントファイルを切り替えることで同じ文字コードに複数の文字を割り当てて多数の文字の表示を実現しているため、文字に対するフォントの情報が失われるとどの文字だったわからなくなってしまうという難しさがある。この場合、テキストデータだけでは文字の情報を残すことができず、ワープロソフト等のフォントの情報を残せるソフトウェアが必須であり、他のソフトウェアにデータを移管する際にもフォントの情報が失われないようにする必要がある。今昔文字鏡はさまざまな漢字を必要とする研究者の間で広く使われた時期があったものの、上記のような難しさに加えて利用条件の扱いの難しさもあり、利用の際には十分な注意が必要であり、また、すでに作成されたデータを維持したり利用したりする際にも上記のような事情によく留意する必要がある。

外字フォントよりもさらに簡便な方法として、文字の形を表現するために文字画像を用いるという方法もある。この場合、データの扱い方としては外字フォントと同じであり、やはり、外字に番号を割り当て、それに対応する字形を記した表を作成しておく必要がある。Web ページで表示する場合には外字フォントよりも仕組みが簡単だが、ワープロソフト等に貼り付ける場合には不便であり、Web 公開を前提としない場合にはあまりおすすめできない。

なお、「〓」の利用を除くいずれの場合にも、必要な文字に関しては、独自の文字コード割り当てルールとそれに対応する字形の対応表を作成し、維持していく必要がある。そして、それぞれの文字についての周辺情報を記録しておくことが望ましい。この対応表は、文字が少なければそれほどの手間はかからないが、数が増えると、作業者間での最新の対応表の共有や対応表に記載するにあたってのルールの設定など、相当の準備が必要となる。たとえば、SAT 大蔵経デー

表 1-3-1　使いたい文字が Unicode のコード表に入っていない場合の対応の例

<table>
<tr><th></th><th>一律代替文字表記</th><th>文字画像表示</th><th>外字フォント利用</th><th>XML 注記</th><th>Unicode 符号化</th></tr>
<tr><td rowspan="4">メリット</td><td rowspan="3">入力時には時間も手間もかからない。</td><td rowspan="2">Web ブラウザ等では比較的うまく表示できる。</td><td rowspan="2">対応する環境が整えられればきれいに表示できる。</td><td>文字に関する情報を詳細に記述できる。</td><td>通常のテキストデータとしてのあらゆる恩恵を受けられる。</td></tr>
<tr><td colspan="2">テキストデータとしての持続可能性が高い。</td></tr>
<tr><td colspan="4">字形が具体的にわかる。</td></tr>
<tr><td colspan="5">そこに何らかの文字があったことはわかる。</td></tr>
<tr><td rowspan="5">デメリット</td><td rowspan="5">どんな文字かわからない。
検索ができない。</td><td>画像表示機能が必要。</td><td>他の外字フォントとの共存が困難。</td><td rowspan="2">XML を処理する必要がある。</td><td rowspan="4">手続きに数年間の大きな労力を要する。</td></tr>
<tr><td colspan="2">テキストデータ単体では文字情報を伝えられない。</td></tr>
<tr><td colspan="3">検索が難しい。</td></tr>
<tr><td colspan="3">独自の文字割り当てルールを策定し独自に配布し続ける必要がある。</td></tr>
<tr><td colspan="4">用意に手間がかかる。</td></tr>
<tr><td>具体的な手法の例</td><td>「〓」等で済ませる。</td><td>文字画像を貼り込む。</td><td>外字フォントを作成・利用（多漢字フォントの場合も同様）。</td><td>TEI ガイドライン等に準拠して記述。</td><td>Unicode に文字として登録。</td></tr>
</table>

タベース研究会では1万字を超える外字の対応表を作成・維持しており、これは共同作業可能なWebデータベースとして運用されている。また、Unicode登録のための符号化提案を念頭に置いている場合には、提案書提出時に文字の意味や登場箇所、複数の利用例を撮影したデジタル画像等が求められるため、対応表を作成する段階から提案書に必要とされる情報を踏まえて文字情報を集積しておくとよいだろう。

このような諸々の手間を省くための一つの方法として、Unicodeに含まれる似た文字に置き換えてしまうという方法と、単に「〓」を置いてしまうという方法がある。前者はどれくらい意味内容に影響するかについての検討が必要だが、現実的な選択肢である。どのような置き換えを行ったか、という対応表を作成し用意しておければなおよいだろう。これについては次節も関わってくるので参照されたい。また、「〓」は最終手段ではあるが、後生に託すということで、これも一つの選択肢と考えるべきだろう。

このような、いわゆる外字の扱い方のメリット・デメリットを整理した表を【表1-3-1】としておおまかにまとめたので参照されたい。

3-2．字形・字体の相違をどう扱うか

外字の扱い方をルール化できたなら、次は全体としてどのような方針で文字をテキスト化するかを決めることになる。あるいは、先にこの全体方針を決めた上で外字の扱い方を決めてもよいだろう。

字形の微細な違いに関しては、現在、技術的には、Unicodeが提供するIVS（Ideographic Variation Sequenice）の仕組みを用いることでかなりの程度対応できる。IVSは、Unicodeで登録されている文字との微妙な字形の差を枝番号で識別する仕組みであり、この仕組みに準拠して字形と枝番号を登録するデータベース、IVD（Ideographic Variation Database）のなかに目当てのものが用意されている場合もある。IVSの仕組みはMacOSや最近のMS-Windowsでも標準装備されており、この場合、IVDのリストを確認するコストのみで済み、容易な検索ができるシステムも提供されているため、比較的現実的である。

一方、IVDに適切な字形を見つけられない場合に、それでも可用性を確保するためにUnicodeの枠組みで適切な字形を表示することにこだわるのであれば、IVDをUnicodeに提案して自分のテキストに必要な字形をUnicodeに登録してしまうという手もある。この場合、フォントも自分で作成しなければならないが、それに関してはGlyphwikiを使えば比較的簡単である。ただし、UnicodeのIVDに自らのコード表を登録するために、提案書作成を始めとする手続きが必要であり、このIVDへの字形の登録は、Unicodeに文字を登録することに比べると比較的容易ではあるが、やはり一定の時間を要する。こうしたコストをかけるべきかどうか、ということは要検討事項となる。

このように、技術的にも手続き的にもいろいろなことが可能になっているが、そうすると、あとは、「どこまでコストを費やせるか」という問題になってしまう。字形の微細な違いをきちん

と反映しようと思った場合、「標準的な字形とは微細な違いのあるこの字形はこの資料の中に登場するすべての同字で共通なのか」を確認しなければ、意味が薄くなってしまう。それは人力で確認するのか、あるいは、画像処理プログラミングの得意な人であれば（あるいはそういう人に頼めるのであれば）、元資料をデジタル撮影／スキャンして文字を切り出して分類し、自動的／半自動的に確認するか。人力の場合には、文字入力、もしくはOCRの誤字チェックをしながら同時にチェックしていくことになるだろうか。いずれにしても、簡単にできることではなさそうである。そして、その微細な字形が既存のフォントでは表現できていない場合は、さらに、上記のように、IVDに登録する手続きを行うかどうかを検討することになる。

というようなことを踏まえて、字形の微細な違いに手間暇をかけられないと思ったなら、それは諦めることになる。ただ、諦めるにしても、「この字形はこの文字と同じとみなす」というようなルールの設定は必要になることが少なくない。それを簡素にするためには、既存の文字コードを活用することが有用である。「Unicodeの範囲で」「JIS第3水準までで」「新字体で」などというように、文字の範囲を決めておきつつ、そこから外れるものについては対応表を作ってデータ入力を行うことになる。

この対応表が大きくなると、いちいち探す羽目になってかえって入力作業が大変になってしまうこともあり、対応表など使わずにUnicodeで直接探した方がはやい、という入力者・企業もいるので、元資料の字体・字形の状況や入力担当社のスキル等の案配にも注意が必要である。

表1-3-2　テキスト化する文字の範囲と意義のおおまかな目安

文字の範囲	メリット	デメリット	便利な道具立ての例
IVS/IVDでの対応	既存の文字と同様に使える。 文字の意味を考えず字形で探せば済む。 対応可能な字形は非常に増える。	対応文字を探すのに少し手間が増える。 対応フォントが必要。 それでも字形がみつからない場合がある。	異体字セレクタセレクタ、CHISE、Web font、Glyphwiki
Unicodeでの対応	既存の文字と同様に使える。	対応フォントが必要な場合もある。	CHISE、Unihanデータベース、花園明朝フォント、Glyphwiki
JIS第n水準(nは、通常は2〜4が多い)	入力文字種を減らせる。 簡易な文字列検索には便利。	入力時に対応字を探しにくい場合がある。 入力できない文字が生じる可能性が少し高まる。	MJ縮退マップ、CHISE、異体字データベース
新字体を用いつつ何らかの文字の範囲を設定	入力文字種を減らせる。 簡易な文字列検索には便利。 入力できる文字は表示にも困らない。	入力時に対応字を探しにくい場合がある。 入力できない文字が生じる可能性がやや高まる。 元の資料の字とかなり変わってしまうことがある。	MJ縮退マップ、CHISE、異体字データベース

なお、検索に際しては、異体字を同時に検索する仕組みを作成することも可能であり、また、後からどちらかの字体に変換することも容易にできるため、旧字体・新字体くらいの違いであれば、元の資料に即した字体で入力しておくと、後々、手戻りの可能性を少なくすることはできる。

以上のようなことを踏まえつつ、テキストデータを作成する際の文字の範囲についてのおおまかな目安を【表1-3-2】としてまとめておいたので参照されたい。

3-3．文字の扱い方を記録しておく

文字の扱い方のルールを決めてそれに従ってテキストデータを作成したなら、それを可能な限り文書として残しておくことが重要である。「なぜこの文字が出てくるのか？」「この文字とこの文字はどういう関係なのか？」等々、ただテキストデータ化しただけで、元資料からどのようなルールで文字起しされたかが明示的に記述されていないと、他の人がそのテキストデータを使おうとした時に、よくわからないまま使うことになってしまう。誤字なのか、意図的にそうしたのか、読者・利用者が判断に迷うような場合には、そのルールが提供されていることで、適切な利用が可能となる。すなわち、そのような情報が提供されていないと、データの信頼性が低いとみなされて使われなくなってしまうことも十分にあり得る。データ作成者でない人が見たときに理解し利用できるようにデータを作っておくというのは、デジタルデータの長期保存に関する枠組みとして有名なOAIS参照モデルでも提示されているような、教科書的な事柄である。これは、テキストファイルの冒頭に書き込んだり、テキストデータをzip等で配布する際に説明文書として同梱しておく、といった方法がある。あるいは、TEI（Text Encoding Initiative）ガイドラインがそういった情報を記述しておくためのエレメントを提供しており、これを利用すると、そのあたりの処理の利便性を高められる。興味がある人は、特にThe TEI Headerの章[4)]を参照されたい。この章は日本語訳も公開されている[5)]ため、比較的読みやすいだろう。

3-4．誤転記を含むテキストの扱い

文字をデジタルに転記する方法に関しては、このようにして進めていくことができるが、次に出てくるのは、誤転記である。人が手で入力する場合には、コンピュータによる自動処理よりは正確なことが多いが、それでも入力ミスを完全に排除することはできない。コンピュータにOCRやHTR（Handwritten Text Recognition）で読み込ませても文字認識が完璧にできるとは限らない。それを人の目で修正しても、やはり間違いが残ってしまうこともあるだろう。そのようなテキストデータを用いて分析することで何か意味のある処理が可能なのか、という問題が生じてくる。この場合、テキストデータの量や処理の内容、つまり、統計的に分析するのか、単にテキスト検索ができればいいのか、テキスト検索の結果をコピー&ペーストしてそのまま使えるようにしたいのか、といったことによって話が変わってくる。そして、もちろん、手間暇をかけるほど、正確性の高いデータを得られることは間違いなく、しかし、手間暇をかけられない場合には、何をどこまで妥協するのか、ということになる。

この場合には、やや難しい判断が必要になるが、基本的には二つの方向性を考えておけばよいだろう。一つは、なるべく正確なものを作成する方向であり、もう一つは、正確でなくてもいいから分析できるように分析の仕方を考えるという方向である。そして、どちらの方にどれくらい重きを置くか、ということを決めるのが、この局面で必要となる。

正確なものを作成する方向は、単に、全体として完全に正しいものを目指すというだけでなく、たとえば、特定の情報がほしいだけであれば、その部分だけは正確性が高まるように、人力と機械をうまく組み合わせてチェックをしたり、あるいは人力だけで根性で頑張るという手もあるだろう。

一方、正確でなくてもいいから分析できるように分析の仕方を考えるという方向については、特にデータ量が大きい場合には比較的有効だろう。単なるテキスト検索にしても、少々誤転記が多くても、大量にテキストデータがあれば、それなりに欲しい情報もヒットしてくれることがあるだろう。また、統計的に分析するにしても、統計的に有意であることを示すことが目的であれば、大量テキストデータでは多少データに誤転記が含まれていてもなんとかなることもあるだろう。この場合、対象となる大量テキストデータの信頼度がどれくらいかということもサンプル調査などをして明らかにしておけば説得力は増すかもしれない。

3-5．テキストデータ構築の深さ

前節を踏まえると、テキストデータの元資料への忠実さや付与される解釈の深さは、以下の2点に依拠するということになる。

・どのような人のどのようなニーズを主要な対象とするか
・どれくらいの手間暇をかけられるか

この2点を明確に定めたうえでテキストデータを作成すれば、目指すことはおおむね実現できるだろう。ただし、大規模なテキストになると、テキストデータを作成し始める段階では、手間暇の見通しを立てるのは難しいことも多い。そのような場合には、本格的な作業に入る前に、対象となる元資料の典型的な箇所をいくつかサンプル的に取りだしてテキストデータ化し、それを通じて全体にかかる手間暇を算定するのが穏当なやり方である。

どのような人のどのようなニーズを主要な対象とするか、というのは、テキストデータ作成者の立場によって大きく異なる。対象テキストを自分（たち）で研究したい人（たち）が作成するのであれば、それらの点は明確にしやすい。自分たちの研究のニーズに沿ったデータを作成すべく、自らの方法論を深めていけばよいということになるからである。それもまた、突き詰めるとなかなか難しいことにはなるものの、目的地点を定めやすく、さらに、それを追究すること自体がデジタル・ヒューマニティーズ分野においては研究発表にもつながり得るため、このような仕事に従事している場合には、研究活動の一環として位置づけることも可能である。

一方、図書館等のサービス提供者としてテキストデータを作成・提供しようという場合、その決定の仕方はやや難しいことになる。むしろ、手間暇（もしくは費用）をどれくらいかけられるか、

ということが前面に出てきて、それに応じて対象者やニーズを考える、という順番になることもあるだろう。大規模なところで見てみるなら、主に米国の大学図書館が共同運用する HathiTrust にしても、国立国会図書館の次世代デジタルライブラリーにしても、大規模な OCR テキストの全文検索システムを提供しているが、いずれも、基本的には、かけられるコストを踏まえて現在可能なものを作成し提供している。このような場合には、むしろ、利用者側がその有効活用の方法を考えることが発展的であり重要であると言えるだろう。

このような観点から有用なアプローチがあるので紹介しておきたい。前出の TEI ガイドラインを定めている TEI 協会の図書館分科会 6) が提供している Best Practices for TEI in Libraries7) というルールがある。ここでは、テキストデータへのタグ付け（符号化、encoding）のレベルを以下のように 5 段階に分けて整理している。

Level 1: OCR によって自動生成されたテキストにそのまま自動化可能な範囲でタグ付け
Level 2: 最小限のテキストの構造をタグ付け
Level 3: 内容に関するごく簡単な整理も含むタグ付け
Level 4: 内容に関する基本的な整理・分析を含むタグ付け
Level 5: 学術編集のためのタグ付け

このように整理した上で、それぞれのレベルで推奨されるタグ・オプション的なタグも提示している。このようなルールが公開されている場合、これらのいずれのレベルに準拠したか、ということさえ明示しておけば、利用者側がどう使えばいいかということを判断しやすくなるだろう。Level 1 のテキストであれば、利用者は、テキストの文字読み取りからして間違っているかもしれないという前提でテキストデータを扱うことができる。あるいは、Level 3 のテキストであれば、段落や章タイトルなどの基本的な構造がテキストデータに埋め込まれており、それを前提とした処理ができることになる。

ここからは前節と接続する話になるが、テキストデータ作成の際に準拠したレベルについての情報が、この「Best Practices for TEI in Libraries」とともに示されていれば、利用者がデータを活用する際に大いに参考になるだろう。それをテキストデータのファイル内に書き込もうとするなら、TEI ガイドラインに準拠したテキストデータの場合には、`<teiHeader>` の中に配置可能な `<editorialDecl>` というエレメントに書き込むことができる。TEI ガイドラインに準拠してテキストデータを作成しておけば、TEI に準拠したさまざまなツールで活用でき、有用性を高め

```
9    <LUW B="B" SL="v" l_lemma="原動力" l_lForm="ゲンドウリョク" l_wType="漢" l_pos="名
10       <SUW orderID="110" lemmaID="11737" lemma="原動" lForm="ゲンドウ" wType="漢" p
11       <SUW orderID="120" lemmaID="40327" lemma="力" lForm="リョク" wType="漢" pos="
12   </LUW>
```
図1　BCCWJ における「原動力」へのマークアップの例

ることができる点も考慮するとよいだろう。

この件の解は、TEI に準拠するだけでなく、他にも、別のデータモデルを作ってみたり、それを RDF で書いてみたりすることも可能ではあるので、余裕があればいろいろな選択肢について検討してみるという手もあるかもしれない。

3-6．学術編集のためのタグ付けについて

テキストデータベースが「どういう深さのものか」を決めて、それを記述するというのが前節の到達点である。しかしながら、前回は、研究志向の強いものについては、「Level 5: 学術編集のためのタグ付け」で一括されてしまっていた。「学術編集のための」と言っても、分野や手法によって関心はさまざまであり、それに応じた深さの方向性がある。これをどうするか、というのが次の問題である。

たとえば、言語学のなかには、単語の品詞情報や発音・アクセントなどの情報が欲しい人がいるだろう。その場合、各単語にタグがつけられて、そのタグによって本文中の単語に対する付帯情報を取り出せるようになっているとよいだろう。有名なものの一つに国立国語研究所が作成した現代日本語書き言葉均衡コーパス（BCCWJ）がある。ここで「原動力」という単語をみてみると以下のようにタグ付けされている。【図 1】

<LUW> というタグで始まり、そのタグに対して l_lForm=" ゲンドウリョク " l_pos=" 名詞 - 普通名詞 - 一般 " といった形で属性を与えることで、</LUW> というタグで終わるところまでの文字列に対して、現代日本語の分析に必要な情報を与えている。さらに、<LUW> の次に <SUW> というタグもあり、これが「原動」と「力」にそれぞれついている。これは短い単位の単語区切りということで、この短いものに対しても、やはり属性を通じて日本語分析に必要な情報が与えられている。このようにして、本文中の「原動力」という単語に対してタグを用いて研究に有用な情報を付与しているのである。

あるいは、古典文学作品の代表格である『源氏物語』について少しみてみよう。『源氏物語』には実に多様な研究のアプローチの仕方があるが、ここでは校異情報に関するタグ付けをみてみよう。

『源氏物語』と言えば、あまりにも有名なので、紫式部が著わした文章そのものが残っているのではないかとつい期待してしまうところだが、実際には、紫式部自身が書いたものは現存せず、それを写した写本の形式で日本各地に伝承されている。そして、写本はいつも完璧に複製できるわけではなく、むしろ誤記や表現の仕方の変化などによって内容が少しずつ変わってしまうこと

```
詞-普通名詞-一般" l_formBase="ゲンドウリョク">
os="名詞-普通名詞-一般" formBase="ゲンドウ" pron="ゲンドー" start="150" end="170">原動</SUW>
接尾辞-名詞的-一般" formBase="リョク" pron="リョク" start="170" end="180">力</SUW>
```

もある。われわれが読んでいる『源氏物語』とは、そのようにして伝わってきた写本を並べて差異を確認し、どれが紫式部が書いたものにより近いかを是々非々で検討した上で作成されたものである。聖書にしても仏典にしても、原著者が書いたものが残っていない場合には、そのような差異を考慮する必要が出てくる。そこで登場するのが、「各写本でこの箇所はどう書かれているか」を記述できるようなタグ付け方法である。この種のものは、前出のTEIガイドラインが得意であり、たとえば『校異源氏物語』のある箇所をタグ付けすると以下のようになる。【図2】

```
253      <app>
254        <lem>はまして</lem>
255        <rdg wit="#別陽">なとは</rdg>
256        <rdg wit="#別國">なとまて</rdg>
257      </app>
```

図2 『校異源氏物語』における校異情報のタグ付けの例

ここでは、本文中で校異情報（伝本間を比較して相違のある箇所の情報）が存在する箇所をまず<lem>〜</lem>というタグで囲み、これに対して、校異情報を<rdg>〜</rdg>というタグで囲んだ上で<rdg>タグにはwit="#別陽"あるいはwit="#別國"と記載している。これは、一つ目の<rdg>は「別本の陽明本」における記述であることを示し、二つ目の<rdg>は「別本の國冬本」であることを示している。その上で、<app>〜</app>というタグで囲むことで、ここにはこの<lem>（Lemma、ここでは本文を意味する）と<rdg>（Reading、ここでは異文を意味する）を含む校異情報（Critical Apparatus）が存在していることを示している。

言語学・文献学と、ややマニアックな方向に行ってしまったが、少し戻って考えてみると、そもそも例えば、テキスト中に登場する人名や地名などをタグ付けしておけば、むしろ、人文学に限らず、さまざまな研究分野、さらには研究外での用途も期待できるかもしれない。たとえば以下のものはそのようなタグ付けの典型的な例である。【図3】

```
<persName corresp="#メロス">メロス</persName>は激怒した。
必ず、かの<persName corresp="#ディオニス">邪智暴虐の王</persName>
を除かなければならぬと決意した。
```

図3 『走れメロス』における人名のタグ付けの例

ここでは、人名や呼称を<persName>〜</persName>で囲み、それが実際にはどういう人物であるかについてcorresp=という属性を用いて同定している。つまり、邪智暴虐の王がディオニスであることを記述しているのである。

さらに、人称代名詞が誰を指しているか、ということもタグ付けすれば分析の幅は広がるだろう。この場合には例えば以下のようになる。【図4】

```
「<persName corresp="#メロス">メロス</persName>、
<rs corresp="#セリヌンティウス">私</rs>を殴れ。
同じくらい音高く<rs corresp="#セリヌンティウス">私</rs>の頬を殴れ。
私はこの三日の間、 たった一度だけ、ちらと
<rs corresp="#メロス">君</rs>を疑った。生れて、はじめて
<rs corresp="#メロス">君</rs>を疑った。
<rs corresp="#メロス">君</rs>が
<rs corresp="#セリヌンティウス">私</rs>を殴ってくれなければ、
私は君と抱擁できない。」
```

図 4 『走れメロス』における人称代名詞のタグ付けの例

ここでは、人称代名詞を <rs>～というタグで囲み、属性として corresp="# メロス " などと書いておくことで、誰が話題になっているか、ということを自動的に検出できることになる。

この「属性として corresp="# メロス " などと書いておく」ことも重要である。『走れメロス』ではフィクションの登場人物なのであまり問題にならないが、これが歴史文書等の実在の人物と結びつくものであったり、聖書や仏典などのように多数の書物で参照される人が登場する場合には、「あちらのテキストに登場する A さんとこちらのテキストに登場する AA さんは同じ人だがそちらのテキストに登場する A さんは名前が同じであるだけで別の人」という情報があると、いろいろな処理がしやすくなる上に人が読んだり参照したりする際にも便利である。そのような場合に、一人目の A さん、二人目の A さんの ID を何らかの形で決めておいて（たとえば personA-1、personA-2 など）、corresp="#personA-1" という風に属性をタグに記述しておくと、これは二人目の A さんではなく一人目の A さんであることが明示され、機械的な処理ができるようになる。ただし、これだけだと人がみてもわかりにくい場合もある。人が読んでもわかりやすいようにするためには、たとえば、「corresp="#personA-1" という属性のついたタグが付与された文字列（人物名や代名詞など）にマウスのカーソルをあわせれば「一人目の A さん」と記述されたポップアップが表示される」という風にしておくことや、あるいは、行間にそのような注釈を表示させる、といった対応もあり得る。ここで重要なのは、「A さん」という名前を発見することはコンピュータの文字列検索で簡単にできるが、一人目の A さんと二人目の A さんの区別をつけるのはコンピュータでは非常に難しく、最近の AI 技術ではそういうことがかなりの確率で可能になってきている場合もあるものの、決して正確なものではない。人の判断も絶対に正しいとは限らないにせよ、多様な文脈から明白な根拠を以て判断するということについてはまだ専門家による人力に一日の長があり、専門家の判断力を少しでも多く活かし後世に残していくためにもこのような形で同名人物の区別を記述しておくことは有用である。

なお、人名や地名などの固有名詞は、表記が異なっているが同じものを指していることがあるため、上の図のように、同じものかどうかを属性として記述しておくと分析等をする際の精度はより高まるだろう。

事例がやや少ないものの、このようにして用途によって深さの方向性が異なっていて、それに用いるタグの種類も異なってくる、という点はご覧いただけたのではないかと思う。

3-7．そもそもタグ付けとは

このようにしてさまざまなタグの付け方があり、分野ごとに異なるタグが用意されることになるのであれば、タグの構造を設定したり使い方をレクチャーしたりする、かなり詳しい人が分野ごとに必要となりそうである。しかし、人文学分野は多岐にわたるものであり、個々の分野で見てみると人数もそれほど多くなく、それぞれの分野で技術レベルの高い人を養成することはなかなか難しい。そこで、分野横断で、共通化できるタグはなるべく共通化して、しかし共通化できないものは分野にあわせてタグを設定する、というやり方が一つの選択肢として出てくる。まさにそこを目指して作成されてきたタグ付けのルールがTEIガイドラインであり、それゆえに、特定の分野に偏ることなく、コミュニティに参加する人文学研究者たちが取り組む分野全体に対応しつつ、個別分野にも丁寧に配慮しようとしてきたのである。

TEIガイドラインはともかくとして、ここでは、「タグ」をつけることの可能性についてもう少し検討してみよう。

前節でみたように、タグの名前はタグが囲まれる文字列に対してなんらかの意味を付与することになる。人名であったり、手紙の宛先であったり、校異情報であったり、さまざまである。源氏物語の校異情報マークアップの例では `<app>` の中に `<lem>` と `<rdg>` が入っていたが、そのようにして入れ子構造を作っていくことで上位タグの意味を下位のタグに継承していくことも検討する必要がある。

これは、たとえば人名の例で考えてみると、

```
<人名>森鴎外</人名>
```

というタグの付け方があったとして、これを姓名にわけると

```
<人名><姓>森</姓><名>鴎外</名></人名>
```

という風になる。ここで、「森」という<姓>の人の名は、一つ上の階層の<人名>にあがると、その下位に<名>である「鴎外」が確認できる。階層構造の活かし方はたとえばこのような感じになる。

ちなみに、森鴎外は、本名は森林太郎であり、他にも、観潮楼主人、千朶山房など、さまざまなペンネームを使用していたとのことである。そうすると、前節で示したような、複数の名称が同じ人であると示すことの有用性はより高くなる。この場合には、ペンネームと本名を示すこと、そして、それが一人の人物であること、を示したいということになる。これをタグ付けすると以下のようになるだろう。【図5】

```
<人物>
    <本名><姓>森</姓><名>林太郎</名></本名>
    <ペンネーム><姓>森</姓><名>鴎外</名></ペンネーム>
    <ペンネーム>観潮楼主人</ペンネーム>
    <ペンネーム>千朶山房</ペンネーム>
</人物>
```

図5

観潮楼主人と千朶山房については、姓名として区別できるかどうか筆者にはわからなかったため、姓名を区別するタグはつけていない。タグの階層をそろえるために姓か名かのどちらかのタグをつけるということも処理を効率化する上では考えられるのだが、姓か名かのタグをつけてしまうと、姓か名ではないものにいずれかであるという誤った情報を与えてしまうことになるため、むしろ階層をそろえることを犠牲にしてこのような記述にしている。この場合、処理する際には「ペンネームのタグの下位には姓・名のタグがあってそのなかに名前の文字列が入っている場合と、姓・名のタグがなくて名前の文字列がペンネームタグのなかに直接書かれている場合がある」という前提で処理をすることになる。

あるいは、処理上の例外を減らすために、「名前全体」というタグを作って、姓名を区別できないものも同じ階層にしておくという方法もある。この場合、以下のようになる。【図6】

```
<人物>
    <本名><姓>森</姓><名>林太郎</名></本名>
    <ペンネーム><姓>森</姓><名>鴎外</名></ペンネーム>
    <ペンネーム><名前全体>観潮楼主人</名前全体></ペンネーム>
    <ペンネーム><名前全体>千朶山房</名前全体></ペンネーム>
</人物>
```

図6

この場合、階層は同じなので、「ペンネームタグの下位には姓・名・名前全体のいずれかのタグがあり、そのなかに名前の文字列が入っている。」というルールで処理をすることになり、処理側の例外は少し減らすことができる。しかし一方で、「姓が来たときは名があるのでもう一つ処理をすることを前提にしなければならないが、名前全体がきたときは一つだけ」という処理が必要になる。どちらの処理の方が効率的・効果的か、というのは状況に応じて異なる。ただ、いずれにしても、< 名前全体 > があるタグ付け方法とないタグ付け方法は、この段階では機械的に置き換え可能であり、自動置き換え処理を差し挟むことができる状況であれば、いずれの方法を採っても問題ないだろう。

さて、前回記事の人名の書き方では、文章のなかに登場する人名や呼称を「属性で参照」することによって一意に同定できるようにしていた。では、この書き方の場合、それをどのように実現するのか、少し検討してみよう。たとえば、以下のような文章があったとしよう。

東京都文京区千駄木町には、登録有形文化財の和風住宅がある。ここは、明治の文豪である森鷗外と夏目漱石が、相次いで住んだことがあり、鷗外がここで執筆した小説に『文づかひ』がある。その後に住んだ漱石は『吾輩は猫である』をここで発表した。

この文章に含まれる人名にタグ付けすべく、対象文字列の始まりを < 人名 >、その終了箇所を </ 人名 > として囲んでみると以下のようになる。【図7】

東京都文京区千駄木町には、夏目漱石旧居跡（猫の家）がある。
これは、明治20年頃に建てられた和風住宅であり、
明治の文豪である<人名>森鷗外</人名>と
<人名>夏目漱石</人名>が、相次いで住んだことがある。
<人名>鷗外</人名>がここで執筆した小説に『文づかひ』がある。
その後に住んだ<人名>漱石</人名>は『吾輩は猫である』を発表した。

図7

このようにしてタグをつけた場合、「人名」タグを対象とした取り出しの処理をすることで以下のようなデータを列挙できる。【図8】

<人名>森鷗外</人名>
<人名>夏目漱石</人名>
<人名>鷗外</人名>
<人名>漱石</人名>

図8

この場合、まったく同じ文字列ではないので、機械で処理した場合、「多分同じ人物」という情報しか得られない。この短い文章であればそれでも大丈夫だが、大量のテキストデータのなかでこのようなことが起きると、同定はやや難しい。そこで、タグに対して本名が何かという情報を与えてみたのが以下のものである。【図9】

東京都文京区千駄木町には、夏目漱石旧居跡（猫の家）がある。
これは、明治20年頃に建てられた　　和風住宅であり、
明治の文豪である<人名 本名="森林太郎">森鷗外</人名>と
<人名 本名="夏目金之助">夏目漱石</人名>が、相次いで住んだことがある。
<人名 本名="森林太郎">鷗外</人名>がここで執筆した小説に『文づかひ』がある。
その後に住んだ<人名 本名="夏目金之助">漱石</人名>は『吾輩は猫である』を発表した。

図9

上記では、< 人名 > というタグに対して、本名という属性を与え、その値として本名の文字列を指定している。このようにした場合、「人名タグの本名属性」を見ることで、同一人物かどう

かを確実に判定できることになる。

ただし、これでは、まだ不足な面がある。この本名というのがどういう情報なのか、本名がすごく長い場合はどうするのか、この人物の本名以外の情報はどうなっているのか、等々、もっとさまざまな情報を付与できた方がいい場合もある。そこで出てくるのが、以下のようにして、人物情報を別に作り、そこにリンクするという方法である。【図10】

```
<人物 id="PS1">
    <本名><姓>森</姓><名>林太郎</名></本名>
    <ペンネーム><姓>森</姓><名>鷗外</名></ペンネーム>
    <ペンネーム>観潮楼主人</ペンネーム>
    <ペンネーム>千朶山房</ペンネーム>
</人物>
<人物 id="PS2">
    <本名><姓>夏目</姓><名>金之助</名></本名>
    <ペンネーム><姓>夏目</姓><名>漱石</名></ペンネーム>
</人物>

東京都文京区千駄木町には、夏目漱石旧居跡（猫の家）がある。
これは、明治20年頃に建てられた　　和風住宅であり、
明治の文豪である<人名 人物="PS1">森鷗外</人名>と
<人名 人物="PS2">夏目漱石</人名>が、相次いで住んだことがある。
<人名 人物="PS1">鷗外</人名>がここで執筆した小説に『文づかひ』がある。
その後に住んだ<人名 人物="PS2">漱石</人名>は『吾輩は猫である』を発表した。
```

図10

このように、人物タグを別に作成してそこに人物に関する情報をさまざまに記載しつつ、人物に対して id="PS1" のように、PS1 という値を持つ id という属性を与え、それに対して本文中の文字列に付与したタグからは属性「人物」を用いて参照する、という風にすれば、属性情報のリンクをたどることで本文と登場人物のさまざまな情報を確実に結びつけられる。

タグとして付与できる情報にはこれ以外にもさまざまなものがある。今回の文章では地名や建築物、年代、書名などがあり、それもタグ付けしてみると以下のようになる。【図11】

```
<地名>東京都文京区千駄木町</地名>には、
<建築物>夏目漱石旧居跡（猫の家）</建築物>
がある。これは、<年代>明治20年</年代>頃に建てられた
和風住宅であり、明治の文豪である<人名 人物="PS1">森鷗外</人名>と
<人名 人物="PS2">夏目漱石</人名>が、相次いで住んだことがある。
<人名 人物="PS1">鷗外</人名>が
ここで執筆した小説に<書名>『文づかひ』</書名>がある。
その後に住んだ<人名 人物="PS2">漱石</人名>は
<書名>『吾輩は猫である』</書名>を発表した。
```

図11

このテキストは四つの文から成っており、それは句点で区切られているため、区切り自体は自明である。しかし、現代文はともかく、古文や漢文の場合には句点がないこともある。そのような場合、タグで文を区切るという選択肢が出てくる。区切り方としては、いくつかの方法があるが、たとえば、＜文＞タグで囲むやり方が考えられる。【図 12】

```
<文><地名>東京都文京区千駄木町</地名>には、
    <建築物>夏目漱石旧居跡（猫の家）</建築物>がある。</文>
<文>これは、<年代 西暦="1887">明治20年</年代>頃に建てられた
和風住宅であり、明治の文豪である<人名 人物="PS1">森鷗外</人名>と
<人名 人物="PS2">夏目漱石</人名>が、相次いで住んだことがある。</文>
<文><人名 人物="PS1">鷗外</人名>がここで執筆した小説に
    <書名>『文づかひ』</書名>がある。</文>
<文>その後に住んだ<人名 人物="PS2">漱石</人名>は
    <書名>『吾輩は猫である』</書名>を発表した。</文>
```

図 12

扱うテキストに現代文だけでなく古文や漢文が入っていた場合には、このように＜文＞タグで区切られていると、同じ処理方法で処理できることになり、より有用性が高まることになる。

また、タグの種類が増えすぎると、タグを作った人はともかくとして、新たにタグ付け作業に参加する人やタグを用いて処理する人にとっては難易度が高くなってしまう。そこで、タグをまとめるということも考える必要が出てくる。上述の人物情報でみてみるなら、たとえば、＜本名＞や＜ペンネーム＞などは人名の一種であると理解しやすい。そこで、この二つは＜人名＞の変種として捉えることにして、＜人名＞タグに対して以下のように属性「タイプ」を用いて区別している。【図 13】

```
<人物 id="PS1">
    <人名 タイプ="本名"><姓>森</姓><名>林太郎</名></人名>
    <人名 タイプ="ペンネーム"><姓>森</姓><名>鷗外</名></人名>
    <人名 タイプ="ペンネーム">観潮楼主人</人名>
    <人名 タイプ="ペンネーム">千朶山房</人名>
</人物>
```

図 13

3-8．タグを介した外部情報との連結

このようにタグを付けたデータは、タグを介して外部の情報とリンクすることもできる。たとえば、著書を残したことがある人の多くは VIAF（http://viaf.org/）という国際的な典拠情報において ID が割り当てられている。VIAF は、主に世界中の国立図書館が提供した典拠ファイルを統合して提供しているものであり、図書館が提供する著者・著作の典拠情報に関しては網羅性が高い。VIAF の ID、もしくは URI を参照すれば、著者としての人物を同定できるとともに、関連する著作とも関連づけられるようになり、より広い知識ネットワークの中に手元のテキストデータを位置づけられるようになる。

今回の2名の場合、それぞれにVIAFでの登録があり、これを参照することによって外部の豊かなデータと接続できることになる。今回は著作者の人物情報としてのVIAFとリンクすることが目的であるため、このVIAFのIDは、< 人物 > タグの属性か、もしくはその下位に何らかの形でタグを付与しつつ記述することになる。たとえば以下のようになる。【図14】

```
<人物 id="PS1">
    <VIAF>http://viaf.org/viaf/15096</VIAF>
    <本名><姓>森</姓><名>林太郎</名></本名>
    <ペンネーム><姓>森</姓><名>鴎外</名></ペンネーム>
    <ペンネーム>観潮楼主人</ペンネーム>
    <ペンネーム>千朶山房</ペンネーム>
</人物>
<人物 id="PS2">
    <VIAF>http://viaf.org/viaf/56614190</VIAF>
    <本名><姓>夏目</姓><名>金之助</名></本名>
    <ペンネーム><姓>夏目</姓><名>漱石</名></ペンネーム>
</人物>
```

図14

このように記述することで、本文につけられた < 人名 > タグから人物のIDを介して < 人物 > タグに至り、そこに記述された <VIAF> のURIを取得できるようになる。また、逆に、VIAFのURIから、その人物を指す本文中の記述箇所をピックアップできるようになる。このようにして、本文が国際的な典拠情報とつながることになるのである。

地名や建築物、書名等も、人名におけるVIAFと同様に、それぞれ外部のデータに紐付けることができる。地名であれば、住所や地理座標、建築物であれば竣工日や施主、使用者、住所、書名であれば出版年や出版社等々、いろいろな関連情報があり、それを人物と同様に記述して、IDで紐付ける。それによって、手元のテキストデータは世界中で構築されつつある知識のネットワークのさまざまなポイントと連結され、より深く活用できることになるのである。

また、年代に関しては、西暦年の情報を与えるのであれば、人物情報などと異なり、西暦年は基本的には自明であり、それ自体がコンピュータでも処理できるため、以下のように、属性「西暦」のみで表現することも可能だろう。【図15】

```
<地名>東京都文京区千駄木町</地名>には、<建築物>夏目漱石旧居跡（猫の家）</建築物>がある。
これは、<年代 西暦="1887">明治20年</年代>頃に建てられた
和風住宅であり、明治の文豪である<人名 人物="PS1">森鷗外</人名>と
<人名 人物="PS2">夏目漱石</人名>が、相次いで住んだことがある。
<人名 人物="PS1">鷗外</人名>が
ここで執筆した小説に<書名>『文づかひ』</書名>がある。
その後に住んだ<人名 人物="PS2">漱石</人名>は
<書名>『吾輩は猫である』</書名>を発表した。
```

図15

3-9. 参照情報ファイルを独立させる

以上のようにしてIDで参照すべく作成した人物・地名・建築物・書名等の情報は、このテキストが長く大きなものになったとしても同様に参照可能であり、これを他のファイルにコピペして利用することも可能である。

あるいは、参照情報を一つのファイルにまとめておいて、本文とは別なファイルとしつつ、本文からは外部のファイルを参照するという形でその参照用ファイル内の情報を参照することもあり得る。それにより、複数のファイルから参照することも可能になり、新たな本文ファイルを作成していく際に、その都度参照情報を本文ファイルに書き込む必要がなくなる。さらに、参照情報ファイル内のデータを修正・更新するだけで本文ファイルにも反映されるため、データを管理するコストを低減できる。

あるいはまた、この参照用データをWebで公開して外部からもID等で参照できるようにすると、自らのデータだけでなく世界のさまざまなデータからも参照できるようになる。これは参照情報の有用性を高めることにもつながるため、構築したテキストデータを公開する際には、この種の参照情報も同時に公開することをぜひ検討されたい。

3-10. タグの共通化に向けて

このようにしてタグ付けを進めていく場合、多くの人が同じルールに従ってタグを付与しながらデータを作成していけば、多くのデータを横断的に検索・処理できるようになる。しかしながら、自分で設定したタグやその付け方を他の人にも広めて同じように作業してもらうのはそれほど容易なことではない。他の人と共同作業をしていると、テキストに対する観点はそれぞれ異なるために、自分は付けたいとは思わないタグを使いたいという人が必ず出てくる。共通のタグを利用しようとすると、そのたびに、新しいタグはどのように使用されるべきであり、既存の他のタグ

```
<s><placeName>東京都文京区千駄木町</placeName>には、
    <object>夏目漱石旧居跡（猫の家）</object>がある。</s>
<s>これは、<date when="1887">明治20年</date>頃に建てられた
    和風住宅であり、明治の文豪である<persName corresp="PS1">森鷗外</persName>と
    <persName corresp="PS2">夏目漱石</persName>が、相次いで住んだことがある。</s>
<s><persName corresp="PS1">鷗外</persName>がここで執筆した小説に
    <bibl>『文づかひ』</bibl>がある。</s>
<s>その後に住んだ<人名 人物="PS2">漱石</人名>は
    <bibl>『吾輩は猫である』</bibl>を発表した。</s>

<person xml:id="PS1">
    <persName type="autonym"><surname>森</surname><forename>林太郎</forename></persName>
    <persName type="pseudonym"><surname>森</surname><forename>鷗外</forename></persName>
    <persName type="pseudonym">観潮楼主人</persName>
    <persName type="pseudonym">千朶山房</persName>
</person>
<person xml:id="PS2">
    <persName type="autonym"><surname>夏目</surname><forename>金之助</forename></persName>
    <persName type="pseudonym"><surname>夏目</surname><forename>漱石</forename></persName>
</person>
```

図16

とどのような関係にすべきか、ということを検討しなければならなくなる。さらに、変更があれば、同じルールを採用している人たち全員に周知しなければならない。こういったことはコストとしては少なくないものであり、既存のルールがあればなるべく利用したいところである。そこで出てくるのが前出のTEIガイドラインである。たとえば、ここまでタグ付けしてきたものをTEIガイドラインに準拠させると【図16】のようになる。

ここまでに用いてきたタグはいずれもTEIガイドラインに対応するものが用意されているものであり、タグの組み合わせ方についてもすでに決められている。日本語のテキストなのにタグ名が英語というのは少しやりにくい面もあるかもしれないが、上記のように、TEIガイドラインのタグを日本語に置き換えて作業して、作業が一段落したところで英語のタグに置換するという方法もあるだろう。いずれにしても、既存のルールをいかにしてうまく活用するか、ということが、限られた人手と費用でよりよいテキストデータを作成していくためには重要である。

TEIガイドラインは人文学分野における汎用性と人文学個別分野の特性の双方に配慮しつつ全体として人文学においてデータを共有するための枠組みとして30年以上の時間をかけて人文学のコミュニティにおいて育まれてきた。しかしながら、コミュニティ駆動型のガイドラインでありながら欧米地域以外の研究者が少ないコミュニティであったため、欧米地域以外への配慮は必ずしも十分ではなかった。2016年の東アジア／日本語分科会設立を機に、徐々に欧米地域外からのコミュニティへの参加が増えてきており、それに伴って、他地域のテキストへの配慮も手厚くなってきた。本書の第2部・実践編のTEI入門では、そういった事情も踏まえつつ、TEIガイドラインを通じて作ったテキストデータをどのように利便性の高いものにしていくか、ということについて解説する。

注

1 IRG (Ideographic Research Group) , https://appsrv.cse.cuhk.edu.hk/~irg/.

2 ISO/IEC JTC1/SC WG2 Document Registry, http://www.unicode.org/wg2/WG2-registry.html.

3 TEIガイドライン 第五章 5 Characters, Glyphs, and Writing Modes（外字等）, https://tei-c.org/release/doc/tei-p5-doc/en/html/WD.html.

4 TEIガイドライン第二章 The TEI Header, https://tei-c.org/release/doc/tei-p5-doc/en/html/HD.html.

5 TEIガイドライン第二章 TEIヘッダー日本語訳, https://www.dh.ku-orcas.kansai-u.ac.jp/?p=791.

6 TEI協会「言語学者のためのTEI」分科会, https://wiki.tei-c.org/index.php/SIG:TEI_for_Linguists.

7 Best Practices for TEI in Libraries, https://candra.dhii.jp/nagasaki/tei_lib/bptl-driver.html.

第2章

日本におけるテキストデータ構築の歴史

永崎研宣

1．はじめに

本章では、日本の人文学におけるテキストデータ構築のこれまでの動向について、デジタルテキスト構造化の動向を中心としてみていくことである。デジタルテキスト構造化とは、デジタル化されたテキストデータの構造を人やコンピュータが分析し、研究に利用しやすいように何らかの手法に沿ってそれを記述することを指しており、前章におけるテキストデータへのタグ付けもこれに含まれる。構造化されたテキストデータは、人文学、そしてデジタル・ヒューマニティーズ（DH）のみにとどまらず、昨今の科学技術・学術政策において注目されつつある、人文・社会科学から自然科学分野までを含む横断的かつ総合的な知のあり方としての総合知や、そのような多様な分野から研究者だけでなくさまざまなステイクホルダーが参加して根源的・本質的な問いを追求する営みとしての学術知の共創へのルートの一つとして、人文学の範疇を超えたさらなる広がりをもたらす可能性についても期待が集まりつつある。そこでは、人文学の既存の成果が適切に活用されるための妥当な構造化がより重要となる。そこで、ここでは主に日本の人文学におけるデジタルテキストの構造化に関する動向を中心としつつ東アジアのこれまでの関連する状況についても概観し、その上で、そこから期待される可能性について検討したい。

2．大まかな時期の区分

人文学においてデジタル技術を応用する場合、どちらかと言えば、最先端の機器やシステムがすぐに使われるというよりは、むしろ、いわゆるエンドユーザー・コンピューティングと言われるような、末端で低コストにその時点の情報インフラを利用するという状況を踏まえることが望ましく、新規の技術や規格が登場した時点というよりは、むしろ、ある程度普及した時期をおおまかにみていくことで状況を把握しやすくなるかもしれない。それゆえ、厳密な時期の区分は別の議論に譲るとして、ここでは、以下のように、Web2.0以前をパーソナルコンピュータ（パソコン）が登場し普及する時期（パソコン登場・普及時代）、Webが普及する時期（Web時代）、Web2.0

やUnicodeが普及する時期（Web2.0時代）という風に分けてみたい。

1980年代：パソコン登場時代　―パソコンの登場
1990年代：パソコン普及時代　―パソコンの普及とWebの登場
2000年代：Web時代　―Webの普及
2010年代：Web2.0時代　―Web2.0とUnicodeの普及

パソコン時代よりも前にもデジタル技術は人文学において用いられており、ロベルト・ブサ神父によるトマス・アクィナスの電子索引が1940年代に着想されたことは、DHの嚆矢としてしばしば言及される。日本においても、1950年代に設立された計量国語学会の論文誌を見ると、50年代の終わりにはコンピュータを用いた研究が掲載されている。また、著作権保護期間が終了した文学作品等のデジタルテキストを無償で共有するProject Gutenbergが米国イリノイ大学で始まったのは1971年のことであった。しかしながら、この時期にはそれほどの広がりはみせない。人文学者の間で利用が広がるのはIBM PCが発売され世界にパソコンが普及する契機がもたらされた1980年代のことである。以下、筆者がこれまでに執筆した論考[1)]に拠りつつ、各年代の状況を大まかに振り返ってみたい。

3．1980年代の状況

1980年代、個人が自分のパソコンにデータを入力できるという環境が登場し、各地で電子データの作成が行われた。とはいえ、当時のパソコンは、現在のものに比べると圧倒的に容量が小さく処理能力は遅く、人文学の場合には、数値データを扱う分野とテキスト資料を扱う分野において主にデータ作成が行われるようになった。管見の限りでは、数値計算、テキスト検索、目録や索引の作成等に用いられたようである。たとえば、日本の仏教学においては、「個人用コンピューターによる索引」という発表が1982年に行われ、その後、1983年には「インド仏教学とコンピューター」「コンピュータによるUttarajjhāyāの韻律解析II」「貝葉のコンピュータ処理」といった研究発表が日本の仏教学関連では最大の学会である日本印度学仏教学会において行われていた。1987年にはこの学会が「イント学仏教学におけるコンピュータ利用」と題するシンポジウムを開催し、さらに1989年からは文部省科学研究費補助金研究成果公開促進費（データベース）を取得して印度学仏教学分野の論文書誌データベースの構築を開始した。

この時期の日本国内の状況を現在確認できる範囲で挙げてみると、各地の研究機関において目録・書誌データベースが構築されるようになり、一方で、テキストデータベースの構築も徐々に進められていた。組織としての取り組みだけでなく個人の研究活動がコミュニティを形成し始める状況もみられており、とりわけ注目しておきたいのは、1985年9月3日、東京大学大型計算機センター集会室において第一回の研究会が開催された「哲学者のためのテキスト・データベース研究会」[2] である。この時には、デカルトの『省察』等、哲学研究のためのテキスト・データベースを構築するための基礎設計や実際についての発表が 5 件行われた。第 2 回にはプラトンやトーマス・マンも登場し、さらに第 3 回目からは「哲学者のための」という名称が外れ、広く人文・社会科学研究者のための「テキスト・データベース研究会」となっていった。英語名は「JACH（Japanese Association for Computer and Humanities）」とした旨、『JACH ニューズレター』第一号（1986 年 9 月 18 日刊）にて報告されている。おそらくは、米国 DH の基幹学会である Association for Computer and Humanities（ACH）を受けた名称のように見受けられ、開始段階では何らかの関係があった可能性も想定される。この頃の発表テーマとしては、テキスト・データベースの各種機能や OCR、人工知能があげられる一方、その楽しさや課題についての発表も行われていた。その後、研究会で扱われる話題は徐々に幅を広げていき、キーワードを拾い上げてみるなら、プラトン索引、科学論研究、解釈学、漢字字体、中世英語英文学、ウィトゲンシュタイン、国語調査、漢文テキスト、和漢文 OCR、LaTeX、美術史、デーヴァナーガリー文字、スタインベック、アラビア語テキスト、G.H. ミード、英日自動翻訳、国文学研究、源氏物語、タイ語テキスト、中世朝鮮語、チベット語、太宰治、西ドイツ中世史、といったものがみられた。ただし、1980 年代の段階では、デジタルテキストの構造的な記述についての議論はほとんどみられない。

1980 年代のテキストデータベースに関する動向としては、JACH に加えて 1987 年頃より運営されていた情報処理語学文学研究会にも注目しておきたい。こちらの英語名は JALLC（Japanese Association for Literary and Linguistic Computing）となっており、欧州 DH 学会の前身である ALLC（Association for Literary and Linguistic Computing）を受けたものと考えられる。JACH が哲学研究を中心に始まったのに対して、こちらは文学・言語学を中心に始まったもののようである。こちらでも、1980 年代には構造化に関する議論はほとんどみられず、各自が独自のフォーマットでデジタルテキストを作成していた可能性が考えられる。

研究者コミュニティとしては、1980 年代の末には、情報処理学会に人文科学とコンピュータ研究会が設立され、また、情報を組織化・知識化する研究のコミュニティとして情報知識学会が設立されて活動を開始した。情報知識学会ニューズレターの設立記念号では JACH の活動紹介が掲載されており [3]、当時のこの種の活動の活発さがうかがえる。学会研究会等の研究者コミュニティが設立されるということは、すでに一定数の研究者がそれに取り組んでいるために可能なことであり、この種の取り組みが日本においてもすでに研究としてそれなりの広がりを見せていたことがうかがえる。

デジタルテキストの構造化に関する国際的な動向としては、1987 年にニューヨーク州のポキプシーにて初回の会合が開催された TEI（Text Encoding Initiative）ガイドラインがこの時期の重要な取り組みとして注目される。電子化テキストをよりよく作成し共有するためにポキプシーに集まった人文学者と情報学者たちには、米国のみならず欧州や日本からの参加者も含まれていた。長い議論の末に、その成果はポキプシー原則としてまとめられ、これに沿った人文学電子テキスト資料のための構造化ガイドライン、すなわち、TEIガイドラインが作成されることとなったのである。

人文学資料のためにテキスト資料を電子化し、それを何らかの有用な構造として作成しようとするためには、人文学がその活動において資料中に見いだす内的な構造について十分に理解している必要がある。そして、人文学と一口に言ってもさまざまな分野があり、テキスト資料を扱うものに限ったとしても、哲学、歴史学、文学をはじめ、それぞれが資料に対する多様なアプローチを含んでいる。それゆえに、電子化・構造化ガイドラインは、人文学における個々のアプローチを熟知する当事者たる人文学者たちの手によって策定が進められる必要があった。このことは、人文学における電子化の方針を策定することが、特定ドメインを対象とした情報構築についての研究という、一つの研究領域を形成していくことをも意味した。それまでは徹底して紙媒体の制約を活かすことで展開されてきた研究資料が、その制約を離れた時にどのような形であり得るのか、そしてそれによって研究がどのように変化していくのか、ということは、思弁的な検討課題であってきたが、このTEIという営みを通じてそれを実践的に検証することが可能となった。

しかしながら、TEIの登場した時代は、いまだコンピュータの利用が広く普及していたわけではなくコンピュータ利用自体の技術的制約も強く、これがその意義を踏まえて大きく花開くには、今少しの時間を必要とした。

以上、1980年代の状況を大まかに見てきた。この流れは、ほぼそのまま1990年代に引き継がれていく。

4．1990年代の状況

1990年代についての国内状況としては、この時期、テキストデータベースや電子テキストを主に扱ってきたJACH・JALLCは活動を発展させていく。

JACHの1991年6月28日の第13回研究会では、当時TEIを推進していた研究者の一人であるオックスフォード大学のSusan Hocky氏による講演ともにTEIが主に取り上げられサンスクリット・文学研究・日本文学研究・マルチメディアへの適用可能性が議論されたようである。筆者が入手した資料ではこの次の1991年12月13日の仙台国際センターでの第14回研究会の開催を最後に記録が途絶えている。この会では、インド学仏教学からコンピュータに取り組む6件の発表とTEIに関する発表が1件という構成であり、その様子が情報知識学会ニューズレターで伝えられている[4)]。

JALLCにおいても、国際的な動向との連携についての議論が行われたようであり、TEIに関する発表が散見され、検討が行われたことは見てとれるが、一方で、文字コードの問題やSGML時代のTEIの課題なども指摘されており[5) 6)]、そもそもOSが多言語対応できず国際的な成果の共有が困難であったことなどから、当時の日本で導入することが容易ではなかったことが想定される。また、1993年のシンポジウム報告[7)]では、JALLCの主な活動が文学作品等の電子テキストの会員同士での流通という互助的なものであることを示す一方で、一般公開の条件については1989年に米国で始まったGNU GPL（General Public License）によるコピーレフト運動を検討の俎上に載せており、現在のオープンサイエンス・オープンデータ推進の先駆的な活動という側面もみてとれる。なお、JALLCの活動は、筆者が確認できた限りでは1998年7月18日を最後としている。このような人文学発の研究者コミュニティによる自発的な取り組みは、ここで一度途絶えてしまう。

国際的な動向との連携としては、上述のJACHやJALLCの活動にみられるように、できたばかりのTEIガイドラインを日本にも導入しようとする動きがあったようである。このことは、上述の情報知識学会のニューズレターにおいてもその片鱗を垣間見ることができる。その後、哲学研究者としてテキスト・データベースに熱心に取り組んでいた長瀬真理氏によりTEIに関する報告も行われていた[8]。

また、研究集会としては、京都大学大型計算機センターの研究セミナーとして1990年3月に初回が開催された「東洋学へのコンピュータ利用」研究セミナーも挙げておきたい。これはテキストデータベースというよりはデータベース全般ということで東洋学におけるコンピュータ利用に関するさまざまな取り組みが毎年報告されてきており、これは現在でも毎年一度、活発な研究会が開催されている。

この頃は、テキストデータベース構築のプロジェクトも各地で推進されるようになっていた。国文学研究資料館では、日本古典作品の校訂本文データベースの構築のみならず、その構造化を行うためのルールの策定も行われた[9]。その後このルールはKOKINルールと名付けられ、汎用性を高めるべく、SGML化が行われ[10]、TEIとの互換性も検討課題に挙げられていた[11]。また、フッサールやヘーゲル[12]のテキスト・データベースが日本で作成され、関係者の間で活用されたようだが、版権問題で公開が十分にできないこと[13]もあったようである。宗教関連文献でも枚挙に暇がないが,国内の例を挙げてみるなら,たとえばサンスクリット仏典の全文テキストデータベースに基づいて作成された「ダルマキールティ梵文テクストKWIC索引」[14]では刊行後に元になったテキストデータベースもWeb公開された。あるいはまた、パーリ語聖典のデータベース化への取り組み[15]、1994年のSAT大蔵経テキストデータベース研究会（代表：下田正弘・東京大学大学院人文社会系研究科教授）による大正新脩大藏經テキストデータベース構築への着手など[16]、この頃には大規模なものへの組織的な取り組みも行われるようになっていた。さらに、青空文庫が1997年に開始され、著作権切れのテキストデータが自由に利用可能になったことも、この時期の重要な取り組みとして位置づけられるだろう。

このような流れの終わりの時期にあたる1998年には漢字文献情報処理研究会が設立された。同研究会はこの年に『電脳中国学』[17]を刊行し、中国学における当時のデジタル技術の状況を伝えてくれている。ここでは台湾中央研究院の漢籍全文資料庫をはじめとして中国語学のためのデジタルリソースやその活用の仕方等が紹介されており、さまざまな組織や個人が研究リソースの提供を開始していることがうかがえる。また、当時はWebだけでなくCD-ROMによるデータベースの販売も広く行われていたようである。

その一方で、人文学における研究基盤の構築のための要として特に欧米ではその後着々と普及していった TEI については、日本では導入に向けた動きの後、しばらくの間、おそらくは次節で述べる理由により、徐々に姿が見えなくなってしまう。

TEI の国際的な動向としては、1990 年には TEI ガイドラインの第一版である TEI P1、1994 年には TEI P3 が発行され比較的安定的なものとなる。これらは、SGML（Standard Generalized Markup Language）というマークアップ言語を用いて人文学資料における構造を記述するものであった。さらに、1998 年には、ここで得たマークアップ言語の知見が部分的に反映される形で、XML（Extensible Markup Language, 拡張可能マークアップ言語）が World Wide Web Consortium（W3C、Web に関する標準を策定する団体）で制定された。XML は人文学のみならず、情報技術の世界全般に大いに利用されることになり、現在では Microsoft の Word や Excel、PowerPoint もこの XML を採用するなど、世界の情報技術にとって欠かせない規格となっている。

また、個別分野の動向として一例を挙げておくと、1992 年、仏典テキストの電子化と利用についての連携の場として EBTI（Electronic Buddhist Text Initiative）が活動を開始し、世界中の仏教研究のデジタル化に関するプロジェクトの交流の場となっていた。

1990 年代の後半には、文字コードの問題を解決するソリューションが登場してくる。京都大学人文科学研究所における e 漢字、今昔文字鏡研究会における今昔文字鏡フォント、東京大学と日本学術振興会による GT 書体、等がそれにあたる。いずれも、既存の文字コードでは表現しきれない文字や字形を表示させるべく、数万～十数万字の文字を表示するための手立てであり、そのような細やかなニーズを持つ人文学研究者がいよいよテキストデータの構築に踏み込んできたことをうかがわせる事態であった。ただ、いずれの事業も、2021 年現在は活動が見えない状況となっており、その一方で、Unicode でカバーできる文字の範囲が圧倒的に広がっている。当時の不足を補うアドホックな取り組みとして理解しておくのがよいだろう。

5．2000 年代の状況

2000 年代に入ると、Windows2000 やその後に大ヒットする WindowsXP において Unicode が全面的に採用され、Unicode が多言語利用のための現実的な選択肢となっていく。Web はインフラストラクチャーと言えるような普及の段階になり、さらに 2005 年には Google Map が登場したことで、インターネットに接続されたパソコンがあれば Web で地図上に共同でデータ構築を行うといったやや複雑なことでさえも誰でも取り組めるようになった。すなわち、国境や文字種の壁を越えたコンテンツの即時的な相互運用が容易に手の届くものとなったのである。この立場から過去を振り返ってみると、TEI が日本で広まりにくかった理由の一端が自ずと明らかになる。Unicode が普及する以前には、構造化されたテキストデータを共有しようとしても文字コードの相違のために大きな困難があった。さらに、それを処理するためのソフトウェアを開発してもやはり文字コードの相違により OS の対応言語が異なると使用できなくなってしまうことがあった。そして、それらを乗り越えたとしても、データを送受信するのにまた苦労があった。そのような状況では、国際的なガイドラインたる TEI に準拠したとしても、そのメリットを享受するためには高度な技術が必要とされ、一般の人文学研究者がそれに取り組むための動機付けを得ることは非常に困難だったであろうことは容易に想定できるだろう。

ともあれ、この時期のデジタルテキストをめぐる状況について少しみてみよう。

2001 年に刊行された漢字文献情報処理研究会による『電脳中国学 II』では、Unicode を採用した Windows2000 により、中国語と日本語のコンテンツを横断的に利用可能な多漢字環境が提供されるようになったことを伝えている。同時に、今昔文字鏡が 9 万字を提供しているという記事も掲載されるなど、いまだ十分な多漢字環境は提供されていないにせよ、Web によって形成されたグローバルな規模のハイパーテキストの網目にとって、単一の文字コードですべてのテキストを処理できる仕組みは大きなインパクトをもたらしたようであることがうかがえる。一方で、本書では、テキスト構造化に関して日本が諸外国に後れをとっていることについての危機感も述べられている。

文字の扱いに関しては、上記のような動向に対して文字コードを利用すること自体の本質的な問題も提起され、文字素性に基づく文字処理を実現する CHISE（Character Information Service Environment）プロジェクトが開始されている[18]。

また、韓国において高麗大蔵経研究所、台湾においては中華仏典協会（CBETA）、日本でも SAT 大蔵経テキストデータベース研究会が、相次いで大蔵経のデータベースを完成・公開し、仏典の大規模な横断テキスト検索等が可能となり、テキストデータベースはより身近なものになっていった。

国際的な状況としては、テキストデータベースのみならず DH 全体の理念的背景として広く共有される概念である Methodological Commons（方法論の共有地）がキングスカレッジ・ロンドンの研究者らによって最初に発表されたのは 2002 年のことである。人文学における多様な方法論がデジタル技術を通じて相互に連携し、よりよいデジタル技術の活用手法を追求するとともに自らの方法論を反省する機会とし、それを通じて新たな研究成果を産み出していく場を形成することがデジタル時代の人文学においては重要であり、それが数年後に言葉として登場する DH においても理念的背景となった。これは、人文学全般にわたる国際的なデジタルテキストの構造化を目指す TEI ガイドラインと親和性の高いものであった。

DH 専門の助成金が本格的に設定されるようになり、欧州でも DH 向けの研究助成金が広く配分され、二国間[19]や複数国間[20]での共同助成金も開始されるなど、研究助成の側からも DH が強く支持されるようになり、これを踏まえた人文学研究基盤の整備も着実に進められることとなる。ここでも上述の TEI をはじめとして、それまでに策定されてきたさまざまな文化資料向けの規格が、そうした研究助成の期待に対応できる堅実な受け皿としての力を発揮することになる。

一方、このような流れの中で、デジタルテキストを用いる研究では二つの方向性が明確になっていく。一つは、これまでは紙のテキストに暗黙的に込められてきた、人による理解や解釈の結果をより深く研究対象として共有・活用するという方向性と、増大し続ける分量と言語的多様性のために精読することが難しいテキスト群をコンピュータで処理・分析するという方向性である。前者については、TEIガイドラインのP5が2007年にリリースされた[21]。後者のための方法論としては、遠読（Distant reading）[22]が提唱されるようになった。以下、この二つについてそれぞれ簡単にみてみよう。

TEIガイドラインはP4からXMLには対応していたものの、P4はSGML向けに作成されたP3を継承しつつXMLに対応させたものであり、XMLの特性を活かしたものとはなっていなかった。それを解決した新しいバージョンがP5であった。これ以降、TEIガイドラインはP5をさらに改訂するという形で発展することになる。

遠読は、世界文学研究の現場から生じてきたものであり[23]、さまざまなコンピュータのツールを用いた統計分析を通じてテキストの特徴を把握することによってテキストに内在するものを理解しようとする研究動向である。これは、Google Books及びそのデータを大学図書館が主体となって扱うべく設立された大学図書館連合による電子図書館HathiTrust Digital Libraryにおいて、蓄積された膨大なテキストデータを分析するための考え方として用いられる[24]など、ビッグデータ時代におけるDHの可能性を示すものとして受容されるようになっていった。

6．2010年代の状況

2010年代に入ると、DHは国際的にもさらなる広がりをみせ、2012年の日本DH学会（JADH）の設立とDH国際学会連合であるADHO（Alliance of Digital Humanities Organizations）への加盟をはじめとして、世界各地でDH学会が設立され、ADHOへと加盟していくことになる。DHが志向するグローバル性が、中核としてのグローバルな組織の主導よりもむしろローカル同士の丁寧な連帯によって成立するという状況が徐々に共有されていく時期であったと言えるだろう。この時期は、日本以外にも、オーストラリア圏、フランス語圏、メキシコ、南アフリカ共和国、台湾が加盟[25]し、さらに、欧州DH学会[26]内でドイツ語圏やイタリア、チェコ、北欧、ロシアの地域学会が設立されそれぞれに学術大会を開催するなどの活動を開始している。

そのような流れの一方で、DHにおいてはクラウドソーシングという形での市民との連携に期待が集まるようになる。一例として、Transcribe Benthamプロジェクトをみてみよう[27]。このプロジェクトは、元々、著名な思想家であるJeremy Benthamの草稿を翻刻（文字起し）して出版するプロジェクトであったが、これがDHの力を借りてクラウドソーシングによる翻刻を実施したことにより、国際的にも多くの参加者を集め、それまでとは比較にならない大量のテキストデータを短期間で作成でき、注目を集めることになった。DHにおけるこの種のプロジェクトとしては初期の大きな成功であり、その結果、さまざまな研究助成金を得て[28]さらに発展することとなった。世界中で多くの研究者が専門的に取り組んでいるBenthamならではのことではあり、同様のことがすぐに他にも適用できるわけではないが、事例としては大いに参考になる。日本でも2017年には京都大学古地震研究会により「みんなで翻刻」が公開され、クラウドソーシングによる翻刻が本格的に行われるようになった。

同様の状況はTEIのコミュニティにおいても見られるようになる。そもそも先述のように、TEIガイドラインは、コミュニティに集った研究者たちのニーズにあわせて策定されてきたものであり、欧米の研究者しかそこにいなければ欧米の資料が対象の中心にならざるを得ない。TEIガイドラインには外字に関する項目もあり、そこではすでに東アジア研究者による貢献もあった。ただし、外字は、大量の漢字を扱わねばならず、Unicodeに登録されていない漢字としての外字もさまざまに扱わねばならない漢字文化圏の宿痾であり、同時にそれが一つの特徴であるとも考えがちだが、欧州においても中世写本に記載された多くの特殊な文字の表現に苦労してきた一面があり[29]、外字はむしろグローバルな課題の一つとして捉えられてきたとみることができる。

グローバルとローカルの関係において注目されるのが、TEI協会における2016年の東アジア／日本語分科会（SIG East Asian/ Japanese）の設立である。TEIガイドラインは当初より、一般的なテキスト性を踏まえた資料の構造化を目指してきていたとみることができるが、この分科会の設立は、そのような方向性に対して、むしろ個々のローカルな言語文化圏に蓄積されてきた慣習、いわばテキスト伝統に対応するという姿勢を示すものだったということができる。東アジア／日本語分科会は、かつて行われたTEIガイドラインの用語説明の日本語訳[30]を踏まえたTEIガイドラインの翻訳や日本語資料向けガイドライン[31]の作成、そしてそれらを踏まえたTEIガイドライン自体の再検討などの取り組みを開始した。これに続いて、漢字文化圏とは異なるテキスト伝統を有するインドテキストの分科会も設立されることとなった。さらに、2019年には国際化ワーキンググループも設置され、多言語グロッサリーの開発やガイドライン翻訳の簡易な手法の確立と実践を目指して活動を行っている。このこともまさに、ローカル同士の丁寧な連帯によってグローバル性の実現を目指す典型的な例であると言えるだろう。

現在、デジタルテキストの扱いについては、作成・構造化・処理等のいずれの過程においてもUnicodeで文字が符号化されていなければかなり非効率的になってしまう。この時期には、Unicodeで使用可能な文字が飛躍的に増加しただけでなく、Unicodeでは同定されてしまう微細な漢字の字形差についてもテキストデータのレベルで記述できるようにするIVS（Ideographic Variation Sequence）が普及し、10万種以上の漢字字形がUnicodeで利用可能となった。それだけでなく、変体仮名や悉曇も異体字まで利用可能となり、Unicodeを基盤とする学術研究環境はいよいよ充実することとなった[32]。

この時期には、人文学における画像の扱いについても画期が訪れる。2011年頃より世界の有力な研究図書館が連携してIIIF（International Image Interoperability Framework）という画像共有方式を開発し、これが世界中の研究図書館のデジタル画像公開において用いられるようになった。2010年代には国内でも国立国会図書館や国文学研究資料館をはじめさまざまな資料所蔵機関からIIIFに準拠した画像が公開され、その相互運用性の高さにより多様な活用が行われるようになっている[33]。テキストデータとの連係も行われたが、構造化デジタルテキストとの相性がよく、TEIガイドラインに準拠したテキストとIIIF準拠画像をリンクさせて利便性を高める取り組みが世界各地で進められた。

この時期の中国学に関して注目すべきイベントとして、2018年に上海で開催され、世界中の中国史に関するデジタル研究プロジェクトが一堂に会したInternational Conference on Cyberinfrastructure for Historical China Studies[34]がある。とりわけ活発に活動しているように思われたのは、ハーバード大学が取り組む人物データベース「CBDB（China Biographical Database Project)」[35]、ライデン大学で推進される固有名詞自動タグ付けシステム「MARKUS」、中国語テキストクラウドソーシング共有システム「中國哲學書電子化計劃（Chinese Text Project)」[36]であり、MARKUSはテキスト中の固有名詞をタグ付けした情報の共有に際してTEIに準拠した形式を採用していた。

7．2020年代から今後の可能性へ

ここまでの状況及び2020年代に入ってからのいくつかの事柄を踏まえ、今後の可能性について検討してみたい。2020年代は、始まりとともにCOVID-19に翻弄され、本章執筆時点ではいまだに収束の見通しはない。DHもまた、対面での研究集会ができず交流が弱まってしまう面はあったものの、逆に国際的な集会をオンラインで開催することについてのコンセンサスが得やすくなり、これを踏まえた活動が着実に進められてきた。2020年3月にリリースされたUnicode 13.0では、CJK統合漢字拡張Gが含まれることとなり、9万字を超える漢字がUnicodeで利用できることとなった。また、2021年2月には、TEIガイドラインP5 4.2.0がリリースされた際に日本語で主に用いられるルビのルールが組み込まれた。これは東アジア／日本語分科会の活動の重要な成果と言えるだろう。これにあたっては、世界各地の他のローカルなルールをこれまで導入してこなかったこととどのように整合させるのかという問題提起もなされたが、どれくらい一般化可能かという議論を個々の事例に応じて積み重ねていくことになるようだ。このようにして、欧米のテキストには用いられないルールがTEIガイドラインに導入されたことは、今後、このような流れが東アジアのみならず、世界に開かれていき、グローバルな視点からより適切に通用するものとなっていくことをも意味しており、東アジア／日本語分科会がその先鞭をつけたと言うこともできるだろう。

また、ここに至り、日本や東アジアのデジタルテキストの構造化においてTEIガイドラインを採用したデジタル化プロジェクトの成果が日本でも公表されるようになってきた。国文学研究資料館における日本古典籍の試行的TEIマークアップ[37]、国立歴史民俗博物館における延喜式への歴史史料としてのマークアップ[38]、SAT大蔵経データベース研究会のSAT2018における現代日本語訳仏典や漢文仏典[39][40][41]、渋沢栄一記念財団による『渋沢ダイアリー』における日

記へのマークアップ[42]、関西大学アジア・オープン・リサーチセンターによる『廣瀬本万葉集』への左右の訓等にも対応した詳細な写本情報のマークアップ[43]、有志団体による『デジタル源氏物語』[44]における現代語訳と古典の対訳マークアップとのリンクなどがあり、これらの多くはIIIF対応画像とリンクされており、Webインターフェイス上ではテキストを読みながら対応する画像を閲覧できるようになっている。また、国際的な協働プロジェクトとして、2021年に公開された、フランス学士院碑文・文芸アカデミー（Académie des inscriptions et belles-lettres）[45]とSAT大蔵経データベース研究会の協働の成果であるDigital法寶義林[45]では、『法寶義林』の人名索引を既存のリソースや関連する地理座標等とリンクする形でTEIマークアップを行ってオープンライセンスで公開し、さらにそのデータを用いた検索やそれを地図・年表上に表示するといったサービスを提供している。このように、日本におけるTEIに準拠した構造化にもさまざまなアプローチが登場してきている。そして、国文学研究資料館等の日本語古典籍のマークアップの成果は、日本語古典籍TEI本文データ作成要領[46]としてまとめられ、前出の日本語資料向けTEIガイドラインを構成するものとしてWebで公開されている。さらに、テキスト構造化を支援する環境として、関西大学アジア・オープン・リサーチセンターにより、東アジアDHポータル[47]が公開され、主に欧米のDHにおいて利用されてきたデジタルツールやメソッドが積極的に翻訳・紹介されており、なかにはTEIガイドラインの一部の翻訳も含まれている[48]。

このように、デジタルテキストの構造化については、日本でもようやく本格化しつつあり、まだ課題は山積しているものの、そういった課題を解決していく上で必要となる、東アジア・日本語資料のためのTEIガイドラインの改定や、漢字を含む学術目的の文字のUnicodeにおける符号化のための体制が整ったと言える状況にある。すなわち、日本を含む東アジアにおけるテキスト資料に関して、どのような構造が共有されるべきなのか、それはどういう意味があるのか、といったことにはじまり、より抽象度の高い事項に至るまで、構造化に必要と考えられる要素を、国際的な標準に反映させることを一連のプロセスの中の選択肢の一つとしながらグローバルに共有・活用できる環境が整備されたのである。このプロセスに東アジアの人文学者がより参画しやすくなる手立てを今後用意する必要はあるものの、ここにきてようやく、欧米のDHとほぼ同等の環境を実現し得る入口にたどり着いたということもできるだろう。

一方で、Web上のデジタル画像をWebサイト同士で効率的に相互運用するための技術的枠組みである上述のIIIFは、2010年代に入って国際的に大きな潮流となったものだが、日本国内でも国立国会図書館や国文学研究資料館、国内各地の大学図書館が採用する等、いちはやく普及したことにみられるように、デジタル画像をはじめとするマルチメディアデータに関しては言語文化による差異がテキストデータに比べると少なく、多くの関係者の熱心な取り組みにより、2022年時点では日本の取り組みも国際的に先進的な部類に入っている。これに構造化テキストをうまく組み合わせることができれば、日本のDHの特徴を活かした研究活動を推進できるだろう。デジタルテキストの日本的・東アジア的な構造化の取り組みに加えて、マルチメディアデータとの連携により東アジアのDHがもたらし得る多様性は、グローバルなDHをも裨益し、ひいては人文学そのものをよりよいものにしていくことに貢献することになるだろう。

注

1　本章は永崎研宣「哲学・思想研究における人文情報学の可能性」、哲学・思想論叢、no. 39、筑波大学哲学・思想学会、2021年1月、pp. 95(44)–78(61)。及び、これを大幅に改稿した、永崎研宣「東アジア人文情報学の可能性についての試論：デジタルテキスト構造化の動向を中心として」『KU-ORCASが開くデジタル化時代の東アジア文化研究：オープン・プラットフォームで浮かび上がる、新たな東アジアの姿』、関西大学アジア・オープン・リサーチセンター、2022年3月、pp. 243-256を元にしている。

2　この研究会及び後継のJACHについては、大学改革支援・学位授与機構の土屋俊先生に当時の資料をいただくことができたため、それに基づいていた記述となっている。感謝とともに記しておきたい。

3　坂井昭宏「コンピュータのなかの古典―テキスト・データベース研究会（JACH）の研究活動―」、情報知識学会ニューズレター、no. 1、1988年9月、pp. 11–13。

4　三木邦広「JACH第14回研究会に参加して」、情報知識学会ニューズレター、no. 13、1992年4月1日、pp. 2–4、https://www.jsik.jp/archive/news/N13.pdf#page=2。

5　豊島正之「TEIからみたSGMLのはなし」、情報処理語学文学研究会報、no. 12、1992年12月、https://www.joao-roiz.jp/mtoyo/TEI/JALLC-12-TEI.pdf。

6　「TEI-P3について」、情報処理語学文学研究会報、no. 15、1994年7月、https://www.joao-roiz.jp/mtoyo/TEI/JALLC-TEIP3.pdf。

7　内田保廣「『情報処理語学文学研究会』のテキスト・アーカイブス」、情報知識学会誌、vol. 3、no. 1、1993年12月、pp. 45–51。

8　長瀬真理「TEIの活動と今後の展望」、情報知識学会ニューズレター、no. 10、1991年10月、pp. 9–10。

9　安永尚志「日本古典文学本文データベース形成とデータ記述文法」、情報処理学会「人文科学とコンピュータ」研究報告1991、no. 20(1990-CH-008)(1991年)、pp. 1–8。

10　安永尚志「国文学作品のテキストデータ記述ルールについて」、自然言語処理3、no. 4(1996年)、pp. 3–29、https://doi.org/10.5715/jnlp.3.4_3。

11　原正一郎、安永尚志「国文学研究支援のためのSGML/XMSデータシステム―国文学データ共有のための標準化―」、情報知識学会誌11、no. 4(2002年)、pp. 17–35、46。https://doi.org/10.2964/jsik_KJ00001039453。

12　ヘーゲル・テキストデータベース、https://www.unii.ac.jp/iori/jheg1.html（2022-01-10確認）。

13　浜渦辰二「峠を越えたフッサール・データベース：インターネット時代のマルチリンガル・テキストのために」、人文論集、vol. 48、no. 1、1997年7月、pp. A1–29。

14　小野基・小田淳一・高島淳「ダルマキールティ梵文テクストKWIC索引」、東京外国語大学アジア・アフリカ言語文化研究所、1996.3.15、ISBN 4-87297-444-1。

15　中谷英明、江島恵教「パーリ三蔵データベースの構築と仏典研究」、パーリ学仏教文化学、vol. 8、1995年、pp. 123–47、doi:10.20769/jpbs.8.0_123。

16　下田正弘、永崎研宣『デジタル学術空間の作り方：仏教学から提起する次世代人文学のモデル』文学通信、2019年。

17　漢字文献情報処理研究会編『電脳中国学』好文出版、1998年。

18　守岡知彦、師茂樹「文字素性に基づく文字処理」、情報処理学会研究報告、CH、[人文科学とコンピュータ］62（2004 年 5 月）、pp. 53–60。

19 NEH/DFG Bilateral Digital Humanities Program, https://www.federalgrants.com/NEH-DFG-Bilateral-Digital-Humanities-Program-36894.html（2022-01-10 確認）

20 Digging into Data Challenge, https://diggingintodata.org/（2022-01-10 確認）

21 Burnard, Lou, Syd Bauman. The TEI Guidelines. TEI P5 Guidelines, 2007 年. https://tei-c.org/release/doc/tei-p5-doc/en/html/index.html（2022-01-10 確認）

22 Moretti Franco、秋草俊一郎他共訳『遠読：「世界文学システム」への挑戦』みすず書房、2016 年。

23 なお、遠読と呼び得る研究手法はコンピュータを利用せずとも行われていたという見解もある。Cf. Underwood, Ted.「A Genealogy of Distant Reading」. Digital Humanities Quarterly, vol. 011, no. 2, 2017 年 6 月.

24 こちらのリストを参照されたい。 https://www.hathitrust.org/usage-examples-of-hathitrust-datasets（2022-01-10 確認）

25 https://adho.org/（2022-01-10 確認）

26 https://eadh.org/（2022-01-10 確認）

27 Terras, Melissa. Present, not voting: Digital Humanities in the Panopticon: closing plenary speech, Digital Humanities 2010. Literary and Linguistic Computing, vol. 26, no. 3, 2011 年 , pp. 257–69, doi:10.1093/llc/fqr016. この論文の元になった講演録の児玉聡氏による日本語訳は以下の URL で参照できる。 https://www.dhii.jp/dh/dh2010/DH2010_Plenary_trans_by_kodama.html（2022-01-10 確認）

28 Funding https://blogs.ucl.ac.uk/transcribe-bentham/funding/（2022-01-10 確認）

29 https://mufi.info/（2022-01-10 確認）

30 これは、TEI P5 の初期バージョンについて、鶴見大学の大屋一志先生によって行われた翻訳である。

31 https://github.com/TEI-EAJ/jp_guidelines/wiki（2022-01-10 確認）

32 なお、この一連のプロセスにおいては、TEI 協会東アジア／日本語分科会の設立や、学術団体が主体となって漢字を Unicode で符号化すること、これに加えて悉曇の異体字導入については、大正新脩大蔵経デジタル版の高度化に取り組む SAT 大蔵経データベース研究会により実現されたことは特筆しておきたい。

33 国内の活用事例については https://digitalnagasaki.hatenablog.com/iiif を参照されたい。（2022-01-10 確認）

34 https://ctext.org/digital-humanities/shanghai2018（2022-01-10 確認）

35 https://projects.iq.harvard.edu/cbdb/home（2022-01-10 確認）

36 https://ctext.org/zh（2022-01-10 確認）

37 この成果は https://github.com/TEI-EAJ/jpn_classical（2022-01-10 確認）において事例として掲載されている。

38 小風尚樹、中村覚、永崎研宣、渡辺美紗子、戸村美月、小風綾乃、清武雄二、後藤真、小倉慈司、相互運用性を高めた日本歴史資料データ実装：『延喜式』TEI と IIIF を事例として、じんもんこん 2021 論文集、no. 2021（2021 年 12 月）、pp. 294–300。

39 渡邉要一郎、永崎研宣、朴賢珍、王一凡、村瀬友洋、渡邉眞儀、大向一輝と下田正弘「大正新脩大蔵経の構造的記述に向けて」、じんもんこん 2020 論文集、no. 2020（2020 年 12 月）、pp. 61–66。

40 王一凡、渡邉要一郎、永崎研宣、下田正弘「『續一切經音義』からみる漢文文献の TEI マークアップの課題」、じんもんこん 2021 論文集、no. 2021（2021 年 12 月）、pp. 234–239。

41 左藤仁宏、渡邉要一郎、永崎研宣、下田正弘「仏教思想の概念体系の記述手法としての TEI マークアップの現状と課題」、じんもんこん 2021 論文集、no. 2021（2021 年 12 月）、pp. 288–293。

42 金甫榮、中村覚、小風尚樹、橋本雄太、井上さやか、茂原暢、永崎研宣「TEIを用いた『渋沢栄一伝記資料』テキストデータの再構築」、じんもんこん2020論文集、no. 2020（2020年12月）、pp. 47–52。

43 永崎研宣、乾善彦、菊池信彦、宮川創、小川歩美、堀井洋、吉賀夏子「万葉集伝本研究のためのデジタル基盤構築 廣瀬本『万葉集』の構造化とビューワの開発」研究報告人文科学とコンピュータ（CH）2021-CH-125、no. 2、（2021年2月6日）、pp. 1–7。

44 サイトについては、https://genji.dl.itc.u-tokyo.ac.jp/（2022-01-10確認）。中村覚、田村隆、永崎研宣「源氏物語本文研究支援システム『デジタル源氏物語』の開発におけるIIIF・TEIの活用」、研究報告人文科学とコンピュータ（CH）2020-CH-124、no. 2、（2020年8月29日）、pp. 1–7。

45 Digital 法寶義林、https://tripitaka.l.u-tokyo.ac.jp/hbgrn/（2022-01-10確認）

46 日本語古典籍TEI本文データ作成要領、https://github.com/TEI-EAJ/jpn_classical/blob/master/jpn_classical_guideline.md（2022-01-10確認）

47 東アジアDHポータル、https://www.dh.ku-orcas.kansai-u.ac.jp/（2022-01-10確認）

48 菊池信彦、宮川創、二ノ宮聡「『東アジアDHポータル』の構築と課題：デジタルヒューマニティーズの研究ノウハウのオープンな知識基盤を目指して」、じんもんこん2020論文集、2020（2020年12月）、pp. 229–34。

TEI活用の事例紹介❶

BNC（British National Corpus）– 言語コーパス

http://www.natcorp.ox.ac.uk/

BNC（British National Corpus）は、1億語の現代イギリス英語のコーパスである。多様な情報源から話し言葉・書き言葉の事例を集め、TEIガイドラインに準拠してマークアップされたテキストを公開しており、ダウンロードも可能*である。このコーパスでは、テキスト中の単語の一つ一つにタグ付けした上で品詞や原形等の情報を属性として付与し、利便性と正確性の高い分析を可能にしている。そして、そのようにして付与された情報を活かした検索・分析システムがWebで複数公開されており、さまざまな観点・インターフェイスにより分析ができるようになっている。（永崎）

* British National Corpus, XML edition http://hdl.handle.net/20.500.12024/2554.

```
<s n="874">
    <hi rend="it">
        <w c5="CJS" hw="as" pos="CONJ">As </w>
        <w c5="VVG-AJ0" hw="care" pos="VERB">Caring </w>
        <w c5="PRP" hw="for" pos="PREP">for </w>
        <w c5="NN0" hw="people" pos="SUBST">People </w>
    </hi>
    <w c5="VVD-VVN" hw="acknowledge" pos="VERB">acknowledged</w>
    <c c5="PUN">, </c>
    <c c5="PUQ"> '</c>
```

BNCにおける単語単位でのマークアップの例

COLUMN 1

TEI ガイドラインで自分の資料を作り始めるには

永崎研宣

1. はじめに

TEI ガイドラインの入門的なセミナーを受けたり、チュートリアルをみながらマークアップの仕方を独力で身につけたりして、とりあえず基本的な方法について理解するところまでたどりついたとしよう。では、それを自分のデータに活かすにはどうしたらいいか。ここではまた考慮すべきことがいろいろ出てくる。そして、扱う資料や観点・専門分野によっては、この段階で自分の専門性を発揮することになる場合もある。そのような見通しを持ちつつ、基本的な考え方について見てみよう。

2.「モデル」を考えてみる

最初に考えるべきことは、TEI ガイドラインが提供するタグのうちのどれをつけるべきか、ということではなく、対象となる資料についての自分自身が目指すべき扱い方である。つまり、どのように読み・読まれるべきであり、何に着目すべきであり、どのようにして有用な情報としてそれらを取り出せるべきか、というモデルについて決めておくのである。

たとえば、実践演習における漱石の書簡の例であれば、書簡として、送受信に関する情報を現実の時空間や人物と結びつく形で得られるようにしたい、ということが考えられる。その場合には、送受信に関して注記すべき情報を列挙して、それを取り出しやすい形にしておき、さらに、空間や時間、人物の情報とリンクできるようにしておくことで目標に近づけるだろう。書簡の情報として必要な事柄がそれだけなのであれば、それ以上のことはマークアップしないという方法もあり得る。一方、送受信に関する情報を手紙の内容と関連付けて分析したり、そのような分析ができるデータを提供したい、といった目的があれば、さらに、実践演習で取り組んだように、本文もある程度マークアップすることになる。どの人が話題に上ったのかを分析の対象にしたければ、本文中に登場する人名や呼称、人称代名詞等をマークアップすることになり、漱石が受信者との間で話題にする地名を分析対象にしたければ本文中に登場する地名をマークアップすることになる。地名について、実際に行った場所と話題にしただけの場所の違いも分析に加えたいと思ったなら、地名のマークアップをする際に、両者を区別できる属性を付加しておくことになる。また、手紙の宛先による筆跡の違いを分析対象に加えたければ、筆跡についての情報をマークアップすることになるだろう。そのようにして決めた方針で一貫してたくさんの漱石の書簡のマークアップを行ったとしたら、そうした分析を、効率的かつ再検証可能な形で実施できることになるだろう。あるいは、書簡を離れて考えてみると、古辞書や財務資料、日記資料、仏典など、本書にはさまざまな資料や研究手法に応じたモデルが登場しているので、ぜひ参照してみていただきたい。その上で確認しておきたいことは、自分が扱う資料に関して、TEIガイドラインよりも詳細な資料構造化のモデルがすでに存在するかどうかである。たとえば、碑文資料であれば、EpiDoc: Epigraphic Documents in TEI XML（https://epidoc.stoa.org/gl/latest/）というコミュニティがTEI/XMLに準拠しつつ碑文資料に特化したより詳細な記述ガイドラインを策定・公開している。あるいは、貨幣に関する情報であれば、TEIガイドラインを応用したスキーマとしてNUDS（The Numismatic Description Schema, http://nomisma.org/nuds）が存在する。同様に、日本語資料に限るなら、東アジア／日本語分科会で日本語資料マークアップのガイドラインを作成公開している。日本語資料に独特の構造をTEIガイドラインにおける一般的な構造のなかで表現する方法を事例とともに提示しており、こちらも参考になる場合があるだろう。

3．TEIの適用可能性について検討する

「モデル」をある程度固めた上で、次に考えるのが、TEIの適用可能性である。まずは、TEIガイドラインの目次の章タイトルを参考に、必要な構造やエレメント・属性を検討することになる。（なお、本コラム執筆時点では、第二章、第四章については、ガイドライン全文の日本語訳が関西大学東アジアDHポータルから公開されており、第三章が翻訳中である）。いずれにしても第二章のヘッダ（`<teiHeader>`）は必須である。このエレメントに沿って、データがいつ誰によってどのような資料に基づいて作られ、どのようなルールでデジタル化されているか、といったことを記述しておくことは、データの信頼性を担保する上できわめて重要である。

4．全体的な構造の方針

次に、テキストの内容をどのような観点から構造化するかを検討する。テキスト資料の場合には、まず大きく分けて、（1）テキストの内容の論理構造を中心として構造化するべく`<text>`を用いる場合と、（2）見たままの構造を記述すべく`<sourceDoc>`を用いる場合、（3）テキスト化はせずに頁画像を取りまとめるために`<facsimile>`を用いる場合とがあり、この3つをそれぞれに作成して並記したり組み合わせるという方法もある。特に、(1)をテキスト志向のマークアップと呼ぶのに対して（2）をドキュメント志向のマークアップと呼ぶこともある。【表1】

表 1　資料全体を記述する 3 種類の主なエレメント

<text>	テキスト志向	書籍・古典籍・論文・エッセイ・辞書等、何らかの論理構造を持つテキスト一般	テキストの内容の論理構造（章、段落）
<sourceDoc>	ドキュメント志向	碑文・写本・草稿等、記述の仕方に価値を見いだし得る資料	テキストの見たままの構造（頁、行、自由に書き込まれたテキスト）
<facsimile>	デジタル化画像	資料の記述面・版面等	資料のデジタル化画像群

<text> エレメントでは、そのなかに本文 <body> エレメントや段落 <p> エレメントを書いていくことになるが、本文が段落以外に何かもう少し大きな構造で区分されている場合には区分を示す <div> エレメントで区切りごとにまとめることもある。このような文書の構造全体については TEI ガイドライン第四章に詳述されているので必要に応じて参照するとよいだろう。

一方、テキストの内容の論理構造ではなく見たままの構造を中心に記述する場合には、<text> の代わりに <sourceDoc> を用いる。これは、碑文や写本、草稿など、テキストの論理構造よりもむしろ記述されている状態を構造的に共有する必要性が大きい資料に対して用いられるものであり、<sourceDoc> のなかには、碑文の面、資料の頁の表面、あるいは版面などを示す <surface> や、それをまとめた <surfaceGrp> を記述する。<surface> のなかには、テキストや図像が書かれたまとまった領域を示す <zone> が記述され、テキストであればそのなかに行ごとに <line> を用いて記述し、図像であれば <graphic> で画像のファイル名や URL を記述する。作家の草稿のようなものの場合、修正や追記などのテキストはさまざまな位置や角度で記述されることもあるが、<zone> の属性で対応可能である。（一例として、Autour d'une séquence et des notes du Cahier 46: enjeu du codage dans les brouillons de Proust〈表示：http://peterstokes.org/elena/proust_prototype/ TEI/XML ファイル：http://peterstokes.org/elena/proust_prototype/input/Proust_tei_C46.xml を参照されたい。〉）

頁・行の区切り程度であれば <text> でも <pb/> や <lb/> を用いて記述することは可能であり、一方で、<sourceDoc> はマークアップが複雑であり時間はかかってしまうものの、内容の構造についての判断を留保しつつテキストをなるべくありのままに共有したい場合や、テキストの論理構造を見いだした際の根拠となったレイアウトを提示したいときなどには有用性が高い。

<facsimile> は、資料のデジタル画像を提示するためのエレメントであり、これは、Web 画像を共有するための技術仕様として広く用いられている IIIF（International Image Interoperability Framework）と親和性が高く、書き方次第では互換性を持たせることもできる。上述の通り、<text> や <sourceDoc> と共存させることもできるため、全文テキストと画像を同時に記述・流通させたい場合には活用を検討するとよいだろう。

5. 個別的な検討

TEIガイドラインでは、幅広くさまざまな資料・手法に対応できるように、さまざまなエレメント・属性・構造が用意されている。基本的なマークアップに必要なエレメントや属性は、TEIガイドライン第三章に説明されているため、そちらを参照すればテキスト資料の大まかなマークアップには対応できるだろう。しかし、そこでは説明されていないような構造や要素を記述しようとする場合には、TEIガイドライン第五章以降の解説を参照しながら検討することになる。たとえば、漱石書簡の例でみてきたように、書簡で送受信の情報に着目する場合には、<correspDesc>エレメントを中心に、専用のタグや属性、属性値がTEIガイドラインに定められており、そのままこれに準拠すればよい。あるいは、人物や地名などのいわゆる固有表現のマークアップは、基本的な事柄についてはTEI第三章で説明されているが、より深くマークアップする場合には、第十三章の詳細を参照するとよいだろう。品詞タグ付きのコーパスを作りたければ第十七章、校訂テキストを作成したければ第十二章、といった案配である。

章のタイトルから必要なエレメントや構造にたどり着けない場合もあるだろう。その際には、TEIガイドラインの頁の検索窓で検索をしたり、関連するエレメントをまとめたセットであるModel Classses の一覧頁（https://tei-c.org/release/doc/tei-p5-doc/en/html/REF-CLASSES-MODEL.html）から関係しそうなものを探してみたり、エレメント（https://tei-c.org/release/doc/tei-p5-doc/en/html/REF-ELEMENTS.html）や属性（Attributes）（https://tei-c.org/release/doc/tei-p5-doc/en/html/REF-ATTS.html）の一覧からそれらしい名称のものを探し、そこからそれを含み得る構造を確認して検討するという方向もある。最終的に、エレメントの解説頁にたどり着くと、そのエレメントを含むマークアップのさまざまな事例を閲覧できるようになっており、それらも大いに参考になるだろう。

また、空間・時間・人物とリンクするにあたっては、それぞれ、該当する事柄について、地図座標情報、ISO8601、VIAF等の人物典拠情報といったグローバルに参照可能なデータやデータ形式が提供されているため、それらに対応する形で当該情報を記述すればデータとしての汎用性と持続可能性を高めることができる。これらの情報はTEIガイドラインそのものではないが、TEIガイドラインにおいて利用が推奨されているものも多く、TEIガイドラインの適用にあたっては十分に考慮すべきである。

6. 人手で作業すべきかどうか

タグ付けの方針が固まったとして、これをすべて人手で作業すべきかどうかを検討するのも重要である。タグによっては、むしろ自動化した方が効率がよい場合もあるだろう。とくに日本語テキストを単語ごとに分割して品詞情報をつけるといった作業や、人名にタグをつけるといった場合には、自動的に処理してもある程度の精度で実施可能な場合がある。その点は作業開始前に多少なりとも確認しておくことをおすすめしたい。そして、場合によっては、タグ付けや、そこまではいかずとも何らかの形式での情報の付与を自動処理で行うという選択肢が出てくることがある。もちろん、100%正確に処理を行えるとは限らないため、人手での修正をその後に実施することもあるだろう。本書第3部の渋沢栄一日記資料の事例は一つの典型だが、そのような場合、自動処理後に人手で修正したデータを効果的に共有するために、TEI/XML形式に準拠したデータを作成することが有用になるだろう。

7．どこまで人手をかけるか

タグ付け作業を深く正確に実施しようとすると、際限なく労力が必要になる。そこで、どれくらいの深さまでタグ付けを行うのか、あらかじめ決めておく必要がある。これによって、人手をどの程度かけるかについての見通しも立てることができる。とはいえ、そのためにはある程度タグ付け作業を試行してみる必要がある。そこで、まずは、当初立てた方針に従って、一定の分量、あるいは、典型的なテキストのいくつかの箇所を抜き出してマークアップしてみることをおすすめしたい。この試行を通じて実際にかかりそうな作業時間についての見積もりがある程度は可能になる。たとえば、一人で行うのであれば、作業量に加えて習熟度が高まり作業効率が高まった状況も想定しつつ、対象となる資料の分量とその作業に割当可能な時間、そして締切りがあればそれまでの時間も加味して検討することになる。あるいは、共同作業であれば、共同作業者の能力や知見、そしてかけられる労力も考慮する必要が出てくる。そして、そこで見積もった作業時間に応じて、深さや扱うエレメントの種類を決めることになる。また、ここでは、図書館向けに策定された、マークアップのレベル分けについてのガイドライン（https://tei-c.org/extra/teiinlibraries/4.0.0/bptl-driver.html）があり、これに準拠してレベルを検討することも有用な場合があるので検討されたい。

8．TEIを適用すべきでない場合

上で述べたように、すでに存在するモデルを確認し、それとの整合性を確認することは重要である。既存のモデルには、デファクト標準になっているものもあれば、すでにほとんど廃れてだれも使わなくなっているもの、これから急に普及しそうになっているものなどさまざまなものがあり得る。そして、分野や対象資料によっては、TEIガイドラインとは関係を持たずに策定されたデータ構造化に関わるルールやモデルがデファクト標準として広く用いられていることもある。なかには、TEIガイドラインと共存できるものや一方通行や相互での変換が可能なものもあり、たとえば上述のIIIFはTEIガイドラインへの一方通行の変換は比較的容易である。しかしながら、変換が可能であるとはいえ、TEIガイドラインが必須として要求しない事項が存在するルールの場合には、まず、そのルールに従って構造化・マークアップ等を行った上で、必要であればTEIガイドラインへの変換を考えるという順序が必要である。

たとえば、公文書等の歴史史料の目録情報を記述したい場合には、アーカイブズの専門家が組織する国際公文書館会議（ICA, International Council on Archives）によって定められた記述モデルであるISAD(G)や米国のアーキビスト協会や議会図書館によって定められているXMLによる記法EAD（Encoded Archival Description）等、すでに世界的に広まっている資料のモデルや記述手法がある。TEIガイドラインは汎用性が高く、ISAD(G)やEADで記述したものをTEIガイドラインに変換するといったことも可能ではあるものの、このような場合には、まず、史料の専門家集団が策定した記述ルールにおいて要求されることを満たすことが優先事項である。同様に、博物館資料に関しては、国際博物館会議（ICOM, International Council of Museums）によって定められたCIDOC-CRMという記述モデルが広く利用されている。このように、分野によっては、専門家集団がその必要性を満たすための記述ルールを定めている場合がある。これに準拠しておくことは、それまでの専門家の間での議論の蓄積を踏まえることになるため、可能な限り、対応しておくべきである。

9．おわりに

以上のようなことを踏まえた上で、TEIガイドラインに準拠すべきかどうか・するのであればどのようにするのがより良い方法か、それを検討しながら構造化とマークアップの方針を策定し、研究計画に組み込んでいくことが、人文学のためのよりよいテキストデータ構築につながっていくことだろう。また、このような検討は、それ自体に専門性と新知見が含まれることが多く、研究発表としても成立するものであり、世界各地のデジタル・ヒューマニティーズ学会やTEI会員総会など、各地で活発に発表が行われている。このような仕事を持続可能なものとしていくためには、単なるデジタル化作業の一部として終わらせず、専門的な実績として正当に評価される場で成果として発表することを、実際に取り組んだ本人だけでなく周囲の関係者も意識しておく必要があるだろう。

TEI 活用の事例紹介❷

The Folger Shakespeare – 戯曲の構造的記述

https://shakespeare.folger.edu/

米国ワシントンDC、議会図書館の至近で運営されているシェイクスピア専門図書館、フォルジャーシェイクスピア図書館によるWebサイトでは、TEIに準拠したシェイクスピアの作品のテキストを公開している。ここでは、テキストデータを表示したりダウンロードしたりできるようにするだけでなく、TEIの構造を活かした内容の視覚化についていくつかの事例も紹介している。たとえば、以下の①* では、『ハムレット』** の各場における登場人物の状況を表の形で視覚化し、これらを機械的に抽出することで実現されている。

この視覚化は、②のように、各場にIDを割当てた上で、人物情報において死亡する場のIDを<death> エレメントの @when-custom 属性の値として記述している。

なお、シェイクスピアの戯曲に関しては、他にもさまざまな観点からマークアップが行われたものが公開されており***、戯曲のマークアップをする際には比較検討してみるとよいだろう。（永崎）

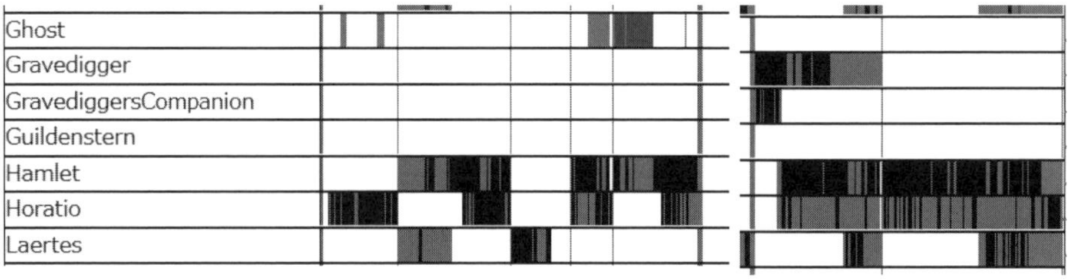

Ghost
Gravedigger
GravediggersCompanion
Guildenstern
Hamlet
Horatio
Laertes

On stage
Speaking
On stage (dead)
Speaking (dead)

①登場人物の状況を視覚化（生死／発話しているかどうか）する例

```
<person xml:id="Ghost_Ham">
    <persName><roleName>The Ghost</roleName></persName>
    <sex value="1">male</sex>
    <death notAfter-custom="ftln-0000"/>
</person>
<person xml:id="Hamlet_Ham">
    <persName><name>Hamlet</name></persName>
    <state>
        <p>Prince of Denmark, son of the late King Hamlet
            <lb xml:id="lb-00000"/>and Queen Gertrude</p>
    </state>
    <sex value="1">male</sex>
    <death when-custom="ftln-4114"/>
</person>
```

② <death> エレメントを含む人物情報 <person> の例

* The Folger Shakespeare API Tools におけるハムレットの Character chart, https://www.folgerdigitaltexts.org/Ham/charChart.

** William Shakespeare. Hamlet. Barbara Mowat, Paul Werstine, Michael Poston, Rebecca Niles, eds (Washington, DC: Folger Shakespeare Library, n.d.), accessed May 17, 2022. https://shakespeare.folger.edu/shakespeares-works/a-midsummer-nights-dream/.

*** The Shakespeare Quartos Archive, http://www.quartos.org/
(現在は https://wayback.archive-it.org/org-467/20191016094633/http://quartos.org/).
The Bodleian First Folio https://firstfolio.bodleian.ox.ac.uk/.
A version of the Folger Shakespeare texts with linguistic annotation, https://github.com/martinmueller39/FolgerShakespeareTokenized.

第2部

実践編

第１章

Transkribus による手書きテキスト資料の自動翻刻

宮川創

1．OCR と HTR

OCR とは Optical Character Recognition（光学文字認識）の略であり、紙に印刷された、もしくは書かれた文字をスキャンして得られた文字の画像を、プログラムを使って読み取り（認識し）、符号化されたデジタルな文字、通常であれば Unicode を出力する技術を指す。OCR にはコンピュータやワードプロセッサでプリントされた文書や、活版印刷で印刷された文書など、文字が均質な（タイプセットされた）文書の文字をデジタルにしていくものもあれば、古代の写本など、人が手で書いた文書の文字をデジタル化するのも射程に入る。印刷された文字であれば、日本語を含むさまざまな文字の OCR に強い ABBYY FineReader[1)]また、日本語向けとされるものであれば、読取革命 [2)] や e.Typist[3)] がある。そのほか、また、PDF ビューワーに付属している Acrobat Pro DC[4)] にも簡易 OCR 機能がついており試しに使ってみるには便利である。しかしながら、これらの市販の OCR ソフトウェアは、現在流通しているフォントには対応しているが、文献学者や歴史学者が扱う古いフォントや古い字体の文書には対応していないことが通常である。ABBYY などは、ラテン語などいくつかの歴史的な言語やフラクトゥーアなど歴史的な書体にも対応しているものの、コプト語や古ジャワ語など欧米で主要ではない、歴史的な文献言語の多くには対応していない。

このような観点から、欧米で主要でない古典言語や書体を用いた文献を扱うデジタル人文学者の場合、まず、その文献の文字をデジタル化する必要があるが、それをすべて手入力で行うのには相当な時間と労力がいる [5)]。そのため、OCR を用いて、まず機械に認識させたあと、人間が機械のエラーを修正していくというプロセスが最も時間と労力が少なく高品質なデジタル翻刻が行えるものであると思われる。欧米で主要でない古典言語や書体は、機械学習可能な OCR プログラムで新たにトレーニングを行い、自ら OCR モデルを作成する必要がある。この機械学習可能な OCR アプリケーションとしては、Tesseract、OCRopy、Calamari、Kraken[6)] 等がある。現在さまざまな研究プロジェクトが、コプト文字のように市販の OCR ソフトウェアでは対応できないような文字、もしくは、古い時代の歴史的書体を機械に認識させ、デジタルに自動的に書き起こさせるOCRの開発に携わっている。

OCRに対して、近年ヨーロッパではHTRの開発が盛んである。HTRとはHandwritten Text Recognition（手書きテキスト認識）の略である。OCRも手書き文字認識に対応できるものがあるものの、HTRはレイアウトやリガチャ（合字）の認識など、OCRよりも手書きテキストに特化したものとなっている。日本語のくずし字認識ではROIS-DS人文学オープンデータ共同利用センター（CODH）のKuroNet[7)]が知られているが、これもHTRの一つであるといえよう。

手書きテキストの場合は、OCRよりもレイアウト認識や行認識、文字の方向認識などが複雑になるため、それらの認識が高い精度で行えるプログラムが求められる。また、ドキュメントの性質によっては、バイナリ化（白黒化）や画像の補正などを前処理として必要とする場合もある。本章では、高度なコンピュータ・スキルが不要であり、チーム作業もやりやすく、現在最も普及しているHTRソフトであるTranskribusについて、インストールの方法から、応用までを説明する。また、前処理ソフトであるScanTailorについても合わせて紹介する。Transkribus以外の機械学習可能な主要なHTRソフトとしては、OCR4allやeScriptorium等がある。これらと機械学習可能なOCRソフトであるOCRopyについては、Transkribusの解説のあとに、Transkribusと比較しながら議論する。

2．Transkribusの概要

近年、ヨーロッパでは、手書き写本のテキストを抽出することを専門とする技術、すなわちHTRの開発が盛んである。その代表例がTranskribusである。Transkribusは、READ（Recognition and Enrichment of Archival Documents）プロジェクト[8)]のもと、オーストリアのインスブルック大学を中心に、スペインのバレンシア工科大学、ドイツのグライフスバルト大学、フィンランドのフィンランド国立アーカイブなど12の研究機関が共同で開発しているHTRソフトウェアである[9)]。

Transkribusは GUI（Graphical User Interface）を備えており、GUIなしのOCRopyやOcrocis[10)]と比べ、コンピュータに詳しくない者でもGUIを通して容易に用いることができる。TranskribusにはWindows版、Mac版、Linux版がある。これは、基本的にLinuxでしか動かないOCRopyや、基本はLinux上で動くが、Dockerを介すればMacでも動くOcrocisと比べて、より広いローカル環境で用いることができることを意味する。また、これらOCRopyなどのOCRソフトウェアとは異なり、Transkribusはバイナリ化（白黒化）や画像の補正などをScanTailorなど別のソフトウェアで行うことは必須ではない。ただ、写本のインクの裏写りが強かったり、インクの経年劣化やにじみなどさまざまなイレギュラリティが存在したりしている場合、Transkribusで読み取ると正しく認識される比率は低くなる。そこで、ScanTailorなど画像の前処理ソフトウェアが必要となる。ScanTailorの使用方法は、第4節「画像前処理ソフトScanTailor」で解説する。

また、Transkribusでは全ての画像やドキュメントはTranskribusのサーバにアップロードされる。アップロードされたドキュメントは公開か非公開かを選べるとはいえ、ローカルで動かすことが基本のOCRopyなどと比べればセキュリティの面で多少の不安がある。

Transkribusのソフトウェア上で文献の画像を読み込むと、まず、手稿本や写本など、手書き文献のテキストの行を認識させ、その行ごとに画像の下にあるエディタに手動で翻刻を入力し、教師データ（グラウンド・トゥルース）を作成する。文字種や文字数にもよるが、30–50ページほど入力できたら、その手動で入力した教師データを用いて、HTRエンジンにパターンマッチングのトレーニングをさせ、文献の残りのページを高い精度で機械に認識させる。その結果はTEI/XML、PDFやプレインテキストで出力でき、大変便利なツールである。筆者はボーフム大学のスヱン・オースタカンプ（Sven Osterkamp）教授と共同で、Transkribusをもちいて、ローマ字キリシタン資料の自動文字認識モデルを作成している。

3．文字資料のスキャンに関する基礎事項

Transkribusの使い方を説明する前に、スキャンに関する基礎事項を説明する。

3-1．Transkribusに取り込めるファイル形式や枠組み

3-1-1．JPEG（Joint Photographic Experts Group; ジェイペグ）

GIFやPNGとともに非常によく使われる画像のファイル形式の一つであり、特に写真で使われることが多い。拡張子は.jpgと.jpegである。なお、拡張子とは、ファイル名の末尾に「.」とともに付加される英数字で、ファイル形式を指定する。.jpegは、より多くの色彩を入れることができるエキスパート仕様として用いられることがある。Transkribusはこの.jpg形式のファイルに対応している。

3-1-2．TIFF（Tagged Image File Format; ティフ）

可逆圧縮や無圧縮など、画質を落とさずに保存する際に用いられることが多いファイル形式で、拡張子は.tifもしくは.tiffである。JPGとともにTranskribusにそのまま取り込むことができる。HTRをかける画像はこのTIFF形式で保存することが望ましい。

他に画像ファイルとしてはGIFやPNGがあるが、本章では、可逆圧縮あるいは無圧縮で用いられることの多いTIFF形式を推奨する。

3-1-3．PDF（Portable Document Format; ピーディーエフ）

Adobeが開発したファイル形式で、フォントを埋め込むことができ、画像入りの文書に適したフォーマットである。ハードウェアに依存せず、基本的にどのハードウェアでも同じ表示がなされるため、論文などの文書を電子公開するときのファイル形式として向いている。Transkribus

は PDF を取り込む事も可能である。

3-1-4. IIIF（International Image Interoperability Framework; 国際画像相互利用枠組み；トリプルアイエフ）

現在国内外の数多くのデジタルアーカイブが採用している、web 展示画像の二次利用を容易にするためのフレームワークである。各種の API が規定されており、IIIF マニフェストを用いれば、外部サイトでもその画像を閲覧することが可能となる。また、Mirador、Universal Viewer、IIIF Curation Viewer など、優れた IIIF 画像のためのビューワがあり、学術研究に有用なものとなっている。Transkribus では、対象の文献の画像が IIIF で公開されている場合、IIIF マニフェストの URI を入力するだけで、その文書の画像を一括して読み込むことができる。IIIF の技術仕様は IIIF コンソーシアムが制定している [11]。

3-2. 画像の単位

3-2-1. DPI（dots per inch；ディーピーアイ）

DPI とは、1 インチのなかにどれだけドットを表示するかを表す単位で、この DPI が高ければ、そのスキャンした画像は高解像度になる。OCR や HTR で用いる文書をスキャナで読み込む場合、DPI は 600 以上あると良い。

3-2-2. 画素（ピクセル）

画素とは画像の最小単位のことで、ピクセルとも呼ばれる。一つの写真を構成する点の数のことで、これが多いとより解像度が高い画像となる。画素数がより高ければ、より拡大に耐えられやすくなる。

3-3. スキャナとカメラの種類

ドキュメントをスキャンする際は、スキャナを用いるか、カメラを用いるかをまず選択する。スキャナには、フラットヘッド型とオーバーヘッド型とシートフォード型がある。

3-3-1. スキャナ

本をスキャンする場合、フラットヘッド型だと本が開いた状態で強く押しつけるため、本を損傷してしまう場合がある。この点で、見開きページを上に向けて、ある程度の距離からスキャンするオーバーヘッド型の方が本の損傷は少ない。しかし、オーバーヘッド型は書籍の見開き 1 ページを広げて固定するのに、指サックや透明なアクリル板などを使用する必要があるが、この作業に手間がかかる。また、オーバーヘッド型の方がフラットヘッド型よりも歪みがでやすい。近年はオーバーヘッド型専用の画像補正ソフトで、オーバーヘッド型で撮影した本のゆがみなども補正することができる。これらの点から、オーバーヘッド型の方がフラットヘッド型よりも多くの作業時間、作業工程が必要になってくる。

シートフォード型は、スキャン対象が書籍の場合は、書籍を破壊して、紙を一枚一枚バラバラにしなければならない。最も早く本をスキャンできるものの、本を破壊するという代償が大きい。このタイプのスキャナには富士通の ScanSnap IX1500 等がある。また、本の紙自体もある程度の強度や厚みが要求される。【図 1】

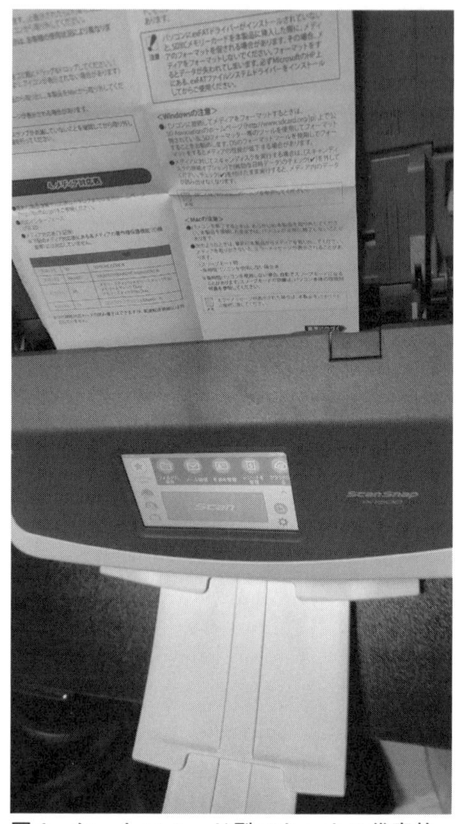

図 1　シートフォード型スキャナの代表格・ScanSnap IX1500

3-3-2．カメラ

スキャナを用いず、カメラで撮影する手段もある。その場合は、カメラがぶれないよう三脚などで固定する必要がある。より本格的に書籍のページを撮影する場合、書籍撮影用のセットにカメラ 1～2 台を固定する必要もある。カメラ 2 台の場合は、それぞれ見開きの別々のページを撮るようにする。これらを行う際も、ページがゆがまないよう、可能であれば透明なアクリル版などをページの上に置くほうが望ましい。撮影した写真は、Capture One[12] などの写真補正ソフトで読みこみ、微調整するとよりよい。プロフェッショナルな撮影には、1 億画素超の PhaseOne の IQ3 や IQ4 や富士フイルムの GFX 100S がお勧めであるが、より廉価な一眼レフカメラもしくはミラーレス一眼カメラでもよい。たとえば、以下の【図 2】では、二つの一眼レフカメラを用い、ページの上にアクリル板を置いて撮影した画像を Capture One で編集している。

図 2　関西大学アジア・オープン・リサーチセンターの書籍スキャンの設備

近年、スマートフォン搭載のカメラの精度は大変向上しており、中には Xiaomi の Redmi Note Pro 10 や Samsung の Galaxy S20 Ultra 5G SCG03 等、公称 1 億画素超えのスマートフォンも登場している。【図3】

Transkribusチームは、その手軽さから、スマートフォンで対象の書籍を撮影することをおすすめし、そのための補助機材であるScanTentを販売している。

図3　公称1億8百万画素のカメラを搭載したXiaomi Redmi Note Pro 10

3-3-3．ScanTent

ScanTentの価格は239ユーロである。これは、机の上に乗るような小型のテント型の装置で、テントの一面は大きな穴が開いており、そこから文献を入れ、底面に置く。そして、テントの頂上にスマホをおき、頂上の穴がカメラの位置にくるようにスマホをセットし、DocScanというアプリ（Androidのみ）を使用して撮影する。このアプリはTranskribusと連携しており、スムーズにTranskribusに写真を転送することが可能である。【図4】

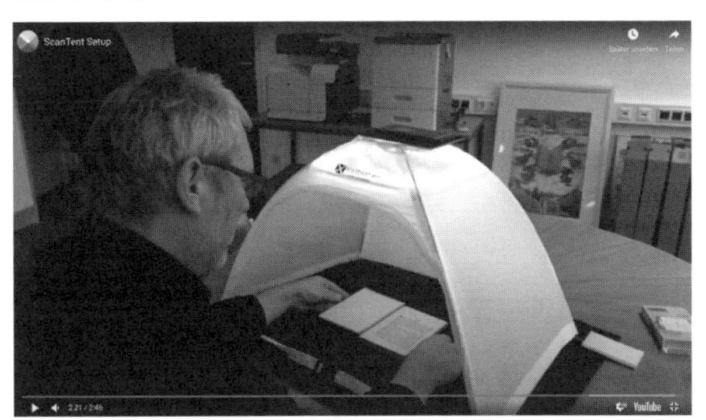

図4　Transkribusのクレジットを販売しているREAD COOP SCEが販売しているScanTent[13)]

4．画像前処理ソフトScanTailor

スキャナやカメラでスキャンして作成した画像は、ダストやインクの摩滅・にじみなどがない場合は、前処理は必要ない。しかし、羊皮紙資料やパピルス資料など古代・中世の資料に多いが、インクの滲み、裏写り、汚れ、明瞭なパピルス繊維などノイズが多い資料の場合は、Transkribusで読み込む前に、OCR・HTRに最適な形にするのが望ましい。この作業は前処理、あるいはプリプロセッシングと呼ばれる。無料かつ非常に使いやすい画像前処理ソフトとしてScanTailorがある。以下、例としてScanTailorを用いて、白黒にバイナリ化、カラム（列）の分割、傾きの補正、余白の調節、ダストの除去の行いかたを解説する。

4-1．ScanTailorのインストール

まず、ScanTailorをインストールする必要がある。ScanTailorはWindows専用のソフトウェアだが、MacやLinuxではWineなどのWindowsエミュレーターを使うことで、使用が可能である。

はじめにScanTailorのホームページに行く。Googleなど検索エンジンで「ScanTailor」と入力

図5　ScanTailor のウェブサイト [14]

して検索するか、次の URL（https://scantailor.org/）をブラウザのアドレス欄に入力してエンターキーを押そう。【図5】

GitHub ページへのリンクがこのページの下の方にあるので、そこをクリックしよう。GitHub ページの最下部から2段目に installer の文字列があり、リンクが張られている。この文字列をクリック。【図6】

そうすると【図7】のページがでてくる。32-bit 版と 64-bit 版がある。たいていの Windows パソコンでは 64-bit 版が正解だが、古い Windows パソコンや、Mac や Linux でエミュレータの Wine 上で動かそうとしている方は、32-bit 版をクリック。

インストールしたファイルを開くと、セットアップウィザードが出てくる。使用許諾の箇所では「I Agree」ボタン、そのほかのインストール場所などの場面では適宜「Next」ボタンを押していく。【図8】

最後に Install ボタンが出現し、それを押すとインストールが完了する。完了したら、Windows メニューなどから、ScanTailor を立ち上げよう。立ち上げたら、次の画面が出てくる。

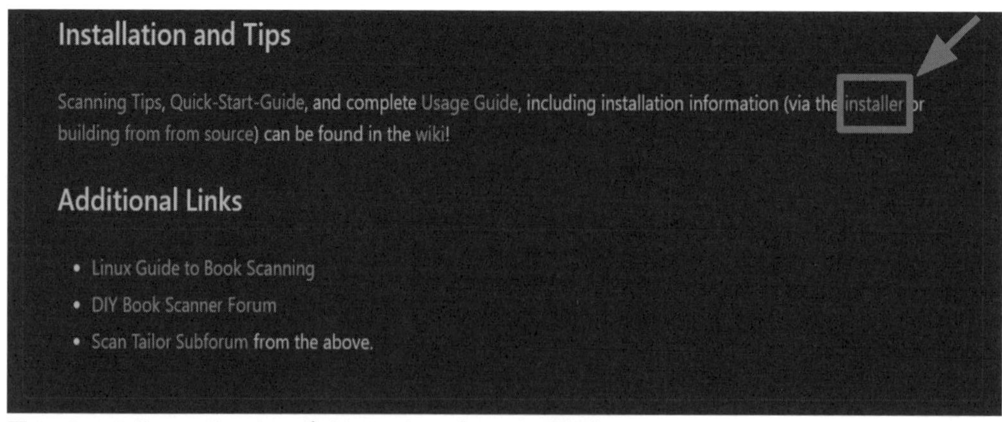

図6　ScanTailor の GitHub レポジトリのトップページの最下部

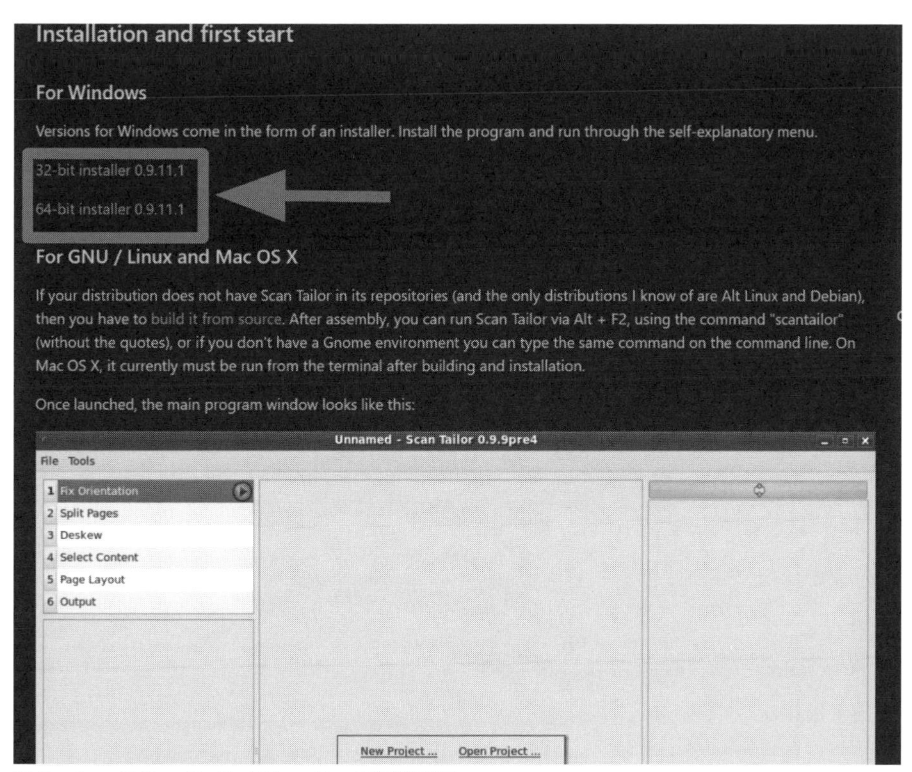

図7　ScanTailor のインストーラーの解説画面

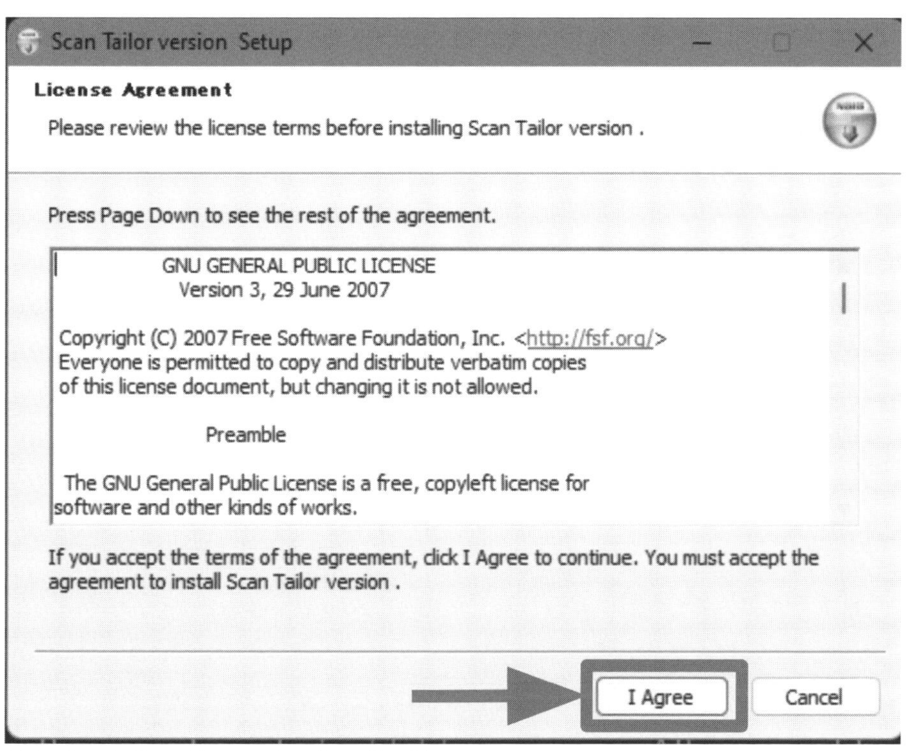

図8　ScanTailor のセットアップウィザード

4-2．プロジェクトの作成と画像読み込み

さて、これで ScanTailor は立ち上がった。まずは、ScanTailor で前処理をしていく画像を読み込む必要がある。それらの画像をあらかじめ、任意の位置の一つのフォルダ（入力フォルダ）にまとめて置いてもらいたい。その上で、新しいフォルダをもう一つ作り、それを出力フォルダとしてほしい（この時点では空フォルダである）。【図 9】

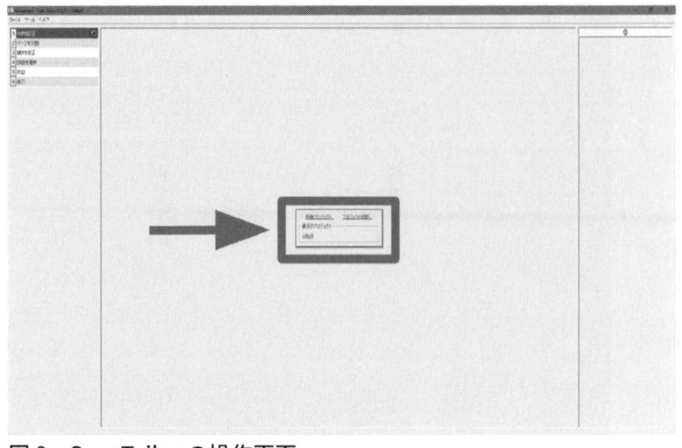

図 9　ScanTailor の操作画面

右図の ScanTailor の操作画面では、さまざまなボタンやクリックできる箇所があるが、真ん中の「新規プロジェクト」をクリックしてほしい。【図 10】

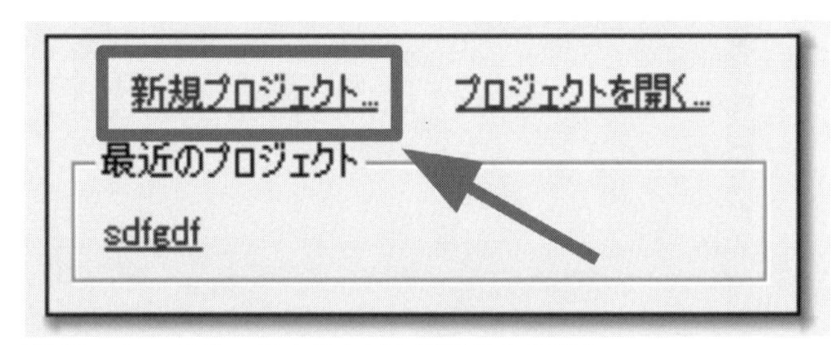

図 10　ScanTailor を立ち上げた画面の中央部分

そうすると、【図 11】の「プロジェクトファイル」ウィンドウが現れる。ここでは、スキャン

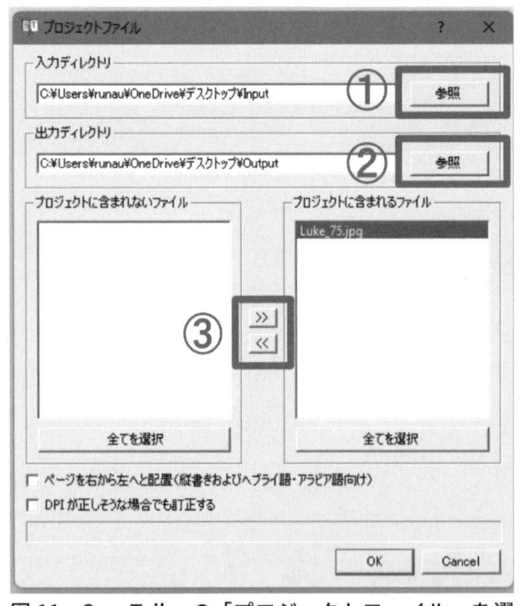

図 11　ScanTailor の「プロジェクトファイル」を選択するポップアップ・ウインドウ

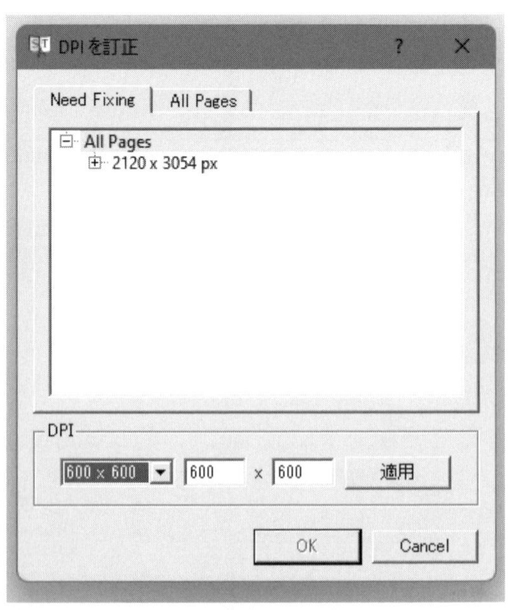

図 12　ScanTailor の「プロジェクトファイル」に指定した画像の DPI の訂正ウィンドウ

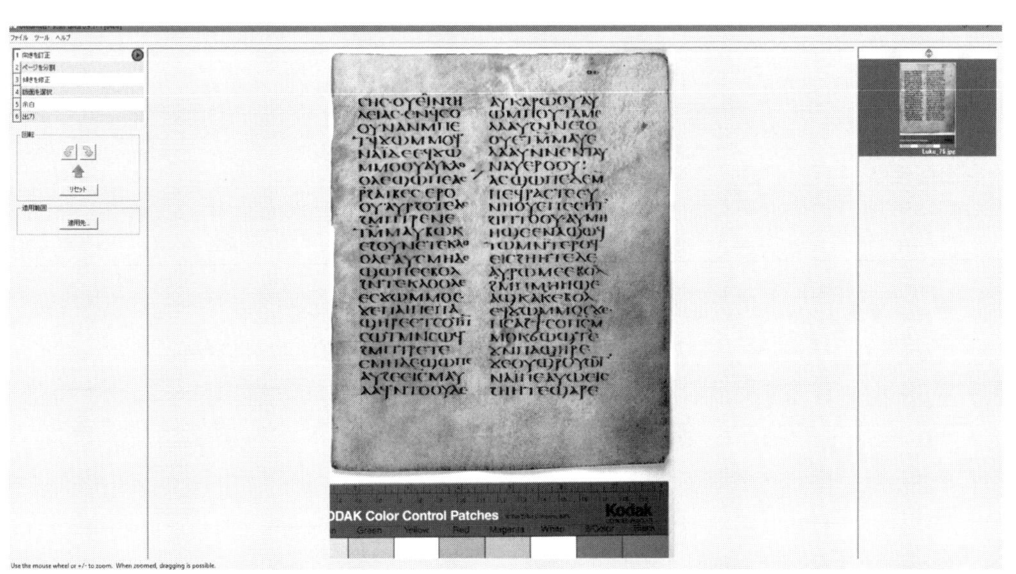

図 13　ScanTailor の「プロジェクトファイル」に指定した画像の DPI の訂正ウィンドウ

された画像が入っている入力ディレクトリと ScanTailor で補正した画像が出てくる出力ディレクトリを任意指定し、入力ディレクトリ内のどの画像を補正するか選択する。画像は、JPEG や TIFF などラスター画像ファイルを選ぶ。補正する画像は「プロジェクトに含まれるファイル」の所に移す。

「OK」を押すと【図 12】のような「DPI を訂正」というウィンドウがでてくる。「Need Fixing」で「All Pages」を選択し、「DPI」の下のプルダウンメニューから「600x600」を選択し、適用をクリックする。そうすると、「OK」を押せるようになるので、「OK」を押す。

4-3. 向きの訂正

「DPI を訂正」ウィンドウの下にある「OK」ボタンを押すと、上図のように画像が読み込まれた画面になる。[15]【図 13】

ここで左カラムを見ていただきたい。右図のように「1. 向きを訂正、2. ページを分割、3. 傾きを修正、4. 版面を選択、5. 余白、6. 出力」とある。【図 14】

これらが ScanTailor で行える前処理である。HTR に最適な画像にするには、これらをすべて行

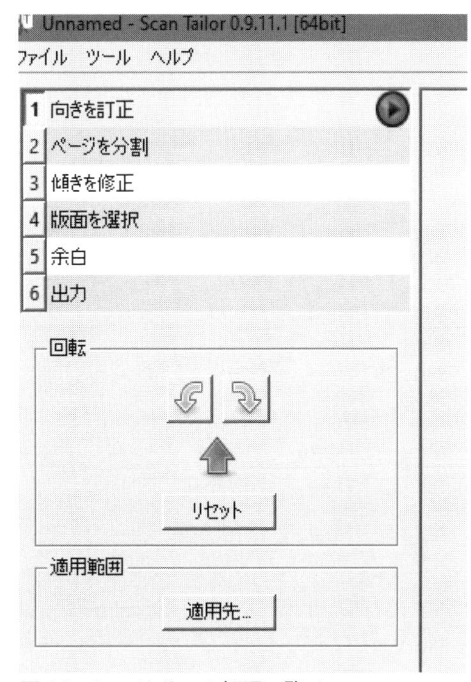

図 14　ScanTailor の処理一覧メニュー

うことが推奨される。まず、向きの訂正からやっていこう。

メニューの「向きを訂正」の右にある再生ボタンを押してみよう。そうすると、自動的に向きが訂正される。自動的な訂正が合っていない場合は、手動で修正しよう。一枚目を調整し、再生ボタンを押せば、二枚目以降は全て自動的に訂正してくれる。

4-4．ページ分割

次はページ分割である。今回とりあげている写本には二つのカラムがある。ページではないが、この分割機能で、カラムを分割してしまうのも、HTR のレイアウト分析の結果をよりよくするためのコツである。【図 15】

ページ配置で見開き 1 ページのものを選択し、境界線をドラッグして、固定させ、再生ボタンを押せば複数ページがある場合でも、自動で同じ処置を行ってくれる。

4-5．傾きの修正

次は傾きの修正である。また左メニューから「傾きを修正」をクリックしよう。そうすると、その下に自動か手動のチェックボックスが出てくるが、自動を選択しよう。【図 16】

そのままでまた、左メニューの「傾きを修正」の右の再生ボタンを押せば、全てのページの傾きを自動で修正してくれる。もし結果が良くなければ、手動を選択し、手動で傾きの修正を行おう。

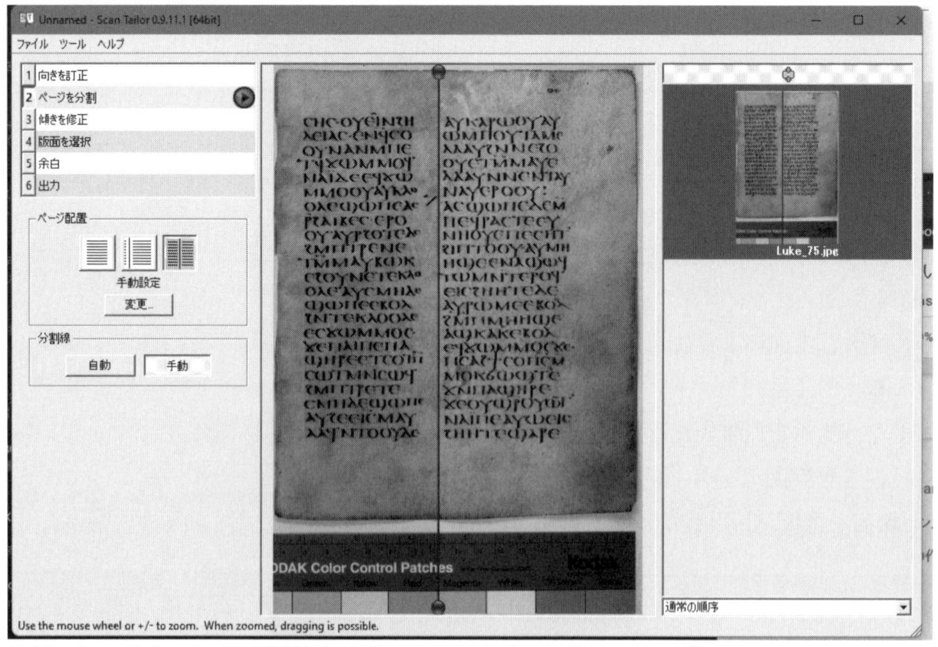

図 15　ScanTailor のページ分割場面（図ではカラム分割に使用している）

4-6．版面を選択

次は「版面を選択」を左メニューから選ぼう。ここでは、読み取りたいテキストがある箇所のみを選び、残りは削除することができる。自動でかなりの精度でテキストのある場所を選び取ってくれる。もし自動でうまくいかなければ、手動でテキストのある場所をマークしよう。【図17】

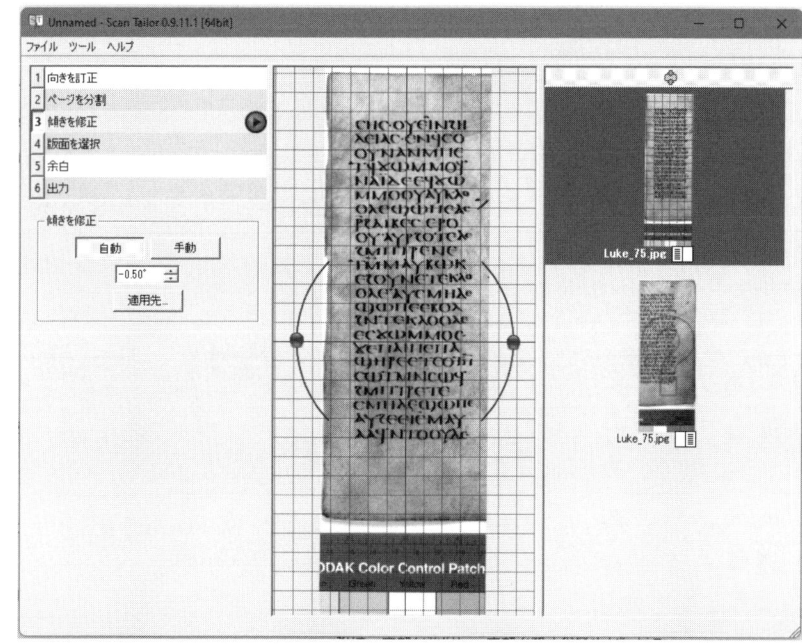

図16　ScanTailorの傾き修正場面

選択できたら、左メニューの再生ボタンを押そう。他のページも同じように自動的に処理してくれる。

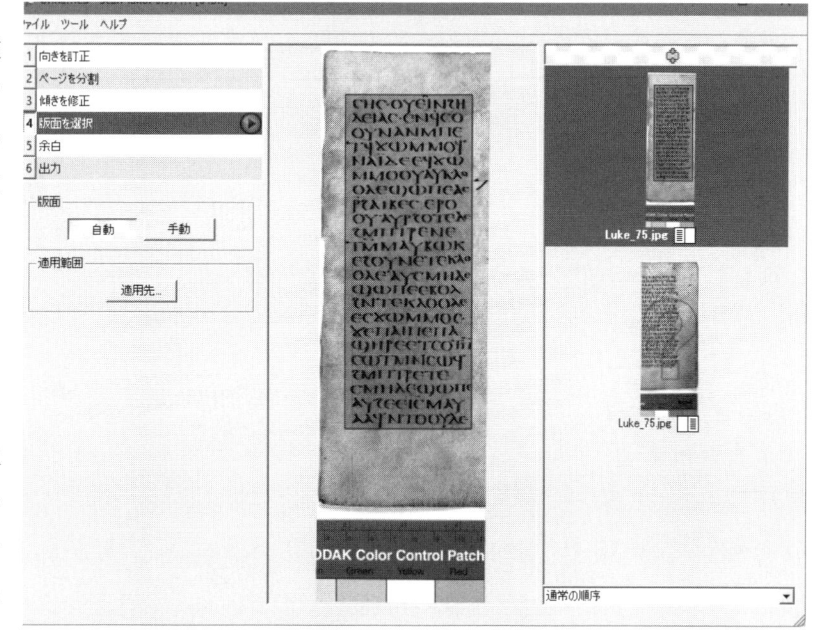

図17　ScanTailorの版面選択画面

4-7．余白

次は余白である。これは、HTR/OCRに最適な余白を前の段階で選択したテキストの周りに付け足す処理である。この処理がHTR/OCRにどれほど影響を及ぼすかは筆者は知らず、Transkribusで余白が大きいのものと小さいものの両方を試してみても、変わらなかった。そのため、余白が十分にある画像の場合は、この操作は省略可能である。画像に余白が十分にない場合は、ScanTailorで余白を追加しよう。これも自動を選んで左メニューの再生ボタンを押せば、ほぼ確実にうまくいく。もしうまく行かない場合は、

手動で調整しよう。【図 18】

手動では、位置合わせや、上下左右の余白など細かく設定することができる。

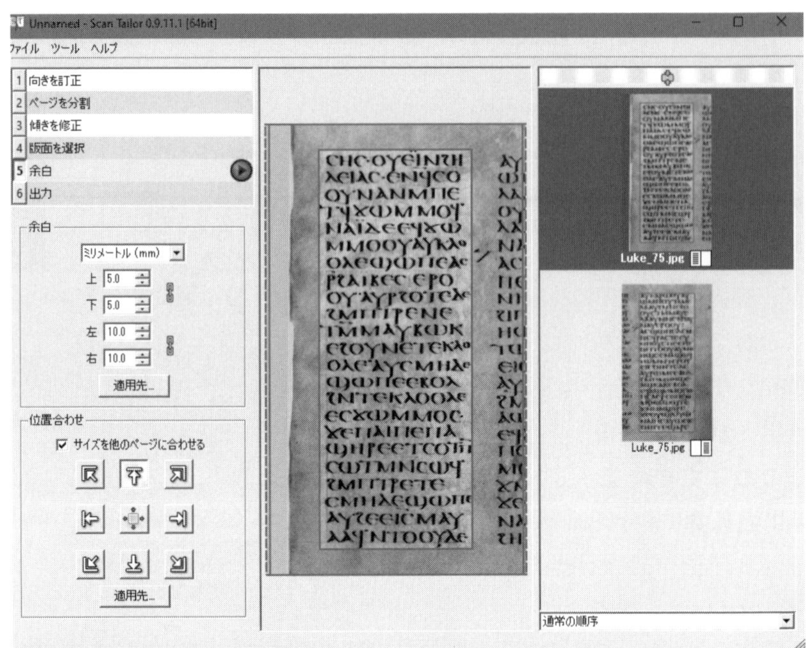

図 18　ScanTailor の余白追加画面

4-8．出力

最後は出力である。出力 DPI は 600、モードは白黒を選ぼう。白黒の濃淡を変える事ができる。文字ができるだけ明瞭になる濃さに調節しよう。その下にゆがみ補正がある。かなりゆがんでいる資料画像であれば、これもオンにしよう。また、その下には、ホウキマークがついた、スペックル除去がある。これも画像に多数のノイズが入っている場合は、より大きなホウキを選択しよう。【図 19】

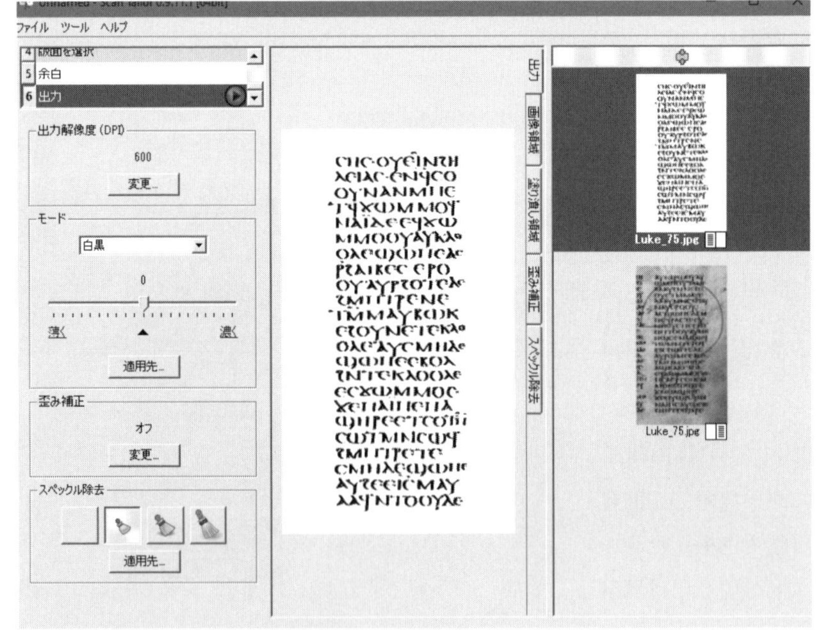

図 19　ScanTailor の出力調整画面

設定ができたら、また左メニューの再生ボタンを押そう。【図 20】

これで、HTR に向けての画像の前処理は完了である。最初の新規プロジェクト作成の所で指定した出力ディレクトリに今回補正された画像が保存されている。

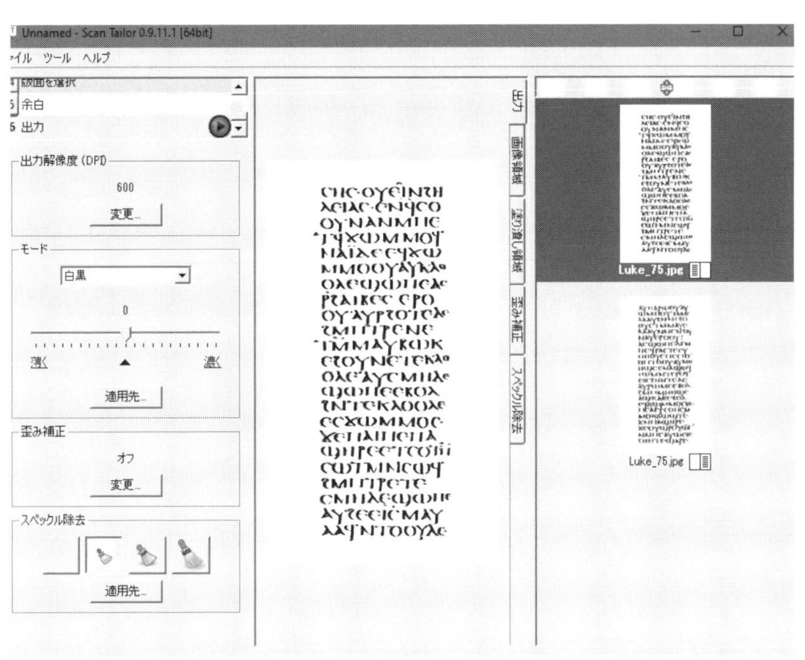

図 20　ScanTailor で前処理が完了した場面

5．Transkribus のインストール

画像の前処理はできた。次に、Transkribus をインストールしよう。Transkribus は、Windows、Mac、Linux に対応している。筆者は Mac 版を使うことが多いが、Win 版や Linux 版も時々使う。筆者の経験から言えば、操作に関してはどの OS もほぼ変わらないのではないだろうか。ただし、インストールの方法は多少異なるところがある。この節では、このインストール方法について解説する。

では、まず Transkribus のホームページに行ってみよう。「Transkribus」と Google などの検索エンジンで検索するか、ブラウザのアドレスバーに URL（https://readcoop.eu/transkribus/）を入力して、エンターキーを押していただきたい。2021 年 8 月の時点では、Edge ブラウザを用いた際に、32-bit 版がインストールされるというエラーが出た。念のためにブラウザは Chrome、Firefox、Safari などを使おう。

5-1．Transkribus アカウントを作る

Transkribus をダウンロードするには Transkribus のアカウントを作成する必要がある。Transkribus のウェブページを開いたら、上段のメニューバーの右端の方にある、「Log in」または「Sign up」のボタンをクリックしよう。【図 21】

そうすると【図22】のような画面が出てくる。ここで、一番下の「New user? Register」の「Register」をクリックし、必要事項を入力して、登録情報を送信する。登録したメールアドレスに確認メー

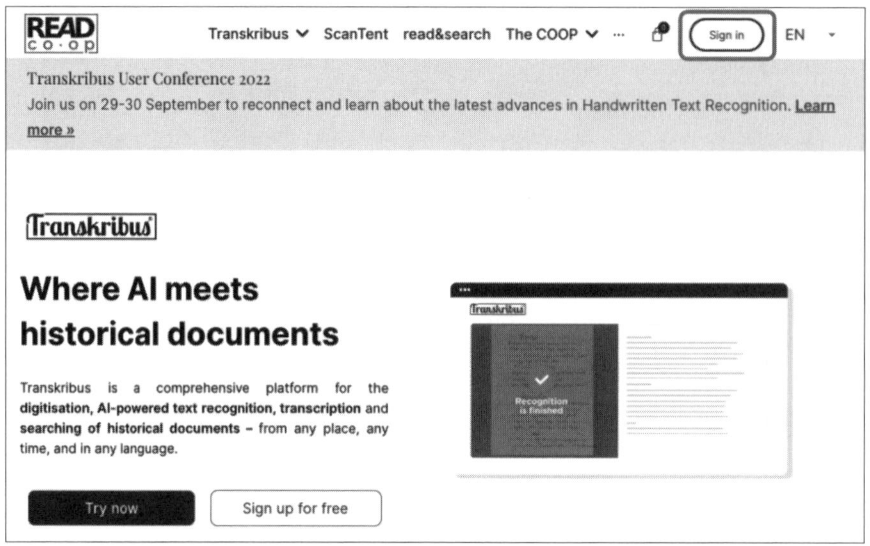

図21　Transkribus のホームページ

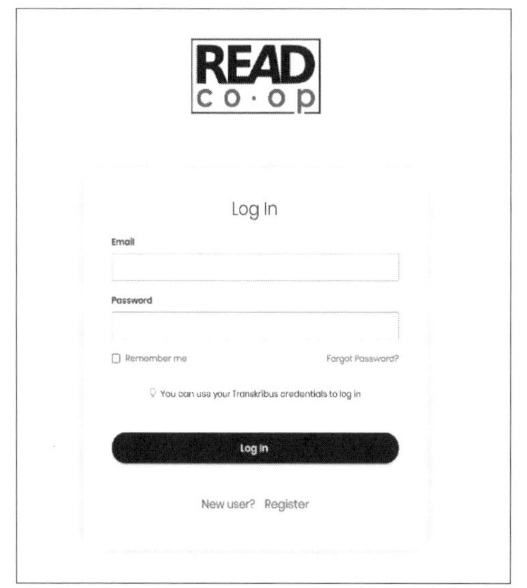

図22　Transkribus のホームページのログイン画面

ルが来るので、そこに記載されているリンクをクリックすれば、登録完了である。ここで登録したパスワードとメールアドレスは覚えておこう。

5-2．Transkribus.zip のダウンロード

ログイン後の画面の下の方に Download のボタンがあるので、これをクリックする。

そうすると【図23】のようなページが出てきて、自動的に Transkribus の zip ファイルがダウンロードされる。ただし、Mac 版を利用する際は、この自動ダウンロードではアイコンが表示されないため、自動ダウンロードをキャンセルし、「Notes for first launch on MAC」の項目にある「If the download not work on your Mac, then try this download here」の「here」をクリックしてダウンロードするようにしたほうが便利である。

5-3．Transkribus.zip の解凍

Mac ならこの ZIP ファイルをダブルクリックすれば、解凍・展開される。Windows では、【図24】の図が出てきて、ファイルマネージャが開かれるので、上のリボンにある「Extract All」もしくは「解凍」を押そう。

この「解凍」ボタンを押せば、任意の場所に解凍・展開できる。分かりやすく覚えやすいところに解凍しよう。解凍したら、次のようなフォルダ（「Transkribus 1.17.0 package」）が作られる。

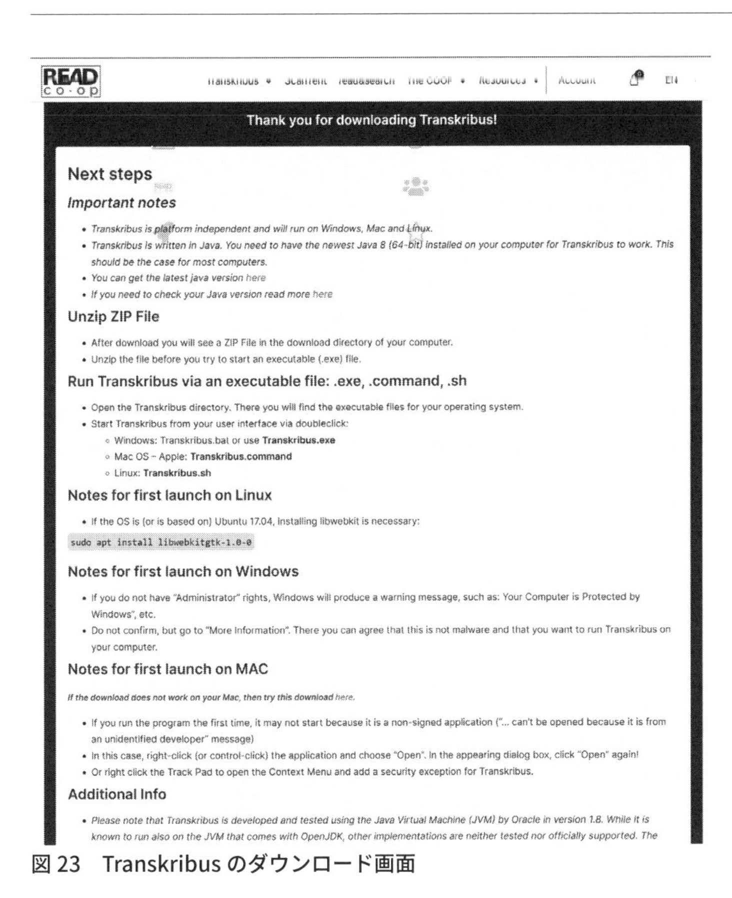

図 23　Transkribus のダウンロード画面

それを開くと下図のようになる。【図 25】

次に、この解凍・展開されたフォルダの中で、Mac なら Transkribus.command もしくは Transkribus-1.17.0.jar、Win なら Transkribus.bat もしくは Transkribus.exe（.bat や .exe が表示されていない場合がある。その場合は「Transkribus」）を探す。見つかったら、それをダブルクリックしよう。ここで、Transkribus が問題なく起動されたら、次の節は読み飛ばしてほしい。

この他に、Mac ユーザなら、Transkribus.app を図 23 の画面の Mac ユーザのための説明からダウンロードすることができる。こちらを Mac のアプリケーションフォルダに移動すれば、Launchpad から Transkribus を起動することもできる。この場合、一度起動させたあと、Mac の「設定」の画面から「セキュリティとプライバシー」に行き、「ダウンロードしたアプリケーションの実行許可」を与えなければならない。この方法だと、初回以外は Launchpad から Transkribus を起動することができるので、慣れれば楽である。

5-4．Java のインストール

Transkribus は Java というプログラミング言語で作られている。そのため、PC に適切なバージョンの Java がインストールされている必要がある。もし、そういった Java がインストールされていない場合は、Windows なら Transkribus.bat、Mac なら Transrkibus.command をダブルクリックした時点で、次の図のような警告ウィンドウがでる。【図 26】

ここで OK を押すと、ブラウザが立ち上がり、適切なバージョンの Java Runtime Environments をダウンロードするページが出てくる。【図 27】

ここで「同意して無料ダウンロードを開始」ボタンをクリックすることで、そのバージョンの Java をダウンロードし、ダウンロードしたファイルをダブルクリックして、Java のインストール画面に移る。

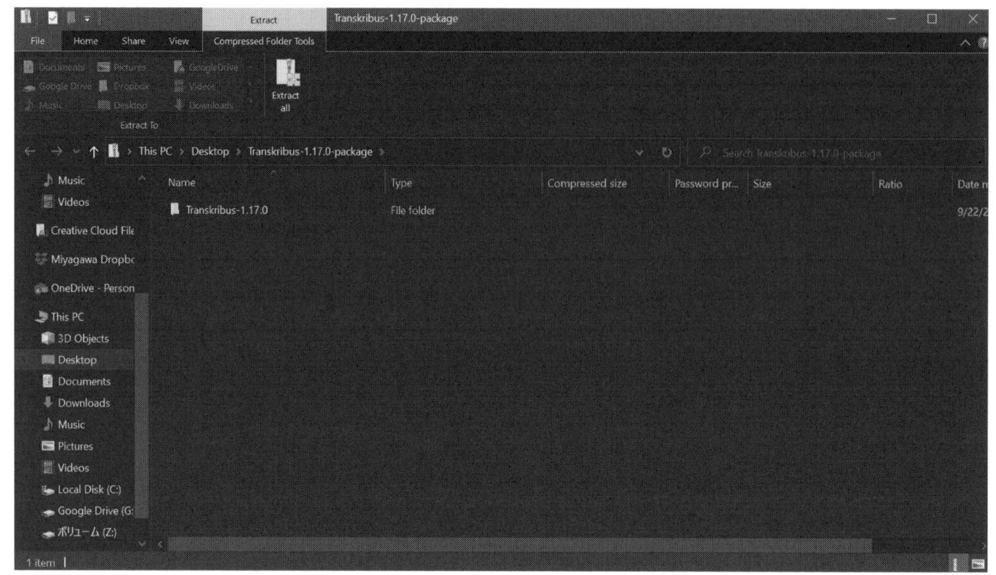

図 24　Transkribus 1.17.0 package.zip を Windows 10 で開いた場面

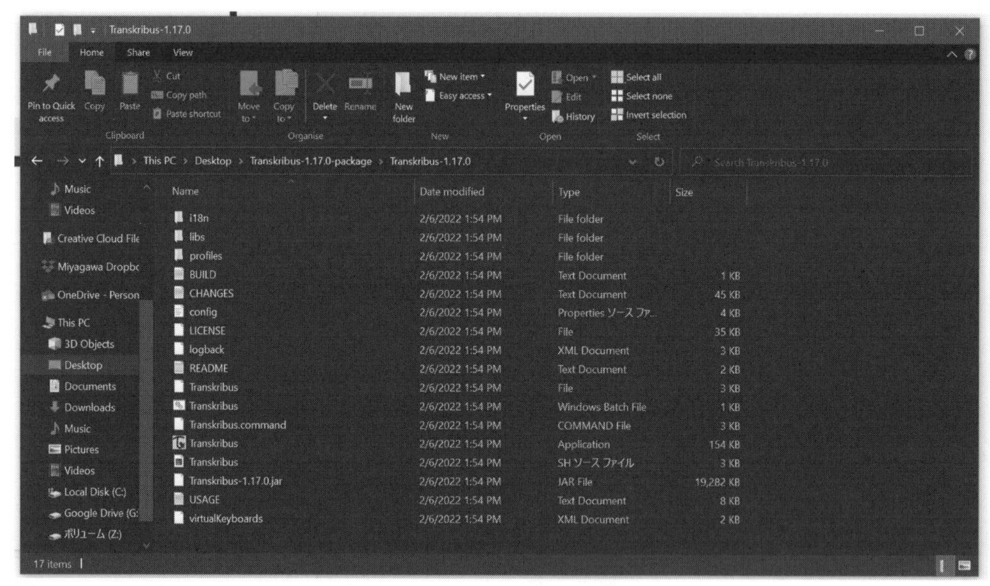

図 25　Transkribus 1.17.0 フォルダを Windows 10 で開いた場面

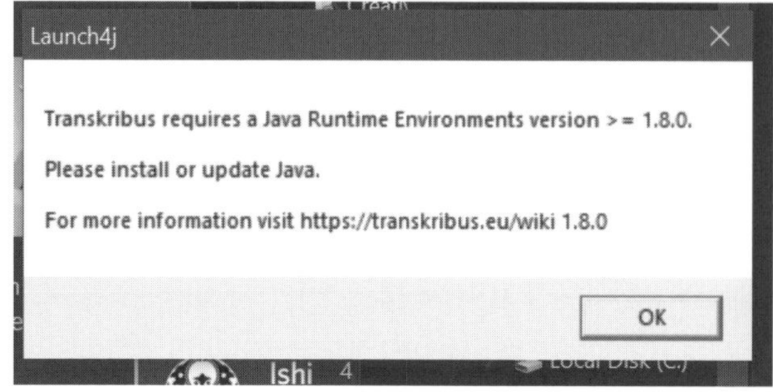

図 26　Transkribus の、Java に関する警告ウインドウ

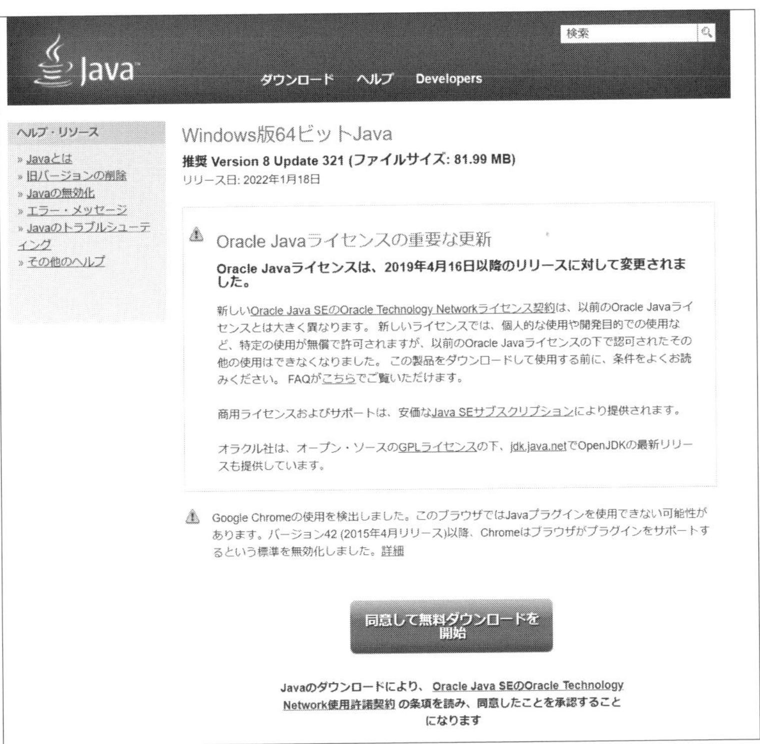

図 27　Oracle の Java Runtime Environments のダウンロードページ

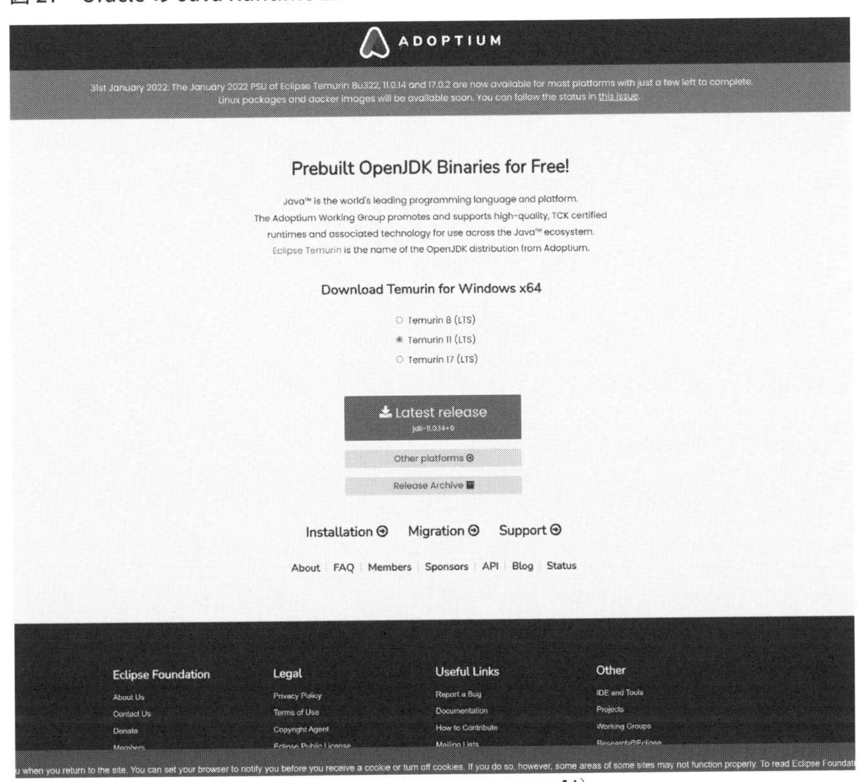

図 28　Adoptium による Open JDK のダウンロード画面 16）

第2部　実践編

ダウンロードしたファイルはjre-8u321-window…exe等というファイルである。これをダブルクリックしてでてきたインストールウィザードに従って、Javaのインストールを完了させよう。

インストールが完了したら、もう一度Transkribus.batもしくはTranskribus.commandをダブルクリックしよう。これでもTranskribusが開かなければ、別のJavaのバージョンをインストールする必要がある。最初は、Adoptiumのサイト（https://adoptium.net/）に移動して、Open JDKのTemurin 11（LTS）をインストールしてみよう。【図28】

このOpenJDKでもうまくいかない場合は、他のJavaのバージョンを根気強く試してみよう。

6．Transkribusで画像を読み込む

6-1．Transkribusを開く

さあWindowsなら、Transkribus.batかTranskribus.exe、MacならTranskribus.commandをダブルクリックしてみよう。Transkribusを開くと、下図の画面が出てくる。【図29】

6-2．Transrkibusアプリ上でログインする

Transkribusのアプリ画面に戻ろう。ここで、左カラムにある「Login」（ログイン）ボタンをクリックしよう。そうすると次のウィンドウが出てくる。【図30】

「User」（ユーザ）に先ほど登録したメールアドレス、「Password」（パスワード）にパスワードを入れてログインしよう。

図29　Transkribusを開いた画面

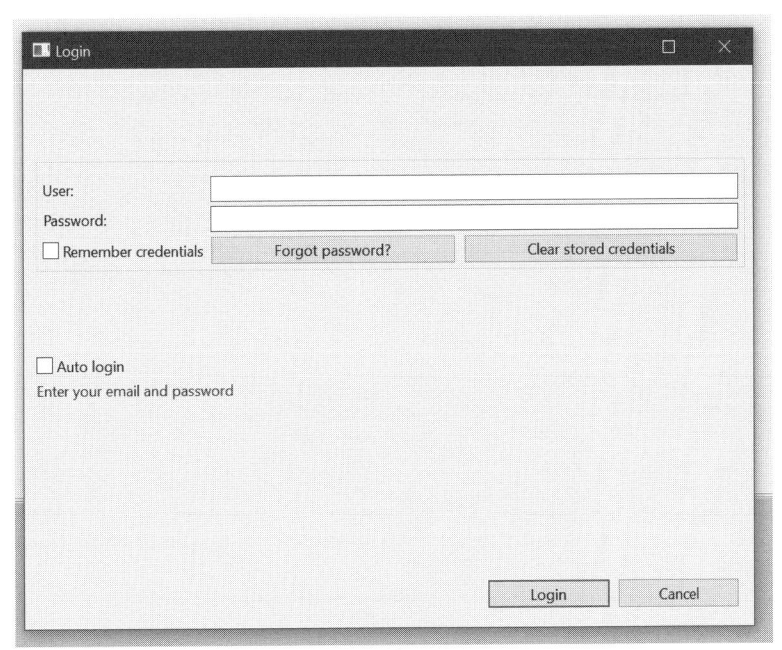

図 30　Transkribus ソフトウェアのログイン画面

6-3. 新しいコレクションを作る

ログインができたら、次は新しいコレクションを作ろう。コレクションは、資料を入れるフォルダの様なものであり、このコレクションごとに、他のユーザと共有することができる。コレクションを作るには、以下の写真で「Collections: Transkribus Cloud」となっているところの「Transkribus Cloud」があるボタンを押す。そうすれば、「Choose a collection via double click」というウィンドウが出てくる。【図 31】

このウィンドウの左下の「＋ Create」のボタンを押すと新しいウィンドウが出てきてコレクションを作成することができる。コレクションには、言語名や資料のジャンル名など大きな単位の名前をつけよう。

名前がつけられたら（最小は 3 文字）、「OK」を押して、「Choose a collection via double click」のウィンドウで新しく作ったコレクションを選択し、右下の「OK」を押そう。

6-4. ドキュメントのインポート

前の節では、「New Test」というコレクションを作った。このコレクションに Scan Tailor で前処理した文献画像を一括でドキュメントとして登録していく。

Server のタブの上から二番目の「Document...」というボタンを押そう。【図 32】そうすると、【図 33】のように、「Open local document...」、「Import document to server...」、「Export document to your local machine...」という三つの選択肢が出てくる。「Import document to server...」をクリックしよう。

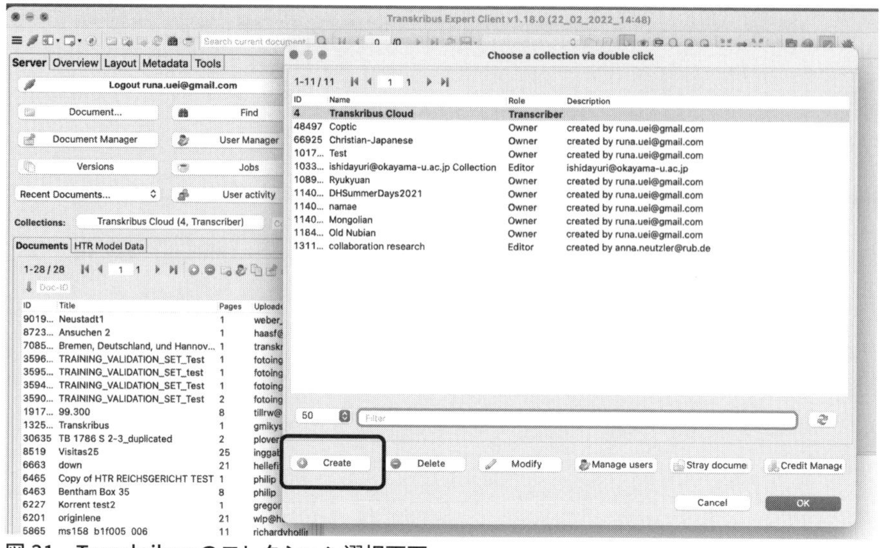

図 31　Transkribus のコレクション選択画面

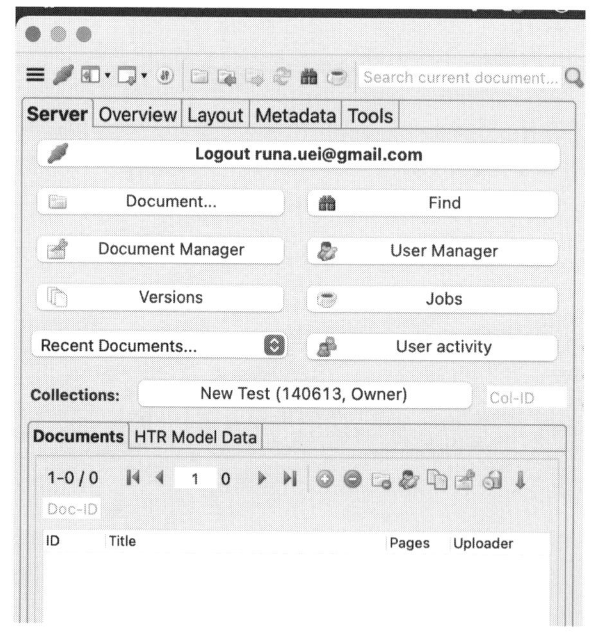

図 32　Transkribus で Collection を新しく作ったものにしたときの画面

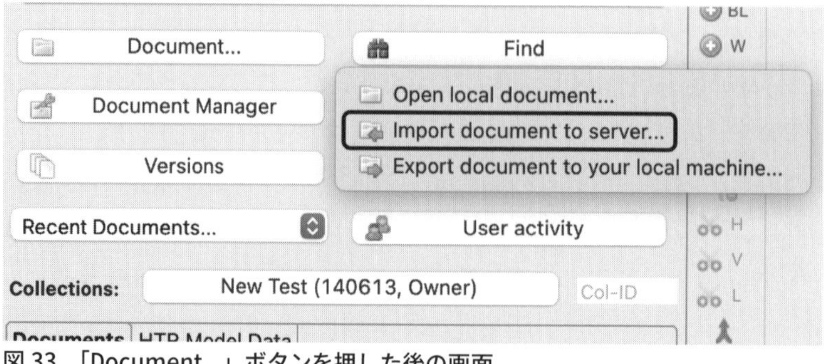

図 33　「Document...」ボタンを押した後の画面

そうすれば、【図 34】のようなウィンドウが出てくる。ここでは、画像の取り込み方について五つの選択肢がある。

1. 「Upload via private FTP (also PDF files)」:プライベートな FTP を通したアップロード(PDF ファイルも)
2. 「Upload single document」:単一のドキュメントをアップロード
3. 「Upload via URL of DFG Viewer METS」:DFG ビューワ METS の URL を通してアップロード
4. 「Upload via URL of IIIF manifest」:IIIF マニフェストの URL を通してアップロード
5. 「Extract and upload images from pdf」:PDF から画像を抽出しアップロード

このうち、手軽に使えるのは、2 の単一のドキュメントをアップロードで、一つのフォルダに入っている画像を全てアップロードするものである。例えば、ScanTailor の出力フォルダを選択すれば、Scan Tailor で補正した画像をアップロードすることができる。

Transkribus は全てインスブルック大学のサーバ上で作業が行われるため、このように画像をアップロードする必要がある。この時点では、画像は公開されず、他のユーザと共有するには別の操作をしなければならない。

次に手軽に使えるアップロード方法は、4 の IIIF マニフェストを通したアップロードと、5 の PDF から画像を抽出してアップロードするやり方である。4 は、HTR をかけたい文献の画像がデジタルアーカイブ上で IIIF 画像として公開されている場合に非常に有効である。5 は、HTR をかけたい文献の画像がすでに一つの PDF ファイルとしてまとめられている場合に有効である。

これらの方法のどれかを選んで HTR をかけたい文献の画像を Transkribus サーバにアップロー

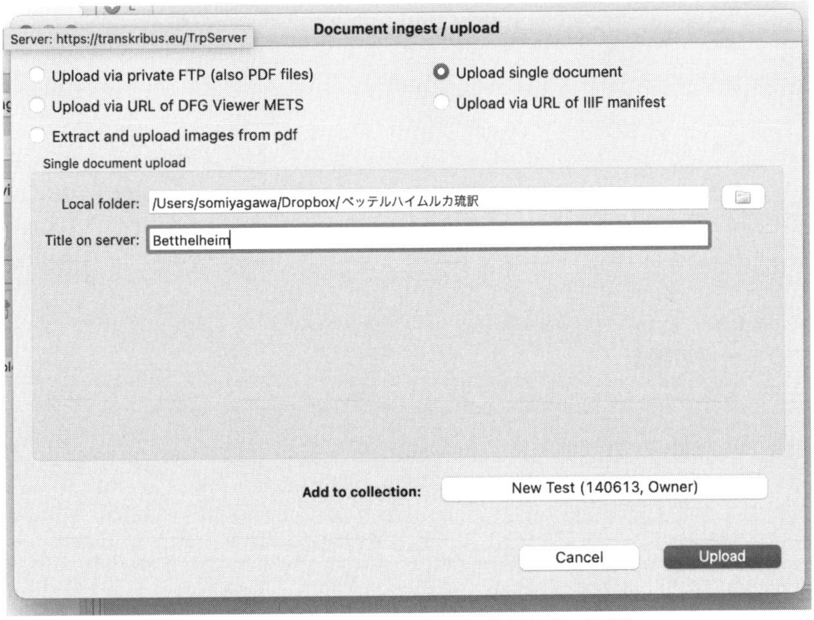

図 34 「Import document to server...」をクリックした後の画面

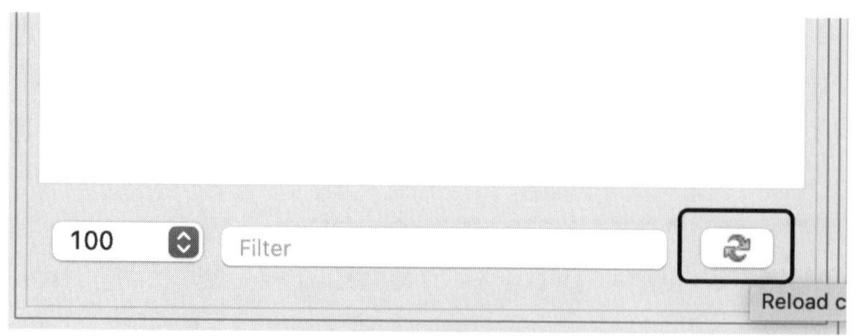

図 35　メイン画面左カラムの右下にある更新ボタン

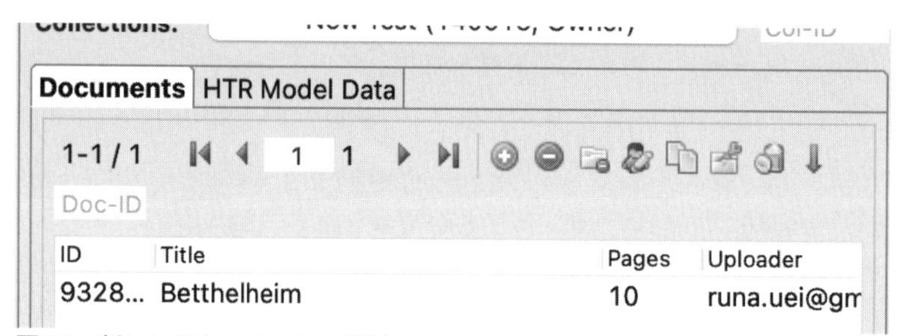

図 36　新しいドキュメントの表示

ドすると、しばらく待つように指示が出て、このアップロード作業が完了するとアップロード完了通知のポップアップ・ウインドウが出る。「OK」ボタンを押して、ポップアップ・ウインドウを閉じ、Transkribus 画面の左カラムの右下にある更新ボタン（二つの矢印が渦を巻いているマークがついている）をクリックしよう。【図 35】

そうすると、【図 36】の様に、アップロードしたドキュメントが表示される。ページ数はドキュメントにある画像数である。合っているか確認しよう。

これで、Transkribus への画像の読み込みは完了である。

7．レイアウト分析

Transkribus で画像を読み込んだ後は、まず、画像のうちテキストがある場所のセグメンテーションをする必要がある。さきほど読み込んだ新しいドキュメント（ここでは Betthelheim）をダブルクリックする。そうすると、読みこんだドキュメントの最初の画像が表示される。【図 37】

次に左のカラムに五つのタブ（「Server」、「Overview」、「Layout」、「Metadata」、「Tools」）があるが、このうち、「Tools」のタブをクリックすると左のカラムが次のように変わる。【図 38】

7-1．レイアウト分析の設定

この「Tools」のタブには、「Layout Analysis」や「Document Selection」などのセクションが見られる。Layout Analysis は「CITlab Advanced」を、その下は「Current Page」（現在のページ）ではなく、「Pages」を選択し、その横のテキストボックスには、全てのページ（ここでは 1–10）が範囲に入っていることを確認しよう。ここでは、Filter などは触らないでおこう。そして、Document Selection で、「Find Text Regions」にチェックが入っていることを確認し、その下の「→ Run」を押そう。

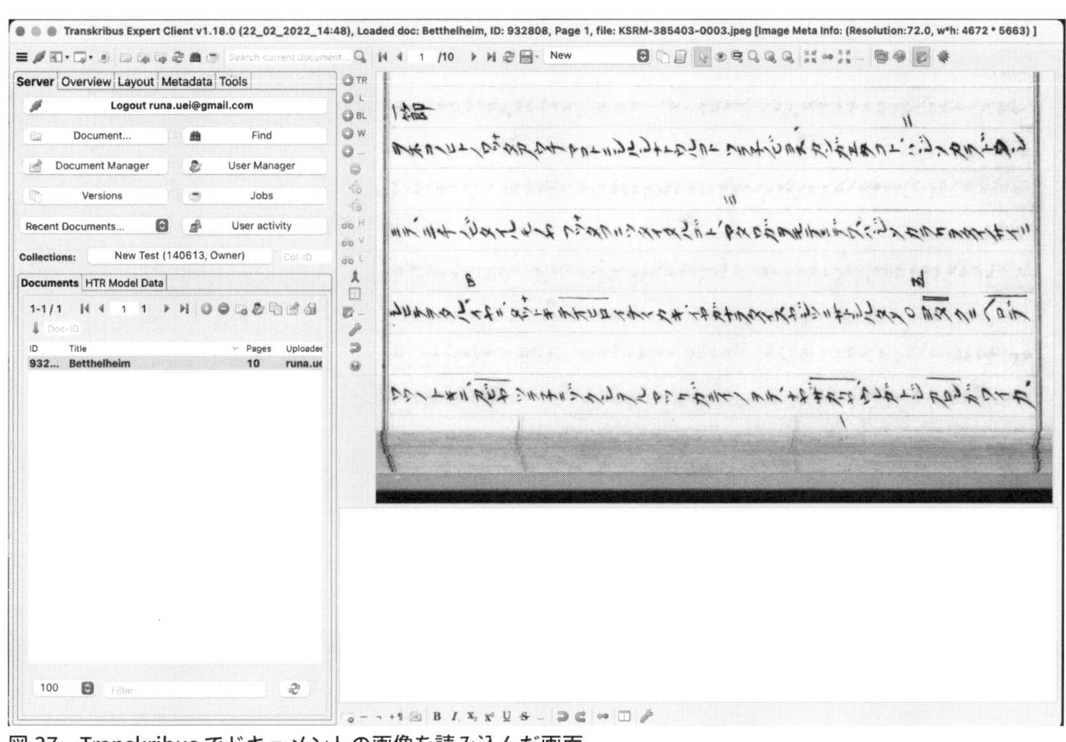

図 37　Transkribus でドキュメントの画像を読み込んだ画面

図 38　Transkribus の「Layout Analysis」を行うためのセクション

図 39　Transkribus でレイアウト分析が完了したときのダイアログ

この「→ Run」を押すと、レイアウト分析が開始される。このレイアウト分析には、行の基本線（ベースライン）、文字がある範囲（ポリゴン）、そして、テキストの範囲（リージョン）が認識される。そして、しばらく経つと上図のポップアップ・ウインドウが出て、レイアウト分析が完了したことが通知される。【図 39】

この分析は、サーバが混んでいる際は遅くなる傾向があるが、今回のように 10 ページだけなら、

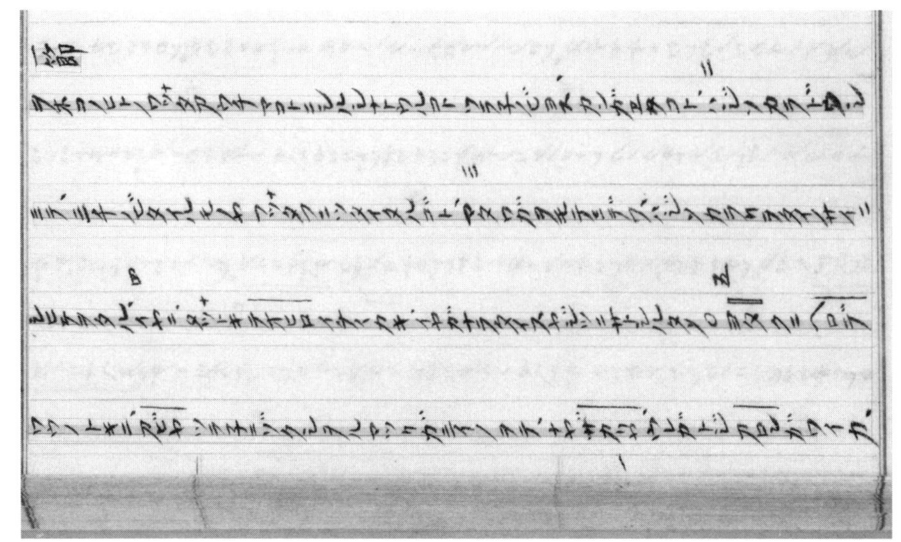

図 40　Transkribus でレイアウト分析の結果を画像の上に表示させた画面

比較的早く行われる。

このポップアップ・ウインドウで「Yes」を押せば、文献の画像に濃い青のラインや、薄い青の網掛け、そして、緑色のラインが出現していることに気がつくだろう。【図 40】

ベースラインとは、濃い青の線で表される、行を区切るためのラインであり、リージョンとは、緑の線で表される、複数行のカラムや文章のかたまりである。また、文字だと認識されたエリアは水色でマーキングされる。

7-2．リージョンの調整

文字が書かれている箇所や、行のベースラインを判別するレイアウト分析に関しては、Transkribus チームが用意した三つのレイアウト分析モデル、すなわち、1. CITlab Advanced（ロストック大学の CITlab が開発）、2. Printed Block Detection、3. Separator Detection が使用できる。そして手書きテキストを含め大抵の文字資料は 1. の CITlab Advanced が最もレイアウト分析の精度が高い。

このレイアウト認識は、横書きの文字ならば、ラテン文字のように左から右でも、アラビア文字のように右から左でも対応できるが、縦書きには、2022 年 4 月の時点では、まだ対応していない。縦書きに対応させるためには、画像エディタなどで、読み込む画像を 90 度回転させる必要がある。この操作は、4-3 節で解説した ScanTailor の向きの調整で行うことができる。上で表示している文献は、ベッテルハイムによる琉球語訳の『ルカによる福音書』である [17]。

レイアウト分析の結果を修正するレベルとしては、リージョン、ベースライン、ポリゴンの三つがあるが、まず、はじめに一番大きな単位であるリージョンの修正方法を解説する。まず、Transkribus の文献画像の上にある緑色の線を見つけてほしい。見つけにくい場合は、ズームインしてみよう。この緑色の線をクリックすれば、下図の文献上で緑色の線で囲まれていた部分が、薄い緑色の網掛けになる。この薄い緑色の網掛け部分が、リージョンとして認識されている部分である。リージョンとは、HTR エンジンが認識する文字が書かれてある部分を表す一番大きな単位で、ページの文字が書かれている箇所全体を長方形で覆うようにリージョンが置かれるが、そのページの文章が 2 列（カラム）以上ある場合は、カラムごとにリージョンが置かれる。

図 41　リージョンの境界の緑色の線をクリックした画面

図 42　リージョンの境界の緑色の線をドラッグしてリージョンの範囲を広げた画面

ここで、最後の文字の右の部分がリージョンから外れていることに気づく。【図 41】全ての文字がリージョンに入らなければならないので、このリージョンを広げる必要がある。リージョンを広げるには、リージョンの長方形の角をドラッグして広げなければならない。下が、リージョンの右下の角を右下方向にドラッグして、リージョンからはみ出ていた文字をリージョン内に収めた場面である。【図 42】

このようにしてリージョンが調節できる。ただ、Transkribus で機械学習させるためには、30 ページ以上は教師データが必要であり、このように細かく一つ一つ丁寧に調整するのもいいが、大量の教師データを Transkribus に与えて、数の論理でよりよい学習済みモデルを作成する方策も有効である。その場合は、リージョン、ベースライン、ポリゴンは、だいたい合っていればデフォルトのままで構わない。レイアウト分析エンジンのトレーニングについては、2022 年 6 月 14 日に可能になることが Transkribus チームにより発表された。今後レイアウト分析の機械学習が Transkribus 上でより実行しやすくなっていくことが期待される。

7-3．ベースラインの調整

ベースラインは、行の基部となる線である。これは、リージョンやポリゴンとは異なり、ベースラインの下に来る文字があってもかまわない。また、ベースラインの上側には薄い青の網掛けがあるがそれがすべての文字を内包しなくてもかまわない。ベースラインは行認識に使われるものであり、行の基部に正しく沿っているかが重要となる。行が途中で湾曲することは、手書きのテキストでは起こりうる事であるが、その場合は、ベースラインも途中で曲がることになる。

ベースラインを調節・修正するには、ベースラインの青い線をまずクリックする必要がある。

クリックするとベースラインとその上の青い網掛けが強調されるので、ベースライン上に現れる丸い点をドラッグして移動させるとベースラインも変化する。今回は【図43】のはみ出ている2.5文字をベースラインの影響範囲に内包してみよう。

ベースラインの右端の丸を右にドラッグすると、ベースラインも右に伸ばされる。この要領で、全ての文字の基部にベースラインが来るように調整し、調整できたら、ドラッグを解除する。【図44】

このとき、ベースライン上の濃い青の網掛けが、水色の網掛けに変わるが、これで問題はない。

図43　ベースラインの青色の線をクリックした画面

図44　ベースラインの青色の線の端の丸を右にドラッグして、ベースラインを伸ばした画面

7-4．ポリゴンの調整

レイアウト分析の結果の調整の最後の部分は、ポリゴンの調整である。ポリゴンは水色の線で表されるが、色が薄いため、最も見えにくい。ポリゴンの水色の線をクリックすると、その線で囲まれた部分が、【図45】のように、水色の網掛けになる。

図45　ポリゴンの境界の水色の線をクリックした画面

ポリゴン内にはその行の全ての文字が入っていなければならない。【図45】では、右の2.5文字、そして、左から二つ目の文字の上部分とその次の文字の点がポリゴン内に収まっていない。そこで、ポリゴンの水色の線の上に現れている丸をドラッグし、ポリゴンを【図46】のように広げる。

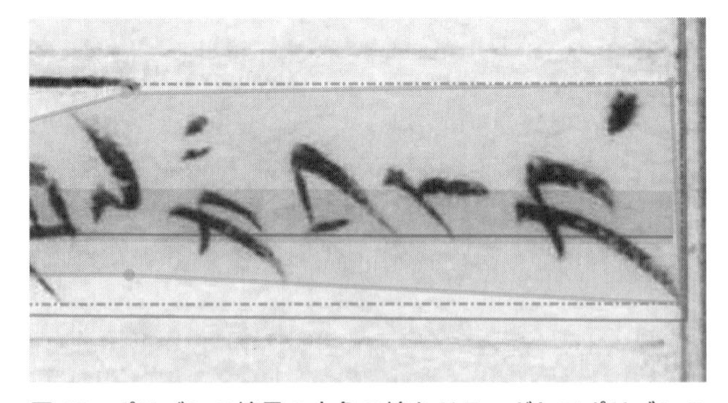

図46　ポリゴンの境界の水色の線をドラッグしてポリゴンの範囲を広げた画面

このポリゴンを調節する丸は水色の線の上に複数あるので、それぞれ微調整する。レイアウト分析の結果の調整の中で、最も調整に時間がかかるのが、このポリゴンの調整である。大量のデー

タを扱う場合は、このような微調整は放棄して、よりたくさんの教師データを作った方が良い戦略なのかもしれない。

8. グラウンド・トゥルースの作成

レイアウト分析を行い、その結果を調整してきた。次はいよいよ教師データ、グラウンド・トゥルースの作成である。教師データとは、機械学習の際に、機械に学習させるデータのことである。この教師データが間違っていれば、機械は間違ったまま学習することになり、その分精度が落ちるので、教師データを作る際には、注意しなければならない。OCR や HTR の機械学習の分野では、教師データのことをグラウンド・トゥルースと呼ぶ。

さて、まず、グラウンド・トゥルースに関しては、どれだけの量のデータを作れば良いかという疑問が沸いてくる。グラウンド・トゥルースは文字種や文字の画一性の揺れの大きさなどによって、適切な量が異なってくる。筆者の経験上では、画一性が高く、文字種が 20–30 文字程度の文字体系であれば、少ない場合は 30 頁あればある程度のものは作れ 50–75 頁のグラウンド・トゥルースがあれば、十分な精度のモデルが、100 頁あればかなり高い精度のモデルが作れる。Transkribus Wiki では 100 ページをまず手動で翻刻することが推奨されている[18]。漢字などより文字種が多い文字体系では、より多くのグラウンド・トゥルースを作らなければならない。

ここでは、非常にレイアウト認識が簡単な、16–17 世紀のローマ字キリシタン版を例に解説する。【図 47】がそのローマ字キリシタン版のうちの『平家物語』(大英図書館本;国立国語研究所ウェブサイトにて公開[19]) を読み込んだ場面である。ここでは、もうすでにレイアウト分析は終えている。活版印刷で造られたものであるため、レイアウト分析はほぼ完璧である。

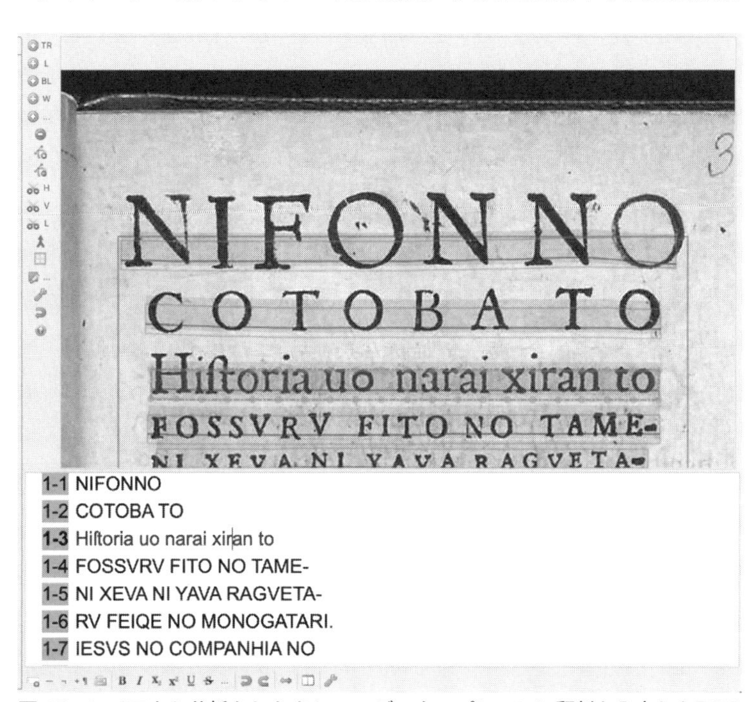

図 47　レイアウト分析をしたあと、エディタ・プレーンに翻刻を入力した画面

この画面の下部のエディタ・プレーンに、青で表示されているその行に書かれている文字の翻刻を入力していく。上の画像の行と下のエディタ・プレーン

はリンクされており、現在選択されている行が、上プレーンでは水色に網掛けされ、下プレーンでは、文字が青に変わる。上の画像プレーンの画像を見ながら、下のエディタ・プレーンに文字を入力していく。このときに注意していただきたいのは、日本語を入力する場合、変換の際にエンターキーを押すと、カーソルが下の行に行ってしまい大変不便である。漢字かな混じり文のグラウンド・トゥルースを作成する場合は、別のエディタで作成し、それをTranskribusのエディタ・プレーンに貼り付けることがおすすめである。

また、すでに学習させたい文字や書体のテキストのデジタル翻刻がある場合は、レイアウト分析した後、デジタル翻刻をTranskribusのエディタ・プレーンの各行にコピー＆ペーストしていくことがおすすめである。Transkribusでは、プレインテキストやXMLで作成されたデジタル翻刻を読み込んでエディタ・プレーンに取り入れる機能があるが、筆者の経験では、この機能を使うとよく行がずれてしまい、結局1行1行コピー＆ペーストしていったほうが安全かつ迅速であった。

Transkribusを手書きテキストで用いるにはグラウンド・トゥルースを非常に多く用意しなければならず、それも書記、もしくは手書きのスタイルごとに用意しないとならない。筆者が研究しているコプト語の文献は、非常に欠損部分が多く、インクの劣化や裏写りなどにより不明瞭な部分も多く、また、書記による書体の差も大きいため、100ページ分のグラウンド・トゥルースを一から作成してHTRを動かすのは、効率的ではないように思われる。ただし、ある書き手が数多くのコーデックスの文字を書き、それらのコーデックスが欠損部分や不明瞭な部分も少ない完全に近い物であるとき、Transkribusは、大量の翻刻を自動で作成するための非常に有効なツールとなる。というのは、推奨される100ページ分のグラウンド・トゥルースの作成という、骨の折れる作業はあるものの、一旦トレーニングすると、同一書記の複数のコーデックスの翻刻を自動化できるからである。

グラウンド・トゥルースができたら、1頁ごとに、Transkribus画面の上のメニューにあるフロッピーディスク型の保存ボタンを押して保存しよう。また、右図の様に、その横のプルダウンメニューから、「Ground Truth」（グラウンド・トゥルース）を選択しよう。【図48】

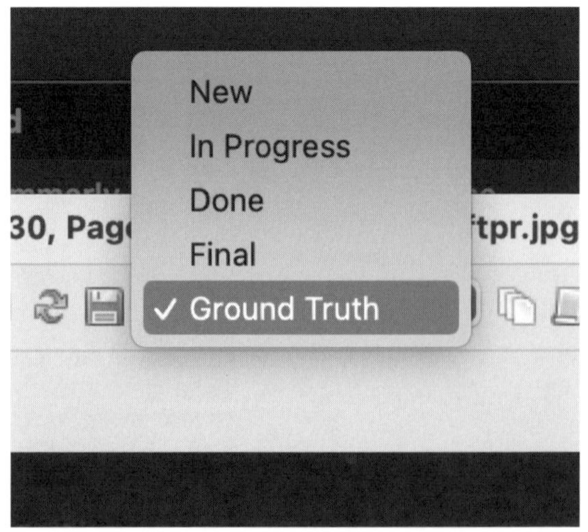

図48　「Ground Truth」として翻刻を保存する画面

このグラウンド・トゥルースの作成で、一番シンプルなやり方は、その画像のテキストをそのまま、Unicodeにある対応する文字で翻刻していくことであるが、世界の文字にはまだUnicode化されていない文字がある。また、Unicode化されていても、学者はラテン文字転写の方がよく使うという場合も考えられる。そういったときは、無理にその文字に対応するUnicodeを使わず、ラテン文字転写もしくは、カタカナ転写でも良い。Transkribusはトレーニングでそれらの対応を覚え、翻刻だけでなく「自動ラテン文字転写」ソフトとしても活躍できるのである。

9. トレーニング

30–100頁くらい（かなりの幅があるが多ければ多いほど良い）のグラウンド・トゥルースが完成すれば、ようやくそれらを教師データとしてTranskribusに学習させるターンである。もし、同一文字で書体が近い学習済みモデルがすでにあり、それがすでに共有状態になっている場合は、その学習済みモデルを追加学習させることもできる。だが、まずは、デフォルトの方法、すなわち真っ新な状態からTranskribusを学習させる方法から解説する。

9-1. デフォルトのトレーニング

まずは、デフォルトのトレーニング、すなわち、学習済みモデルを用いず、真っ新な状態で、グラウンド・トゥルースを用いてTranskribusに機械学習させていく方法について解説する。

まず、Transkribusの画面の左カラムに目を移してもらいたい。ここには「Server」、「Overview」、「Layout」、「Metadata」、「Tools」などのタブがあるが、レイアウト分析のときと同様、「Tools」をクリックしよう。

レイアウト分析のときは「Layout Analysis」と「Document Selection」のセクションを操作したが、今回は、その下の「Text Recognition」のセクションを操作する。「Text Recognition」には「Method」、「Models...」、「Train...」などのボタンなどがあるが、トレーニングをするためには、「Train...」のボタンを押さなければならない。【図49】

「Train」のボタンを押すと下図のような画面が出てくる。【図50】ここでは、「Model Name」（モデル名）と「Language」（言語）、そして「Description」（説明）を記述しなければならない。モデル名は分かりやすく、トレーニングする言語や書体の名前や

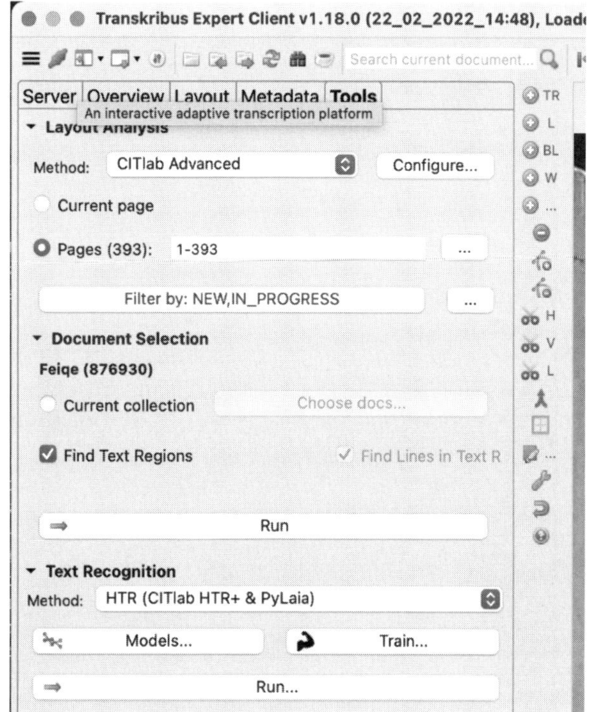

図49　Transkribusの左カラムの「Tools」から「Train...」を選ぶ

年代や地域などが良いだろう。これは英語で名付けた方が良い。「Language」はトレーニングする言語を選択する。「Description」はどのような資料を使って誰がトレーニングしたか、もしくはプロジェクト情報などの説明を書く。これは短くても長くても良い。

「Language」の下に「PyLaia」と「CITlab HTR+」の二つのタブがある。この二つは Transkribus に標準搭載されている HTR エンジンである。PyLaia はオープンソースであるが、CITlab HTR+ はそうではない。性能差はほとんどないようであるが、若干 CITlab HTR+ のほうが良かった経験がある。ただ、後に説明するが、Transkribus は現在課金制を導入しており、最初の無料分のテキスト認識を使い果たせば、クレジットを購入しないとさらに認識させることができない。PyLaia のほうが CITlab HTR+ よりも少ないクレジットで文字認識させることができるので、金銭的に安く済ませたい場合は PyLaia を選ぶと良い。これらのタブには「Epoch」の数などを指定することができる。Epoch とは、トレーニング回数のことであるが、デフォルトの数値で十分である。このタブは PyLaia か CITlab HTR+ を選ぶときと、学習済みモデルを使うとき以外は、基本触らない方が良いだろう。

次に「Training Set」と「Validation Set」を選ばなければならない。Training Set は、作成したグラウンド・トゥルースのうち、教師データとしてもちいるもの、Validation Set は、グラウンド・トゥルースのごく一部で、機械学習の精度を評価するための評価データとしてもちいるものである。ここで、最も簡単な方法は、「HTR Training」ウィンドウで下中央の「2% from train」、「5% train」、「10% train」と書いてあるところで、「2% from train」にチェックを入れてから、教師データとなるグラウンド・トゥルースの画像を左下のプレーンで選び、そして、中央下の「＋

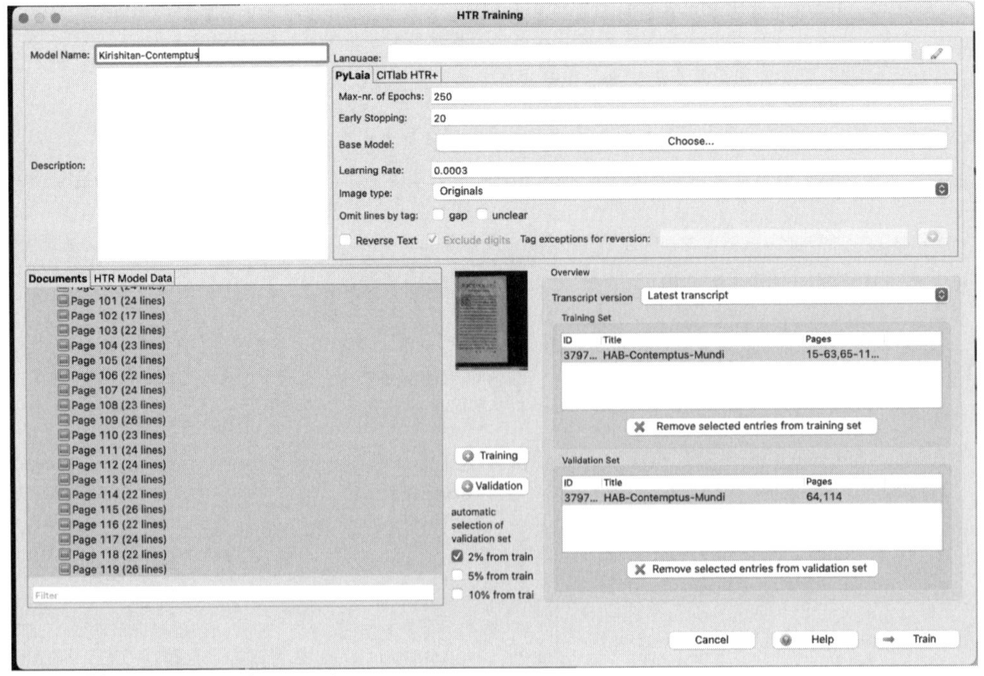

図 50　「HTR Training」ウィンドウ

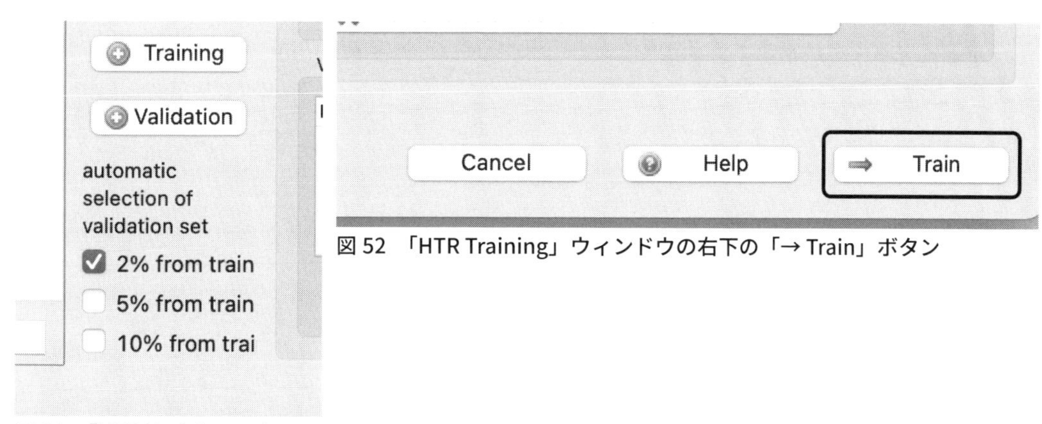

図 51 「HTR Training」ウィンドウで教師データの一部を評価データにする画面

図 52 「HTR Training」ウィンドウの右下の「→ Train」ボタン

Training」ボタンを押す事である。こうすれば、教師データとして選んだグラウンド・トゥルースの 2% が評価データに回され、あとはトレーニングを始めると自動で結果を客観的に評価してくれる。【図 51】

準備ができたら、さあ、「HTR Training」ウィンドウの右下の「→ Train」ボタンを押してトレーニングを開始しよう。【図 52】

トレーニングにはかなりの時間がかかる場合がある。教師データや Epoch が多ければ多いほど、また他のユーザが Transkribus サーバを使えば使うほど、トレーニング完了は遅くなる。トレーニングが完了した際は、Transkribus を開いている場合は、ポップアップ・ダイアログが出てくる。また、アカウントに登録したメールにもトレーニング完了の通知が来る。

9-2. 追加トレーニング

次はすでに学習済みのモデルに新しいグラウンド・トゥルースを与えて追加トレーニングさせる場合について解説する。Transkribus には、どのアカウントからでもアクセスできる学習済みモデルがいくつか存在する。それらの既存の学習済みモデルを追加トレーニングすることが可能である。ただし、PyLaia で作られたモデルは PyLaia でしか追加トレーニングできず、CITlab HTR+ で作られたモデルは CITlab HTR+ でしか追加トレーニングできない。

9-2-1. コレクションやモデルの共有方法

また、これら公開されているモデル以外にも、他のユーザにモデルを共有してもらうこともできる。これをするには、そのモデルと紐付いているコレクションを共有してもらわなければならない。

Transkribus ソフトウェアの画面に戻り、左カラムの上の五つのタブのうち「Server」タブをクリックしよう。そうすれば、「Logout」、「document...」、「Find」、「Document Manager」、「User

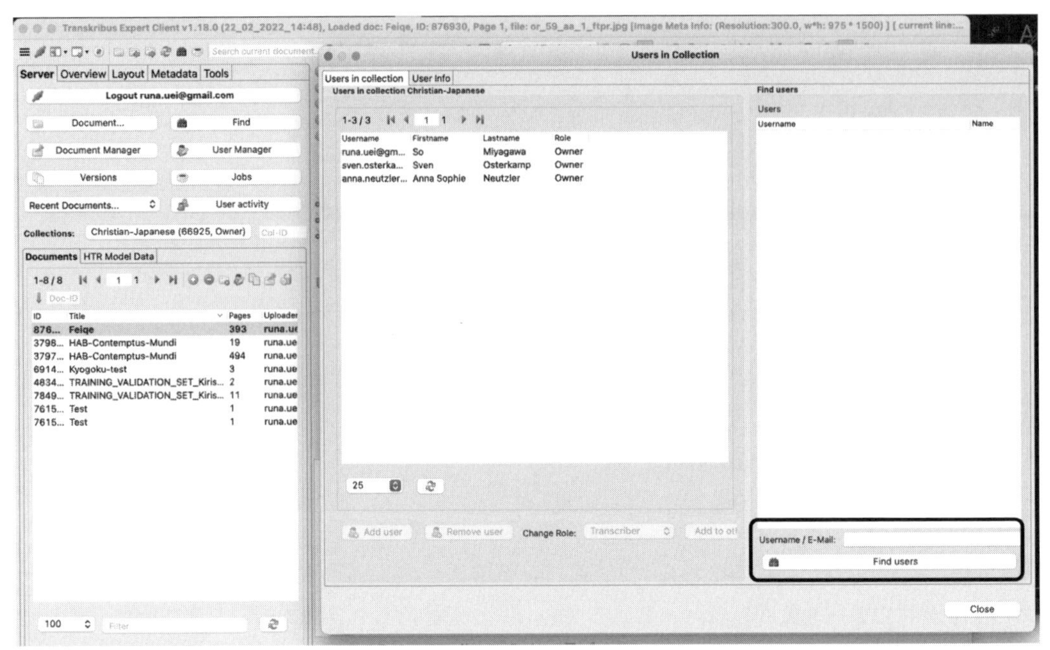

図 53　モデルやグラウンド・トゥルースを共有するための「Users in Collection」ウィンドウ

Manager」などのボタンがあるが、「User Manager」ボタンをクリックする。【図 53】

そうすると、上図のように「Users in Collection」と書かれたウィンドウが現れる。ここで、右プレーンの下側の「Username / E-Mail」に共有する人のメールアドレス（Transkribus のアカウントに登録されているものに限る）を入れて、右下の「Find users」のボタン（双眼鏡のアイコンがついている）をクリックしよう。共有する人が見つかったら、左下の「Add user」ボタンを押し、その人がそのコレクションのデータやモデルにアクセスできるようチームに入れよう。チーム内の役割も決めることができ、「Owner」（所有者）や「Editor」（編集者）、「Transcriber」（翻刻者）などの役割が選べる。「Owner」が最も自由に改変できる権限を持っている。

他の人のコレクションにチームメンバーとして追加してもらう際は、Editor 以上だと、他の人の学習済みモデルも自由に使え、便利である。

9-2-2．追加トレーニングの実行

さて、Transkribus のメイン画面に戻って、【図 49】の時と同様、「Tools」タブを開き、「Train...」ボタンを押そう。そうすれば、「HTR Training」のウィンドウが現れる。ここで、右のプレーンに注目して、PyLaia もしくは CITlab HTR+ のタブの上から三番目にある「Base Model」の右横の「Choose...」ボタンを押そう。【図 54】

そうすると次の図の「Choose a model」と書かれたウィンドウが出てくる。ここで、トレーニングしたい書体や言語に最も近いもので学習済みのモデルを選ぼう。いくつかのモデルは教師データおよび評価データを見ることができる。また、右下にグラフが出ているが、これは、エラー

率を表している。青が教師データに対するエラー率で、赤が評価データに対するエラー率である。教師データでトレーニングして教師データで精度を出すより、教師データとは別のデータである評価データで精度を評価するほうがより客観的であるため、赤の線に注目すべきである。x 軸は左がトレーニング回数 0 から出発し、右に行くほど行ったトレーニング回数が増えていく。見るべきは、一番右、つまり最後のトレーニングで、ここの赤の線が示すエラー率が、このモデルの精度の指標になる。エラー率は低いほど良く、とくに 1% を下回るモデルはかなり精度が高いモデルだと言える。【図 55】

これでどのモデルを追加トレーニングするかを決めたら「OK」ボタンを押そう。追加トレーニングでは同じ書体で新たに訓練するのも良いし、既存のモデルを別の書体や言語で追加トレーニングして、そのモデルがカバーする範囲を増やすのも良い。

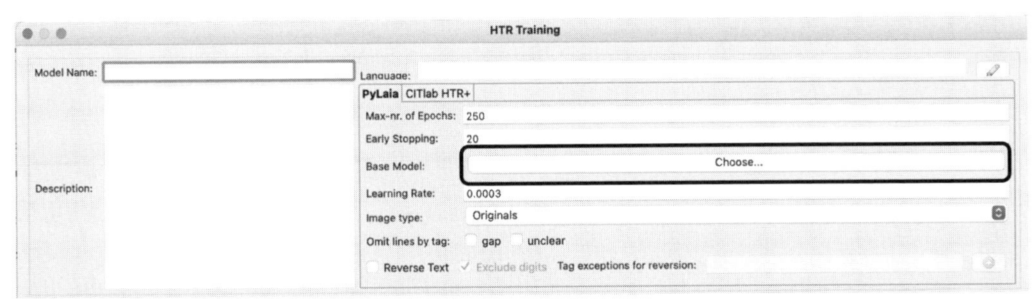

図 54 「HTR Training」ウィンドウ

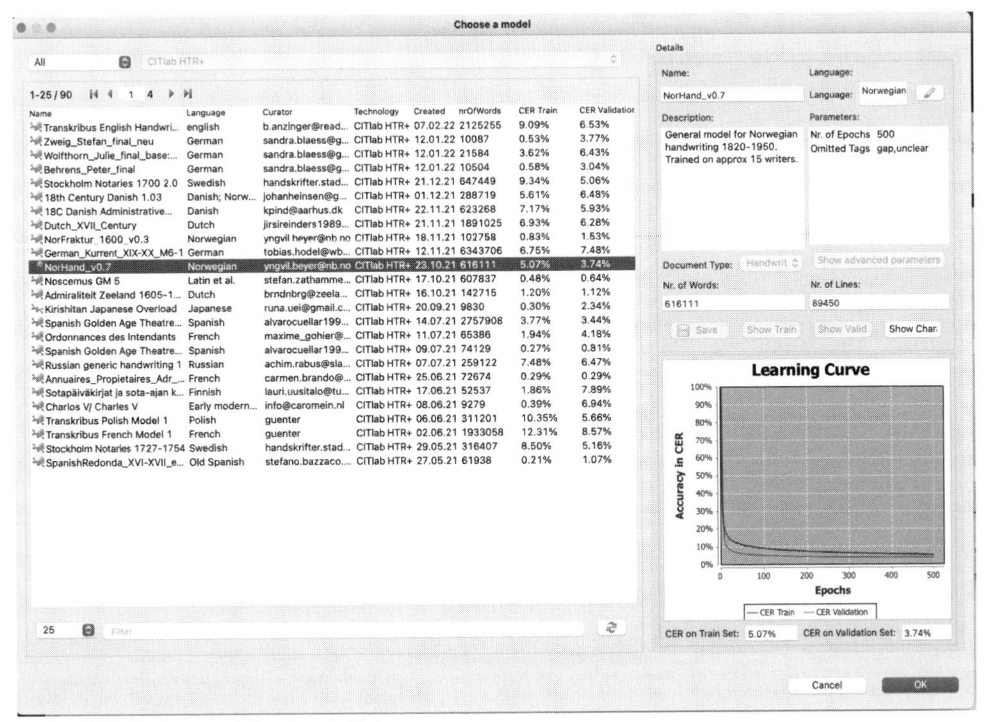

図 55 「Choose a model」ウィンドウ

10．学習済みモデルを用いた文字認識

10-1．トレーニング

さあ、PyLaia や CITlab HTR+ をトレーニングして作成した学習済みモデルを使い、新しい資料の画像の自動翻刻を行おう。

まずは、このモデルと同じコレクションに新しい画像のセット（ドキュメント）を、6-4 節と同じ手順で追加しよう。その後は、レイアウト分析である。7 節と同じ手順でレイアウト分析しよう。レイアウト分析がおわったら、「Tools」タブを開き、Text Recognition のセクションの「Run...」をクリックしよう。そうすると下図の「Text Recognition」のウィンドウが現れる。【図 56】

ここでまず、「Pages」にチェックを入れ、全てのページ、あるいは文字認識させたいページを指定する。その次に下から二番目の「Select HTR model...」ボタンをクリックし、作成した学習済みモデルを選択しよう。【図 57】

これで準備は整った。後は、右下の「OK」を押して、文字認識をさせるだけである。トレーニングほど時間はかからないが、ページ数が多い場合、文字認識に時間がかかる場合がある。完了したらメールなどの通知が来る。完了した場合は Transkribus のページを更新しよう。

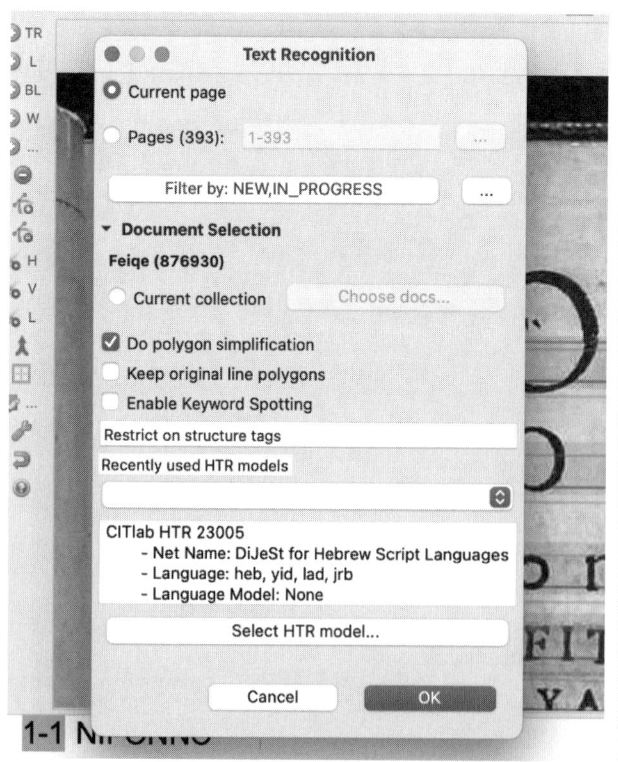

図 56　「Text Recognition」ウィンドウ

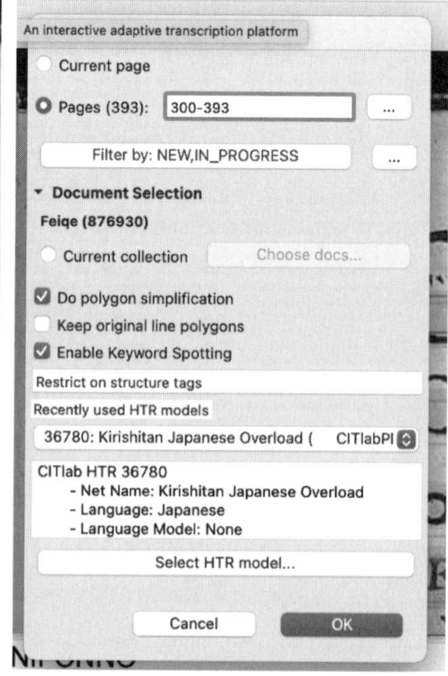

図 57　「Text Recognition」ウィンドウで HTR モデルを選んだ場面

10-2. クレジット購入

2020年10月19日までは無料であったHTRが、10月19日から一部課金化された。Transkribusの目玉機能であるHTRを使わなければ、ほぼTranskribusで有用なことができないため、この一部課金システムを利用するしかなくなる。この一部課金化は、Transkribusクレジットを購入し、そのクレジットが多い分だけ、多くのページを機械認識させるという仕組みである。まず、支払うシステムとしては、HTRするページの分だけ買うオンデマンド、そして、毎年定期的に支払いその分安くなるサブスクリプションの二つがある。また、使うHTRエンジンで値段が異なる。PyLaia Handwrittenエンジンを使えば1クレジット=1ページとなるが、HTR+エンジンを使えば、1クレジットは1ページ以下と、1ページ当たりの値段が高くなる。【図58】

まず、オンデマンドでPyLaia Handwrittenを選んだとして、最も安いのが18ユーロの120クレジットであり、最も多くのページ数をカバーできるのが、30000クレジットの5760ユーロである。最安のものでは1ページあたり0.15ユーロ、つまり執筆時のレート（1ユーロ＝約123円）で換算すると、18.52円、最高のものでは、1ページあたり0.192ユーロ、すなわち、23.71円である。通常は、たくさん買えば、単価が安くなると思われるが、ここではそうではないらしい。

他に、READ COOP SCE[21]のメンバーになればこのクレジットが、オンデマンドなら10%、サブスクリプションなら25%安くなる。これには個人では年間250ユーロ、そして団体なら年間1000ユーロ払わなければならない。メンバーになれば、READ COOP SCEの役員を選ぶ投票

第2部 実践編

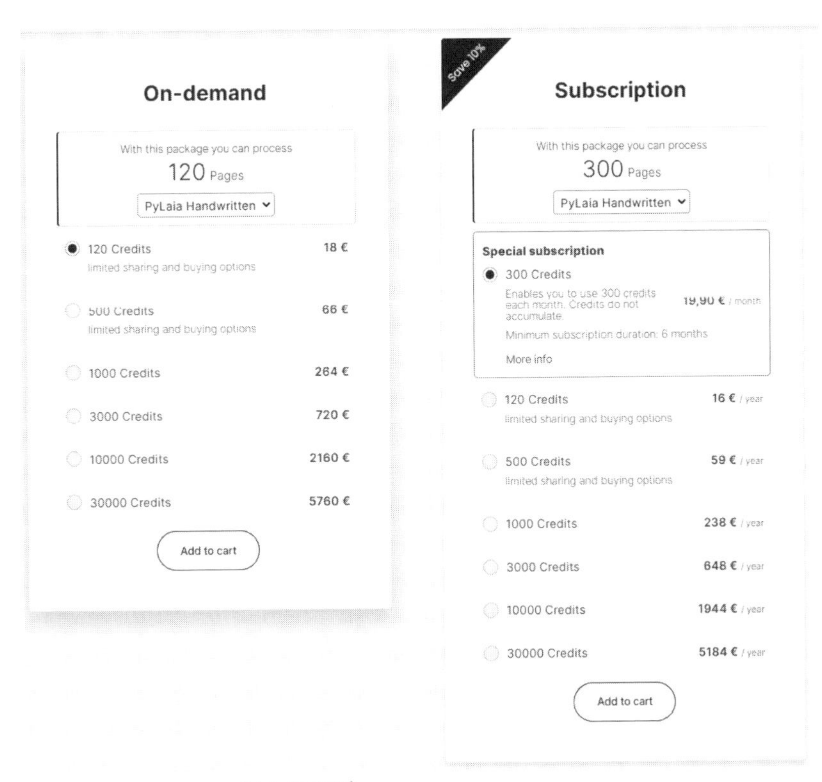

図58 Transkribusの料金体系[20]

権が付与される。現在、メンバーは団体・個人両方合わせて73名である。大学や大学図書館など団体メンバーの方が多い[22]。

Transkribus自体は、実はオープンソースで、はじめはGitHubで公開されており[23]、後にGitLabに移った[24]。ライセンスは、Linuxと同じようにGNU GPLライセンス[25]を使用しているため、Transkribus自体は常にオープンソースとして維持せざるを得ない。Transkribusの課金システムは、Transkribusが作ったPyLaia HandwrittenやHTR+といったディープラーニングモデルの使用に課金しているという仕組みである。

もちろん、開発を維持していくには費用がかかる。しかし、このような一部課金化は、発展途上国の個人や学生などにしてみれば高額であることが多く、エジプトの平均月収の数倍になったりする。このような一部課金化は非常に深刻であり、学問の発展に寄与するのか微妙である。また、博士論文でTranskribusを活用させる学生や、Transkribusを授業で教育のために用いる教育者は、申請すれば、無料で使用することができる。

11．TEI XMLやPDFへの出力、バージョン管理

11-1．TEI XML、PDF、プレインテキストなどへの出力

作成した翻刻は、TEI XMLやPDFで出力することができる。特にTEI XMLによる出力は、TEIがデジタル・ヒューマニティーズの標準の形式を制定し、数多くのDHプロジェクトがTEI XMLで文献データを記録している今、大変重要であると思われる。出力する際は、Transkribusメイン画面の左カラムの「Server」タブの「Document...」ボタンをクリックし、「Export document to your local machine...」をクリックし、TEI XML、PDF、プレインテキストなどファイル形式を選んで出力しよう。【図59】

11-2．バージョン管理、その他

また、Transkribusは、バージョン管理に関する大変強力なツールを備えている。まず、それぞれのグラウンド・トゥルースの保存で保存履歴が蓄積されていき、いつでも昔のバージョンに戻すことができる。これは、複数人でグラウンド・トゥルースを作成したときも同様である。これは画像が表示されているプレーンの上のメニューにある「Show versions」のボタンから行える。【図60】

このボタンをクリックすると「Versions of the current page」のウィンドウが表示される。そして、それぞれのバージョンの差分もみることができる。これは、左カラムの「Tools」タブから、「Compare Text Versions」をクリックすることで見ることができる。

そのほか、Transkribusは、左カラムの「Metadata」タブから、テキストに付与するタグを管理することができる。新たに作成したタグは、エディタ・プレーンでテキストにタグ付けすることができる。この機能はこれからどんどん発展していき、いずれは、タグも機械学習できるよう

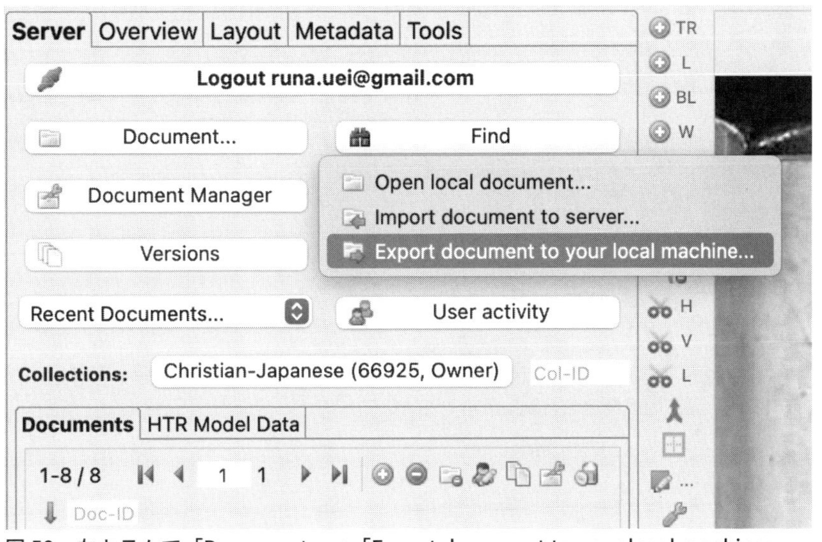

図 59　左カラムで「Document」→「Export document to your local machine」

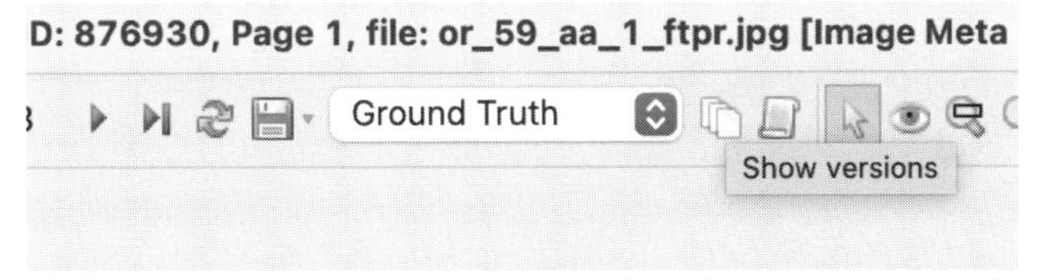

図 60　メイン画面メニューバー上中央右側の「Show versions」ボタン

になるであろう。

ここまでが Transkribus の基本的な使い方である。

12．Transkribus Lite（ブラウザ版）

Transkribus Lite というブラウザ上で動く Transkribus が開発されており、近頃はそれが十分に使えるレベルになっていることを感じている。【図 61】は、筆者が、日本語文献学者でボーフム大学日本学科教授のオースタカンプ[26] と共同で Transkribus をトレーニングさせ、作成したモデルで OCR 処理を行った、後期中世日本語で書かれたローマ字キリシタン資料である『コンテムツスムンヂ』のいわゆる HAB（ヘルツォーク・アウグスト図書館）本を Transkribus Lite で表示させた画面である[27]。現時点では、機能としては、ローカル版で行い、クラウド上に保存された文字認識のエラーの修正がここでできるが、HTR を独自にトレーニングしたり、新しく文書を HTR したりするのはローカル版でしかできないようである。

Transkribus に関しては、Digital Humanities 2017 や DATeCH 2017 などの国際会議で数多くのセミナーが行われており、また、ウェビナーも多い。YouTube でも使い方が解説されている動画が複数公開されており、初学者にとっても大変学びやすいツールであると言えよう。ヘブラ

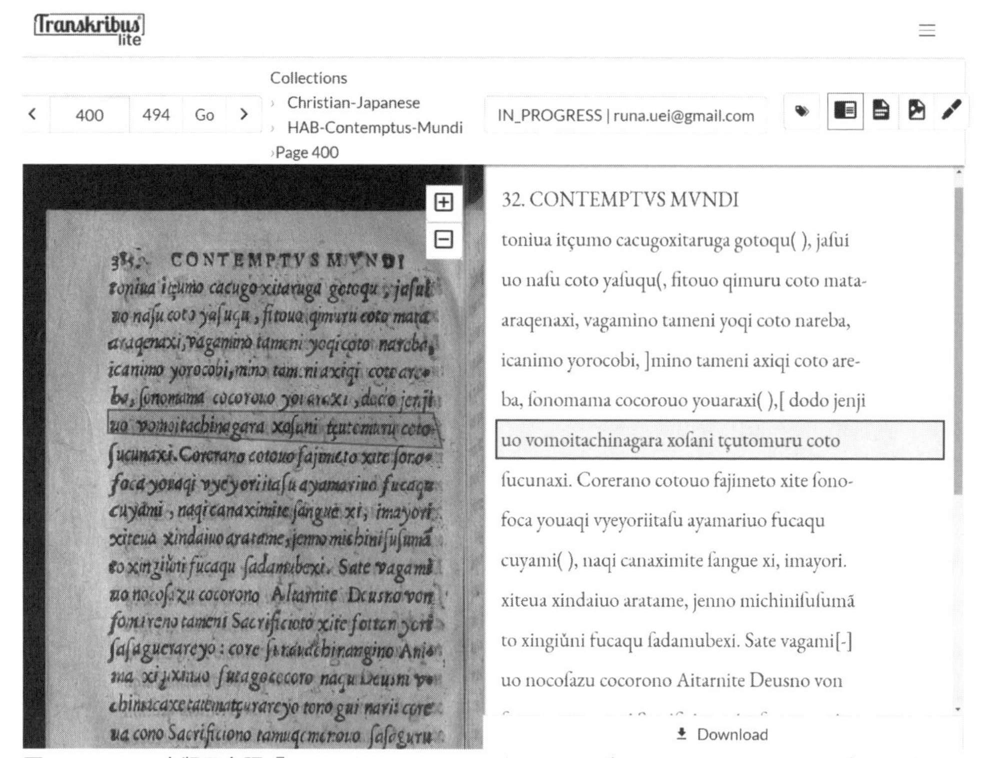

図 61　ローマ字版日本語『コンテムツスムンヂ』をローカル版 Transkribus によって自動で翻刻したものを Transkribus Lite で表示させたもの

イ語への適用に関しても、バル・イラン大学のシナイ・ルシネック（Sinai Rusinek）が YouTube にて動画を公開しており、右から左に書く文字への適用の参考になる [28]。

ここまで、Transkribus の基本的な使い方について解説してきた。より応用的な使用方法、そして Transkribus を用いた学術研究にかんしては次章である「第 2 章 Transkribus 実践レポート：100 年分のフランス語議事録翻刻プロジェクト」（小風綾乃）をご参照いただきたい。

13．OCRopy

ここからは、Transkribus にも匹敵しうる他の機械学習系 HTR/OCR エンジンを紹介する。まず、筆者がドイツ研究振興会のプロジェクトで 2015 年からトレーニングを行っていた OCRopy について解説し、そのあと近年 Transkribus に比肩し、追い越すことを目指している Kraken、eScriptorium、そして、OCR4all について解説する。

筆者が参加しているプロジェクトの一つである KELLIA プロジェクト [29] では、18–20 世紀に植字され印刷されたコプト語のテキストの OCR を開発している。コプト語文献など古代末期の伝統を受け継ぐ文献文化では、15 世紀にドイツのグーテンベルクによる活版印刷が開発され、その技術が広まりその言語に適用されるまで、手書きで写本のテキストを書くことが主流であった。東アジアで盛んであったような木版印刷は通常あまり行われなかった。また、古代末期にはほとんど使用が廃れていたヒエログリフや楔形文字など、古代に使用された表語文字、表音文字、限定符の混合体を除けば、古代末期の地中海世界で用いられていた文字は、コプト文字、ギリシア文字、アラム文字、ヘブライ文字、アルメニア文字、ジョージア文字、シリア文字、ナバテア文字、ラテン文字、アラビア文字などであり、表音文字がほとんどであるため、文字数は、東アジアの漢字よりもはるかに少ない。

コプト文字は、あまり使われない文字を除くと、24 のギリシア文字に 6–8 の民衆文字由来の文字を加えたものであり、文字は 30–32 個程度である。コプト語では、パピルスやオストラカなどに書かれた手紙などは筆記体でリガチャがあり、HTR が大変難しいものの、聖書や典礼書など、特に典礼で用いられるキリスト教文献は、大変はっきりしたアンシャル体で書かれており、これらの文献に関しては、HTR は比較的容易であると推測される。大文字・小文字も、基本的に区別はなく、パラグラフの初頭で時に用いられる大きなサイズの文字を大文字（専門用語でエクテシスと呼ばれる）と呼称しているに過ぎない。ちなみに、当時のギリシア文字も現代であるような大文字・小文字の区別はなかった。アンシャル体は、基本は現代のギリシア文字の大文字に近いが、シグマが C のように書かれるなど、微妙に異なる。現代のギリシア語に見られるような小文字が生じたのは、9 世紀以降のことと言われている。

アラビア語などのようなリガチャが筆記体以外ではないコプト文字の唯一の問題は、文字の上につくダイアクリティカル･マークの種類と使用が多いことであるが、それでも、ヒエログリフ、神官文字、民衆文字、楔形文字、漢字などの文字の種類が多い文字に比べると、コプト文字では、HTR や OCR は容易であると言わざるを得ない。

最初に開発したのはニューラル・ネットワーク・モデルを用いた OCRopy（オクロパイ）[30] を用いたもので、これは、最新の研究では、スキャンが良ければ、ほぼ 90–100% の認識正答率を記録している。OCRopy はトマス・ブロイエル（Thomas Breuel）が開発した OCRopus（オクロパス）の Python 版である。コプト語に OCRopy を適用したのは、筆者、マックス・プランク生物物理化学研究所に勤めていたコンピュータ科学者であるキリル・ブラート（Kirill Bulert）、そして、ゲッティンゲン大学コンピュータ科学研究所 eTRAP プロジェクトの主任研究員であるマルコ・ビュヒラー（Marco Büchler）である。この成果はデジタル・ヒューマニティーズの代表的な論文誌である *Digital Scholarships in Humanities* の DH2017 Special Issue に掲載された。

> Miyagawa, So, Kirill Bulert, Marco Büchler, Heike Behlmer “Optical character recognition of typeset Coptic text with neural networks,” Digital Scholarship in the Humanities 34(Suppl. 1), 2019, pp. i135 – i141.

ただし、この論文が提出されたのは 2017 年で編集者の諸事情もあり出版が 2 年越しになった。そのため、本論文は 2015 年からの研究の初期段階の成果であり、ニューラル・ネットワークを導入して正答率が格段に上がった Tesseract 4.0 以降や OCRopus に Tensorflow を導入した Calamari など、新しい動きには触れられていない。

このプロジェクトは、eTRAP チームのビュヒラーが、インキュナブラなどラテン語歴史文書の OCR の専門家であるウーヴェ・シュプリングマン（Uwe Springmann）のルートヴィヒ・マクシミリアン大学ミュンヘン（通称ミュンヘン大学）での OCR ワークショップを受け、この企画を思いついたことに始まる。このワークショップのスライドは https://www.cis.uni-muenchen.de/ocrworkshop/program.html で見ることができる。ビュヒラーは筆者とブラートに声をかけ 3 人で 2016 年の 1 月にミュンヘン大学のシュプリングマンを訪れ、一日かけてコプト語 OCR のプロトタイプを完成させた。その後、歴史文書の OCR および HTR を中心とする文献のデジタル化に関する学会である DATeCH、および、モントリオールで開催された DH2017 での発表に向けてコプト語 OCR を一定の水準で完成させた。この間、ゲッティンゲン学術アカデミーのコプト語旧約聖書デジタル・エディション・プロジェクトとコプト語の言語学的コーパスを作っている全米人文学基金の Coptic SCRIPTORIUM に、開発した OCR を用いてコプト語文献のテキストを抽出し提供した。

ベルリン・フンボルト大学のエリーゼ＝ゾフィア・リンケ（Eliese-Sophia Lincke）もこのワークショップを受け独自にコプト語 OCR を開発していたが、2018 年、半年間ゲッティンゲンに滞在し、チームに加わった。現在リンケは OCRopy に Tensorflow を導入した Calamari をコプト語に試している。また、Tesseract もニューラル・ネットワークを導入し、正答率が格段に上がった。ブラートはまた、Tesseract の最新版（ヴァージョン 4 以降）を使って実験をしている。8 世紀のコプト語手書き写本でも OCRopy を用いてトレーニングを行ったが、タイプセットのものよりは精度が落ちるものの、手書きにも対応できた。

以下は本節に関連する OCR プログラムが入手できるページへのリンクである。

- OCRopy: https://github.com/tmbdev/ocropy
- Ocrocis[31]: http://cistern.cis.lmu.de/ocrocis/
- Calamari: https://github.com/Calamari-OCR/calamari
- Tesseract: https://github.com/tesseract-ocr/

さて、ScanTailor で前処理したコプト語写本の画像を用いて、OCRopy で機械学習をさせてみた。

Transkribus と同様、OCRopy を特定の言語の文字や書体に適応させるには、トレーニングが必要であり、そのトレーニングには、機械学習する OCR の「教科書」となるべきグラウンド・トゥルース（Ground Truth）が必要である。

グラウンド・トゥルースを作成し、植字されたテキストと同様、OCRopy でトレーニングをした後、いくつか画像を与え、認識の精度を確かめた。グラウンド・トゥルースで用いた画像であれば、精度は90%以上を達成したものの、グラウンド・トゥルースで用いた画像以外では70%程度が多く、実用化には向いていないことが判明した。植字された文献ではグラウンド・トゥルースはコプト語では5–10ページで十分であったが、手書き写本の場合は、より多くのグラウンド・トゥルースが必要と思われる。このようにOCRソフトウェアで手書き写本の文字を読み取ることは可能ではあるが、困難がある。

14. Kraken

筆者は、アラビア文字の機械学習OCRに興味を持ち、Kraken、OCRopusやCalamariなど、深層学習・多層人工ニューラル・ネットワークを用いたものをアラビア文字などでいろいろ試してみた。OCRopusのPython版であるOCRopy[32]に関しては、前節で述べたように、2015年10月から、筆者はKELLIAプロジェクトでコンピュータ科学者2人[33]とコプト語文献への適用を共同研究し、2017年には、文字文化遺産のデジタル化に関する学会であるDATeCHで[34]、そしてモントリオールでのDH2017で発表し、その後、Digital Scholarships in the Humanitiesに論文が掲載された[35]。この論文では、ニューラル・ネットワーク・モデルを用いたOCRopusと、それを用いていない当時のバージョンのTesseract[36]を比べ、OCRopusが特にコプト語の豊富なダイアクリティカル・マークによく対応できることが示された。その後、筆者はOcrocis[37]を試し、90%後半の高い精度を記録したほか、共同研究をしたベルリン・フンボルト大学のリンケは、Tensorflowを用いたCalamari[38]を用いて同様の非常に高い精度のコプト文字OCRをトレーニングさせた[39]。なお、Tesseractも、2018年10月にリリースされたver. 4.0から深層学習モデルを用いている[40]。

ここでは、特に、近年フランスのeScriptorium[41]と言う、Transkribus[42]の代替となるような[43]手書きテキスト認識（HTR）の大規模プロジェクトでも使用されているKraken[44]を中心に解説する。Krakenはライプチヒ大学のコンピュータ科学者であるベンヤミン・キースリング（Benjamin Kiessling）が、アラビア文字のためにOCRopusを改良したのが始まりである。OCRopusは西洋諸言語のように左から右に書く文字順にしか対応できていなかったが、Krakenは、右から左、現在は上から下への書き順に対応している。さらに、Transkirbusなど HTRにも接近している高性能な行分割機能(line segmentation)を実装している。Krakenはさまざまな言語・文字で精度の高いOCR結果を誇っている。それは、キースリングのDH2017ユトレヒト大会での論文[45]で見ることができる。そこでは、活版印刷物では、アラビア語の文字認識の精度が平均値99.5%・最大99.6%（標準偏差0.05)、ペルシア語・平均値98.3%・最大98.7%（標準偏差0.33)、古典シリア語・平均値98.7%・最大99.2%（標準偏差0.38)、歴史的アクセント表記のギリシア語・平均値99.2%・最大99.6%（標準偏差0.26)、ラテン語・平均値98.8%・最大99.3%（標準偏差0.09)、ラテン語インキュナブラ[46]・平均値99.0%・最大99.2%（標準偏差0.11)、フラクトゥーア・平均値99.0%・最大99.3%（標準偏差0.31)、キリル文字文献・平均値99.3%・最大99.6%（標準偏差 0.15)、手書き写本では、ヘブライ語で文字認識の精度の平均値が 96.9%、中世ラテン語で平均値 98.2% という非常に良い文字認識の精度を記録したことが発表されている。

もちろんこれは、その言語の出版物の特定のフォントを機械学習させた結果であり、トレーニングなしでやった結果ではない。アラビア語では OpenITI[47)] や KITAB[48)] プロジェクトで作成されたさまざまなフォントのためのモデル[49)] があり、もしフォントが同じものがあれば、それらを使えるが、そうでなければ、新しく Kraken をトレーニングさせる必要がある。ここから、Kraken のトレーニングの初期段階である、グラウンド・トゥルース入力画面作成の際の行認識について気づいた点を報告する。

筆者は 2016 年にすでに Kraken を試したことがあるが、当時は Linux で動かすことが推奨されていたため、Linux ディストロの一つである Debian 上で Kraken を動かした。しかし、Anaconda を用いて Mac 上でも動かす方法があることがわかった。筆者が使ったコンピュータは M1 チップ（Apple Silicon）搭載の Macbook Pro（late 2020 モデル）である。まず、過去に Homebrew を使ってインストールした wget[50)] をターミナル上で用いて、Kraken をインストールした[51)]。起動時は Anaconda を使用して、Terminal 上で conda activate kraken のコマンドを用いて、Kraken を起動させた。

そして、Mac 上でさまざまな文献でグラウンド・トゥルース入力画面を生成して、OCRopus よりも強化されたとされる Kraken の行認識機能を試してみた。OCR モデルを作成する最初の一歩は、まず、グラウンド・トゥルースを作ることであるが、OCRopus や Kraken では、HTML 形式のグラウンド・トゥルース入力ページが作成される。そこでは、画像内のテキストのそれぞれの行ごとにボックスが用意され、そのボックスに翻刻を Unicode で書いていくことが求められる。

まず、アラビア文字のタイプセットで印刷された書籍の頁の画像では、行は正しく認識されていた。【図 62】

次に、コプト語の手書き写本である Papyrus Bodmer 6 の 2 ページ見開きでは、一行目が 2 ページに渡って誤って認識されているが、それ以外は、ほぼ完璧な行認識で、ページの区別も認識されていた。次に、縦書きの文字であるモンゴル文字文献も試してみた。縦書きで、行が左から右に流れる場合、

```
ketos transcribe -d vertical-lr -o output.html [ 画像ファイル名 ]
```

というコマンドを使って、グラウンド・トゥルースの入力ファイルを作成しなければならない。結果は芳しくなく、正しい行認識ができていなかった（【図 63】）。モンゴル文字の向きを変え、横書きとして認識させても行認識がうまくいかなかったので、行の方向の問題ではないかもしれない。

Anaconda[55)] を用いて Kraken[56)] を Macbook Pro 16 inch Late 2019 上で動かし、行認識および

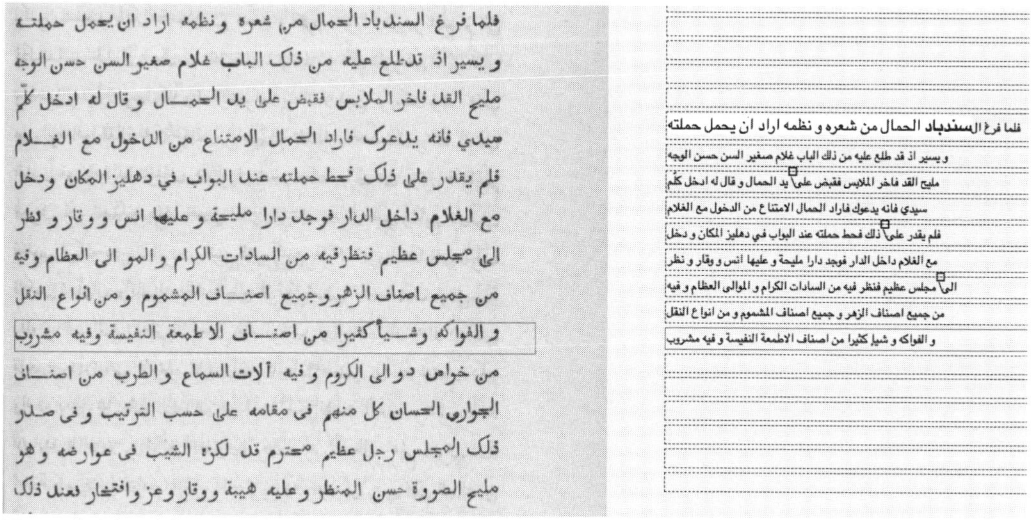

図 62 『千夜一夜物語』の書籍のページのグラウンド・トゥルースの作成画面。行は正しく認識されている。画像および翻刻は、国立民族学博物館の“Arabian Nights” Database Search より[52]。

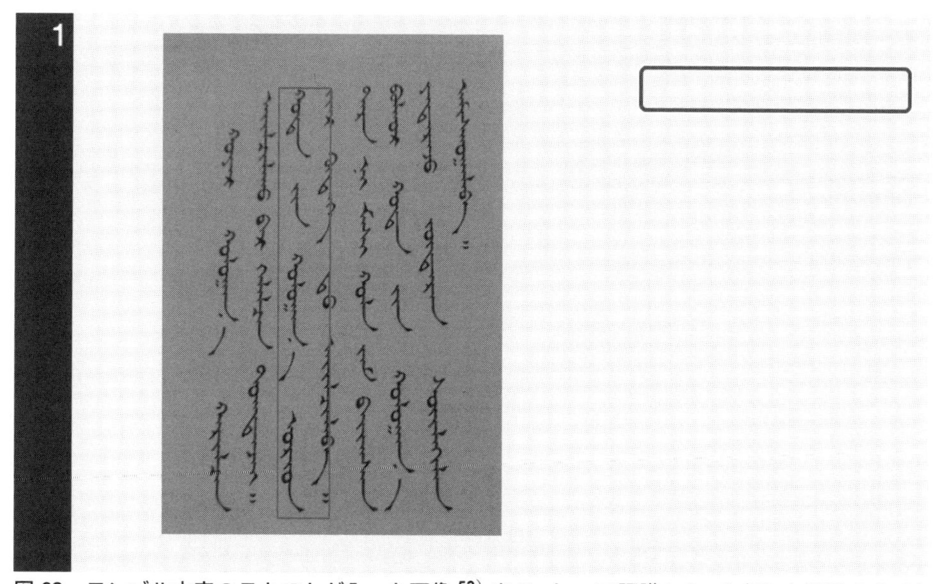

図 63 モンゴル文字のテキストが入った画像[53]を Kraken で認識した。1 行しか認識できておらず、しかも当該の行の右行の半分も誤って入っている。ひょっとすると、黒白にして背景と文字のコントラストを高めると、行認識の精度が上がるのかもしれない。次回は ScanTailor[54]でコントラストを上げるなど、画像の前処理をした上で、モンゴル文字の認識を試す予定である。

分割をしたあとグラウンド・トゥルース入力用の HTML ファイルを生成してどれくらい行認識の精度がよいか試した。書く方向が右から左で行は上から下に流れる横書きのアラビア文字で書かれたアラビア語の『千夜一夜物語』の印刷物[57]では、行認識が完璧にできた一方、書く方向が上から下で行は左から右に流れる縦書きのモンゴル文字で書かれたモンゴル語の出版物は、縦書き用のコマンドを用いたにも関わらず全く正確に行認識ができなかった。

2021年初頭、あるプロジェクトからあるコプト語文献のOCRを頼まれたので、その文献でKrakenを用いて文字認識させてみた。文献は活版印刷で印刷された20世紀前半のものであり、行間隔は十分であった。ただ元の画像がグレースケールで解像度の粗いのものしかないとのことだったので、そのあまりOCRに向かない画像を用いた。1ページ分の文字量が少なかったので、30ページ分を切り出して、Kraken内蔵のプログラムを用いて、白黒化及び行認識及びグラウンド・トゥルース入力ファイルの生成を行った。一部だけ2行あるところが、1行として認識された以外は、問題はなかった。ちなみにコプト文字は左から右に書かれ、行は上から下に流れるため、デフォルトのコマンドで処理できる。そのあと、ブラウザでグラウンド・トゥルース入力用のHTMLファイルを開いて、グラウンド・トゥルースを入力、つまり、写真のテキストの翻刻を行った。Krakenでは、1行ごとに入力ボックスに入力するのだが、対応する行が、左に並べられた文献の画像上に赤枠で示される。ただし、トレーニングの段階で問題が生じた。Anacondaを用いたものでは、ガイドラインに沿ってトレーニングのコマンドを入力しても、常にエラーが生じ、トレーニングが完了できなかった。そこで、筆者がドイツ留学中にKrakenを用いるのに成功した、ゲッティンゲン大学のコンピュータ科学研究所が所有するROEDELというハイパフォーマンスコンピュータ[58)]上で全く同じコマンドを入力したところ、全く問題なくトレーニングできた。このコンピュータのオペレーティング・システムはLinuxのディストロ（配布・導入パッケージ）の一つであるDebian[59)]である。

Krakenは多層人工ニューラル・ネットワーク[60)]を用いている。より正確に言えば、その中でもCLSTM neural network libraryを用いているのだが、ここではその詳しい説明は割愛する[61)]。多層人工ニューラル・ネットワークとは、非常に大雑把に言えば、人間の脳内のニューロン（脳神経細胞）の結びつきを模したものである【図64】。入力と出力の間に複数のニューロンの層が多数積み重なっており、入力に入った信号がさまざまなニューロンを経由してある出力に辿り着く。どのニューロンからどのニューロンに行くかは、最初はランダムである。そこで、入力に対する正しい出力（訓練データ）を人間が用意して、その入力に対して正しい出力が出る割合がもっとも高くなるまで学習させることで（重みづけ）、精度が高いモデルを作ることができる。OCRの場合は、入力は文字の画像、出力はその文字に対応したデジタルに符号化された文字（現在ではUnicode）である。そして、学習に使われる人間が用意する教師データはグラウンド・トゥルースと呼ばれ、Krakenは、このグラウンド・トゥルースの画像を入力に入れて、それがグラウンド・トゥルースの正しいUnicodeを出す割合が最も高くなるまで調整がなされ続ける。別の多層の人工ニューラル・ネットワーク・モデルを用いているOCRopus[62)]は、デフォルトではトレーニング回数が1000回になるたびにモデルファイルが保存され、どのモデルファイルが最も精度が高いかは、別のコマンドを用いて調べなければならない。それに対して、Krakenはトレーニング中に自動で出力をグラウンド・トゥルースの翻刻と照合させ精度を評定し、最も精度が高かったトレーニング回数のモデルファイルのみを出力するため、精度を調べる時間が省ける。多層の人工ニューラル・ネットワークを用いたOCRでは、回数を多くするほど初めの数万回の学習では精度が上がっていくのは通常であるが、ある一定数の学習を超えると、回数が多いほど精度が高いということはなくなってくる。逆に、前の回よりも精度が低くなることもある。

このトレーニングのプロセスを経て約8分で、最適なモデルファイルをKrakenは出力した。その最適なモデルファイルのグラウンド・トゥルースに対する精度は97.6%であった。これは、100%に近いものの、最近は100%により近いモデルもCalamariやOCRopusを用いて手軽に作れることから、良いとは言い難いが、OCRとしては実用に耐えられる数値である。そして、同じフォントを用いている低画質の依頼されていた資料の全てのページの画像をそのモデルで文字認識させ、結果をテキストファイルに出力した。Krakenはテキストファイルだけでなく、デジタル人文学でテクストマークアップに使われる世界標準形式であるTEI XML、OCR専用のファイル形式であるhOCR、市販のOCRソフトであるABBYY FineReaderで使われるAbbyyXMLフォーマットの出力も対応している。依頼主にKrakenが文献写真の文字を読み取って出力したデジタルテキストを送ると、ほとんど正確だとの良い評価をいただいた。【図65】

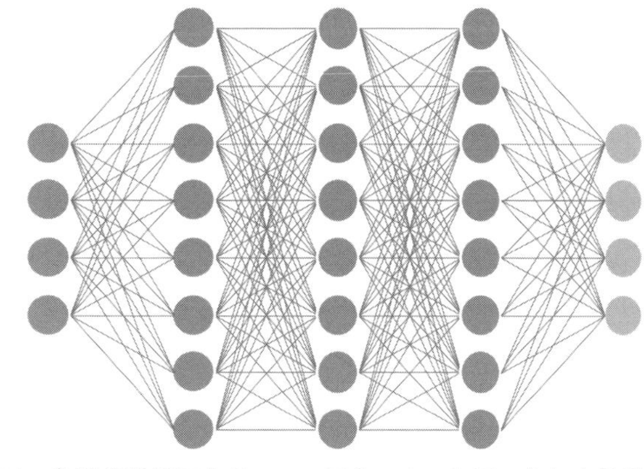

図64 今泉允聡氏によるニューラル・ネットワークによる関数の図示[63]。丸はニューロンを表す。一番左が入力ベクトルであり、一番右は出力ベクトルである。

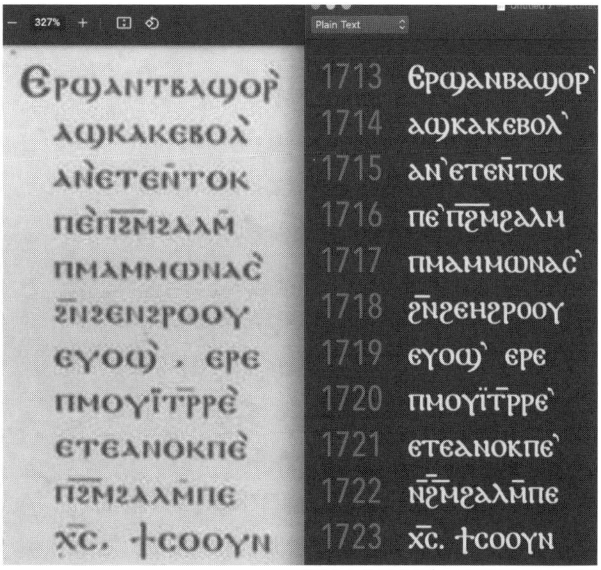

図65 Krakenに認識させた出版物の画像[64]（左）とKrakenの文字認識の結果（右）。誤りはほとんどなく、あっても、多くは句読点やダイアクリティカル・マークの誤りである。

15．eScriptorium

前節では、Krakenの行認識の欠点を書いたが、現在その欠点を補うプロジェクトがeScripta[65]で進められている。eScriptaとは、PSL研究大学を中心に始動しているプロジェクトである。PSL研究大学とはパリのエコール・ノルマル・シュペリウールなどのグランゼコール（高等専門大学校）などが2010年に連合して設立した新しい大学である。

eScriptaは、文献の写真のHTRからデジタル学術編集版のウェブ公開までの一連のプロセスのスタンダードをパッケージ化したソフトウェア・eScriptorium[66]を開発している。このeScriptoriumには、CNN（convolutional neural network）を用いた新しい行認識プログラム、Kraken、Archetype[67]、Pyrrha、TEI Publisher[68]が組み込まれている。CNNの行認識プログラムは、Kraken内蔵の行認識プログラムよりも優れた行認識能力を持っているようであり、これによってHTRが可能になる[69]。これで行認識した後、学習済のKrakenで文字を認識させ、Archdetypeで文献情報や言語学的情報をタグ付けした後、Pyrrhaで誤認識などのエラーを修正し、最後はTEI Publisherで、TEI XMLのデータを変形させてウェブ・デジタル学術編集版としてその文献をウェブ公開する。このプロジェクトは、これから、メロエ語[70]、ウガリト語、エラム語、ソグド語、トカラ語、パーリ語、古ジャワ語など、ラテン文字転写ではない、元の一次資料の文字を用いたデジタル学術編集版があまり作られていない言語の手書き文献のデジタル学術編集版を作成していく予定である[71]。将来的には、行認識、文字認識、エラー修正、タグ付け、ウェブでのデジタル学術編集版の公開というデジタル学術出版版を作成する一連のプロセスのモデルを提示することが期待されている。

16．OCR4all

Transkribusに対抗しようとしているのは、eScriptoriumだけでなく、ヴュルツブルク大学のOCR4all[72]もそうである。eScriptoriumのほうはまだ開発段階で、ユーザガイドなどが充実していない。それに対して、OCR4allは最近、パッケージ化やユーザガイド作成などがなされ、徐々にユーザにとって使いやすいものになってきている。ちなみに、OCR4allはOCRエンジンにはTensorflowを用いたCalamariを用いている。

現在、東京大学の大向一輝氏と人文情報学研究所の永崎研宣氏を中心とする東京大学デジタルヒューマニティーズ勉強会、通称UTDH勉強会では、知識グラフ勉強会や3D勉強会など、トピックごとに特化した分科勉強会が存在する。その中の一つに多言語テキスト勉強会があり、筆者が幹事をさせてもらっている[73]。2021年5月1日に行われた第1回目では、OCR4allのインストールおよび行認識までを勉強会のメンバーとともに行った。OCR4allは、将来は、すべてウェブベースとなり、ブラウザのみで使用可能になるそうだが、現状は、Virtual BoxかDockerを通してしか利用できない[74]。Virtual Boxを用いた場合、仮想マシン上でOCR4allが内蔵されたUbuntuを起動させたあと、ローカルマシン上でブラウザを用いて、Virtual Boxを通して稼働しているOCR4allにアクセスし、作業をしていく流れである。この時、ローカルマシン上の使用フォルダをうまく設定しておかないと、OCR4allに認識させたいファイルが読み込めないことになってしまうので、注意が必要である[75]。

筆者らはテストデータとして付いてきた近世のドイツ語の書籍の写真の前処理、ノイズの除去、行・レイアウト・書字方向の認識などのセグメンテーションまで行った。前処理では、カラーで撮られた写真を白黒にバイリライズしたり、歪みを補正したりを自動で行い、ノイズ除去では、ごみやほこりやインクのこぼれなどのノイズを自動で除去した。そのあとのセグメンテーションはHTRの要であるが、LAREXというヴュルツブルク大学のクリスティアン・ロイル（Christian Reul）が開発したプログラムによってなされている。段落や行を認識するのだが、斜めや縦方向に行が書かれている場合も認識可能である。セグメンテーションが終われば、文字が書かれているブロックの範囲、行のベースライン、挿絵の範囲などがさまざまな色で表示される（【図66】）。誤っている箇所があれば、それぞれの範囲の枠線を構成する小さな点をドラッグすることで、範囲を変更できる。

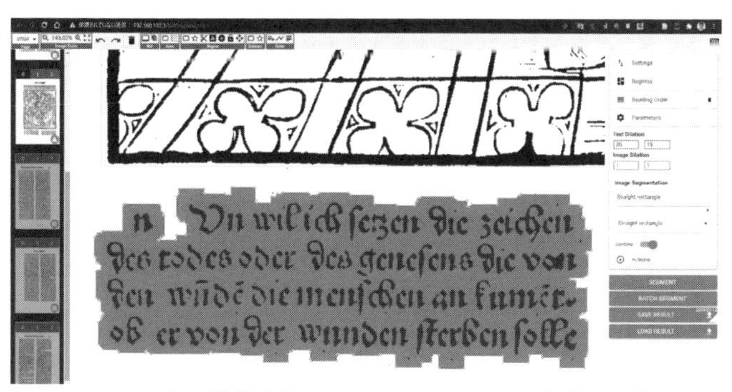

図66　OCR4allに搭載されているLarexによって自動で認識された文字がある範囲を表示している画面

17．おわりに

本章では、前半でScanTailorによる画像前処理とTranskribusによる手書きテキスト認識の方法について解説し、後半で、OCRopy、Kraken、eScriptorium、OCR4allという四つの他のHTR（OCRopyはOCR）プログラムについてそれらの動向を解説した。OCRopyは活版印刷物には十分用いることができるものの、手書き文字資料には向いていないことが分かった。また、Krakenは今後eScriptoriumに組み込まれ、レイアウト分析機能が向上していく予定である。そのため、最後にTranskribus、eScriptorium、OCR4allを、現時点で分かっている情報に基づいて、表を用いて比較してみよう。

【表1】の表から見て、GUI（グラフィカルユーザインターフェース）が完備され、高度なコンピュータスキルを必要とせず、また、ブラウザ上でクラウド版を動かせ、チームでも共同作業できるTranskribusが今のところ人文学者にとっては最も使いやすいHTRソフトであると言うことが分かる。ただし、OCR4allもeScriptoriumも現在鋭意開発がなされており、今後Transkribusに張り合い、追い抜く可能性もある。また、縦書きなど多様な文字体系に対応したさらなるHTR機械学習ソフトが、読者の皆様の研究に資することがあれば幸いである。

※本章は、『人文情報学月報』に連載中の「欧州・中東デジタル・ヒューマニティーズ動向」の記事のうち、「手書きテキスト認識・自動翻刻ソフトウェア・Transkribusの基本知識と最新動向」（第121号【前編】2021年8月31日）、「歴史文書の手書きテクスト認識（HTR）に関して」（第98号、2019年9月30日）、「人文

表 1　HTR ソフトウェアの比較 [76]

	Transkribus	**eScriptorium**	**OCR4all**
深層学習を用いた文字認識エンジン	PyLaia / HTR+	Kraken	Calamari
レイアウト認識エンジン	独自エンジン	整備中	Larex
導入のしやすさ	Java 環境の整備が必要だが比較的容易	2022 年 6 月 27 日時点で、クラウド版のサービスが誰でも使用できる状態ではなく、アカウントを取得するのが容易ではない	2022 年 6 月 27 日時点で、入手可能なシステムが VirtualBox 経由であるため、高い技術及び時間が必要
GUI	GUI 完備	GUI 完備	GUI 完備
料金	500 クレジット使用分はクレジット購入の必要	無料	無料
対応 OS	Windows, Mac, Linux	Windows, Mac, Linux のブラウザ上で起動可	Linux だが、VirtualBox 経由で Win / Mac で起動可
ブラウザ上で動くオンラインクラウド版	Transkribus Lite	ブラウザ版をメインにして開発中であり、eScriptorium のチームに連絡をするとアカウントを発行してもらえる	現在のところなし（ただし、全てのアプリは、ローカルの Ubuntu を通してブラウザ上で行われる）

学のための深層学習・多層人工ニューラルネットワークを用いた光学文字認識（OCR）：kraken を中心に」（第 115 号【後編】、2021 年 2 月 28 日）、「深層学習を用いた kraken による OCR と、kraken を用いた HTR を通してデジタル学術編集版作成を目指す eScripta」（第 116 号、2021 年 3 月 31 日）、「ウェブブラウザ上で使用可能な、歴史的文献資料の自動デジタル翻刻アプリケーション：Transkribus Lite と OCR4all」（第 118 号、2021 年 5 月 31 日）、「ヨーロッパで進む人文学のためのデジタル・ツールへの一部課金モデルの導入：Transkribus と Trismegistos」（第 112 号、2020 年 11 月 30 日）、および、論文・宮川創「ディープラーニングを用いた歴史的手書き文献の自動翻刻―コーパス開発の効率化に向けて」沈国威（編）『KU-ORCAS が開くデジタル化時代の東アジア文化研究』遊文舎、pp. 323–336（2022）を基に、大幅な加筆・修正を加え、かつ、入門者向けの節を多数執筆した上で発展させたものである。

注

1　“ABBYY FineReader PDF,” ABBYY accessed on May 19, 2021, https://pdf.abbyy.com/.

2　「読取革命 Ver.16」ソースネクスト、閲覧日 2021 年 5 年 19 日、https://www.sourcenext.com/product/pc/use/pc_use_003021/.

3　「e.Typist v.15.0」メディアドライブ、閲覧日 2021 年 5 年 19 日、https://mediadrive.jp/products/et/.

4　“Adobe Acrobat,” Adobe, accessed on May 19, 2021, https://acrobat.adobe.com/us/en/acrobat.html.

5　もちろん、この手入力作業が、写経のような効果や学問上の新しい気づきなどをもたらすことはあると思われる。

6　これらの詳細情報については、Tesseract は注 36、OCRopy は注 32、Calamari は注 38、Kraken は注 44 参照。

7 「KuroNet くずし字認識サービス（AI OCR）」ROIS-DS 人文学オープンデータ共同利用センター、閲覧日 2021 年 5 月 19 日、http://codh.rois.ac.jp/kuronet/.

8 “Transkribus,” READ-COOP, accessed on May 10, 2022, https://readcoop.eu/transkribus/.
インスブルック大学などが開発している手書き資料の文字認識（HTR）ソフトである。小風綾乃「Transkribus を使った 18 世紀フランス語手稿史料の翻刻実践」『西洋史学』269、78–80（2020）、宮川創「歴史文書の手書きテクスト認識（HTR）に関して 」『人文情報学月報』98（2019 年 9 月号）、などを参照。なお、以前は完全に無料であったが、2020 年 10 月に一部課金モデルが導入された。宮川創「ヨーロッパで進む人文学のためのデジタル・ツールへの一部課金モデルの導入：Transkribus と Trismegistos」『人文情報学月報』112（2020 年 11 月号）を参照。ただし、博士論文を書いている学生で博士論文執筆に Transkribus が必要な場合など特別なケースでは、申請し、認められれば無料で使用できる。

9 “Friends & Partners,” READ-COOP, accessed on May 10, 2022, https://readcoop.eu/network/.

10 深層学習を用いた OCR モデルの代表例。OCRopy については注 32 を、OCRocis について注 37 を参照。

11 “Home — IIIF,” International Image Interoperability Framework,” accessed on May 19, 2021, https://iiif.io/.

12 “Capture One photo editing software,” Capture One, accessed on May 10, 2022, https://www.captureone.com/.

13 “ScanTent Setup,” ScanTent TU Wien, YouTube, accessed on November 18, 2020, https://www.youtube.com/watch?v=-e4Ar1JwPOI&feature=emb_logo.

14 “ScanTailor,” ScanTailor, accessed on May 10, 2022, https://scantailor.org/.

15 画像は、“P.PalauRib. inv. 181, p.75,” DVCTVS, accessed on May 10, 2022, http://dvctvs.upf.edu/foto/365/Luke_75.jpg から取られた。内容は、コプト語サイード方言訳『ルカによる福音書』第 9 章第 33–36 節（第一カラム）、第 36–39 節（第二カラム）。

16 “ScanTailor,” ScanTailor, accessed on May 10, 2022, https://adoptium.net/.

17 「琉訳聖書」、新日本古典籍総合データベース、閲覧日 2022 年 5 月 10 日、http://kotenseki.nijl.ac.jp/biblio/100244876.

18 “we recommend starting with around 20,000 words (100 pages) of training data.” (“Handwritten Text Recognition Workflow,” Transkribus Wiki, accessed on September 17, 2019, https://transkribus.eu/wiki/index.php/Handwritten_Text.)

19 “Images of the Amakusa edition of Heike monogatari, Isoho monogatari and Kinkushū in the British Library collection,” NINJAL, accessed on May 10, 2022, https://dglb01.ninjal.ac.jp/BL_amakusa/en.php.

20 “Transkribus Credits,” READ COOP SCE, accessed on November 19, 2020, https://readcoop.eu/transkribus/credits/.

21 READ は Recognition and Enrichment of Archival Documents の略で Transkribus を開発しているプロジェクトである。この READ COOP では、このプロジェクトが開発している商品を購入することができる。参照：“READ,” eadh: European Association for Digital Humanities, accessed on November 18, 2020, https://eadh.org/projects/read.

22 “Members of READ-COOP SCE,” READ COOP SCE, accessed on 18 November, 2020, https://readcoop.eu/members/.

23 “Transkribus,” GitHub, accessed November 18, 2020, https://github.com/transkribus/.

24 “readcoop,” GitLab, accessed November 18, 2020, https://gitlab.com/readcoop.

25 “GNU General Public License,” GNU Operating System, accessed November 18, 2020, https://www.gnu.org/

licenses/gpl-3.0.en.html.

26 彼は、日本語では常にこの表記を用いている。ドイツ語では Sven Osterkamp。

27 HAB 本とは、ドイツ・ニーダーザクセン州のヴォルフェンビュッテルという街にあるヘルツォーク・アウグスト図書館（Herzog August Bibliothek）で最近になって見つかった、ローマ字日本語版『コンテムツスムンヂ』（Contemptus Mundi）の印刷本である。詳細は、岸本恵実・白井純（2019）「新出本・ヘルツォーク・アウグスト図書館蔵ローマ字本『コンテムツスムンヂ』（1596 年天草刊）について」『大阪大学大学院文学研究科紀要』59, 37–53（2019）を参照。

28 “Sinai Rusinek,” YouTube, accessed on May 10, 2022, https://www.youtube.com/channel/UCyubTYBMtogjNvoPrw_y4zg.

29 コプト語文献関連の DH プロジェクト間の共同研究の促進とメタデータ形式の標準化や TEI を用いたコプト語テキストのマークアップ方法などの標準化を目的としたプロジェクトである。全米人文学基金（NEH）とドイツ研究振興協会（DFG）の 2 年間のジョイントプロジェクトで、筆者は、2 テキスト 10 月から 2017 年 8 月まで、他のプロジェクトと掛け持ちで、このプロジェクトで働いていた。“KELLIA | Home,” KELLIA (the Koptische/Coptic Electronic Language and Literature International), accessed on 19 February, 2021, https://kellia.uni-goettingen.de/.

30 OCRopy、Ocropy、ocropy などの表記があり、正式な表記が決まっていないようである。*DSH* の筆者らの論文では Ocropy を用いたが、本章では、最近人気のある OCRopy という表記を用いる。

31 OCRopy のプロセスを簡略化したもの。こちらは、Ocrocis という正式な表記がある。

32 “ocropus/ocropy,” GitHub, accessed on 19 February, 2021, https://github.com/ocropus/ocropy.

33 キリル・ブラート（Kirill Bulert）とマルコ・ビュヒラー（Marco Büchler）。

34 “Extended deadline – DATeCH 2017,” impact: digitisation.eu: centre of competence, accessed on May 10, 2022, https://www.digitisation.eu/extended-deadline-datech-2017/. 公式サイトがアクセス不可になっていたのでこちらの CFP のページで代用する。

35 So Miyagawa, Kirill Bulert, Marco Büchler, and Heike Behlmer(2019) “Optical character recognition of typeset Coptic text with neural networks.” Digital Scholarship in the Humanities 34, no. Supplement_1,: i135–i141. DOI: https://doi.org/10.1093/llc/fqz023. この論文は、2017 年時点の研究結果であり、編集部の事情で出版が 2019 年と大幅に遅れた。遅れたというのはデジタル・ヒューマニティーズの基準からで、コプト学やエジプト学の出版は 5 年以上かかることもよくあるので、私としては遅れたとはそこまで感じていない。

36 “tesseract-ocr/tesseract,” GitHub, accessed on February 19, 2021, https://github.com/tesseract-ocr/tesseract.

37 “Ocrocis,” Cistern, accessed on February 19, 2021, http://cistern.cis.lmu.de/ocrocis/.

38 “Clamari-OCR/calamari,” GitHub, accessed on February 19, 2021, https://github.com/Calamari-OCR/calamari.

39 Digital Coptic 3 ワークショップでの Lincke 氏の次の発表資料を参照。Eliese-Sophia Lincke, “Coptic OCR,” Online Workshop “Digital Coptic 3,” KELLIA, accessed on February 19, 2021, http://kellia.uni-goettingen.de/digitalcoptic3/slides/CopticOCR_2020-12-07_Lincke.pdf.

40 “Deep Learning Based OCR for Text in the Wild,” Nanonets: Automate Data Capture, accessed on February 19, 2021, https://nanonets.com/blog/deep-learning-ocr/#machine-learning-ocr-with-tesseract

41 “eScriptorium,” GitLab, accessed on February 19, 2021, https://gitlab.inria.fr/scripta/escriptorium.

42 注 8 を参照。

43 Peter A. Stokes(2021) “Moving from Transkribus to eScriptorium,” eScripta, Hypotheses accessed on February 19, 2021, https://escripta.hypotheses.org/449.

44 “kraken — kraken documentation,” kraken, accessed on March 19, 2021, http://kraken.re/. このホームページ上では kraken と最初が小文字のスペルを用いているが、以下の論文では、Kraken と最初が大文字のスペルを用いている。Benjamin Kiessling, “Kraken - an Universal Text Recognizer for the Humanities,” DH2019 (2019), accessed on March 18, 2021, https://dev.clariah.nl/files/dh2019/boa/0673.html.

45 Benjamin Kiessling(2019) “kraken - an Universal Text Recognizer for the Humanities,” DH2019, accessed on February 19, 2021, https://dev.clariah.nl/files/dh2019/boa/0673.html.

46 ドイツで 1455 年にグーテンベルクがグーテンベルク聖書を出版してから 15 世紀以内に出版された西洋での初期活版印刷物を指す。

47 The Open Islamicate Texts Initiative の略であり、アガ・カーン大学、ウィーン大学、メアリランド大学カレッジ・パーク校が参加している、前近代イスラーム文献のコーパス開発を中心とする DH プロジェクトであり、アラビア文字の OCR の精度の向上もプロジェクトの目標の一つである。“About,” Open Islamicate Text Initiative (OpenITI), accessed on February 19, 2021, openiti.org/about.

48 “KITAB: Knowledge, Information Technology, & the Arabic Book,” KITAB, accessed on February 19, 2021, http://kitab-project.org/.

49 “mittagessen/kraken-models,” GitHub, accessed on February 19, 2021, https://github.com/mittagessen/kraken-models

50 wget はデフォルトで Mac には搭載されていない。筆者は homebrew を通して wget をインストールした。homebrew をインストールした後、wget を homebrew でインストールする。brew install wget とターミナルに書き、エンターキーを押すと、wget がインストールされる。wget は Linux 向けにさまざまなプログラムをインストールするプログラムであるが、Mac でも動作する。なお、homebrew のインストールに関しては、次のサイトを参照。Homebrew: The Missing Package Manager for macOS (or Linux), accessed on February 19, 2021, https://brew.sh/.

51 以下のコマンドを用いた。

```
$ wget https://raw.githubusercontent.com/mittagessen/kraken/master/environment.yml
$ conda env create -f environment.yml
```

52 “Vol. 03. Page 006,” “Arabian Nights” Database Search, accessed on February 19, 2021, http://www.dhii.jp/ANs/ans.php?m=show&n=300621&key=sndbAd#. 画像の入力ボックスに入力した翻刻には短剣アリフ（U+0670）が、reverse solidus（U+005C）の上に□で表示されている。通常の Unicode フォントのリガチャにはこの短剣アリフと前方の文字の組み合わせはないようであり、そのため、このウェブサイトの翻刻では reverse solidus で短剣アリフがその前方の文字の上についていることを示していると思われる。イスラーム学者の石田友梨氏（岡山大学）の協力・情報提供を得た。

53 戴慈良（改写）陈宗耀（绘）包金山（译）『城里老鼠和乡下老鼠』社会主义核心价值观幼儿绘本 ·5～6 岁, 通辽市 : 蒙古少年儿童出版社・长江少年儿童出版社. より。モンゴル語学者の外賀葵氏（京都大学）の協力・情報提供を得た。

54 OCR の前処理専用プログラムである。ScanTailor, accessed on February 19, 2021, https://scantailor.org/. ScanTailor の開発は現在休止しているが、有志により ScanTailor の発展版である ScanTailor Advanced が開発中である。"4lex4/scantailor-advanced," GitHub, accessed on June 3, 2022, https://github.com/4lex4/scantailor-advanced.

55 “Anaconda | The World's Most Popular Data Science Platform,” Anaconda, accessed on March 17, 2021, https://www.anaconda.com/.

56 注 44 を参照。

57 “Vol. 03. Page 006,” “Arabian Nights” Database Search, accessed on March 19, 2021, http://www.dhii.jp/ANs/ans.php?m=show&n=300621&key=sndbAd#.

58 16 コアのプロセッサ、128GB の RAM、42TB の HDD が搭載されている。

59 Debian -- The Universal Operating System, accessed on March 19, 2021, https://www.debian.org/. ROEDEL に搭載されている Debian のバージョンは 7 である。

60 ニューラル・ネットワークに関しては、次の動画が非常に分かりやすい。「Deep Learning 入門：ニューラル・ネットワーク学習の仕組み」Neural Network Console、YouTube、最終閲覧日 2021 年 3 月 19 日、https://www.youtube.com/watch?v=r8bbe273vEs.

61 詳しくは、Kiessling, Benjamin, Matthew Thomas Miller, G. Maxim, and Sarah Bowen Savant. "Important New Developments in Arabographic Optical Character Recognition (OCR)." *Al-ʿUṣūr al-Wusṭā* 25 (2017): 1–13 の p. 9 を参照。

62 “ocropus/ocropy,” GitHub, accessed on 19 February, 2021, https://github.com/ocropus/ocropy.

63 今泉允聡「深層学習の原理解析：汎化誤差の側面から」、日本統計学会誌 50 (2) (2021)、257–283 の p. 259 より。

64 この写真では、Émile Chassinat(1911) *Le Quatrième Livre des Entretiens et Épîtres de Shenouti*, le Caire: Imprimerie de l’institut français d’archéologie orientale の p. 38, l. 35–45 である。

65 Peter Anthony Stokes, Daniel Stökl Ben Ezra, Benjamin Kiessling, and Robin Tissot, “EScripta: A New Digital Platform for the Study of Historical Texts and Writing,” DH2019 (2019), accessed on March 19, 2021, https://dev.clariah.nl/files/dh2019/boa/0322.html.

66 注 41 を参照。

67 “kcl-ddh/digipal: Archetype,” GitHub, accessed on March 19, 2021, https://archetype.ink/.

68 “TEI Publisher: The Instant Publishing Toolbox,” TEI Publisher, accessed on March 19, 2021, https://teipublisher.com/index.html.

69 注 43 で紹介した Stokes のブログによれば、昨年 10 月に一部課金モデルになった Transkribus から eScritproium（Kraken などを用いた eScripta の HTR プログラム）に切り替えるプロジェクトが出てきたとのことである。Transkribus は現在 HTR として DH で最もよく用いられているプログラムである。宮川創「歴史文書の手書きテクスト認識（HTR）に関して」『人文情報学月報』98（2019 年 9 月号）を参照。また、Transkribus の一部課金化は、宮川創「ヨーロッパで進む人文学のためのデジタル・ツールへの一部課金モデルの導入：Transkribus と Trismegistos」『人文情報学月報』112（2020 年 11 月号）を参照。

70 現在のエジプトの最南部からスーダン北部にわたるヌビア地方に紀元前 6 世紀から紀元後 4 世紀まで存在したメロエ王国で使われたメロエ文字で書かれた言語。メロエ文字の音価はある程度は解明されているが、書かれている言語の文法や大部分の語彙が未解明である。

71 注 65 の Stokes et al. (2019) を参照。

72 “Startseite | OCR4all,” OCR4all, accessed on June 24, 2022, http://www.ocr4all.org/.

73 この勉強会では、HTR/OCR も、さまざまな言語における形態素解析、Universal Dependencies による統語解析、複数言語を使用する TEI XML によるコーパスなどを取り上げてともに勉強していく予定である。読者諸氏のなかでもし興味を持たれた方がいらっしゃったら、ぜひご参加いただきたい。連絡先は

miyagawa.so.36u [at] kyoto-u.jp。

74 インストール方法に関する詳細なユーザガイドが注 72 に情報を載せた OCR4all のウェブサイトからダウンロード可能である。

75 OCR4all が内蔵された Ubuntu はパスワードロックがかかっているため、アクセスできない。そのため、フォルダ指定を間違いなく設定する必要がある。

76 宮川創「ディープラーニングを用いた歴史的手書き文献の自動翻刻─コーパス開発の効率化に向けて」沈国威（編）『KU-ORCAS が開くデジタル化時代の東アジア文化研究』遊文舎、pp. 323–336（2022）の p. 335 にある表 1 を 2022 年 6 月 3 日の時点での最新の情報を以て更新したもの。

第 2 章

Transkribus 実践レポート：
100 年分のフランス語議事録翻刻プロジェクト

小風綾乃

1．はじめに

本章の大きなねらいは、さまざまな筆跡の混じった大量の史料の翻刻を必要とするユーザーがプロジェクトを進めていくための道筋を、体験談の形で提案することである。筆者は 18 世紀のフランスについて研究する歴史学研究者であり、主な史料としてフランスの科学アカデミー議事録を使用している。本章では、Transkribus を使ってこの議事録史料を大量に翻刻した経験から得られた知見を紹介する。

2．使用する史料について

フランスの科学アカデミーと言っても、現存のフランス学士院に内在する科学アカデミーとは異なる。筆者が研究対象にしているのはフランス革命以前に王立の科学研究機関として存在していたパリ王立科学アカデミーという組織であり、現在の科学アカデミーの前身である。このパリ王立科学アカデミー（以下、科学アカデミー）はルイ 14 世の治世であった 1666 年に宰相コルベールの指導のもとで作られた。1793 年にフランス革命政府によって活動停止に追い込まれるまでの約 130 年間、天文学や解剖学をはじめとする科学の多様なテーマについて議論を行い、政府の科学的諮問などに応えていた。科学アカデミーでは 1699 年に活動の指針となる会則が定められ、ここから安定的な活動を開始したとされる。筆者はこの 1699 年から 1793 年までの科学アカデミーの議事録を史料として扱ってきた。

科学アカデミーの議事録は書記によって作成され、手稿史料として科学アカデミーの文書館に残されている [1)]。記録された内容は、集会日の出席会員名に始まり、政府からの通達、内部選挙の結果、研究成果の報告やその場で行われた実験の記録、政府機関からの諮問依頼や科学書の検閲結果等多岐にわたる。科学アカデミーの文書館に保存されている草稿と合わせて、議事録は科学アカデミーに関する研究を行う研究者にとって基礎的かつ重要な史料に位置付けられる。

現在、フランス国立図書館とパートナー機関により提供されるデジタルライブラリーである

Gallica にて、ほとんどの年の議事録が公開されており、閲覧したり、PDF や JPEG 形式でのダウンロードができる。Gallica は画像の相互利用のための国際的な枠組みである IIIF にも対応しているため、他の IIIF ビューアでも Gallica の資料を閲覧することもできる。しかしながら議事録は手稿史料で、テキストデータ化はされていないため、文字列による検索には対応していない。なお、公開されていない年の議事録は科学アカデミーの文書館に行って閲覧するか、必要分をそこで撮影しなければならない。

また、議事録には会員別に研究課題が取り上げられた目録は存在しているが [2)]、議事録の議題目録として十分であるとは言い難い。例えば、どの会員がどの集会に出席したか [3)]、諮問や検閲においてどのような役割を果たしたか、などを調べるためには地道に議事録をめくっていくしかないのが現状である。当然ながら、このような状態では議事録の包括的な計量的研究は行うことができない [4)]。

筆者は科学アカデミーの日常的な姿を浮かび上がらせることを研究課題としており、いずれは議事録を数量化して全体像を把握したいと考えている。そのために議事録の全文翻刻を入手し、TEI によるマークアップや議事のデータベース化を進めることで、テキストにすぐにアクセスできる目録を作成したいと思った。しかし 1 年分の議事録は平均して 677 ページであり、自力で翻刻し続けるのはあまりに現実離れしている。そこで Transkribus を利用して翻刻テキストのベースを作ることで、この翻刻作業を一気に進めることを計画した。本章で述べる体験談は、完成した翻刻プロジェクトのものではなく途中経過、すなわち、さまざまなトレーニングモデルを作成して試行錯誤した結果を共有するものである。この体験談が読者のプロジェクトの参考になれば幸いである。

3．約 100 年分の議事録に適応できる HTR モデルの作成は可能か

3-1．史料における前提と想定される選択肢

科学アカデミーの議事録が書記による手稿史料として残されていることはすでに述べた通りである。次に Transkribus で翻刻する際に確認しておくべきことは、それが「同一筆跡によるのか」と「白黒などに加工された史料なのか、カラー写真なのか」であろう。

本プロジェクトの場合約 100 年分を対象とするため、同一筆跡であることはあり得ない。しかしながら、数年から数十年にかけては同一と思われる筆跡で書かれているため、Transkribus に適性のある史料であるとは言うことができよう。ただし、Gallica で公開されている PDF が白黒スキャンであることは難点になる。その理由についてはレイアウト認識の項で述べる。

約 100 年分に対応するための HTR モデルを作ろうとするとき、ユーザーはどのようにプロジェクトを進めていくのが最善だろうか。まず考えられることは、ある年の議事録をひたすら翻刻してグラウンド・トゥルース（機械学習のための教師用データ）とし、徐々に HTR モデルの精度を上げていく方法である。この利点としては、同じ書記によって記述され、かつ書かれた時期も

近いものであれば、書き癖に変化が起きづらく、少量のグラウンド・トゥルースから高い精度のHTR モデルを作成できる可能性が高いことが挙げられる。

しかしこの方法には、別の書記が記述した議事録にうまく適応できず、その都度モデルを作り直しながらプロジェクトを進めなければならないため、モデルの管理が煩雑になるというデメリットもある。そこでもう一つ選択肢となるのが、さまざまな年から数ページずつをグラウンド・トゥルースに設定し、さまざまな年に適用可能なモデルを作成する方法である。この方法は、一度モデルが完成すればそれを使い続ければ良いというメリットの他に、さまざまな筆跡に対応しているため、作成した HTR モデルを公開すれば他のユーザーの役に立つ可能性も高いというメリットがある。

そこで本章では上記二つの方法でそれぞれ HTR モデルを作成し、精度の差を比較することで、さまざまな筆跡の混じった大量の史料の翻刻を必要とするユーザが翻刻プロジェクトを進めていくための道筋を示すことを目的とする。

3-2．画像のインポート

本プロジェクトは、基本的に Transkribus のデスクトップアプリケーションを使用している。プロジェクトを始めるとき、まずはコレクションを作成してデータをインポートするが、インポート方法にはいくつかの選択肢がある。本プロジェクトではこのうち PDF 取り込み、JPEG 取り込み、IIIF 取り込みの 3 種類を試行した[5)]。

はじめに PDF からのインポートについて。PDF でアップロードする場合は、事前に Gallica からローカルのディレクトリに PDF 形式でダウンロードしておく必要がある。Gallica の場合はダウンロードの際にメタデータを記録したページが冒頭に追加されるため、そのまま Transkribus にアップロードするとページ番号が Gallica で公開されている資料からずれてしまうことに注意が必要である。またアップロード時に Transkribus 上でのタイトル変更はできないため、PDF のファイル名を Transkribus で表示させたいタイトルに事前に変更しておいた方が良い。一方 JPEG の場合には、フォルダ単位でアップロードすることができ、タイトルはアップロードの段階で任意に設定することができる。PDF あるいは JPEG ファイルのインポートでは、一度ローカルからサーバーに資料をアップロードする必要があるため、アップロードの待機時間は Transkribus のアプリケーションを終了させないように気をつけなければならない。アップロード後、サーバー上で Transkribus で使えるように処理される時間はその限りではない。

これに対して IIIF でのアップロードはすべてオンライン上で行われるため、パソコンのハードディスク容量をデータが圧迫することはなく、待機時間も発生しない。IIIF manifest の URL がドキュメントと一緒に Transkribus のサーバーに保存されるため、将来的にテキストデータを文書館に提供するようなときには紐付けが容易になると考えられる。IIIF で公開されている文書館の資料を翻刻したい場合には、のちの活用可能性を広げるためにも IIIF でのアップロードをおすすめしたい。

IIIF経由でアップロードする方法は簡単で、ユーザーが自身で該当する資料のIIIF manifestのURLを入手し、インポート画面にそれを入力するだけである。Gallicaの場合には「デジタル化資料のURLの/ark:の前に/iiifを入れて、URLの最後に/manifest.jsonをつける」[6]という作業によってIIIF manifestにアクセスすることができる。あるいは、Gallicaの閲覧ページに表示されたIIIFアイコン、続いて右上の「i」(Information)アイコンをクリックすることで、該当資料のIIIF manifestのURLを入手することもできる。慣れてしまえば負担も少なく、便利な方法に見えるが、このインポート方法は「タイトルが格納されているJSONのキーを自身で選択できない」という弱点があった。

manifestファイルは【図1】のようなものだ[7]。Gallicaから入手した科学アカデミー議事録のIIIF manifestでは、「description」に資料のタイトル、「label」に所蔵館名が記されている。しかしTranskribusは「label」をタイトルとして取得とする仕様になっているようで、IIIF manifest経由でインポートしたドキュメントはすべて「Archives de l'Académie des sciences」というタイトルに設定されたのである。Transkribusで読み込めるようになった後ならMetadataタブのDocumentからタイトル変更ができるものの、アップロード作業には時間がかかるため、タイトルが変更できる状態になるまで待たなければならない状況にはややストレスを感じた。このことは、例えば集団で進めるプロジェクトにおいてはドキュメント管理ミスの原因となりうるのではないだろうか。

なお、これはGallicaのIIIF manifest経由でのインポートに起きた固有の問題であって、すべてのIIIF対応資料に起きる問題ではない。例えば国立国会図書館のデジタルライブラリー


```
{
 "@id" : "https://gallica.bnf.fr/iiif/ark:/12148/bpt6k55729v/manifest.json",
 "label" : "Archives de l'Académie des sciences",
 "attribution" : "Bibliothèque nationale de France",
 "license" : "https://gallica.bnf.fr/html/und/conditions-dutilisation-des-contenus-de-gallica",
 "logo" : "https://gallica.bnf.fr/mbImage/logos/logo-bnf.png",
 "related" : "https://gallica.bnf.fr/ark:/12148/bpt6k55729v",
 "seeAlso" : [ "http://oai.bnf.fr/oai2/OAIHandler?verb=GetRecord&metadataPrefix=oai_dc&identifier=oai:bnf.fr:gallica/ark:/12148/bpt6k55729v" ],
 "description" : "Procès-verbaux. T53 (1734) / Académie royale des sciences",
 "metadata" : [ {
  "label" : "Repository",
  "value" : ""
 }, {
  "label" : "Digitised by",
  "value" : "Bibliothèque nationale de France"
 }, {
  "label" : "Source Images",
  "value" : "https://gallica.bnf.fr/ark:/12148/bpt6k55729v"
 }, {
  "label" : "Metadata Source",
  "value" : "http://oai.bnf.fr/oai2/OAIHandler?verb=GetRecord&metadataPrefix=oai_dc&identifier=oai:bnf.fr:gallica/ark:/12148/bpt6k55729v"
 }, {
  "label" : "Shelfmark",
  "value" : "Archives de l'Académie des sciences"
 }, {
  "label" : "Title",
  "value" : "Procès-verbaux. T53 (1734) / Académie royale des sciences"
 }, {
  "label" : "Date",
  "value" : "1667-1793"
 }, {
  "label" : "Language",
  "value" : "français"
```


図1　科学アカデミー議事録(1734年)のIIIF manifest(枠線による強調は筆者による)

で公開されている資料の IIIF manifest では、いずれも「label」に資料名が記載されており、Transkribus に取り込んでも問題にならないことが確認された。将来的に、アップロードの段階で IIIF manifest 内からタイトルに該当するタグを選択できるようになれば、IIIF 経由のインポートもより便利な機能として使うことができるだろう。

3-3．レイアウト認識

ドキュメントのインポートが終わったら、次に行うのはレイアウト認識である。Transkribus にはレイアウト認識を自動で行う機能がついているため、最初はそれを使うことになるだろう。レイアウトの自動認識は筆者の実践時には学習機能を搭載していなかったため、学習させて作業を楽にしたければ、OpenCV など他のソフトを使うしかなかった（追記：Transkribus のレイアウト学習機能は 2022 年 6 月に追加された）。Transkribus のレイアウト認識はクレジットを消費しないため、この作業ではドキュメント全体を一括で処理にかけてもコストはかからない[8)]。

しかし自動でレイアウト認識を行うと、所々に誤認識が確認される。これは Transkribus が白黒画像の汚れを文字と認識したために起こる問題である。前処理ソフトを使わない場合、ユーザーはこれを手動で修正していかなければならないが、【図 2】のように裏写りしているページや、汚れの強いページだと大変骨の折れる仕事となる。このような場合には、レイアウトタブを利用するのが良いだろう。レイアウトタブでは行の一括削除などを行うことができる。【図 2】のように本来のテキストが少なく、誤認識行が多い場合にはレイアウトタブの赤い「×」アイコンを押してテキストリージョン以下を削除し、手動でテキストリージョン、ベースラインを引き直した方が楽である。不要部分だけ削除するときには、右の作業画面では 1 行ずつしか処理できない

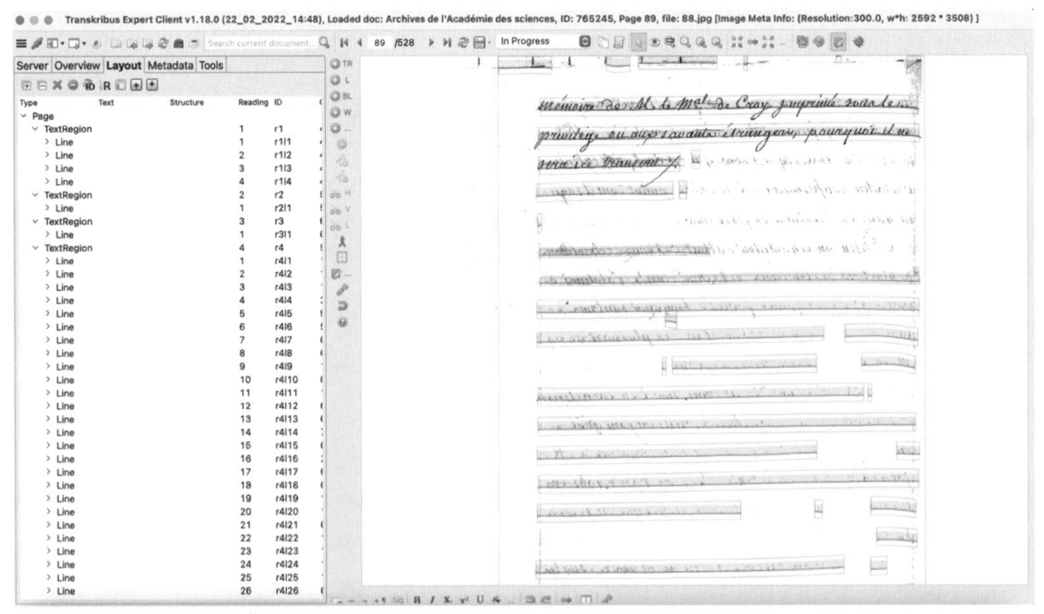

図 2　レイアウトの誤認識例

のに対し、レイアウトタブでは複数行を選択して「–」アイコンを押すことで複数行を一括で削除できる。しかしこのとき選択する行が多すぎるとTranskribusアプリがフリーズするということが度々あった。そのため、レイアウトタブを利用して複数行を削除する場合には、タブ内でのスクロールが必要なほどたくさんの行を選択しないように注意した方が良いだろう。

また、レイアウトの誤認識は白黒スキャンの画像の方が現れやすいことがわかった。【図3】はGallicaで公開されていない年の議事録である。資料原本を白黒スキャン後印刷し綴じられたものを、筆者が文書館で撮影した。Gallicaで公開されているものと同じ白黒スキャンであるが、文書館で撮影しているために背景に色がついており、一見文字に認識されてしまいそうな汚れも随所に見られる。また、認識作業を邪魔しそうな折れ目も入っている。しかしこの写真ではほとんど正確にレイアウト認識が行われていることがわかるだろう。このことから、Transkribusは少なくともレイアウト処理において、人間にとって読みやすく加工された白黒画像よりも、文書館で撮影した「ノイズの多い」写真の方が得意であると言えそうだ。

また、これらの点からは、Transkribusの利用において、白黒へのバイナリ化がそれほど効果的にはたらかない場合もあることがわかった。前処理の必要性はレイアウト認識の他に翻刻精度の差として現れるのだろうが、テキストの差分を可視化できるツールであるdifff《デュフフ》を使っ

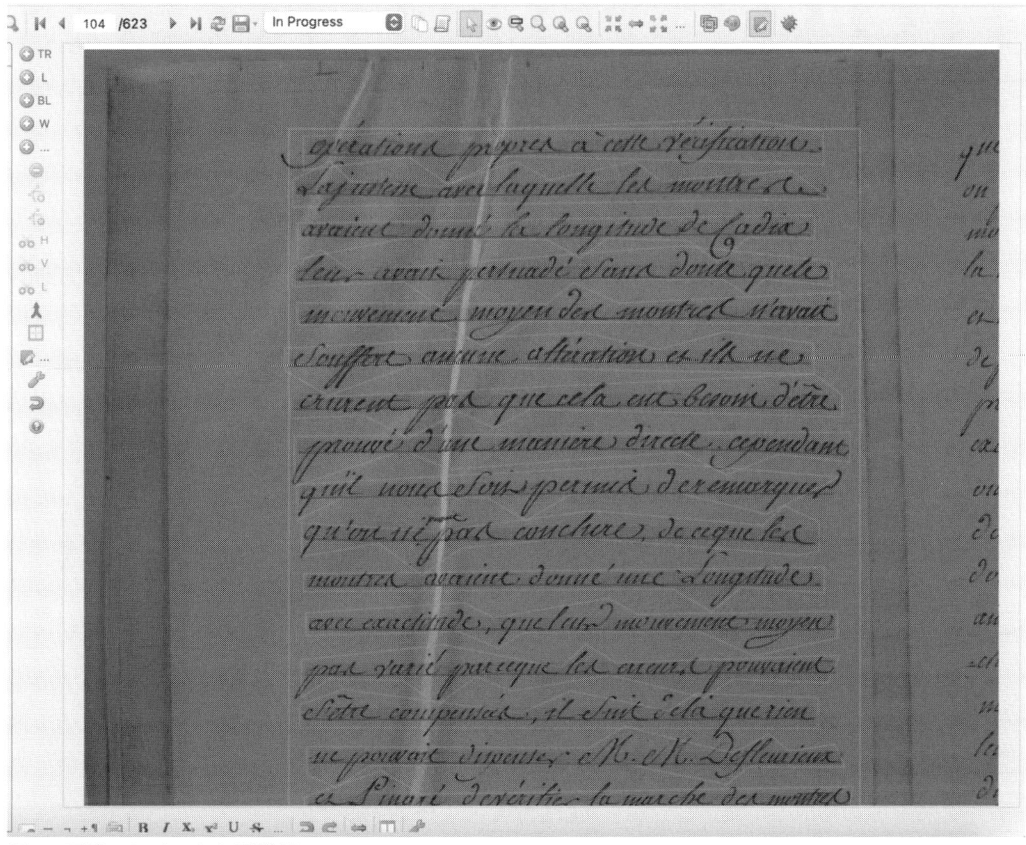

図3 写真のレイアウト認識例

正解データ

2
Mercredi 13. Janvier 1751.
Le Assemblée étant composée de M. M. les Comte d'Argenson,
de Maillebois, de Mâlesherbes, Cassini, honoraires.
Mrs. de Buffon, Morand, Hellot, Nicole, de Reaumur,
Clairaut, Winslow, de Jussieu l'aîné, B. de Jussieu, de Thury,
Ferreinm Bouguer, Camus, Geoffroy, le Monnier Astronome,
de Mairan, du Hamel, de la Condamine, de Fouchy, Pensionnaires.
Mrs. de l'Isle, le Monnier Pere, l'abbé Nollet, de Montigny,
Bourdelin, Maraldi, Maloüin, Associés.
Mrs. Buache, l'abbé de Gua, Roüelle, le Chevalier d'Arcy, de
Parcieux, Guettard, Macquer, Adjoints.
Mr Hellot Directeur a lu un Arrest du Parlement qui or-
donne que les Lettres-patentes du Sr. Guérin, de Montpellier, dont
poursuit l'Enrigisserement, seront communiquées à l'Académie
pour avoir son avis: En conséquence on a nommé pour Commis-
saires M. M. Morand, l'abbé Nollet, et la Sône.
L'Académie a député les même M. M. Morand et la Sône
pour visiter de sa part Mr. Bouvart qu'elle a appris être malade,
J'ai présenté un Mémoire de Mons.' Gallay, de Strasbourg, sur
la Trissection de l'angle, qu'on a donné à éxaminer à Mr. de Parcieux.
J'ai aussi présenté un Mémoire d'un Anonyme sur la Quadrature du
Cercle. Mr. Nicole a été chargé d'en rendre compte à la Compagnie.
Mr. de Montigny a fini la lecture de son Extrait du dernier
semestre.
Le Sieur Pereyre est entré et a présenté un jeune homme sourd
et müet de naissance auquel il a commencé à apprendre à l'expromer.
Mr. Clerges.
文字数: 1226
空白数: 211 空白込み文字数: 1437
改行数: 27 改行込み文字数: 1464
単語数: 239

撮影したままの画像

2
Mercredé 13. Janvier 1751
ahssemblíée etont composée de Me M. les Coites de trgenson
de Maillebois, de Malesherbes, et lassinn, hosoraires.
S Mos de Bulon, oraud, Gellot Nicolog de Reaumer
Nairant Vinsloi, de Justicul aine. S. 3e jussicer, ded'hury
Perlein, Bouguer, jamies, Ger froy e Monnier eIstionoine,
de Mairan, du Damer, de la condamne, de Pouchy Vensionaires
Mrs de l'Isle, le Monnier Pere, labbé Nollet, de Monsigny
Bourdelin, Maraloi, Maloûin, Sssociés,
Mris Quache fabbé de livr, Roüelle, le Chevalier d'arcy, de
sarcieux quettard, Macquer Sjoits
Mr heliot Directeur a luun esorest du Parlement qui on
donné que ces Lettres patentes du Sr. Guerin de Montpellier, dont
poursuit l'Enrégistrement, seront communiquées a le seadémie
pour avoir son avis, En consequence on a nommé pour commis,
faires M S. Morand, Eubbé a Nollet, et la Pôtre.
L'elcadenne a députe les mèmes Me M. Morand et la Pôone
pour visiter de sa part Mr Bouvart qu'elle a appris'etre malade,
Pai presente un Memoire de Monsr. Gallay de Srasbourg sur
la trissection de langle, qu'on a donné a examitier à Mr de Parcieux
Q'ai aussi presente un Memoire d'un snonyme sur la Quadrature du
sorcie Mr Ricole a été chargé d'en rendre compte a la Compagnie.
Mr de Montigny a fini la lecture de son Entrait du dernier
se mestre.
Le Sieur Sereyre est entré, et a présenté un jeune homme sererd.
et mücet de naissance, auquel il a commencé a a pprendre a s'exprimer
Mre Cauyez
文字数: 1200
空白数: 216 空白込み文字数: 1416
改行数: 27 改行込み文字数: 1443
単語数: 244

ScanTailorで加工した画像

20
Rercrede 13. Janvier 1751
essemblíée et ont composée de MeV. les Comtes de rgenson,
de Maillebois, de sst alesherbes, et Cassion, hosoraires.
EoIis de Busson, Moraud, Gollet Nicolo de Reauma
Nairant Vinstosr, de Jussicus aine, S. de jussieur, de Chury
Cherreler, Bouguer, famier, Cerfroy le Monnier eoronole,
de Mairas du hamée, de la Condamne, de Rouchy, Pensionires
Mrs de l'asle le Monnier Pere labbé Nollet, de Monsigny
Bourdelis, Maraldi, Malcûin, Sisociés
Mrs Quache tabbé de luc, Roüelle, le Chevalier d'arcy, de
arcieux Guellard, Macquer, Nojoints
Mr heliot Directeur a luun atorest du Parlement, qui on
donné que les Lettres pasentes du Sr. Guerin de Monspellier, dont
pour suit ('Enregistrement; seront communiquéesse le iradesnice
pour avoir sost a vis, En consequence on a nommé pour Commer
faires Me S. orand, Ealbbé aollet et la Pôtre
L'Acadennee a dépusé les mêmes Ma M. Morand et la Poste
pour visiter de sa part Sr Bouvarl quielle a apposs etre malade,
& au presente un Memoire de MMonsr. Gallay, de Sirasbourg ur
la rrissection de l'angle, qu'on adonné a e e la mser a MMr de Parcieux
2 at aussi presenteun Mamoire d'us Pronyme sur lies nadrature de
Corcler a Mr Nicole a été chargé d'en rendre compte a la Compagnie.
Mr de Montigny a fini la lecture de son Entrait du dernier
de messre
Le Sieur Tereyire est entré, et a présenté un jeune homme soresd
et micet de naissance auquel il a commencé a apprendre a seaprimer
s
Mr Aerget
文字数: 1201
空白数: 220 空白込み文字数: 1421
改行数: 28 改行込み文字数: 1449
単語数: 249

図 4　前処理の有無による HTR の精度比較 9)

て比較した【図 4】を見ると、撮影したままの JPEG 画像（前処理なし）と、ScanTailor を使って前処理をした JPEG 画像では翻刻精度にもほとんど差が出ないことがわかる。これらの結果から、少なくとも本議事録のような資料に関しては、ScanTailor による前処理は必要ないことがわかった 10)。資料画像そのものはできるだけ編集せず、原本に近い形で閲覧したい筆者のような研究者にとっては、前処理をしなくても問題ないというのは朗報であろう。

3-4．翻刻テキストの作成

レイアウト認識が終わったら、いよいよ翻刻作業に入る。翻刻作業では既存の HTR モデルを利用することもできるが、自作モデルにしても既存モデルの使用にしても、機械翻刻を行う度にクレジットを消費していくことには注意しておかなければならない 11)。既存のモデルが適合するかどうかは実験してみるしかないため、まずはテキストの多いページを 1 ページ選んで処理してみることをおすすめする。

Transkribus の HTR モデルは、CITlab HTR+ か PyLaia のどちらのエンジンで作成するかを選ばなければならず、翻刻に使うクレジット消費量はモデルの作成に使われたエンジンに左右される。クレジットの消費は CITlab HTR+ の方が大きいため、大量に翻刻したい場合には PyLaia を選択したい心理が働くものの、両者にどの程度の差があるのかについて気になる読者も多いのではないだろうか 12)。そこで、本項ではまず 1781 年の議事録を用いて CITlab HTR+ でベースモデルを設定した場合としなかった場合、PyLaia でベースモデルを設定しなかった場合 13) の 3 種類で認識精度の向上について比較する。その後、PyLaia を用いて複数年度の議事録の翻刻に適用できるモデルの作成が可能かどうかを検証していくこととする 14)。

3-4-1．単年の議事録を使用したCITlab HTR+、PyLaia HTRモデルの比較

【図5】は、1781年議事録のみをトレーニング、評価の両方に用いたHTRモデルの精度を示したものである。Transkribus上の「Models…」ボタンからモデルごとに確認できるラーニングカーブではなく、単語数の異なる複数のHTRモデルを作成して得られた文字エラー率を筆者自身でグラフ化した。縦軸は精度を表しており、低いほど文字エラー率の低い、すなわちHTRの精度の高いモデルであるということができる。網掛け部分は、Transkribusの公式ドキュメントで推奨されるトレーニングデータの単語数の範囲である[15]。トレーニングデータに用いたのは1781年議事録の前半部分、評価データに用いたのはいずれも同年議事録の後半部分であり、評価データにはすべてのモデルで同じページを用いた。

PyLaiaはパラメータを自分で調整できることがメリットであるが、機械学習に慣れていない筆者のようなユーザーは初期設定で十分であると思われる[16]。トレーニングにかかる時間と精度はこのとき設定したパラメーター次第であるが、初期設定で比較した場合、CITlab HTR+よりはPyLaiaでモデルを作成した時の方がトレーニング時間は短い印象を受けた。

まず、10ページ（単語数：816）で作成したモデルの精度をCITlab HTR+とPyLaiaで比較してみたい。PyLaiaかつベースモデルなしでトレーニングした結果の文字エラー率は41.5%なのに対し、CITlab HTR+ではベースモデルなしで17.2%、ベースモデルとして同時代のフランス語手稿をもとに作成された公開HTRモデル「Ordonnances des Intendances」を使用すると6.6%の文字エラー率に抑えることができた。この結果から、少なくとも翻刻を始めたばかりで必要な

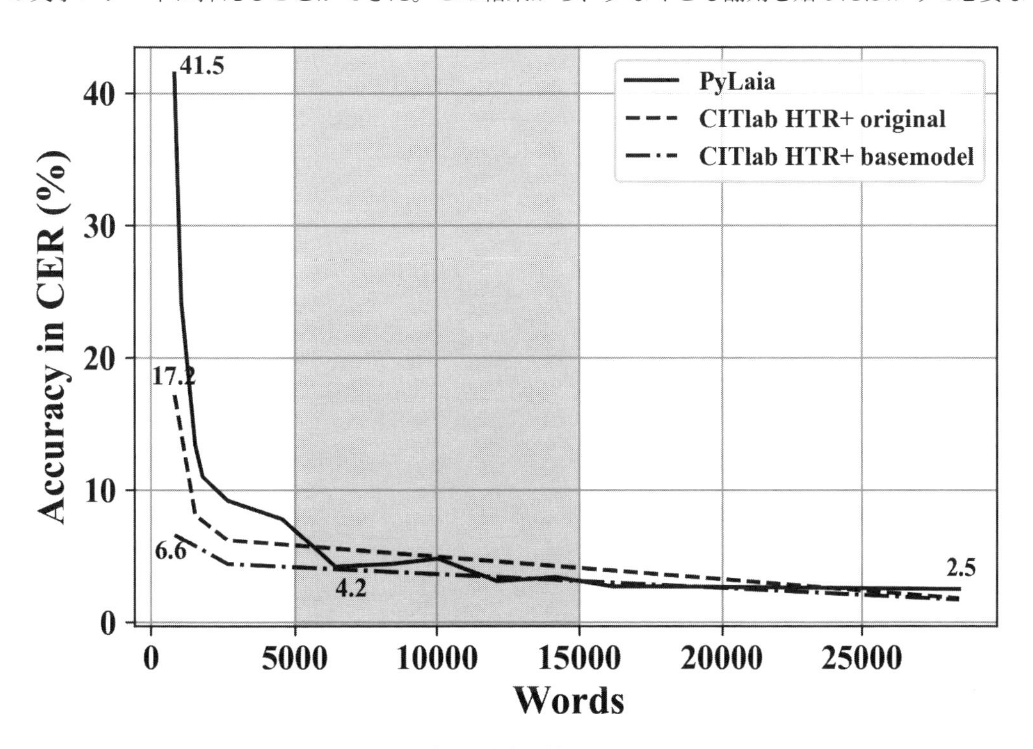

図5　1781年議事録のみを用いたHTRモデルの精度比較

データ量が揃っていない段階では、CITlab HTR+ でトレーニングさせたモデルを使った方が作業はスムーズに進むと考えられる。

しかし【図 5】は、Transkribus の推奨単語数（5000–15000 語）に達する頃には CITlab HTR+ と PyLaia の差がほとんどなくなり、どちらを選んでも高い精度で認識できるようになることも示している。ベースモデルを活かしてトレーニングさせたい場合にはベースモデル作成時に選ばれたエンジンに依存するが、自身でモデルを作りたい場合には翻刻量によって CITlab HTR+ と PyLaia を使い分けると良いのではないだろうか。

3-4-2．複数年に適用できる HTR モデルの作成

次に、PyLaia を使って複数年に適用できる HTR モデルを作成できるか実験した。【図 6】には、1781 年の議事録からページを追加しながらトレーニングしていった場合（点線）と、複数年の議事録から 10 ページずつ追加しながらトレーニングしていった場合(実線)の精度が示してある。両者とも評価データには同じページを使用した。

この実験における評価データには、議事録史料群のなかでさまざまな特徴を持った 10 ページを採用した。具体的には、トレーニングデータに使用した 1781 年とは時間的な隔たりがあり、明らかに筆跡の異なる 1727 年（2 ページ）、Gallica で公開されている PDF ではなく、文書館で筆者自ら撮影した写真の 1770 年（ブレのあるページ、ブレのないページを各 1 ページ）、1781 年と比較すると字が乱雑で読みづらい 1776 年（2 ページ）、トレーニングデータと時期が近く、

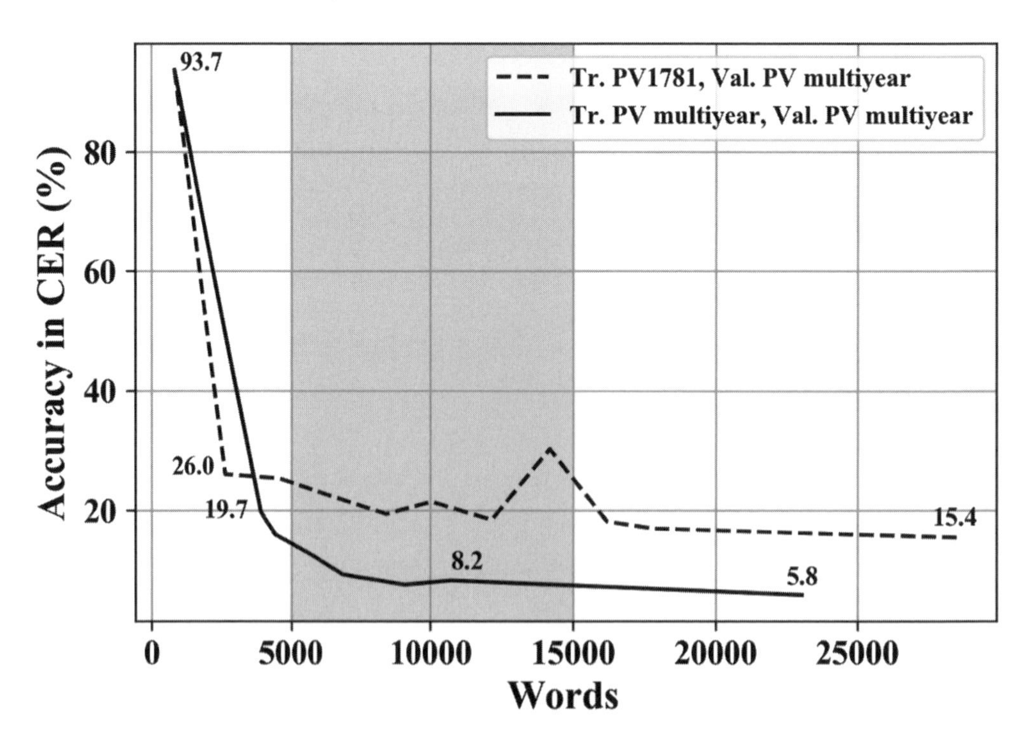

図 6　複数年の議事録を評価データに用いたモデルの精度比較

筆跡も同じ 1780 年（2 ページ）、背景に少し汚れがついている 1783 年（1 ページ）、背景の汚れが強い 1784 年（1 ページ）の合計 10 ページである。トレーニングデータに対して条件の良いページから条件の悪いページまでをサンプルとして揃えたため、本項ではこの評価データの精度をさまざまな年の議事録に適用できるかどうかの指標として用いる。

1781 年の議事録を黙々と翻刻して作った HTR モデル（点線）では、どれだけページを足していったとしても、すべての年の議事録に使えるほどの精度を出すことは難しい。14000 語付近で一度文字エラー率が高くなった理由はわからないが、このモデルでは誤認識が起こるリスクが高いということは確かであろう。

一方評価データに用いた年の議事録から、評価データに用いたページと被らないようにトレーニングデータに追加していった HTR モデル（実線）の場合には、使用した 7 年分からそれぞれ 10 ページずつ追加した段階で文字エラー率は 8.2% まで低下した。その後さらに 10 ページずつ追加し、計 140 ページを追加した段階での文字エラー率は 5.8% であった。公開されている HTR モデルの文字エラー率はさまざまであるが、10%を切っているものが多い印象を受ける。公開モデルから判断したところ、筆跡の差が大きな手稿史料を対象にした場合、HTR の文字エラー率を 1%以下に下げることはほぼ不可能であると考えられるため、5.8%という精度は十分に研究利用に耐えうると思われる。

3-4-3．差分の可視化による翻刻精度の比較

前項までに文字エラー率について述べてきたが、テキストで具体的な精度のイメージを確認したいという読者は多いのではないだろうか。本項では前項までに作成したモデルを使用して、翻刻精度のちがいがどの程度の差として現れるかを見ていきたい。

【図 7】は【図 4】と同様、diff《ディフ》を使って文字エラー率を比較したものである。正解データに現在の綴りと異なるものが含まれるが、これはトレーニングに向けて、史料に書かれた通りに翻刻しているためである。トレーニングに用いたページとは別のページで、同じ単語が異

図 7　文字エラー率の比較

なる綴りで記述されていると、Transkribusではそちらの綴りと判断し、誤認識となることがある。【図7】からわかる通り、文字エラー率が41.5%の状態ではほとんどの単語に1文字以上の誤認識が含まれるため、ほとんど間違えているといっても過言ではない。これに対し、文字エラー率が10%を切ると修正が必要のない単語も見られるようになる。捉え方に個人差はあるだろうが、筆者の感覚では、5%程度になれば修正の必要のない単語も多くなるため、有料のクレジットを使用してでも機械に翻刻してほしいと思える精度になる。

3-4-4．小括：最善の翻刻方法

これらの実験の結果から、やはりTranskribus開発チームが推奨するように5000–15000語ほどをトレーニングデータとするのが最も効率よく精度の高いモデルを作成する方法であると考えられる。複数年のものに対応するモデルを作るならばさまざまな特徴を持つページを抽出した上で作成するのが良いだろうが、つねに高い精度で翻刻作業を進めていきたいのであれば、やはり筆跡ごと、本資料群においては1年ごとにモデルを作っていった方が良いだろう。

1年ごとのモデルを作成する際、トレーニングでクレジットは消費されないため、何度もトレーニングを繰り返しながらグラウンド・トゥルースの作成をしていくのが良いように思われる。少なくとも本資料群においてはPyLaiaでも13ページ（約1500語）を超えたあたりで精度が高まることが確認されたため、まずは10–15ページほどを翻刻した上で、最初のモデルを作成するのが望ましい。あまりに低い精度だと、資料画像とテキストを見比べるより手で入力した方が負担にならないからである。

CITlab HTR+とPyLaiaは用途によって使い分けるのが良いだろう。トレーニングに使える単語数が少ない間はCITlab HTR+を使った方が効率が良い。公開されているHTRモデルの中に適合しそうなモデルがあれば最初はそれを使えば良いだろうが、なかったとしても、10ページほど翻刻した時点で最初のモデルをCITlab HTR+で作成し、2000語を超えたあたりでPyLaiaのモデルに切り替えると良いのではないだろうか。そうすればクレジットの消費と労力を最小限に抑えた上で、精度の高い翻刻を生み出せると考えられる。

3-5．マークアップ

Transkribusでは、アプリケーション上でXMLによるマークアップをすることができる。同アプリケーション上で翻刻とタグ付けを並行して進められるだけでなく、それらが常に同期されるため、共同研究者が作業の最新の状態を把握できることはメリットであろう。筆者は翻刻テキストをTEI/XMLでマークアップし構造化したものから、Pythonで必要なタグの属性や中身だけを抽出し、科学アカデミー議事録の目録を作ることを目標としているため、本機能は非常にありがたいものであると感じる。特に共同研究を意識しているものと思われるような、Transkribus Liteのマークアップ作業のしやすさには工夫を感じる。

しかし、現状のマークアップ機能はまだ実用レベルとは言い難い。ここではDHでのテキスト

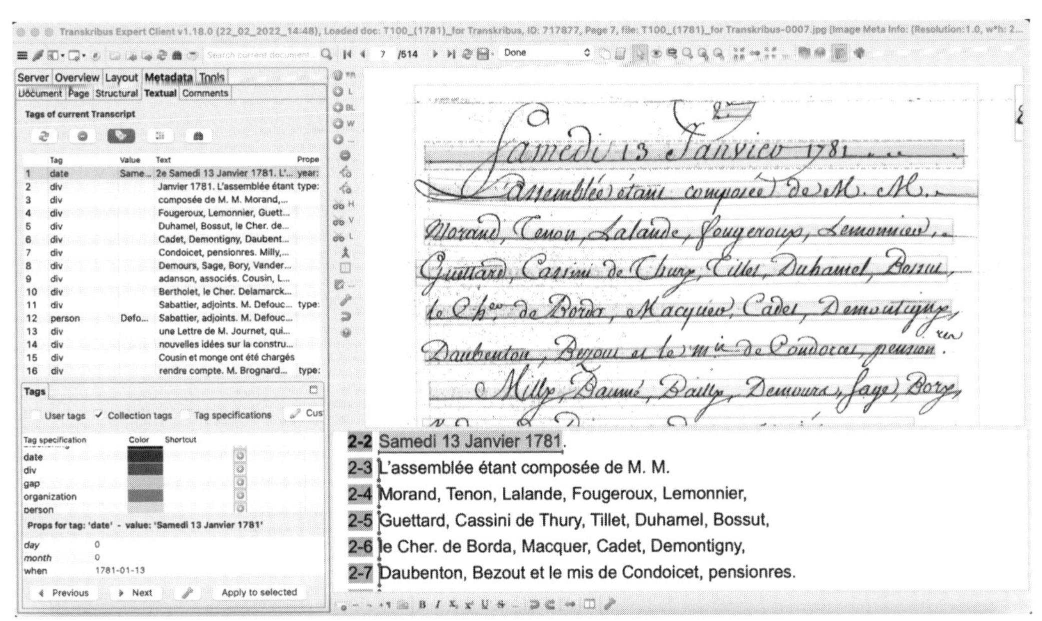

図8　マークアップ作業画面

構造化の国際標準であるTEI/XMLマークアップを例に紹介するが、基本的なマークアップですらTEIの最新バージョンであるTEI P5ガイドラインで推奨されるようになった形でエクスポートできないのである。例えばTEIにおいて人名は`<persName>`人名`</persName>`と表示してほしいところだが、TEI P4以前の名残である`<rs type="person">`人名`</rs>`と表示されてしまう[17]。日付も例えば`<date when="1781-01-13">`Samedi 13 Janvier 1781`</date>`と表示してほしいところを、`<date month="0" when="1781-01-13" day="0" year="0">`Samedi 13 Janvier 1781`</date>`など、情報が重複している上ランダムな順番で表示されてしまう。【図8】の左下には`<date>`タグの属性を編集できる画面が出ているが、「when」の部分だけ入力しても「day」「month」「year」は自動で「0」が入力される仕様になっているのである。また、行やページをまたいだタグ付けができないことも大きな問題である。複数行を選択して何らかのまとまりを表す`<div>`タグで囲みたいと思っても、【図8】の左上に表示されているように、行ごとにタグがつけられる上、`<div/>`と空タグで表示されてしまう[18]。これではエクスポートしてからTEIのマークアップはほとんどやり直しということになり、Transkribus上でマークアップする意味がないということになってしまう。将来的にこれらの問題が改善され、十分なTEIマークアップができるようになれば再び挑戦してみたいものである。

3-6．エクスポート

翻刻作業が終わったら、最後にエクスポートを行うことになる。この作業によって、翻刻を研究に直結する形式で手に入れることができる。さまざまなエクスポート方法がある中で、筆者はPDF出力、Simple TXT出力、TEI出力の3種類を試した。

PDF 出力の良さは、これまで OCR ソフトでは不可能だった、手稿の検索可能な PDF を手に入れることができる点にある。計量分析にかける場合や、テキストを論文に引用する場合には Simple TXT 出力の方が使い勝手が良いだろうが、元の資料画像を見ながら PDF 内を検索できれば、史料読解に非常に役に立つことは間違いない。

他方、Transkribus を TEI 形式で出力することにもメリットがある。マークアップ機能は不十分であるという点についてはすでに述べたが、Transkribus の TEI 出力は <zone> タグを付与してくれる機能がついているため重宝している。この <zone> タグは、画像の中の座標を用いて、どのテキストが画像のどこにあるのかを矩形（ポリゴン）で指し示すことのできるタグである。手動で付与することもできるが、量が多ければ大変骨の折れる作業となる。Transkribus では PDF と同様テキストが行単位で画像と紐づいて出力されるため、画像とテキストを並置するデジタル学術編集版やオンライン展示の作成が格段に楽になるのである。

ただし、TEI による出力にはいくつか気をつけなければならない点がある。まず、エクスポート画面に移行して【図 9】のようなウインドウを表示させたら、左側で出力形式を選ぶ。TEI で画像と紐付けて出力したい場合には、ここで TEI だけでなく Transkribus Document も選択しなければならないことに注意したい。TEI にチェックを入れただけだと、画像が出力されないのである。その後中央の画面でさまざまなオプションを選択するのだが、ここではデフォルトになっている「Export with this XSL from:（以下省略）」ではなく「Export as used from ‘Client Export’」

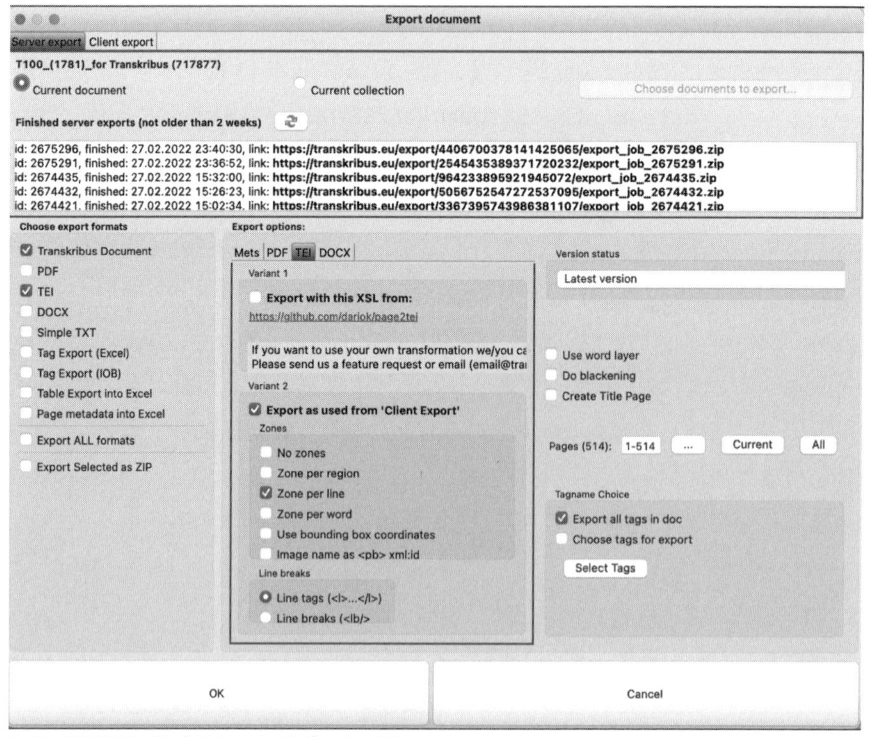

図 9　TEI/XML 形式でのエクスポート画面

を選択する方が良いだろう。将来的には改善されるかもしれないが、デフォルト設定だと前項で述べたようなタグになってしまって実用的でない上、<zone> タグの範囲指定もできないからである。後者を選べば <zone> タグの範囲をユーザーが設定することができる。画像との紐付けが必要なければこの段階で「No zones」を選択すれば良いが、行ごとに紐付けたいのなら「Zone per line」にチェックを入れるとよい。その後、改行を <l> タグにするか <lb> タグにするか選択し、出力したいページ番号を入力して OK ボタンを押すと、アカウントに使用しているメールアドレスにエクスポートしたデータへのリンクが送られてくる。ユーザーはそこに記された zip ファイルにアクセスし、解凍すれば自由に使えるようになる。

TEI に対応したエディタを使ってエクスポートしたテキストを編集したいのであれば、このファイルをダウンロードした時点で TEI/XML ファイルの移動をしておく必要がある。筆者は

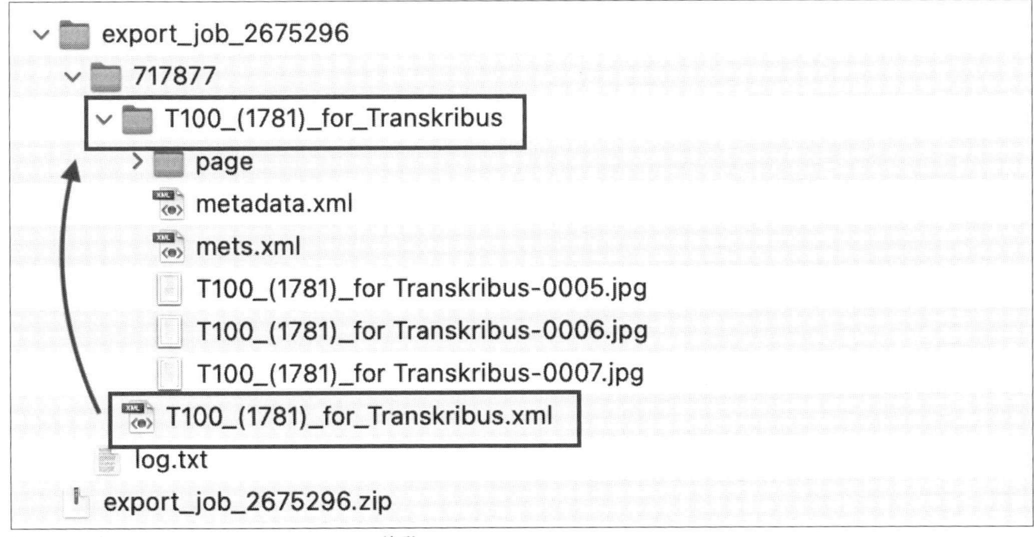

図 10　ダウンロードされたファイルの移動

```
TEI
16      <facsimile xml:id='facs_5'>
17          <surface ulx='0' uly='0' lrx='2480' lry='3508'>
18              <graphic url='T100_(1781)_for Transkribus-0005.jpg' width='2480px' height='3508px'/>
19              <zone points='746,394 790,398 834,402 879,405 923,406 968,408 1012,408 1056,408 1101,408 1145,406 1190,406 1234,405 127
20              <zone points='749,564 809,565 869,565 929,565 990,565 1050,565 1110,565 1171,565 1231,564 1291,564 1352,564 1412,562 14
21              <zone points='947,720 989,720 1031,720 1073,718 1115,718 1157,718 1199,718 1242,717 1284,717 1326,717 1368,717 1410,715
22              <zone points='921,1049 951,1049 981,1049 1012,1049 1042,1051 1073,1051 1103,1050 1134,1049 1164,1049 1195,1049 1225,104
23              <zone points='812,1349 852,1349 892,1349 933,1349 973,1349 1014,1348 1054,1348 1094,1348 1135,1346 1175,1346 1216,1346
24              <zone points='638,1610 701,1612 765,1612 829,1612 893,1610 956,1610 1020,1609 1084,1608 1148,1607 1211,1606 1275,1604 1
25              <zone points='540,1837 609,1840 678,1842 748,1843 817,1845 887,1845 956,1843 1026,1843 1095,1842 1165,1840 1234,1840 13
26              <zone points='456,1952 502,1954 548,1955 595,1956 641,1957 687,1957 734,1957 780,1957 826,1957 873,1957 919,1955 965,19
27              <zone points='456,2062 533,2062 611,2062 689,2062 767,2062 845,2062 923,2062 1000,2062 1078,2062 1156,2063 1234,2063 13
28              <zone points='440,2171 514,2171 588,2171 662,2171 736,2171 810,2173 884,2173 958,2173 1032,2174 1106,2174 1180,2174 125
29              <zone points='449,2272 521,2272 594,2273 666,2273 739,2275 812,2275 884,2275 957,2275 1029,2276 1102,2276 1175,2276 124
30              <zone points='414,2384 489,2382 564,2380 640,2380 715,2380 791,2380 866,2381 942,2381 1017,2383 1093,2384 1168,2386 124
31              <zone points='413,2482 455,2482 497,2485 540,2485 582,2486 625,2488 667,2488 710,2489 752,2489 795,2491 837,2491 879,24
32              <zone points='566,2594 634,2595 702,2596 771,2596 839,2597 908,2597 976,2599 1044,2600 1113,2601 1181,2602 1250,2603 13
33              <zone points='434,2699 506,2699 579,2699 651,2701 724,2701 797,2702 869,2702 942,2703 1015,2704 1087,2705 1160,2705 123
34              <zone points='443,2806 473,2807 503,2807 533,2808 563,2809 593,2809 623,2810 654,2810 684,2810 714,2812 744,2812 774,28
35          </surface>
36      </facsimile>
37      <facsimile xml:id='facs_6'>
38          <surface ulx='0' uly='0' lrx='2480' lry='3508'>
39              <graphic url='T100_(1781)_for Transkribus-0006.jpg' width='2480px' height='3508px'/>
40              <zone points='513,293 585,292 658,292 730,290 803,290 876,289 948,287 1021,286 1093,286 1166,284 1239,283 1311,283 1384
41              <zone points='519,386 576,387 633,388 691,389 748,389 806,389 863,389 920,389 978,389 1035,388 1093,388 1150,388 1207,3
```

図 11　TEI/XML ファイルに表示される <zone> タグ

TEI の編集に Oxygen XML Editor を利用しているが、このエディター上で画像と行の確認をするためにはアプリ内のイメージマップエディターを使うことになる。イメージマップエディターで画像を表示させるためには、XML ファイルと画像ファイルが同じフォルダに入っている必要があるのである。【図 10】のように、ダウンロードしたままだと XML ファイルは画像が格納されているフォルダより一つ上の階層に置いてあるため、XML ファイルを同タイトルのフォルダに移動させておけば、エディターを起動しても問題なく画像との紐付けができるようになる。

TEI/XML ファイル上で、<zone> タグは【図 11】のようにマークアップされる。Transkribus では字形に合わせて細かい行認識が行われているため、【図 12】のようにポリゴンが細かくなる

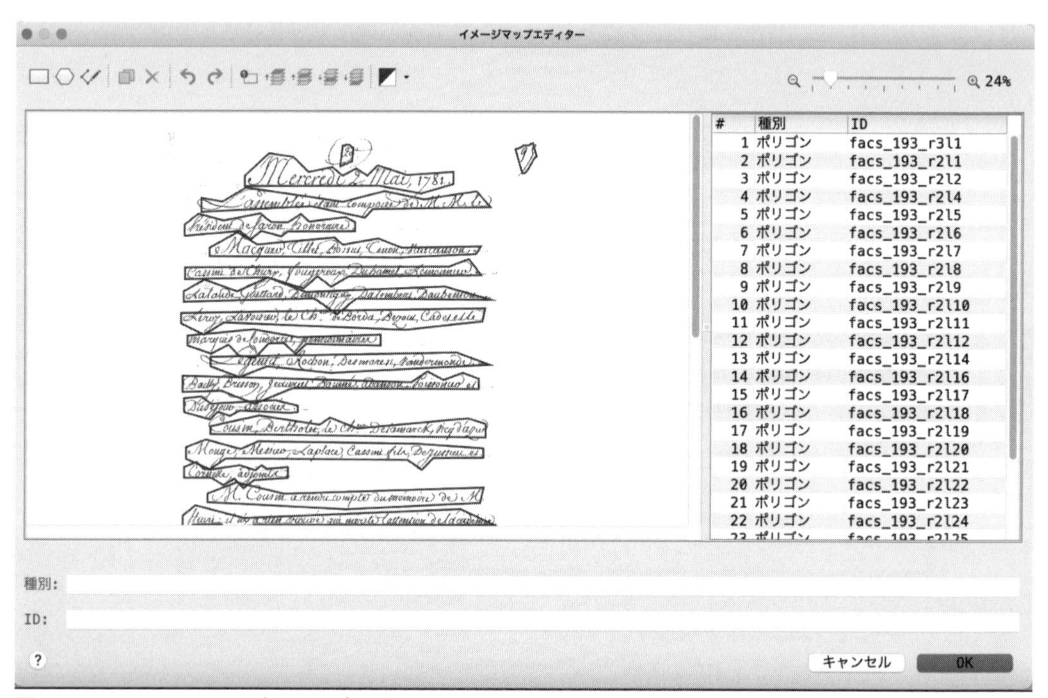

図 12　TEI でマークアップされたポリゴン

```
67      </facsimile>
68      <text>
69          <body>
70              <pb facs='#facs_5' n='5'/>
71              <p facs='#facs_5_r1'>
72                  <lg>
73                      <l facs='#facs_5_r1l12'>Registre</l>
74                      <l facs='#facs_5_r1l15'>De l'académie royale</l>
75                      <l facs='#facs_5_r1l20'>des Sciences.</l>
76                      <l facs='#facs_5_r1l23'>Année 1781.</l>
77                      <l facs='#facs_5_r1l39'>Premier Assemblée.</l>
78                      <l facs='#facs_5_r1l45'>Du Mercredi 10 Janvier.</l>
79                      <l facs='#facs_5_r1l47'>L'assemblée étant composée de M. M. <persName>le</persName></l>
80                      <l facs='#facs_5_r1l49'><persName>Comte de Maillebois</persName>, honoraire.</l>
81                      <l facs='#facs_5_r1l51'><persName>Morand</persName>, <persName>Cassini de Thury</persName>, <persName>Tenon</pe
82                      <l facs='#facs_5_r1l52'><persName>Fougeroux</persName>, <persName>Delalande</persName>, <persName>Bossut</persN
83                      <l facs='#facs_5_r1l53'>Cadet, Macquer, Guettard, Lavoisier, Demontigny,</l>
84                      <l facs='#facs_5_r1l55'>Bezout, Lemonnier, Dalembert, Leroy et le Mis.</l>
85                      <l facs='#facs_5_r1l56'>de Condorcet, pensionnaires.</l>
86                      <l facs='#facs_5_r1l57'>Perronet, Vandermonde, Sage, Legentil, Portal,</l>
87                      <l facs='#facs_5_r1l58'>Baumé, adanson, Bordenave, Duséjour, Brisson</l>
88                      <l facs='#facs_5_r1l59'>et Pingré, associés.</l>
89                  </lg>
90              </p>
91              <pb facs='#facs_6' n='6'/>
92              <p facs='#facs_6_r2'>
```

図 13　TEI でマークアップされた本文の構造

傾向がある。

さらに、本文のマークアップ画面は【図13】のようになる。【図13】で取り上げているページは何人かの人名をマークアップした状態にしてあるが、79行目の「le」が <persName> タグで囲まれてしまっている。これは80行目の「Comte de Maillebois」と合わせて人名になるのだが、オプションをいくら操作したとしても複数行のマークアップはできないということがここからわかるだろう。

4. おわりに

以上のような試行錯誤を繰り返しながら、筆者は議事録の翻刻作業を進めている。以前は無料で使えていた機能も有料になり、研究費を獲得しなければ大量の翻刻を作成することは難しくなってしまったことはやや残念だが、筆者のように個人研究費しか持たない学生にも購入しやすいプランや、奨学生制度が用意されていることは大変ありがたい。

筆者はこれまでの実験により、5.8%の文字エラー率でほとんどの議事録を翻刻できるであろうPyLaiaのHTRモデルをはじめ、いくつかの高精度なHTRモデルを作成することができた。今後はこれらを利用しながら、根気よく翻刻作業を進めていくことになる。

将来的な展望としては、冒頭で述べた通り、約100年分すべての議事録を翻刻し、TEIでマークアップした後Pythonでタグを抽出することで、デジタルテキストに直結する科学アカデミー議事録の議題目録を作りたいと考えている。筆者が翻刻を精査できる部分は自らの研究で例として取り上げる部分だけになるだろうが、その他の部分には他の研究者にとって有益な部分が含まれるだろう。そのため翻刻のベースができたら本プロジェクトを公開し、Transkribusアカウントを持つ科学アカデミー研究者なら誰でもアクセスできるような形に持っていきたいと考えている。研究者が自らに必要な箇所の翻刻を精査することによってより正確な翻刻が出来上がれば、Gallicaや文書館などでテキストが公開される日も近づくのではないだろうか[19]。

筆者が個人として議事録の議題目録を作る目的は、その先の分析にある。科学アカデミーの日常性を描き出すために、科学アカデミーの議事録全体を計量分析の対象にしたいのである。例えば、会員の研究発表はどのくらい分野的な偏りが見られたのか。政府からの通達はどのくらいの頻度で、どのような内容が届いていたのか。科学アカデミーに自身の研究成果を報告してきた非会員たちは、科学アカデミーの科学活動にどのように関わっていたのか。書簡を送ることによって科学アカデミーの活動に参加していた通信会員と呼ばれる会員たちは、実際にはどの程度科学アカデミーに参画していたのか。研究発表だけでなく、すべての議事を目録化することで可能になる計量分析のテーマは枚挙にいとまがない。とくに史料としては残されにくい通信会員や非会員の集団的な活動実態を明らかにするには、目録を使った分析が欠かせないだろう。

歴史学研究にとって、翻刻は分析の前処理ともいえる基礎的な作業である。判読しづらい史料であればあるほど必要性が増すというのに、史料の文字数が多くなれば多くなるほど翻刻のハードルは上がる。翻刻を少ない文字数でも頑張れば残りは機械が手伝ってくれると考えるだけで希望が持てる歴史学研究者は多いのではないだろうか。科学アカデミーの議事録は綺麗な字で書かれており判読性も高いため、精読にそれほど困難はない。Transkribus のような翻刻支援ソフトがなければ、筆者も膨大なテキストを翻刻し、計量分析に生かしたいとは思わなかっただろう。この点においては、Transkribus が実現不可能だと思っていた研究を切り拓いてくれたと言わざるを得ない。目録作成までの道のりはまだまだ遠いが、Transkribus とともに一歩ずつ進んでいけたらと思っている。

注

1 Antoine-Laurent de Lavoisier, *Œuvres de Lavoisier. Correspondance*, Édition dirigée par Patrice Bret, vol. VII (1792-1792), Paris, Académie des sciences, 2012, p. 469; Éric Brian and Christiane Demeulenaere-Douyère, eds., *Histoire et mémoire de l'Académie des sciences : guide de recherches*, Londres; Paris; New York: Tec & doc, 1996, p. 61–64.

2 Procès-verbaux, 110–113, Archives de l' Académie des Sciences.

3 Marie Jabob and Irène Passeron, « Sur Le Calendrier Des Présences de D' Alembert à l' Académie Royale Des Sciences de Paris et à l' Académie Française », Site de l' édition des Œuvres complètes de D' Alembert (1717-1783), 2006, http://dalembert.academie-sciences.fr/SerieIII_article_presences_Dalembert_Academies_Jacob_Passeron.php（最終閲覧日 2022–05–10、以下同様）; 小風綾乃・大向一輝・永崎研宣「18 世紀パリ王立科学アカデミー集会の出席会員分析に向けたデータ構築と可視化」『研究報告人文科学とコンピュータ（CH）』、第 2020-CH-123 巻 3 号、2020 年、1-8 頁、http://id.nii.ac.jp/1001/00204773/。

4 機械の検査にテーマを限定した議事録の計量的研究や、科学アカデミーの出版物を対象にした計量的研究はすでに行われており、科学アカデミーの活動の計量化に対して研究者らの関心が向いていることは確かである。James E. McClellan, "The Mémoires of the Académie Royale des Sciences, 1699-1790 : A Statistical Overview," in *Les publications de l'Académie royale des sciences de Paris (1666-1793),* ed. Robert Halleux, James E. McClellan, and Daniela Berariu, vol. II, Turnhout: Brepols, 2001, pp. 7–36 ; Bernard Delaunay, « La Pensée Technique de l' Académie Royale Des Sciences (1699-1750) », Thèse de doctorat en Histoire, Paris 1, 2013.

5 インポート方法に関しては、宮川創氏による解説（第 2 部第 1 章 6–4 節）をご参照いただきたい。

6 永崎研宣「「デジタルアーカイブ」における画像共有のための国際規格 IIIF についてのご紹介（続）」『digitalnagasaki のブログ』2016–06–02、https://digitalnagasaki.hatenablog.com/entry/2016/06/02/190127

7 manifest ファイルの全体は以下の URL から見ることができる。https://gallica.bnf.fr/iiif/ark:/12148/bpt6k55729v/manifest.json.

8 操作方法については、宮川創氏による解説（第 2 部第 1 章 7 節）をご参照いただきたい。

9 テキストの差分を可視化するツール difff《ﾃﾞｭﾌﾌ》を使って文字エラー率を比較したものである。difff《ﾃﾞｭﾌﾌ》は比較したい二つのテキストを左右の入力欄にペーストすると、単語レベルで異なる部分を色付きで表示してくれる。【図 4】はそのようにして作成した三つのテキストのスクリーンショットを作者がトリミングし、並べたものであり、正解データと異なる綴りの単語には色がつけてある。参考：「テキスト比較ツール difff《ﾃﾞｭﾌﾌ》ver.6.1」https://difff.jp/.

10 宮川創氏による解説（第2部第1章4節）ではノイズの量によってScanTailorによる前処理を推奨しているが、Transkribusにおいてはそれらが不要との見方もある。本資料群の場合は、写真よりGallicaにおいてPDFで公開されている白黒画像の方が前処理の恩恵を受けられる可能性が高い。ScanTailorの「版面を選択」機能を使うことによって【図2】のような裏うつり部分を削除でき、Transkribusにおけるレイアウトの誤認識を避けることができると考えられるためである。本章ではIIIF経由でのインポートを行なっているため実行できなかったが、ダウンロードした史料をローカル環境からアップロードするならScanTailorによる前処理を試す価値があるだろう。

11 クレジットについては宮川創氏による解説（第2部第1章10–2節）をご参照いただきたい。

12 Transkribusのクレジット購入ページではクレジットの試算ができるようになっており、それによれば、手稿史料を500ページPyLaiaで処理するのに500クレジット、CITlab HTR+で処理するのに625クレジットを消費するという結果が出る。https://readcoop.eu/transkribus/credits/.

13 PyLaiaでもベースモデルを設定することは可能であるが、PyLaiaの場合には文字セットが同じでなければならないという制約がある。筆者は何度か試みたが、トレーニング中にエラーを起こして失敗に終わったため、本章ではPyLaiaはベースモデルなしの結果だけ取り上げることにした。

14 トレーニングの方法については宮川創氏による解説（第2部第1章9節）をご参照いただきたい。

15 公式ドキュメントには、活字なら5000語、手稿なら15000語程度でモデルをトレーニングし始められると書かれている。“How to Use Transkribus – in 10 Steps,” https://readcoop.eu/transkribus/howto/use-transkribus-in-10-steps/. なお、本マニュアルの日本語訳は以下で読むことができる。https://connectivity.aa-ken.jp/newsletter/588/.

16 “How to Train PyLaia-Models in Transkribus,” https://readcoop.eu/transkribus/howto/how-to-train-pylaia-models-in-transkribus/.

17 `<rs>`はTEI P5ガイドラインにも載っているため厳密にいえば間違いではないものの、`<rs>`や`<name>`はP4以前の名残である。P5では、より直接的に`<persName>`や`<placeName>`を使うように方針が転換したため、その変更がTranskribusのエクスポートには反映されていないといえよう。Cf. Øyvind Eide, “Ontologies, Data Modelling, and TEI,” *Journal of the Text Encoding Initiative*, Issue 8, 2015, DOI: https://doi.org/10.4000/jtei.1191.

18 TEIの出力方法（オプション操作）次第で、人名は`<persName>`人名`</persName>`で表示することができるが、この場合も日付は`<date month="0" day="0" year="0">`Samedi 13 Janvier 1781`</date>`となり、かつ行をまたいだマークアップはできなかった。出力方法については次節で詳述する。

19 筆者はテキストの提供、公開を見越してIIIF経由のインポートを積極的に取り入れているが、現在のところ、IIIF経由でインポートしたとしても完成した翻刻をGallicaに提供する方法は整備されていない。しかしながら、将来的に画像とテキストをビューワーで同時表示したいと考えたときに、すでにWebで公開されているIIIF画像とリンクしていれば応用も効くと思われる。

第3章

TEI ガイドラインとは

永崎研宣

1．はじめに

TEI（Text Encoding Initiative）ガイドラインは、人文学研究者が中心となってデジタル資料の構造的記述を行うことを目指して始まったものである。開始当初の思想と状況については当事者たちの講演録が日本語訳されている [1] のでそちらをご覧いただきたい。ここでは、TEI がどのようなものであり、どのように有用であるかについて、いくつかの事例とともに概観してみよう。なお、本章の初出は CC BY-SA で公開されている後藤真・橋本雄太編『歴史情報学の教科書』（文学通信、2019 年）に含まれているもの [2] であり、その意義を踏まえつつ若干の加筆修正とともにここに掲載する。

2．TEI 登場の文脈

第 1 部でみてきたように、テキストにタグ付けを行うことはそこにさまざまな可能性を付与することである。テキストへのタグ付けという行為自体は、1980 年代後半にはすでにそれなりにできるようになっており、2022 年現在では非常に自由かつ便利な形で利用可能となっている。しかしながら、この種のことは、技術的に可能であるということだけでは十分ではない。各自が異なるルールでタグ付けをしてしまうと、共通のツールで利便性を高めたり、それぞれの成果を共有したりすることが難しくなってしまう。研究としては、誰も試みたことがない新しい記述手法に取り組むことには一定の意義があり、その種の研究成果は枚挙にいとまがない。しかし、新しい記述手法は他の誰も使ったことがないので、それに従って記述されたテキストデータを活用するためには新たに活用ツールも開発する必要がある。新しい記述手法を誰かが開発するたびにそれにあわせた活用ツールも開発しなければならないというのでは、いつまで経ってもスクラップ・アンド・ビルドが繰り返されるばかりで成果がうまく積み重ねられないということでもあり、後々深刻な事態に陥りかねない。それを回避するためには、目新しさを追求するよりも、むしろ皆が共通で使える記述手法を定めた方がよいということになる。欧米でデジタルテキストの活用に関わる研究者たちはこれに気がついて対処を始め、それが一つの大きな流れになったのが1987年のことであった。

1987年の冬、ニューヨーク州ポキプシーに集まった研究者らは、長い議論の末に、一つの原則を共有するに至った。これは、会議の地の名を冠し、ポキプシー原則と名付けられた[3)]。以下に引用してみよう。

1987年11月13日，ニューヨーク，ポキプシー

1 ガイドラインは，人文学研究におけるデータ交換のための標準的な形式を提供することを目指す。

2. ガイドラインは，同じ形式でテキストのデジタル化をするための原理を提案することも目指す。

3. ガイドラインは，以下のことをすべきである。
   - 形式に関して推奨される構文を定義する。
   - テキストデジタル化のスキーマの記述に関するメタ言語を定義する。散文とメタ言語の双方において新しい形式と既存の代表的なスキーマを表現する。

4. ガイドラインは，様々なアプリケーションに適したコーディングの規則を提案するべきである。

5. ガイドラインには，そのフォーマットにおいて新しいテキストを電子化するための最小限の規則が入っているべきである。

6. ガイドラインは，以下の小委員会によって起草され，主要なスポンサー組織の代表による運営委員会によってまとめられる。
   - テキスト記述
   - テキスト表現
   - テキスト解釈と分析
   - メタ言語定義と，既存・新規のスキーマの記述

7. 既存の標準規格との互換性は可能な限り維持されるだろう。

8. 多くのテキスト・アーカイブズは，原則として，交換形式としてのそれらの機能に関して，そのガイドラインを支持することに賛成した。私たちは，この交換を効率化するためのツールの開発を援助するよう，支援組織に働きかける。

9. 既存の機械可読なテキストを新しい形式に変換することとは，それらの規則を新しい形式の構文に翻訳するということを意味しており，まだデジタル化されていない情報の追加に関して何か要求されることはない。

人文学者や情報工学者、図書館司書たちによって支えられたTEI（Text Encoding Initiative）と呼ばれるこの動向は、その後、TEIガイドラインの策定へと結実するとともに、TEI協会

（Consortium）を設置し、参加者による自律的で民主的な運営体制の下、ガイドラインの改良を続けていくことになる。この動きはやがてXMLの策定に影響を与え、さらにその後、TEIガイドライン自体もXMLをベースとするものに移行することになる。

3．TEIガイドラインの内容

TEI協会は、一般的な意味での標準規格というものは目指さずに、あくまでもガイドラインを提示するということを当初より決めていたようである。この理由には、人文学が研究成果刊行の手段として著書の出版にこだわることが深く関わっているように思える。人文学においては、しばしば、議論を正確に展開するために、用語とその定義、そしてそれらの関係を、一般的な用法とは必ずしも一致しない形で厳密に定義することがある。言うなれば、術語体系が、著書等のひとまとまりの研究業績ごとに異なっているという状況があり得るのである。もちろん、研究資料となる資料においても同様の状況があり得る。厳密に定められた術語体系を強要するのではなく、十分に議論した結果をガイドラインとして提示して実際の用法は利用者・利用者コミュニティに委ねるというTEIの手法は、このような人文学のあり方に寄り添ったものとして捉えることができる。

とはいえ、まったく標準規格と無縁というわけではない。TEIガイドラインは、部分的には国際標準化機構（ISO）の標準規格となっている。ガイドライン第18章　素性の構造（Feature Structures）はISO 24610-1:2006において参照されており、ガイドライン第9章　辞書（Dictionaries）はISO 24613-4:2021においてTEI serializationとして取り込まれている。また、言語コードを定めるISO 639や日付と時刻の表記方法を規定するISO 8601、あるいは、Webの規格であるCSS（Cascading Style Sheets）等、コンピュータの世界で一般に広く用いられる国際標準規格はガイドラインからも参照されている。

本書執筆時点でのTEIガイドラインは、P5のバージョン4.4.0となっており、非常に多くのXMLタグ・属性等を定義している。ガイドラインの目次を見ることでその全体像をある程度把握することができるので、以下にそれを概観してみよう。

1 The TEI Infrastructure　TEIのインフラストラクチャ

2 The TEI Header　TEIヘッダ

3 Elements Available in All TEI Documents　すべてのTEI文書で利用可能なエレメント

4 Default Text Structure　デフォルトのテキスト構造

5 Characters, Glyphs, and Writing Modes　文字、字形、表記方法

6 Verse　韻文

7 Performance Texts　脚本

8 Transcriptions of Speech　音声の文字起こし

9 Dictionaries　辞書
10 Manuscript Description　手稿（写本）の記述
11 Representation of Primary Sources　一次資料の表現
12 Critical Apparatus　校訂
13 Names, Dates, People, and Places　名称、日付、人、場所
14 Tables, Formulæ, Graphics and Notated Music　表、式、図像、楽譜
15 Language Corpora　言語コーパス
16 Linking, Segmentation, and Alignment　リンク、分割、連携
17 Simple Analytic Mechanisms　単純な解析の仕組み
18 Feature Structures　素性の構造
19 Graphs, Networks, and Trees　グラフ、ネットワーク、樹形図
20 Non-hierarchical Structures　非階層的な構造
21 Certainty, Precision, and Responsibility　確実性、正確性、責任の所在
22 Documentation Elements　文書作成のためのエレメント
23 Using the TEI　TEI の利用

第 1 章では TEI ガイドラインが提示する仕組みの全体像を示しており、技術面に関心がある人は一読してみると面白いだろう。

第 2 章はヘッダーについての解説である。ヘッダーは、TEI が登場した際のきわめて重要な要素であった。テキストファイルにはしばしば、「このデータがどういうものであるか」「どのようなルールでテキストデータ化されたのか」といったことについての説明が欠けており、どのように扱えばよいか判断が難しいことがあった。TEI では、ヘッダーを必須化し、その種の情報をテキストファイルの中に詳細に記述できるようにしたのである。ヘッダーの役割はそれにとどまらず、さまざまな資料に関する情報を記載できるようになっており、とりわけ、貴重資料に関しては、詳細な書誌事項を記載でき、欧米の研究図書館で貴重資料の詳細なメタデータ記述に広く用いられている。

第 3 章は、すべての TEI 準拠文書で使えるエレメントの説明である。この章は大変長く、通常の文書で利用するようなエレメント・属性、そしてその使い方の例が豊富に提示されている。2021 年 3 月に導入されたルビのルールもこの章に導入された。

第 4 章は、テキストの構造の捉え方について、さまざまなパターンを提示し、タグによってその構造を記述する手法について解説している。テキストのまとまりをどのように位置づけるか、という例示から、一つの本に複数の資料が含まれる事例やアラビアンナイトのような枠物語、詩集の構造など、さまざまな事例が挙げられている。

第 5 章は、書字体系や外字等が扱われており、日本語資料を扱う上で生じてくる外字もこのルールに従うことである程度うまく情報が共有できるようになっている。なお、外字の扱いについて

の考え方は、本書の第1部第1章で説明しているので参照されたい。

第6章以降は、韻文、脚本、音声の文字起し、辞書、手稿（写本）の記述、一次資料の表現、校訂と、資料の性質に合わせた詳細な記述の仕方がそれぞれに提示されている。とりわけ、手稿の記述の仕方には非常に力が入っており、欧米の有力な研究図書館の専門司書が中世写本の目録情報をデジタル化したりデジタル画像に書誌情報をつけたりする際に広く用いられている。また、校訂テキストの校訂情報の記述の仕方（第12章）も充実している。

第13章は、人名・地名等の固有表現に関する記述の仕方であり、これはどの種類の資料にも適用可能な有用性の高いルールである。本書の第1部第1章で解説した人名タグなどの付け方もここを踏まえて説明したものであり、あわせて参照されたい。

第17章では言語コーパスを作成するための単語やフレーズ、文章等のさまざまな単位に対して付与すべきタグ・属性について解説されている。単語レベルで文法情報を付与していきたい場合にはぜひ参照されたい。

第20章では、本来階層構造をとるべきXMLのデータをTEIの形式でうまく表現するためのさまざまな工夫が紹介されている。XMLはタグの構造としては階層構造でなければならず、人文学向けのデータとしては必ずしも相性がよいとは言えない面がある。それを乗り越えるための手法はすでに長く研究されてきており、手法も確立されている。それが解説されているのがこの章である。

第21章は、人文学によるルールであることを象徴する興味深いものである。テキストデータへのタグ付けにおいては、タグ付けされた文書内のさまざまな要素（固有名詞やその解説等）の信頼度は必ずしも十分に高い場合ばかりではなく、また、専門家によってその信頼度についての判断が異なる場合もあり、さらには、見解を異にする場合もある。そういった場合に、一つの最適解のみを記述するのでなく、それぞれがどれくらい信頼できるのか、そして、誰に責任があるのか、ということを明示するのである。そうすることで、信頼度や見解が異なる情報も含めて一つのテキストデータにまとめられるようになる。この章で解説されているのは、それを実現するためのXMLタグ・属性等の記述の仕方である。

このように、TEIガイドラインの目次を見ることでTEIのおおまかな内容が見えてくる。タグをなるべく統一的にすることで人文学としての汎用性を持たせようとするものの、一方で個別の資料や個別の研究手法の固有性を無視することはできない。したがって、TEIガイドラインとしては、全体に共通するものと個別の分野に関わるものとを分けてそれぞれを説明する形になっているのである。

4．TEIガイドラインのアップデートと「国際化」

TEIガイドラインは現在、半年に一度、アップデートを行っている。なぜアップデートが必要なのかと言えば、主にコミュニティの拡大と要求の高度化のためである。TEIガイドラインは、人文学のためのガイドラインとして策定されているものの、人文学のすべてに対応できているわけではない。コミュニティを基盤とする標準としてガイドラインを策定しているため、コミュニティに参加する研究分野が増えると、これまでになかったタグや構造が必要になることがある。一方で、特に技術が進歩していくと、それにあわせて新たなタグや構造が必要になることもある。そこで、TEI ガイドラインは着々とアップデートを継続しているのである。

これを支える TEI 協会では、現在は、会員からの選挙に基づき理事会と技術委員会のメンバーを選出し、協会の運営は理事会、ガイドラインの策定は技術委員会が担当している。また、メンバーの要求に応じた分科会設置の手続きが用意されており、個別の分野・手法におけるガイドライン拡張については、分科会で検討されることが多い。その検討の成果が会員総会で発表されるとともに、ガイドラインに導入されることになる。書簡に関する分科会や写本に関する分科会、オントロジーに関する分科会、図書館に関する分科会などは、大きな貢献を行ってきた。

近年の興味深い貢献としては、書簡に関する分科会の活動の成果として 2015 年のバージョン 2.8.0[4] に追加された <correspDesc> である。これは書簡に特徴的な構造としての宛先・差出人・差出地・送受信日時等を記述するタグをまとめるタグである。それ以前もそういった情報を個別に書くための構造は TEI ガイドラインで提供されていたものの、文書の中にタグが分散してしまい、それらを探して処理するのは必ずしも容易なことではなかった。バージョン 2.8.0 では、そのような情報を <correspDesc> 以下にまとめるというルールが設定され、それにより、書簡の TEI/XML 準拠データを処理したい場合、宛先・差出人等の書簡に特徴的な情報は <correspDesc> 以下を探索すれば見つけられることになったのである。この構造を決めるにあたっては、世界中の書簡デジタル化プロジェクトに取り組む人々がこの分科会に集い議論が重ねられ、それが最終的に TEI ガイドラインに反映されたのである。

コミュニティの参加者により民主的に策定される標準としての TEI ガイドラインでは、コミュニティへの参加者が少なかった非欧米圏の資料や手法への対応は、当然のことながらあまり手厚くはない。欧米の文献研究に取り組む欧米の研究者が主体であったため、必然的に欧米の資料と研究手法が暗黙的にも明示的にも前提となっている面がかつては強かった。一方で、ガイドラインをより汎用的なものにしていくためには世界中の研究者を巻き込んでいく必要があるという認識もあったようであり、TEI ガイドラインにおけるタグの個別説明の部分だけはガイドライン P5 が公開された 2007 年の後に複数言語に翻訳され、このときは鶴見大学の大矢一志氏が取り組んだ。

実際のところ、非欧米圏からの参加は少なかったとは言え、それでも、近代日本の資料であれば多くのテキストに対応可能であり、少し無理をすれば振り仮名や漢文の返り点にも対応できないことはなかった。しかしながら、古典籍・古文書になると、くずし字の連綿体やヲコト点など、ガイドラインに沿うだけでは構造化が難しい資料が増えてくる。そういった事情への対応の必要性が TEI 協会においても共有されてきた結果、東アジア／日本語分科会が 2016 年に TEI 協会に設置された。この分科会では、TEI ガイドラインの翻訳、日本語による日本語のためのテキスト構造化ガイドライン策定、日本語資料を適正に構造化するための TEI ガイドラインの改訂案提出等を目指して活動しており、遠隔ビデオ会議システムを活用して世界各地の有志により作業が進められている。その成果の一環として、2021 年春の改訂時には日本語のルビのルールを TEI ガイドラインに導入することに成功し、その後も追加・改良すべき事項について検討と提案を継続している。

5．TEI ガイドラインと人文情報学

TEI ガイドラインは、欧米の人文情報学（Digital Humanities）においては、長らく中心的な役割を果たしてきた。人文情報学とは、人文学においてデジタル技術を応用する研究を総称するものであり、このことは、国際デジタル・ヒューマニティーズ学会連合（Alliance of Digital Humanities Organizations）がオックスフォード大学出版局から刊行する論文誌のタイトルが Digital Scholarship in the Humanities であることからもみてとれる。

人文情報学は、方法論の共有地（Methodological Commons）を体現するコミュニティとして形成されているものである。ここで言う方法論の共有地とは、人間文化の研究に関わるあらゆる分野が自らの方法論を持ち寄り、そこにデジタル技術を適用することで新たな展開を共創する場であり、人文情報学の重要な側面の一つは、それを実現するためのコミュニティ活動である。そして、そのようにして方法論を持ち寄った際、各分野同士で必ずしもかみ合うとは限らないさまざまな術語や慣習を共通言語とするための役割を果たすのが TEI ガイドラインなのである。

人文情報学における TEI ガイドラインの役割について具体的にみてみるには、人文情報学についての解像度をもう少し高めてみる必要があるだろう。分類する側の立場や観点によってさまざまな分類の仕方があり得る[5)]が、人文情報学におけるアプローチの仕方には、大別して、（1）構築系、（2）共有系、（3）解析系の三つがあると筆者としてはとらえている。

（1）構築系は、デジタルデータの構築に関わる研究である。データを作るだけでは研究とは言えない、ということは、翻刻や翻訳、テキスト校訂等からの連想かもしれないが、この種の取り組みにおいては聞かれることがある。確かに、決まったルールに沿ってデータを入力するだけであれば専門知や創作性が発揮される場面は少なく、結果として、研究であると主張できる要素はかなり少なくなってしまうだろう。しかし、データの構築においてはさまざまな専門知が前提となる。構築しようとするデータがどういうものであり、それはどう分類され注釈されるべきか、という検討を行うにあたっては、データの元になる資料についての専門知の有無が大きく影響するだろう。さらに、構築するデータは、効果的に活用されねばならない。そのためには、効果的な活用とはどういうものであり、それを実現するためにはどのようにしてデータ構築をすべきなのか、ということについての理解を持っていなければ適切な構築は難しい。とりわけ、専門分野において有用なデータ構造を設計するに際しては、専門知に基づく創造性がまさに発揮されることになる。TEI ガイドラインが取り組んできたことの中心的な課題はこの点であり、また、欧米

の人文情報学においてもこのことは一つの研究テーマとなってきた。

「どのようにデータ構築するか」というテーマは、TEIガイドラインが扱うようなテキストの構造化に限られない。よりミクロに、文字や、さらに、資料を構成する物質の情報をどう記述するか、という問題も含まれる。文字情報は、記号論を含む深い検討が必要とされるものであり、技術面ではUnicodeという包括的な解決策が共有されているものの、学術的なデジタルデータにおいてはさまざまな問題が残され、議論も盛んに行われている。資料を構成する物質についても、近年、資料の化学分析や高精細デジタルマイクロスコープによる観察・分析が行われるなど、テキスト資料の物体としての研究も盛んになりつつあるが、その分析結果が内容の分析や資料の歴史的文脈においてどのように位置づけられるのか、といったことや、逆に、そこから逆算した分析手法や、それを適切に記述する手法の確立といったことも今後の大きな課題になっていくだろう。さらに、図書館情報学や博物館学、アーカイブズ学におけるメタデータ、文字情報、デジタル画像や3D、動画など、どのタイプのデータに関しても、そこに専門知をどう活かすかという観点に立つことで、人文情報学としての研究になり得る。そのような文脈において、TEIガイドラインは、テキストを含むさまざまな資料におけるテキストや、物体としての資料に対する注釈等で用いられるテキストをめぐり、人文情報学における構築系の研究課題が集約される場の一つとなっており、各地の人文情報学関連の学会研究会などでTEIガイドラインを巡る議論が行われている。そして、TEI協会としても査読付きジャーナルJournal of the Text Encoding Initiative[6)] を刊行するに至っている。

(2) 共有系は、デジタルデータの共有をめぐるさまざまな課題である。実践を中心とした技術的な事柄のみならず、ここからの派生として、法的な課題やメディア論としての議論、あるいはそれらにおける公平性など、どちらかと言えば理論に深く関わるテーマも含まれる。そもそも人文情報学が新たな装いをまとうきっかけの一つとなったWeb2.0と呼ばれる高度な双方向Webは、この共有系の議論に親和性が高い。それは、単にデータを共有するだけでなく、データの提供者が利用者にもなるような、集合知が実現される状況を専門知の世界でどう咀嚼していくか、といったことを実証的に研究できる場であり、すでにさまざまな成果が国内外で発表されている。日本の代表的な例には「みんなで翻刻」[7)] がある。

この共有系研究においてTEIガイドラインが果たす役割は、(1) 構築系研究を踏まえてでてきた成果として、共有のための道具立てを提供することである。この道具立てには、単にデータの構造に関する仕様としてのガイドラインだけでなく、教材や教授法、各分野における具体的な適用の仕方など、さまざまな要素が含まれる。また、TEIガイドラインをはじめとする人文学における資料構築とそれをめぐるコミュニティの形成もまた、それ自体が一つの研究テーマにもなり得るかもしれない。

(3) 解析系は、人文情報学においては花形の研究である。解析し、その結果をグラフ等に整理して可視化し、それによって新たな知見を得たり、それをわかりやすく提示したりする。あるいは、そこまでいかずとも、新たな知見につながるヒントを得られることも多いだろう。ここには、便利なツールやプログラミング技術など、いろいろなものが投入されることになり、ディープラーニング等の人工知能関連技術を活用するものも増えてきている。新たな知見を得るための解析だけでなく、解析した結果を構築に利用する研究、たとえば、日本語のくずし字をコンピュータで読み取って文字起こしをするくずし字OCRの研究なども行われている。本書で紹介するTranskribusもその流れに位置するものと言えるだろう。解析系研究におけるTEIガイドラインの役割は、解析のための基礎を提供するということになるが、一方で、解析系研究を通じてデータ構造の課題が生じてくることがあるとしたら、それを構築系研究にフィードバックするにあたり、TEIガイドラインが提供する共通言語という機能は大きな役割を果たすことだろう。

人文情報学は、構築系／共有系／解析系の研究が円環をなして発展していくものであり、その背景として円環運動を支える「方法論の共有地」において、TEIガイドラインはその典型的なアプリケーションの一つとして機能している。そして、この円環に入り、人文情報学、そして、それを通じて人文学そのものを発展させていくために、TEIガイドラインは良質な入り口の一つとなっているのである。

6．本章のまとめ

TEIガイドラインは、自然にできたものでもなければ、どこかの技術者たちが作ったものでもなく、志を持つ人文学研究者たちが自ら集い、作り上げてきたものである。そこに込められたさまざまな意味は、ガイドラインを読み込めば読み込むほど、そして、これに従ってタグを付ければ付けるほど、その試行錯誤の痕跡も含めてくっきりと浮かび上がってくるだろう。深く理解した果てで、それでもどうしても改訂すべきだと思ったなら、そうする道もひらかれている。そのような意識で、TEIガイドラインに取り組んでみていただければ幸いである。

注

1　Nancy Ide, C. Michael Sperberg-McQueen, Lou Burnard.「招待論文 TEI：それはどこからきたのか . そして , なぜ , 今もなおここにあるのか？」『デジタル・ヒューマニティーズ』Vol.1, 2018, pp.3–28. https://doi.org/10.24576/jadh.1.0_3

2　永崎研宣「歴史データのさまざまな応用」後藤真・橋本雄太編『歴史情報学の教科書』文学通信、2019年。

3　Text Encoding Initiative, Design Principles for Text Encoding Guidelines, 14 December 1988, https://tei-c.org/Vault/ED/edp01.htm.

4　TEI P5 version 2.8.0 release notes, https://tei-c.org/Vault/P5/current/doc/tei-p5-doc/readme-2.8.0.html.

5　たとえば、後藤真「人文情報学と歴史学」『歴史情報学の教科書』では人文情報学の研究傾向として「発見系・解析系・可視化系」を挙げている。

6　Journal of the Text Encoding Initiative, https://journals.openedition.org/jtei/.

7　「みんなで翻刻」、https://honkoku.org/。

TEI 活用の事例紹介❸

TEI by Example - 学習ツール

https://teibyexample.org/

TEI by Example は、TEI の学習者向けに提供されている Web サイトである。TEI の基本的なチュートリアルや事例に加えて、テストや演習も提供されている。TEI に役立つツールの紹介や TEI データの validation をしてくれる機能も提供されている。基本的に英語のサイトだが、英語にあまり抵抗がない人はぜひ試してみていただきたい。（永崎）

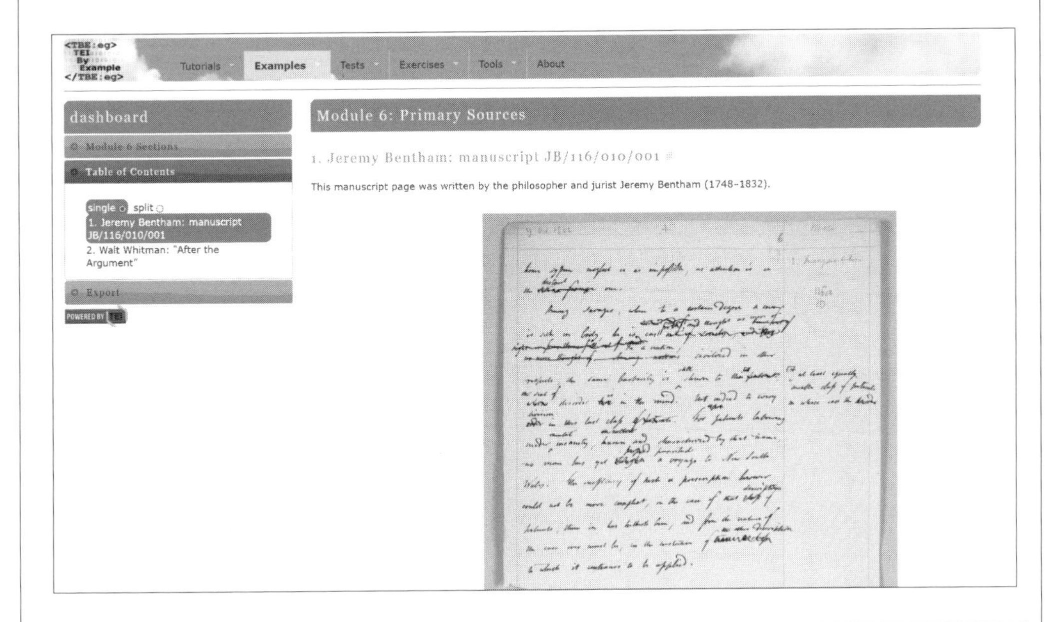

Figure 1. The manuscript page JB/116/010/001.

Since this is a prose text, the basic structural units are encoded as paragraphs (<p>), with line breaks encoded as <lb> where they occur. Marginal notes are encoded with the <note> element; the note occurring on the sixth line in this example contains a simple deletion (the final word "disorder"), which is marked with the <del> element. This manuscript contains many deletions and additions. Some are simple, such as the addition of the word "still" in the phrase "the same barbarity is still shown" on line 6. This is indicated in the encoding by wrapping the added content in a <add> element. More often, deletions and additions occur in combination, in which case the transcriber tries to reflect their order in the nesting of <del> and <add> elements. For example:

```
<add>forth, <add>
  <del>turned adrift</del>
</add> and thought no more of <add>
  <del><gap/> out of</del>
</add></add>
```

This fragment is marked as an addition. Yet, Bentham had emended this addition by adding the phrase "turned adrift" (as a second-level addition). Later, he canceled this addition by deleting it again: that's why this phrase is encoded inside <add>, with a nesting <del>,

Jeremy Bentham の草稿をマークアップした事例

第4章

実践演習：
漱石書簡を用いた TEI によるテキスト構造化入門

原作：James Cummings・翻案：永崎研宣

0．この演習を始める前に

0-1．ソフトウェアとデータの準備

この演習では、Oxygen XML Editor（以下、Oxygen）という商用ソフトウェアの使用を前提としています。Oxygen は基本的には有料ですが、それほど高価な物ではなく、TEI や XML を始める人が最初に扱うものとしては適しています。Oxygen は 30 日間の試用ライセンスキーが配布されていますので、まずはそれで試してみてください。ソフトウェアのダウンロード及び試用ライセンスキーの入手は以下の URL から行ってください。

```
https://www.oxygenxml.com/xml_editor/download_oxygenxml_editor.html
```

この演習で利用する教材データは、以下の URL に掲載されています。ここには、筆者が作成したもの以外にも、国立国会図書館及び東北大学附属図書館のデジタルコレクションで公開されているデジタル画像の再配布を含んでいますので、所蔵・公開機関への感謝とともに、ダウンロードして展開してからご利用ください。なお、この教材データに含まれているファイルについての簡単な説明が、readme.txt というファイルに記載されていますので、最初に読んでおいてください。

```
https://www.dhii.jp/dh/tei/
```

0-2．XML に関する最低限の基本的な知識

ここでのマークアップは XML についての最低限の知識が必要になります。具体的な作業の煩雑さについては、Oxygen が非常に丁寧にサポートしてくれますので、それほど煩わされることはないのですが、なぜ Oxygen がそのように指示をするのか、そもそもなぜマークアップはそのように行わなければならないのか、といったことについての前提知識がないとマークアップの作

業をするにしても設計をするにしてもうまくいかなくなってしまいがちです。そこで、ここで知っておくべき XML のごく基本的な事柄について少しだけ述べておきます。

0-2-1．タグを追記して意味を付与する

ここで言うタグとは、HTML や XML などのさまざまなマークアップ言語で用いられる、不等号で囲まれた文字列を指しており、その文字列にはタグが付与すべき内容が含まれます。たとえば以下の例では、「テキストデータベース構築の基礎知識」が書名であることを、二つのタグ「< 書名 >」と「</ 書名 >」で囲むことによって示しています。

< 書名 > テキストデータベース構築の基礎知識 </ 書名 >

XML は、拡張可能マークアップ言語（Extensible Markup Language）という名のとおり、利用者が自由にタグを設定できることに大きな特徴があります。

0-2-2．タグには開始タグ・終了タグ・空白タグがある

タグは 3 種類あります。「< 書名 >」のようなタグは開始タグと呼ばれ、単独では機能しません。対となる終了タグ「</ 書名 >」が必要です。スラッシュに注目してください。この二つに対して、タグで囲む対象を持たず単独で機能するタグが空白タグです。「< 書名 />」などのように記述し、どこにでも用いることができます。

タグの種類	用例	用法
開始タグ	< 書名 >	終了タグと併用しテキストデータを注釈する
終了タグ	</ 書名 >	開始タグと併用し（以下同文）
空白タグ	< 書名 />	テキストデータを注釈せず、挿入した位置に単独で意味を持たせる

0-2-3．タグは入れ子構造にできるが、オーバーラップはできない

拡張可能で自由な XML における数少ない制約の一つとして、タグは入れ子構造でなければならず、オーバーラップできない、というルールがあります。以下に例を示します。

次の表の事例 2 のように、XML では、始まったタグが終わる前に別のタグが終わってしまうことをオーバーラップと呼んで禁止しています。これは、コンピュータの処理能力やデータの整合性確認の実現可能性といったことから定められているものです。ただし、それでも、対象となる資料の性質上、どうしてもオーバーラップをしなければならない場合があります。たとえば、本において一つの段落が始まった後に頁の区切りが来てしまうのはよくある例です。この場合、上記の事例 3 のように空白タグを利用することでこの制約を回避します。

事例 1 （正）	**< 頁 >** < 文章 > テキスト DB…作成する。</ 文章 > < 文章 > 基礎知識…必要である。</ 文章 > **</ 頁 >**	頁の中に二つの文章が入っている
事例 2 （誤）	**< 頁 >** < 文章 > テキスト DB…作成する。</ 文章 > < 文章 > 基礎知識…必要 **</ 頁 >** である。</ 文章 >	文章の途中で頁区切りがあったため < 文章 > と < 頁 > がオーバーラップしている。
事例 3 （正）	**< 頁 />** < 文章 > テキスト DB…作成する。</ 文章 > < 文章 > 基礎知識…必要 **< 頁 />** である。</ 文章 >	頁区切りを空白タグで示すことでオーバーラップを回避している。

0-2-4．エレメント（要素）とは

XML におけるエレメント（要素）とは、タグ及びそれによって囲まれた対象としてのテキストを指します。たとえば、「< 地名 > 南鳥島 </ 地名 >」と書かれている場合、地名のエレメントは、地名タグ及びタグに囲まれている「南鳥島」の全体を意味することになります。このエレメントを操作することでデータを抽象化して処理できるのが XML の長所の一つです。XML では、このエレメントをツリー構造（木構造）とすることによってデータの操作や処理を効率化しています。【図 1】

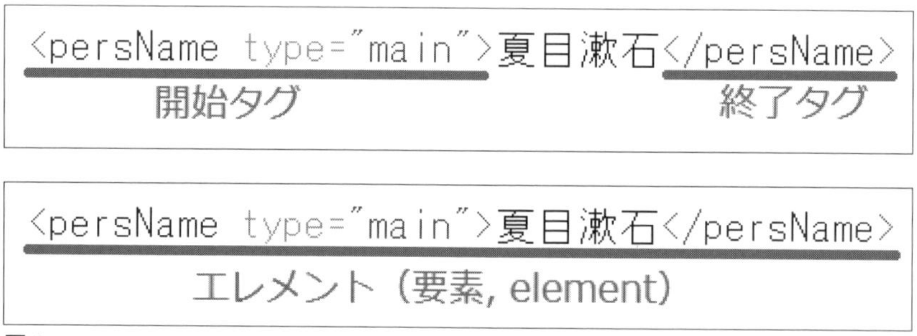

<persName type="main">夏目漱石</persName>
開始タグ　終了タグ

<persName type="main">夏目漱石</persName>
エレメント（要素, element）

図 1

0-2-5．アトリビュート（属性）とは

XML において、アトリビュート（属性）は、「=」で与えられる値を伴ってエレメントの意味を拡張したり制限したり、あるいは他のエレメントと対応づけるなど、さまざまな役割を果たし得るものです。このアトリビュートも基本的に誰もが自由に作成可能です。ただし、id、もしくは xml:id というアトリビュートは特別な意味と、使える文字に関する一定の制約を持っているので注意してください。たとえば、【図 2】は、「main」という値を持つ type 属性が persName タグに付与している例です。

<persName type="main">夏目漱石</persName>
属性（attribute）

図 2

0-2-6．XML におけるサブセットの必要性とスキーマ

各利用者が好き勝手にタグをどんどん設定してしまうと相互運用性が下がってしまうため、目的を共有する集団のなかでどのようなタグを用いるかのルールを決めることがよくみられます。このルールを XML のサブセットと呼ぶことがあります。この観点から言うなら、TEI ガイドラインは人文学全体で共有可能な XML タグの利用方法を定めるルールであり、人文学向けの XML のサブセットであるということもできます。XML 自体は国際標準規格として広く流通しており、TEI ガイドラインに限らず人文学に関連する他の規格でも用いられています。さらに、人文学に限らなければ、たとえば Microsoft の Word、Excel、PowerPoint なども近年ではファイルフォーマットとして XML を用いています [1)]。

このルールの内容はスキーマと呼ばれ、機械可読形式でファイルに記述することができます。このスキーマのファイル形式としては、DTD（拡張子は .dtd）や XML Schema（拡張子は .xsd)、RELAX NG（拡張子は .rng もしくは .rnc）が用いられます。このファイル形式はやや複雑なものであり、これを人が直接書くのは近年はあまりみられません。むしろ、人が入力した簡素なデータを元に自動的にスキーマ生成するシステムが散見されます。TEI でも、スキーマをカスタマイズするための Roma というシステムが Web で使えるようになっており、Web ブラウザ上の GUI でタグを増減させた後、自動的に上記のいずれかのファイル形式でスキーマファイルとして書き出せるようになっています。

このスキーマファイルは、XML ファイルを処理する際に、整合性をチェックするために用いられます。その応用的な例として、XML Editor にこれを読み込ませると、XML Editor で XML ファイルを参照している際に、リアルタイムでタグの形式が間違っていないかをチェックしてくれて、かつ、任意の入力箇所でどのタグがルール上使用可能かを自動的にチェックしてリストアップしてくれます。つまり、タグ入力作業の高度な支援が提供されるのです。このようなことから、何らかのサブセットに沿ってタグ付けを行いたい場合、スキーマファイルと XML Editor は欠かせないものになります。ただし、この後に使用する Oxygen XML Editor には、最初から TEI のスキーマが組み込まれており、TEI の編集を開始すればそのまま TEI の標準的なスキーマに基づいた記述支援機能を利用できます。。

0-2-7．整形式の（Well-formed）XML 文書と妥当な（valid）XML 文書

XML 文書は、コンピュータで処理しやすいように一定の書式に沿っていなければなりません。それには 2 段階あります。一つの段階は、Well-formed（形式が整った、整形式の）と呼ばれる

段階で、これは、タグ等の内容や関係は問わず、ただ、タグが階層構造に沿ってコンピュータが読みこめるように正しい書式で書かれているかどうか、属性の記述において = や " が正しく用いられているか、といった形式的なことだけを確認するものです。もう一つの段階は、valid（妥当な）と呼ばれるものですが、これは、well-formed であることを前提に、さらに、スキーマで定義されたタグや属性の使い方に沿ってデータが作られているかどうかを検証します。たとえば、TEI に準拠しているかどうかを確認する際には valid の段階での検証を行うことになります。この区別については、この後の演習のなかで具体的に扱います。

TEI 活用の事例紹介❹

FAUST EDITION - 学術編集版

http://www.faustedition.net/

『ファウスト』はゲーテが 20 代から 60 年をかけて執筆したものであり、その完成までには様々な版がある。この Web サイトでは、初期の草稿の複製に始まり、各版の翻刻とデジタル画像を表示し（①）、さらに、各版の差異を TEI に準拠したマークアップにより閲覧しやすい形で視覚化している（②）。このサイトに用いられている TEI/XML ファイルやツールは GitHub で公開されている *。この内容はもちろんのこと、システムやデータの作り方、そして、人文学・文学研究におけるオープンサイエンスやオープンデータの典型例としても、ぜひ参照されたい。（永崎）

* Digitale Faust-Edition, https://github.com/faustedition.

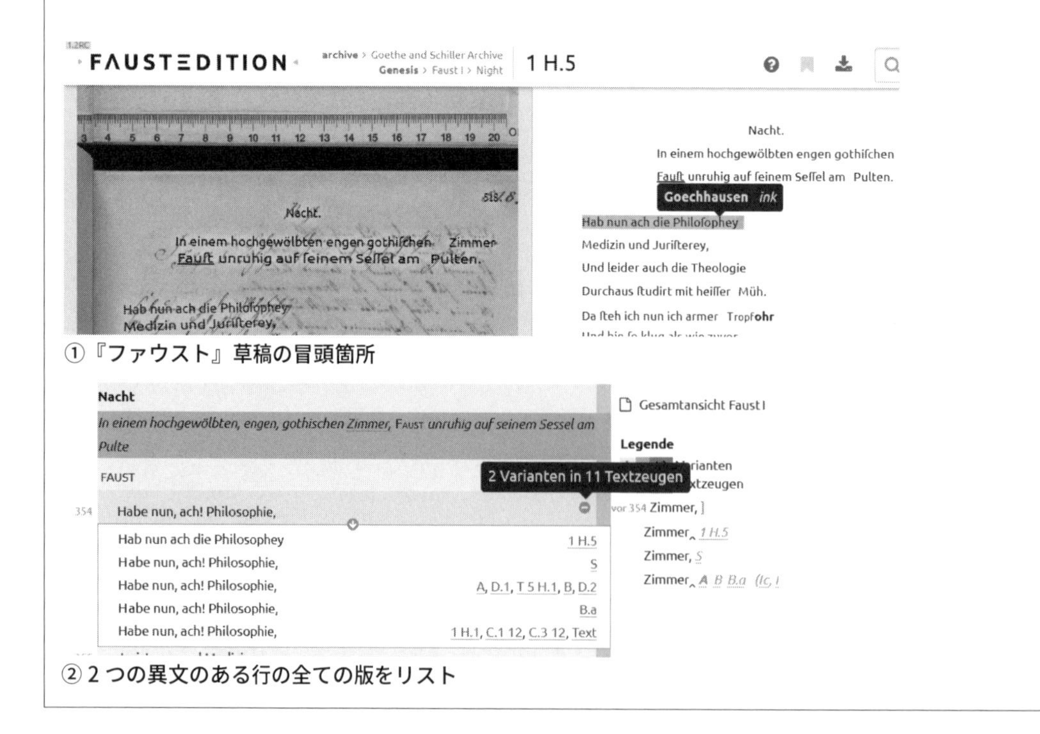

①『ファウスト』草稿の冒頭箇所

② 2 つの異文のある行の全ての版をリスト

1．実践演習 1：基本的なマークアップで XML 文書を作成する

1-1．学習の成果

この演習では、以下のことができるようになることを目指します。

・新しい XML ファイルを作成する
・XML エディタにテキストファイルを挿入する
・さまざまな方法で文書の基本的な構造的特徴をマークアップする
・XML 文書にエレメント（要素）とアトリビュート（属性）を付加する
・形式の整った（well-formed）XML 文書を作成する
・形式の整った（well-formed）XML 文書を整形したりインデントしたりする

1-2．要点

この演習は、夏目漱石の書簡を教材とする Oxygen エディタでの XML 文書の作成の実習であり、それを通じて文書をマークアップするためのさまざまな手法を体験します。最初に、「新規作成」で開始し、まだマークアップされていないテキストをエディタに挿入して、その後、その文書の構造的なセクションをマークアップすることになります。そして、マークアップした文書の形式が整っているかどうかをチェックする方法と、それを整形してインデントする方法を学びます。

1-3．XML ファイルの新規作成を始める

以下の手順で、XML ファイルの新規作成を始めましょう：

1. まだ立ち上げていなければ、Oxygen XML エディタを立ち上げましょう（OS によって、メニューを使ったり、デスクトップのアイコンをダブルクリックしたりすることになります）。
2. もし Oxygen がライセンスキーを聞いてきたら、ライセンスキーのデータの内容をすべてコピーして、ライセンスキー記入欄に貼り付けてください。
3. Oxygen は豆知識の書かれたウェルカム画面を表示しますが、その画面は閉じてください。
4. 一度 Oxygen で新規作成が選択されると新規文書画面が出てきて、XML 文書を選択できます。これを選ぶと、XML 宣言が付された空白の文書が開くはずです。

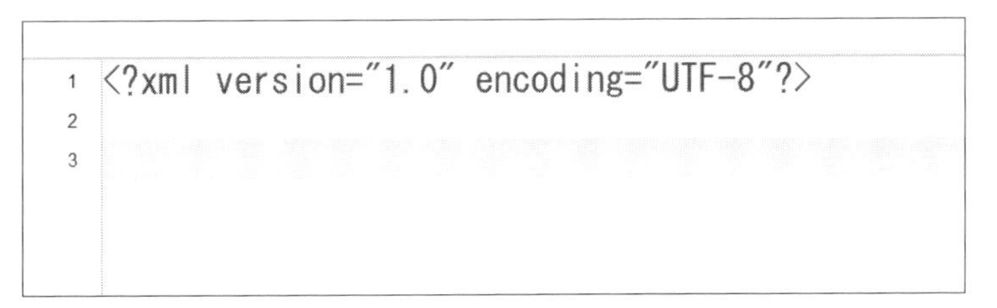
1 <?xml version="1.0" encoding="UTF-8"?>
2
3

```
<?xml version="1.0" encoding="UTF-8"?>
```

この、エレメントの中に書かれた XML 宣言は、Oxygen XML エディタを含め、この XML ファイルを処理しようとするすべてのソフトウェアに対して、これが XML 文書であると宣言しています。そして、処理プログラムがどの種類の文字エンコーディングを期待してよいのかということを @encoding[2] を用いて伝えています。UTF-8（Universal Character Set Transformation Format - 8 bit）[3] は、Unicode のエンコーディング方式の一つです。XML 宣言は、開始・終了に山括弧とクエスチョンマークを用いた特別な処理命令の形式をとっているため、終了タグを必要としません。

1-4. <text> エレメントを付与する

<text> エレメントを用いて、今回のファイルにいくつかの構造を作ってみましょう。

1. XML 宣言の次の行に「<text>」と入力してみてください。
2. 最後の「>」を入力した時に何が起きたのかをみてください。Oxygen はあなたを助けようとして </text> の終了タグを自動的に挿入します。これは、Oxygen が XML のルールを知っているから、すなわち、開始タグの <text> を入力した場合には、いずれ終了タグ </text> を必要とすることになると知っているからです。

```
1  <?xml version="1.0" encoding="UTF-8"?>
2  <text></text>
3
```

3. これがどういうタイプのテキストかということはまだ明示していません。ここでは手紙のデータを扱いますので、@type 属性を追加して、これに「手紙 letter」という分類を付与してみましょう。カーソルを少し戻して、開始タグの中の文字列の最後の文字の後ろに持って行ってください。そして、スペースキーを押して、「type="」と入力してください。そして、二重引用符を入力した時に何が起きるかに注目してください。Oxygen は再び、閉じる二重引用符を入力することであなたを助けようとします。というのは、アトリビュートの値は常に引用符で囲まれるものだからです。
4. 今回のテキストを手紙として分類するために、以下のように、二つの二重引用符の間に「letter」という文字列を入力してください。

```
<?xml version="1.0" encoding="UTF-8"?>
<text type="letter"></text>
```

5. 次に、<text> エレメント［つまり、<text> と </text> の間に］<body> エレメントを追加してから、その内側に空白行を追加してください。**スペースと改行は、XML ファイルでは通常、ないものとみなされます（空白・改行は明示的にタグ等で記述する必要があります）**ので、タグ以外のところには、みやすいように改行や空白を入れて整形しても問題ありません。
6. 今、以下のようになっているはずです。

```
<?xml version="1.0" encoding="UTF-8"?>
<text type="letter"><body>

</body></text>
```


1-5．テキストを挿入する

この演習では、例として、夏目漱石の手紙を用います。しかし、手紙のテキスト入力から始めると時間がかかってしまいますので、テキスト入力されたファイル soseki_letter1.txt が教材データの中に入っています。この手紙は、1900 年 9 月、英国留学への途上から、東京に住む妻、夏目鏡子に宛てたものです。

1. カーソルが <body> と </body> の間にあることを確認してから、Oxygen のメニューバーの「文書（Document）」→「ファイル（File）」→「ファイルを挿入（Insert File）」を選択してください。
2. ファイル選択のダイアログにて「soseki_letter1.txt」を選択してください。
   ここで、以下のようなエラーのダイアログが出ることがあります。（これが出なければそのまま先に進んでください）この場合、「文字エンコーディングエラーの扱い方法を変更」をクリックして、

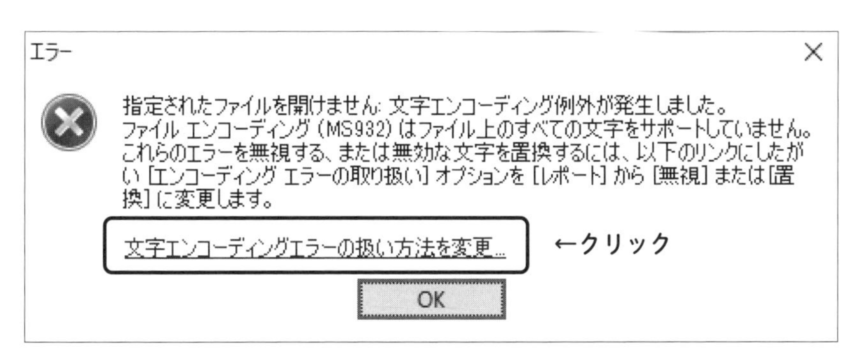

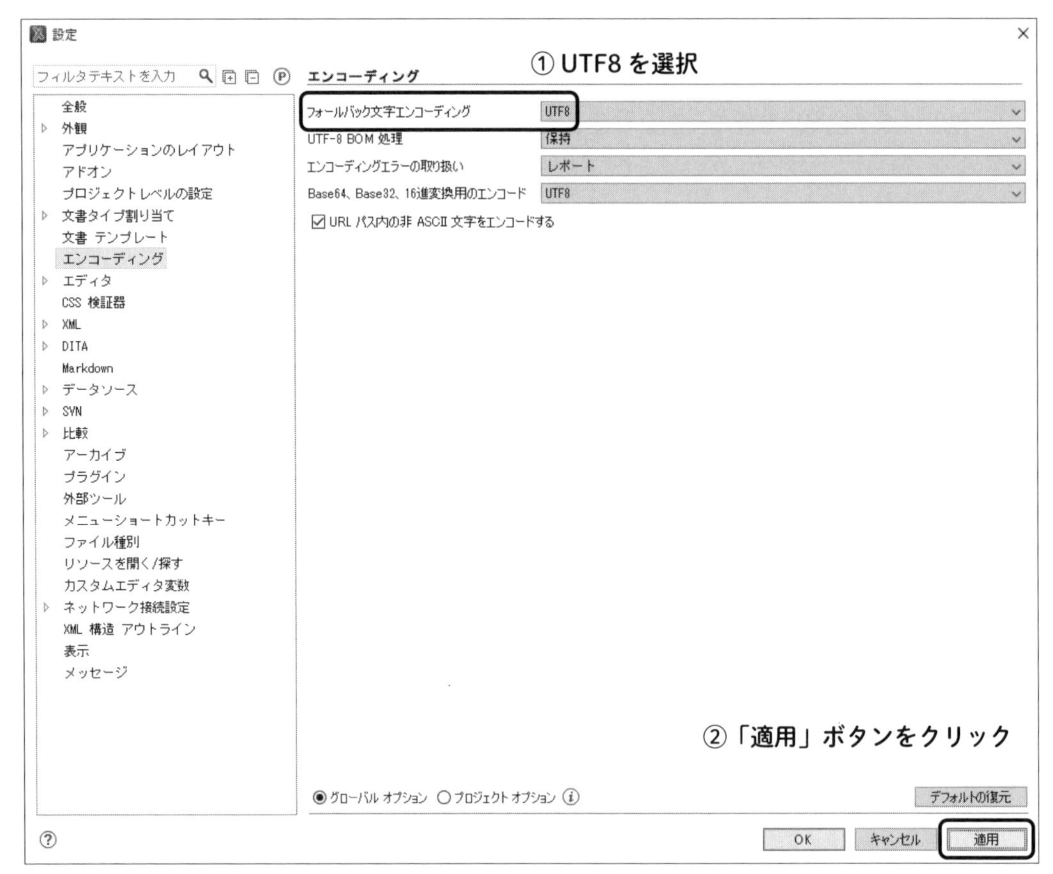

3. その次の画面で出てくる設定画面で「フォールバック文字エンコーディング」の項目で UTF8 を選択して「適用」をクリックしてください。そして、再度、カーソルが <body> と </body> の間にあることを確認してから、Oxygen のメニューバーの「文書(Document)」→「ファイル（File)」→「ファイルを挿入（Insert File)」を選択して、その後、ファイル選択のダイアログにて「soseki_letter1.txt」を選択してください。
4. ファイルの挿入ができると、以下のようなダイアログが出ることがあります。この場合、必ず「有効」をクリックしてください。

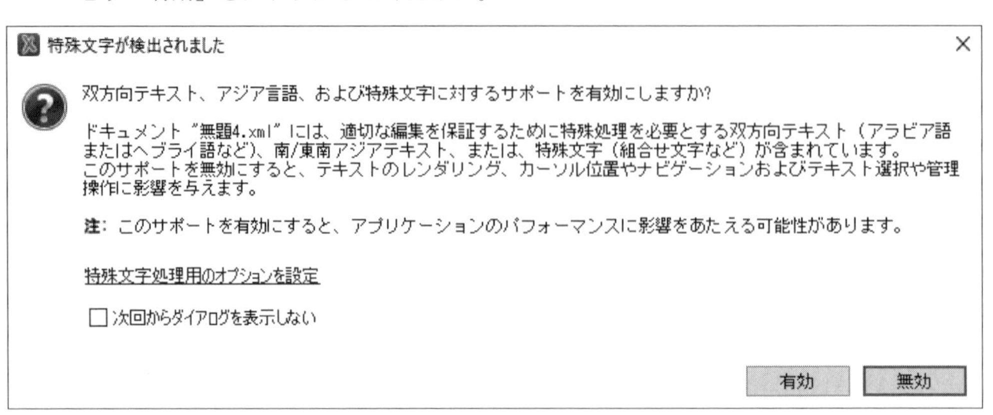

5. そうすると、みなさんの文書の冒頭部分は以下のようになっているはずです。

```
1 <?xml version="1.0" encoding="UTF-8"?>
2 <text type="letter"><body>
3     [1]
4 今日ハ九月二十七日ニテ吾等が乗レル船ハ昧爽英領「ペナン」ト申ス港ニ着
5 キ申候。未明ヨリノ小雨ニ加フルニ出帆時刻ハ午前九時ナレバ遺憾ナガラ上陸ヲ
6 得ズ。上海ニテハ日本旅館ニ宿泊シ香港ニテモ同朋ノ営業ニ関る宿屋ニテ
7  日本飯の食納ヲナシ候。上海モ香港モ宏大ニテ立派ナルㇴハ到底横濱神戸ノ
8 比ニハ無之特に香港ノ夜景抔ハ満山ニ+夜光ノ+寶石ヲ無数に鏤メタルガ如クニ候。
9 又「ピーク」トテ山ノ絶頂迄鉄道車ノ便ヲ假リテ六七+十+度ノ峻坂ヲ上リテ四方ヲ
10 見渡セバ其景色ノ佳ナルㇴ実に愉快に候。「シンガポア」ニモ上陸シ馬車ヲ假
11 リテ植物園博物館及市街を一見致候。茲ニモ日本の旅館アリテ+午+食ヲ認メ
```

6. このテキストでは、タグを使わないで独自に定義された文字ベースのマークアップが行われています。たとえば、ページ番号が角括弧内に書かれており、ハイフンが直接に一つの文字を囲んでいるのは削除されたことを示しています。また、原本にはない句点を入れて文章を区切っています。
7. 教材データに含まれている soseki_letter1_1.jpg、soseki_letter1_2.jpg の画像と、このテキストを簡単に比べてみましょう。

1-6．手紙の基本的な構造を符号化（encoding）する

1. まず、挿入されたテキストの冒頭の「[1]」を、改ページを表すタグとしての <pb/> タグに書き換えてみましょう。最初に [1] を反転させてから、<pb/> を入力して、Oxygen がどのようにしてあなたを手助けするか見てみましょう。<pb/> が、空白タグであることに注意してください。そして、@n 属性と「1」という値をここにページ番号として記述することができます。ただし、この場合には、コンピュータが自動的に番号を付与したとしても同じ番号になるため、敢えて付与せずに、コンピュータが処理する際にページ番号を付けることもできます。次に「[2]」がありますので、これも同じマークアップに置き換えてください。
2. この手紙は二つのセクションに分かれています。
   (a) 散文のセクション
   (b) 締めくくり（closer）（挨拶と署名を含む）
   まずは、これらのセクションをマークアップするところから始めることにしましょう。
3. 「今日ハ九月二十七日ニテ」から、終わりの方の「達スベシト存候。」までを選択して反転表示させてください。
4. そこをハイライトにしたまま、キーボードの「Ctrl」キー（Mac の場合はコマンドキー）を押しながら「E」を押す、つまり、ショートカットキーの Ctrl-E を押してください。あるいは、右クリックして、「リファクタリング（Refactoring）」を選び、「タグで囲む（Surround with Tags）」を選んでも同じことができます。そうすると、タグを入力するためのダイア

ログがポップアップするので、そこに「div」と入力してください。反転表示させたテキストの前に開始タグが置かれ、終了タグが後に置かれることで Oxygen が今度はどのように手助けしてくれたかということに注意してみてください。

5. 「金之助」から「鏡どの」までを同様にして今度は `<closer>` で囲んでください。
6. ここで、この XML ファイルには `<div>` エレメントが一つと `<closer>` エレメントが一つあるという状態になっています。

1-7. 段落と行をマークアップする

次に、段落をマークアップしてみましょう。

1. たくさんのテキストを素早くマークアップするために、われわれは「エレメントで囲む」と「エレメントで区切る」の合わせ技を使うことができます。ここでの散文の領域は、見た目上は七つの段落を持っています。
2. `<div>` タグを含まないようにしつつ「今日ハ九月二十七日ニテ」から、終わりの方の「達スベシト存候。」までをすべて選択して反転表示させてください。
3. Ctrl-E か「エレメントで囲む」を用いてこれを段落を表す `<p>` エレメントで囲んでください。
4. しかしこれは、見た目上は七つの段落なので、それに沿って段落を分けてみましょう。見た目上の段落の間には空白行がありますので、まず、カーソルを「ニ百ニ一モ過タズ感心なヿニ候。」と「皆御変リナキヿト存候其」の間の空白行に置いてください。そして、Alt-Shift-D（Alt キーと Shift キーを押しながら「D」キーを押す）（Mac では Ctrl-Opt-D）を用いるか、右クリックのメニューから「リファクタリング（Refactoring)」→「エレメントを分割する（Split Element)」を選んでください。これで最初の領域が分割され、二つのパラグラフを持つことになるはずです。
5. 他の空白行でも同様にして、最終的にパラグラフが七つになるようにタグを入力してください。

1-8. 散文における改行

このテキストでは、手紙の原本の行にあわせて改行を入力しています。これにも何らかの意味を見いだす人がいるかもしれませんので、この散文の改行をタグで記述してみましょう。

1. `<div><p>` の内側で、改行の記述に用いるエレメント `<lb/>`（line beginning、つまり行頭を意味する）を、「キ申候。未明ヨリノ」の直前に入れてください。これは、一度入力したら、あとはコピー&ペーストですぐにできるでしょう。もしそのようにすれば、Oxygen は、少し見やすくなるように、行をインデントしてくれるでしょう。そうすると、上の方の行は以下のようになっているはずです。

```
1 <?xml version="1.0" encoding="UTF-8"
2 <text type="letter"><body>
3     <pb n="1"/>
4 <div><p>今日ハ九月二十七日ニテ吾等が
5 <lb/>キ申候。未明ヨリノ小雨ニ加フルニ
6     <lb/>得ズ。上海ニテハ日本旅館ニ宿
7     <lb/>日本飯の食納ヲナシ候。上海モ
8     <lb/>比ニハ無之特に香港ノ夜景抔ハ
9     <lb/>又「ピーク」トテ山ノ絶頂迄鉄
10    <lb/>見渡セバ其景色ノ佳ナル㇖実に
```

2. `<div><p>` 内の `<lb/>` 付与が終わったら、次は、`<closer>` でマークアップした領域でも、行頭に同じことをしてみてください。[4]

1-9．整形式（Well-formed）の XML 文書を整形しインデントする

1. あなたのファイルが「整形式」であることを確認します。Oxygen が幸せの緑の四角形を右上に表示してくれるなら、それが「整形式」であるということになります。もし、怒りの赤い四角形であったなら、その問題を探して誤りを修正した方がいいでしょう（そのファイルの中での問題のある場所は右側の赤いバーによって示されて、赤い下線がつけられ、ウインドウの下部のバーにはそのエラーの理由が英語で表示されます）。

（幸せの緑の四角形）

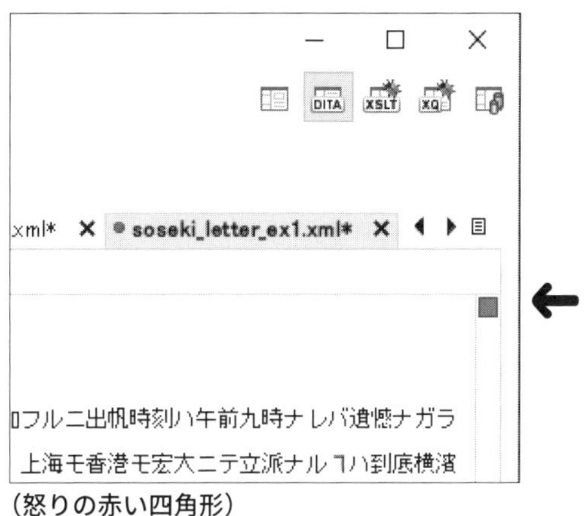

（怒りの赤い四角形）

2. ここで、あなたのファイルを整形してインデントしてみましょう。これは、その文書の階層構造に基づいて空白やインデント、エレメント等をきれいに並べ直します。ツールバーから「整形およびインデント（Format and Indent）」というアイコン（これはいくつかのインデントされた行のようにみえるものです）を選ぶか、メニューバーの「文書」→「ソース」→「整形およびインデント」を選んでください。
3. 今回のファイルを整形してインデントすることは必須ではありません。たとえば、すべてが一つの行になっていてもいいのです。しかし、整形してインデントしてあった方が他の

人に読みやすくなることが多いため、基本的にはこうすることを推奨します。

4. 「整形及びインデント」をした結果、あなたのファイルは以下のようになっているはずです。：

```
1 <?xml version="1.0" encoding="UTF-8"?>
2 <text type="letter">
3     <body>
4         <pb n="1"/>
5         <div>
6             <p>今日ハ九月二十七日ニテ吾等が乗レル船ハ暁爽英領「ペナン」ト申ス港ニ着 <lb/>キ申候。未明ヨリノ小雨ニ加フルニ出帆時刻ハ午前九時ナレバ遺憾ナガラ上陸ヲ
7                 <lb/>得ズ。上海ニテハ日本旅館ニ宿泊シ香港ニテモ同朋ノ営業ニ関る宿屋ニテ <lb/>日本飯の食納ヲナシ候。上海モ香港モ宏大ニテ立派ナルヿハ到底横濱神戸ノ
8                 <lb/>比ニハ無之特に香港ノ夜景抔ハ満山ニ+夜光ノ+寶石ヲ無数に鏤メタルガ如クニ候。
9                 <lb/>又「ピーク」トテ山ノ絶頂迄鉄道車ノ便ヲ假リテ六七+十+度ノ峻坂ヲ上リテ四方ヲ <lb/>見渡セバ其景色ノ佳ナルヿ実に愉快に候。「シンガポア」ニモ上陸シ馬車ヲ假
10                <lb/>リテ植物園博物館及市街を一見致候。茲ニモ日本の旅館アリテ+午+食ヲ認メ <lb/>
11                候。此地ノ日本人ノ多数ハ醜業婦-ノ如く-+ニテ+印度ノ腰巻ニ綿チリメンノ羽織ニ一種 <lb/>特別ナ下駄抔ヲ穿キテ街上ヲ散歩致候。一種奇天烈ノ感ヲ起サシメ候。
12                <lb/>熱帯地方ノ植物ハ名前ノミヲ承知致候ガ来テ見レバ今更ノ如ク其青々ト <lb/>繁茂セル様ニ驚カレ候。熱帯地方ト申セバ太陽直下ノ光線ニテ身体モ
13                <lb/>焦ゲル位ノ熱サト想像致候処実際ハ豈計ランヤデ却ツテ日本ノ <lb/>夏ヨリモ涼シキ位ニ候。但春夏秋冬ニ寒暖ノ区別ナキノミト御承知可被
14                <lb/>下候。此ノ辺ニテ見ル印度人ハ佛画ニ見ル阿羅漢丸出シニテ其服装顔色迄 <lb/>カニ日本人ヨリハ雅ニ御座候。色ノ尤モ黒キハ紫檀位ニテ且其光沢ノ美
15                <lb/>ナルヿモ殆ンド紫檀に彷彿タル者之アリ候。「シンガポア」ニテハ碇泊中舩ノ <lb/>+周+囲ニ幾十艘ノ丸木舟ヲ漕ギ寄セテ口々ニ分ラヌヿヲワメキ候様面白ク候。是ハ
16                <lb/>舩客ヨリ銀貨銅貨ヲ海中ニ投ゲロト申ス訳ニテ甲板上ヨリ慰半分ニ <lb/>投ゲル-・-貨幣ヲ海中ニモグリテ取リテ上ガル二百ニ一モ過タズ感心なヿニ候。 </p>
17            <p>
18                <lb/>皆御変リナキヿト存候其許モ筆モ達者ト存候月々ノ俸給ハ固ヨリ些少ナレ <lb/>ロ-・-モシ餘アラバ幾分ニテモ家賃トシテ御納可被成候。夏目ヘハ事情ヲ善ク
19                <lb/>申シ遣ハシ候間都合次第ニテヨロシク候。 </p>
20            <p>
21                <lb/>小生ノ着物羽織等ハ留守中寸法ノ合ウ様縫直シ可被成候。 </p>
22            <p>
23                <lb/>其許ハ歯ヲ抜キテ入歯ヲナサルベク候只今ノ儘ニテハ餘リ見苦ク候。 </p>
24            <p>
25                <lb/>頭ノハゲルノモ毎々申通一種ノ病気ニ違ナク候必ズ医者ニ見テ御貰可+被+成候。 <lb/>人ノ言フヿヲ善ヒ加減ニ聞テハイケマセン。 </p>
26            <p>
27                <pb n="2"/>
28                <lb/>食物ノ急ニ変化シタルト気候アツキト運動不足ト舩ノキラヒナトガ合併 <lb/>シテ消化機能兎角働キ方面白カラズ目ハ餘程クボミ申候。其割ニ身体
29                <lb/>ハサノミヤセ不申候。 </p>
30            <p>之手紙ハコロンボト申ス処ニ着キテヨリ出スベケレバ日本ニハ三週間位 <lb/>ノ後に達スベシト存候。</p>
31        </div>
32
33        <closer><lb/> 金之助 <lb/> 鏡どの</closer>
34
35    </body>
36 </text>
37
```

1-10．あなたの作業を保存する

ここまでの作業結果を保存しましょう：

- あなたの作品は整形式になっていますか？　あなたは幸せの緑の四角形と怒りの赤い四角形のどちらをお持ちですか？
- 「ファイル（File）」メニューから「保存（Save）」をクリックするか、「保存（Save）」アイコン（古の 3.5 インチディスクのように見えます）をクリックしてください。
- 「soseki_leter_ex1.xml」という名前か、もしくは好きな名前をつけてそのファイルを保存してください。

1-11．セルフチェック

以下の問いに自分で答えることで、この演習の基本をどれくらい理解しているかチェックしてみてください。

- どうやって Oxygen で新しい XML 文書を作り始めますか？
- XML 宣言とは何ですか？
- 整形式文書とはなんですか？
- 「タグで囲む」操作はどのようにすると効率的で、どのようにしてそれをすばやく繰り返しますか？
- なぜ「エレメントを分割する」方法が便利な場合があるのですか？
- あなたの現在のファイルにおける個々のエレメントとアトリビュートの機能はなんですか？

・あなたのマークアップを整形してインデントすることの有益な点はなんですか？

1-12．次回にすべきこと

あなたの XML ファイルは整形式ではありますが、妥当（valid）ではありません。なぜなら特定のスキーマ（たとえば、TEI）に対して妥当性の検証をしていないからです。次回には、TEI 文書の構造ともっともよく使われるエレメントに関する簡単な紹介が行われます。もし、このエクササイズがはやく終わってしまったなら、オンライン版の TEI ガイドラインを閲覧するとよいでしょう。

http://www.tei-c.org/release/doc/tei-p5-doc/ja/html/index.html

特に、個々のエレメントを参照するページのための「エレメント（Element）」の別表をみるとよいでしょう。このファイルで利用した個々のエレメントがどのように定義されているかを見て、検討してみてください。

2．実践演習 2：妥当な（valid）TEI/XML 文書の作成

2-1．学習の成果

この演習が終わったとき、あなたは、以下のことをできるようになるはずです。：

・最小限の妥当な TEI/XML ファイルに必要なエレメントとアトリビュート（属性）を理解する
・TEI/XML ファイルをスキーマと関連づける
・TEI の名前空間を用いる
・最小限の TEI ヘッダとテキストの本文を作成する
・妥当性の検証と形式が整っていること（整形式）の両方をチェックする

2-2．要点

この演習では、TEI/XML ファイルの作成と、ここまでに作成してきたものをそれに挿入するという体験をします。あなたは <teiHeader> の要求事項と TEI ファイルの基本的な構造について学ぶでしょう。もし時間があれば、フレーズレベルのマークアップについても取り扱います。

2-3．新しい XML ファイルを作成して開始する

新しい XML ファイルを以下の手順で作成してみましょう。：

1. Oxygen XML エディタを立ち上げてください。
2. エディタが立ち上がったら、「ファイル（File)」メニューから「新規作成（New)」を選んでから新規文書作成を開くと、「XML 文書」を選択できるようになります。これを選んで「作成」をクリックしてください。そうすると、XML 宣言が付加された空白の文書が開きます。

2-4．<TEI> エレメント（要素）の挿入

すべての TEI ファイルは <TEI> エレメントか <teiCorpus> エレメントで始まります。多くの場合、<TEI> エレメントを使いたいと思うことでしょう。これらのエレメントは、「xmlns」と呼ばれる特別な擬似的な属性（アトリビュート）を持ちますが、これは、一定のルールに基づいたエレメントのまとまりである「名前空間」を示すものです。これは、（上書きされない限り）その内部にあるあらゆるエレメントによって引き継がれます。これによってわれわれは、他のスキーマのものではなく、ほかならぬ TEI のスキーマにおける（たとえば）<title> エレメントを扱っているということを確信できるようになっています。では、以下の手順で <TEI> エレメントと名前空間を記述してみてください。

1. <TEI> エレメントを追記してから、TEI の名前空間（namespace）である「http://www.tei-c.org/ns/1.0」を入力してください。（つまり、「xmlns="http://www.tei-c.org/ns/1.0"」と

入力してください)。そして、開始タグと終了タグの間にいくつかの空白を入れてください。そうするとあなたのファイルは次のようになっているはずです。:

```
<?xml version="1.0" encoding="UTF-8"?>
<TEI xmlns="http://www.tei-c.org/ns/1.0">


</TEI>
```

2. Oxygen に何が起きているかということと、Oxygen がどうやってあなたの入力を手助けしようとするかに注目してください。そして、あなたのファイルが今、幸せの緑の四角形ではなく怒りの赤い四角形になっていることにも注意してください！あなたのファイルは整形式（well-formed）ですか？（そのはずです)。それではなぜこれは赤いのでしょうか？
3. もしそれが赤いなら、それはあなたの Oxygen が TEI の良さのすべてを組み込んでいるからです。つまりこの場合、TEI の名前空間の入った `<TEI>` タグで始まっている XML ファイルは、自動的に、Oxygen に組み込み済みの TEI スキーマに関連づけられます。そしてここでは、TEI スキーマと照らし合わせて、あなたがそのファイルのなかに、必須のタグ、`<teiHeader>` を入れていないことについて不満を言っているのです。なぜなら、すべての妥当な TEI ファイルはこの `<teiHeader>` を持っていなければならないと TEI スキーマで定義されているからです。

2-5. <teiHeader> を追加する

`<TEI>` エレメントの内側に、われわれは、`<teiHeader>` エレメントを追加しなければなりません。

1. カーソルを `<TEI>` 開始タグと終了タグの間に持っていって、`<teiHeader>` エレメントを入力してください。Oxygen が `</teiHeader>` 終了タグを入力してくれることに注意してください。もし Oxygen に正しいオプションが設定されていれば、Oxygen は、TEI スキーマを理解して、特定の内容が `<teiHeader>` の内側に必要とされるということを知っています。Oxygen は自動的にそのマークアップを提供してくれます。もしそうでなければ、それを手で入力しなければならないことになりますので大変なことになってしまいます。そして、うまくいっていれば、以下のようになるはずです。:

```
1  <?xml version="1.0" encoding="UTF-8"?>
2  <TEI xmlns="http://www.tei-c.org/ns/1.0">
3  <teiHeader>
4      <fileDesc>
5          <titleStmt>
6              <title></title>
7          </titleStmt>
8          <publicationStmt></publicationStmt>
9          <sourceDesc></sourceDesc>
10     </fileDesc>
11 </teiHeader>
12
13 </TEI>
14
```

2. あなたのファイルがまだ幸せの緑の四角形ではなく怒りの赤い四角形になっていることに注目してください。これは、あなたがいくつかのマークアップをしたにも関わらず、まだいくつかの必要なエレメントが足りないためです。
3. まず、<title> 開始タグと終了タグの間に「漱石筆鏡子宛て書簡」というタイトルを追加してください。この <titleStmt> 以下で許容される他のエレメントには、あなたが入力できるものとしては <author>（夏目漱石）があります。<author> 夏目漱石 </author> と入力しておきましょう。

　それから、あなたが自分自身の仕事を記録しておくために、より一般的な <respStmt> を、あなたの名前で <name> エレメントと、「TEI 符号化」等と入れた <resp> エレメントとともに使うことができます。

```
<respStmt>
  <name> あなたの名前 </name>
  <resp> TEI 符号化 </resp>
</respStmt>
```

4. そして、このファイルが何に関するものかということを記録するテキストとともに、段落 <p> を <publicationStmt> の内側に追加してください。テキストは「TEI の演習」などといったものでよいでしょう。
5. <sourceDesc> の内側に、われわれは、「このファイルは、夏目鏡子への手紙のデジタル画像から作成された。」などというテキストとともに、<p> を入力する必要があります。これをもっとうまく作るために、われわれは、「夏目鏡子への手紙」というタイトルを、「https://www.i-repository.net/il/meta_pub/G0000398tuldc_sk00000771」という値を持つ @target アトリビュートを含む <ref> エレメントで囲んでもよいです。というのは、われわれはその URL でこの書簡の画像を入手したからです。

6. あなたのファイルは、今、次のようになっているはずです。：

```
<?xml version="1.0" encoding="UTF-8"?>
<?xml-model href="tei_all_ja.rnc" type="application/relax-ng-compact-syntax"?>
<TEI xmlns="http://www.tei-c.org/ns/1.0">
    <teiHeader>
        <fileDesc>
            <titleStmt>
                <title>漱石筆鏡子宛て書簡</title>
                <author>夏目漱石</author>
                <respStmt>
                    <name>あなたの名前</name>
                    <resp>TEI符号化</resp>
                </respStmt>
            </titleStmt>
            <publicationStmt>
                <p>TEIの演習</p>
            </publicationStmt>
            <sourceDesc>
                <p>このファイルは、 <ref
                        target="https://www.i-repository.net/il/meta_pub/G0000398tuldc_sk00000771">
                    漱石筆鏡子宛て書簡</ref>のデジタル画像から作成された。</p>
            </sourceDesc>
        </fileDesc>
    </teiHeader>
```

7. たとえ <teiHeader> で必要とされる点をすべて満たしたとしても、われわれのファイルは全体としてはまだ妥当（valid）ではないということに注意してください。この状態で画面の下部のバーを見ると、以下のようなエラーメッセージが出ています。

```
element "TEI" incomplete; expected element "TEI", "facsimile", "fsdDecl", "sourceDoc", "standOff" or "text"
テキスト グリッド 作者
```

これは、TEI エレメント内に必要なエレメントがまだ足りず、ここに列挙されたいずれかのエレメントが必要である、というメッセージです。TEI では、ヘッダ（<teiHeader>）以外に何らかのコンテンツを含むタグ必要とします。それぞれ、<facsimile> はデジタル画像（の情報）、<fsdDecl> は素性構造、<sourceDoc> は文書の見たままをタグで表現するテキスト、<standOff> は Linked Data などの本文に関係するが本文中には書き込まないデータ、<text> はテキストの論理構造をタグで表現するテキスト、を含むことになっています。では次に、この問題を解決しましょう。

2-6. <text> を追加する

すべての TEI ファイルは、<titleStmt> と <publicationStmt>、<sourceDesc> を含む <fileDesc> を伴う <teiHeader> に加えて、ヘッダに続くものとして、少なくとも、<sourceDoc> か、<facsimile> か、<text>、<standOff> 等の内容を含むエレメントを必須としています。今回の場合には、われわれは、先ほど作ったファイルを入力することで、<text> エレメントを追加しようとしています。そのためには：

1. すきまをあけるために、</teiHeader>終了タグの次の行に一つ空白行を付け加えてください。

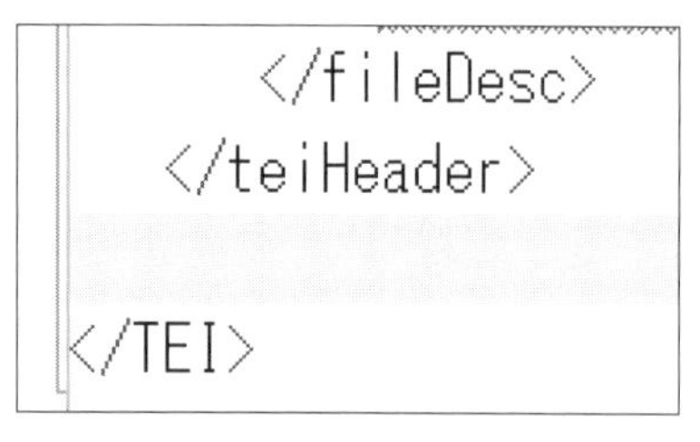

←このようにしてください

2. カーソルを空白行に置いたまま、メニューバーの「文書（Document）」メニューで、「ファイル」→「ファイルの挿入」を選んでください。これが「文書」メニューであることに注意してください！もし最初の演習が終わっていれば、その時に保存したファイルを選んでください。もし終わっていなかったら、「soseki_letter_ex1_finished.xml」というファイルが教材データのなかにありますのでそれを選んでください。それは演習1の完成版です。なお、このときも、「双方向テキスト、アジア言語、および特殊文字に対するサポートを有効にしますか？」というダイアログが出ることがありますが、その場合は必ず「有効」ボタンをクリックしてください。
3. これを追加したらすぐに、Oxygenは、われわれのファイルが妥当ではないと考えるでしょう。なぜなら、XML宣言が<text>エレメントの直前に書いてあるからです。**この冗長なXML宣言を削除してください**。
4. あなたの文書は、今、妥当な（valid）はずです。そして、幸せの緑の四角形が右上の端に表示されているはずです。もしそうでなければ、表示されているエラーメッセージをみて、問題の解決を試みてください。

2-7. 日本語TEIスキーマを関連づける

TEIにおける素晴らしいことの一つは、さまざまな言語でエレメントの説明を入手することができるという点です。これはGoogleのようなものに支援されているのではなく、ボランティアによるものであり、アップデートされるのに時間がかかることがあります。日本語版は、鶴見大学の大矢一志先生による翻訳が基本となっており、近年新たに追加されたエレメントについてはボランティアチームが引続き取り組んでいます。もしボランティアに参加したければ、ぜひTEI協会東アジア／日本語分科会までお知らせください。

ここまでは、Oxygenに搭載された標準のTEIの枠組みを用い、TEIの名前空間において<TEI>エレメントではじまる文書で作業をしてきましたが、エレメントや属性の説明は英語でした。これを日本語で表示するために、以下のようにして日本語TEIスキーマを組み込んでみましょう。

1. あなたの文書を読み込んで表示した状態で、「文書」メニューから「スキーマ」というサブメニューを選び、「スキーマの割当て」を選ぶことができます（あるいは、赤い四角と青い三角のついた押しピンのようなアイコンを使うこともできます）。

2. 教材データに含まれている「tei_all_ja.rnc」というファイルを選んでください。
3. これで、ファイルの2行目あたりに、以下のように、この日本語スキーマファイルを指すタグが入力されます（ただし、hrefの値のファイルパスは異なっている場合があります）。

```
TEI  teiHeader  fileDesc  titleStmt  author
1 <?xml version="1.0" encoding="UTF-8"?>
2 <?xml-model href="tei_all_ja.rnc" type="application/relax-ng-compact-syntax"?>
3 <TEI xmlns="http://www.tei-c.org/ns/1.0">
```

4. このようになった後、右上に緑の四角形が表示されているなら、マウスカーソルをTEIのタグにあててみてください。以下は`<teiHeader>`にあててみた例ですが、このように、日本語でタグの解説が表示されます。

```
TEI  teiHeader  fileDesc  titleStmt  author
1 <?xml version="1.0" encoding="UTF-8"?>
2 <?xml-model href="tei_all_ja.rnc" type="application/rela
3 <TEI xmlns="http://www.tei-c.org/ns/1.0">
4 <teiHeader>
5     <fileD (TEI header) 全てのTEI準拠テキストが伴う，電子版
6         <t のタイトルページを構成する，記述 的・宣言的情報を
7           示す． [2.1.1. The TEI Header and Its Components
8           15.1. Varieties of Composite Text]
9           TEI Guidelines
10                                F2を押してフォーカス
```

さらに、ここまでですでに気づいている人もいると思いますが、TEIスキーマが割り当てられた状態でタグを入力しようとして任意の箇所で「<」を入力すると、その箇所で使用可能なタグのリストとその解説が表示されます。日本語スキーマを割り当てると、その解説も日本語で表示されます。たとえば以下のような感じです。

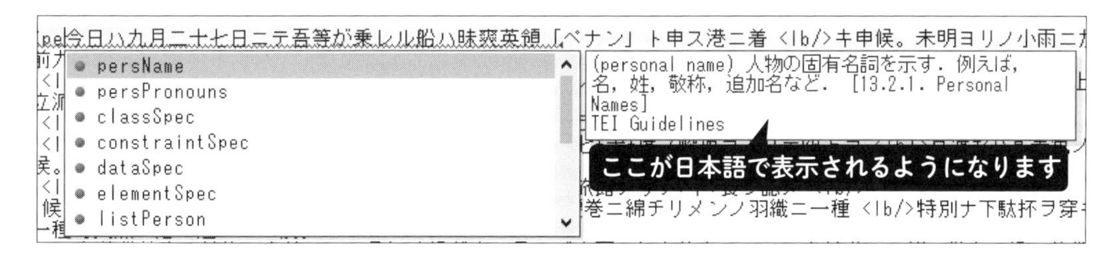

このように、TEIでタグ付けをする場合にOxygenのようなXMLエディタを使うと、タグの階層や名称を正確に暗記しなくても、スキーマに書かれたルールや解説を読み取ってこのように適宜使えるもののみを候補として提示してくれますし、タグを入力する際も、タグの名称を入力せずともこの候補リストから選択するだけで入力できます。TEIに限らずXMLのタグ付けは一見すると大変そうに見えることもありますが、このように、適切な道具立てがあれば、あまり人

の手を動かすことなく進めていくことができます。

2-8．マークアップを改良する

2-8-1．日付・地名をマークアップ

最初の行に日付が書かれています。この「九月二十七日」を、日付を表現する <date> タグで囲んでください。そして、属性 @when を付与し、ISO8601 に準拠した日付情報を値として記述してください。これは、本文からはわかりませんが、周辺情報から明治 33 年（1900 年）であることがわかります。そうすると日付は「1900-09-27」と記述することになります。これをマークアップすると以下のようになるはずです。

```
<p>今日ハ<date when="1900-09-27">九月二十七日</date>ニテ吾等が
```

このようにして書いておくと、本文からは得られない情報を、本文の文章を改編することなく、機械可読な形で記述し、コンピュータで処理できるようになります。

同じ行には地名「ペナン」も登場しますので、これも地名を表すエレメント <placeName> でタグ付けしておきましょう。この場合、以下のようになります。

```
昧爽英領「<placeName>ペナン</placeName>」ト申ス
```

他にもさまざまな地名が登場していますので、それぞれ、<placeName> タグを付けてみてください。なお、直前と同じタグで囲みたい場合は、Ctrl-E でいちいちタグ名を入力せずとも Ctrl-/ だけでできますのでこれも試してみてください。

2-8-2．<add> と <del> を追加する

1. <add> エレメントは何かが追加されたものである場合に注記します。これは、文章が意味をなさないと判断された時に、著者によって直接に追加されたちょっとした文字列や、あとから写字生が追記したものに関して使うことができます。<del> エレメントは同じようなものですが、逆に削除を記すもので、いわゆるミセケチのことです。
2. この手紙の中にはいくつかの削除があり、削除された単語の直前と直後をハイフンで注記することでそれを記述しています。たとえば以下のようになっています。:

```
-ノ如く-
-・-
```

これらのそれぞれを、ハイフンの代わりに <del> を使って注記してください。たとえば、最後のものは以下のようになります。

投ゲル<del>・</del>貨幣ヲ

3. この手紙には追記が複数あります。これは以下のように「+」で囲んでいます。

```
+夜光ノ+
+十+
…
```

これを、「+」の代わりに <add> を使って注記してください。

二<add>夜光ノ</add>寶石ヲ

4. 追記（<add>）に関しては、「どこから追記したか」という情報を記述すると後で役立つことがあります。たとえば以下の例では行の右側から追記をしています。これは @place 属性の right という値で記述できます。これと同様にして、書簡画像を見ながら、追記の位置関係が明白なものは @place 属性を付与してください。

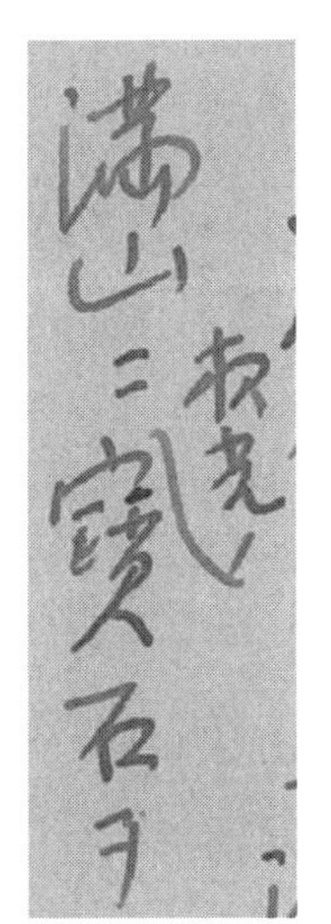

満山二<add place="right">夜光ノ</add>寶石ヲ

5. 手書き資料の場合、何かを見せるように消してからそれを書き直したことがみて明らかな場合があります。たとえば以下のような場合です。これは、<subst> というタグで <del> と <add> を囲むことで、両者の関係を記述できます。

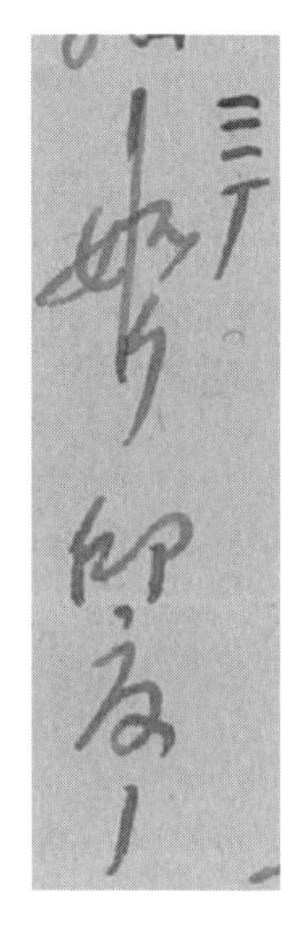

```
<subst>
    <del>ノ如く</del>
    <add place="right">ニテ</add>
</subst>
印度ノ
```

改行や空白が何度も入っていますが、すでにみてきたように、タグで明示的に改行や空白を入れない限り、本文に該当するテキストに改行や空白を入れても改行や空白としては見做されませんので、このように、見やすい形に整えて編集作業ができます。

2-8-3. <closer> を改良する

1. 手紙の最後の <closer> には署名と宛名があります。署名には <signed>、このような場合の宛名には <salute> を使うのがよさそうです。それぞれのタグを付してみましょう。
2. あなたの <closer> は今、次のようになっているはずです。：

```
<closer><lb/> <signed>金之助</signed> <lb/> <salute>鏡どの</salute></closer>
```

2-8-4. 明らかな <sic> 間違い </sic> をタグ付けする

この手紙には、ところどころ、漱石が書き間違えたかもしれないと思われる箇所があります。以下の箇所の「同朋」はおそらく「同胞」と書きたかったところではないかと想像されます。

```
ニテモ同朋ノ營業ニ関る宿屋ニテ
```

この場合、朋は誤りなので <sic> でタグ付けします。それだけでもよいのですが、修正したテキストも記述しておきたい時は <corr> で記述した上で両者を <choice> で囲みます。

```
ニテモ同
<choice>
    <sic>朋</sic>
    <corr>胞</corr>
</choice>
ノ營業ニ関る宿屋ニテ
```

このように記述しておくと、漱石の書き癖を分析したい場合には <sic> を、漱石が書こうとした内容を分析したい場合は <corr> を読み取ってテキストとして用いればよい、ということになります。

同様に、以下の例も修正してみましょう。ここでは「鏤」と書くべきところを糸偏で書いてしまい「縷」になっています。

```
寶石ヲ無数に縷メタルガ如ク
```

次に、以下の箇所の「留守中ノ」を検討してみましょう。

```
留守中ノ寸法ノ合ウ様縫直シ
```

ここは、「留守中ニ」あるいは「留守中」とすべきところであると思われますが、一意に修正するのは難しそうです。この場合、(1) <corr> と <choice> は書かずに <sic> のみにするか、(2) 修正を一つだけ担当者の責任で書き込むか、(3) 複数の想定し得る案を書き込むか、あるいは、(4) 複数の担当者の間で意見が分かれた場合には追記するか、ということになります。あるエレメントの判断について責任者を明示するためには @resp 属性を用います。それぞれの例を以下に挙げてみます。

(1) <corr> と <choice> は書かずに <sic> のみにするか

```
留守中
<sic>ノ</sic>
寸法ノ合ウ様
```

(2) 修正一つのみを担当者の責任で書き込み

「担当者 1」を @resp 属性で記述

```
留守中
<choice>
    <sic>ノ</sic>
    <corr resp="担当者1"></corr>
</choice>
寸法ノ合ウ様
```

(3) 一人の担当者が複数の想定し得る案を書き込み

複数の <corr> を <choice> の下位に置く。ノを削除する場合とニに置き換える場合

```
留守中
<choice>
    <sic>ノ</sic>
    <corr resp="担当者1"></corr>
    <corr resp="担当者1">二</corr>
</choice>
寸法ノ合ウ様
```

（4）複数の担当者の間で意見が分かれた場合

@respでそれぞれの担当者を記述

```
留守中
<choice>
    <sic>ノ</sic>
    <corr resp="担当者1"></corr>
    <corr resp="担当者2">二</corr>
</choice>
寸法ノ合ウ様
```

このように、TEIでは、複数の解釈を共存させることができますので、状況によってはこれを活用するのも一つの選択肢です。

2-8-5．記述の正規化

記述を正規化する際にも、<choice>を利用できます。この場合は、元の資料の記述をなるべくそのまま記述したものを<orig>として、何らかの正規化された記述を<reg>とします。今回の書簡では、合略仮名「ㄱ（コト）」が多く使われていますが、このテキストを検索するときに「ㄱ」を入力しないと「コト」の検索ができないというのはやや不便です。一方、「コト」と記述している場合もあるかもしれませんので、結局「ㄱ」も「コト」も両方検索しなければなりません。このような不便を避けるために、テキスト入力の際に「コト」に正規化してしまうことも多かったのではないかと思います。しかしながら、漱石の文字の選び方が何らかの研究の材料になるかもしれないと考えた場合には、「ㄱ」がそのまま記述されている方がむしろ有用です。このような、記述における多様性の有用性と検索における利便性の相克は、日本語に限らず多くの言語で常に問題になるところです。そこで、TEIガイドラインでは、元の記述と正規化された記述とを併記しつつ、いずれかを選べるようにする記述方法を提供しているのです。

ここまでに習得したOxygenのタグ入力方法や検索置換機能などを活かして、この書簡の中の「ㄱ」を以下のように記述してみてください。

```
<choice>
    <orig>ㄱ</orig>
    <reg>コト</reg>
</choice>
```

これに加えて、一箇所だけですが、合略仮名「𬼂（トモ）」も用いられていますので、これも同様にタグ付けしてみてください。

なお、このように、正規化の仕方が一意に決まっているものについては、テキストの方でこのように対策をしなくとも、テキストは元資料のままに入力しておいて、検索の際に「ヿ」と「コト」を同時に検索してしまうこともできます。そのような検索の仕方に対応した検索システムもいくつかあります。ただ、この場合はこの書簡のなかでは一意に決定できていますが、検索対象のテキストが膨大な量になったときに、それでも対応できるのかどうか、別の正規化ルールと共存できるのか、といったことを考慮するなら、上記のように併記しておくことには一定のメリットがあると考えられます。

なお、このように記述した場合にどう検索するのか、ということについては、次章を参照してください。

2-8-6. 縦書きスタイルと言語コードの記述

この書簡は縦書き形式で書かれています。テキスト処理においては縦書きだろうと横書きだろうと線形であれば同じことですが、表示に際しては縦書きと横書きではかなり印象が異なり、そこから読み手が受ける情報にも異なる面があるかもしれません。あるいは、大規模なテキスト処理において、縦書きかどうかの情報が与えられていると、そこから何らかの傾向を発見できるかもしれません。そこで、縦書きであることを記述しておきます。

縦書きであることはテキスト処理においては見た目の問題として扱われますので、@style 属性を用います。TEI ガイドラインにおいて、@style 属性は、スタイルシート言語である CSS（Cascading Style Sheet）に準拠することになっていますので、CSS での縦書き右左表記である「writing-mode: vertical-rl」を <body> の @style の値として与えておきましょう。

```
<body  style="writing-mode: vertical-rl;">
```

この書簡は日本語で書かれています。そのことを自動的にコンピュータに判定させることは、日本語の場合は、文字コードから判定できる場合が多くそれほど難しくありませんが、言語によっては複数の言語で同じような文字を共用する場合もあり、言語についての注記がなければ判定が難しいこともあります。一方、言語についてあらかじめ記述しておけば、自動判定のためのプログラムがなくても確実に言語の確認ができます。そのようなことから、TEI では、タグ付けされたテキストの言語を示すための属性が容易されています。これが @xml:lang 属性です。ここでは、<body> タグに xml:lang="ja" と記述してみましょう。

なお、この ja というのは日本語を示す言語コードで、国際標準化機構の ISO639-1 で規定されているものです。他にどんな言語が用意されているか、確認してみてください。また、言語を表すコードには、他にも、3 文字の言語コードとして ISO-639-2、ISO-639-3 が普及しており、とくに後者は、時代別・地域別の言語コードも含んでおり、多様な言語を表現する際には有効です。

2-9．あなたの作品を保存する

今回作った作品を保存しましょう。

- あなたは自分の作品を自動的に整形してインデントしましたか？
- あなたの作品は形式が整っていますか？　あなたは幸せの緑の四角か怒りの赤いものを持っていますか？
- 「ファイル」メニューから、「保存」を選ぶか、あるいは Save アイコンをクリックしてください。
- 「soseki_letter_ex2.xml」という名前か、あるいは好きな名前でファイルを保存してください。

2-10．セルフチェック

以下の質問に答えることで、この演習の中核的な原理のいくつかを理解をしているかどうかチェックしましょう。

- 最小限の妥当な TEI/XML 文書のためにどのエレメントとアトリビュートをあなたは必要としていますか？
- `<teiHeader>` のどの三つの部分がすべての TEI 準拠の文書で必須とされていますか？
- どこでこれらのエレメントとアトリビュートは許可されていますか？
- あなたが利用したそれぞれのエレメントとアトリビュートの機能は何ですか？（もしあやふやなら、確認してください！）
- なぜあなたはこれらのエレメントとアトリビュートが TEI/XML で必須であると思いますか？

2-11．さらに先へ

この演習は、XML を編集し妥当な TEI ファイルを作る多少の経験を提供したはずです。

- もしあなたがはやく終わってしまったら、TEI ガイドラインのオンライン版を眺めてみるといいでしょう。

```
http://www.tei-c.org/release/doc/tei-p5-doc/ja/html/index.html
```

特に、個々のエレメントを参照するページのための「エレメント（Element)」の別表をみたいと思うかもしれません。このファイルで利用したすべてのエレメントがどのように定義されているかを見て、よく検討してみてください。

・他にどんなエレメントが <text> エレメントの中で許容されているでしょうか？　あなたなら、それらを何のために使うでしょうか？
・デフォルトのテキスト構造の章

http://www.teic.org/release/doc/tei-p5-doc/en/html/DS.html

や、すべての TEI 文書で利用可能なエレメント

http://www.tei-c.org/release/doc/tei-p5-doc/en/html/CO.html.

を読んでみるといいでしょう。

3．実践演習 3：より良い符号化（エンコーディング）の実践：書誌情報を深める

3-1．学習の成果

この演習を完遂したとき、次のことができるようになるはずです。

・<teiHeader> の構造とメタデータを改良する
・<fileDesc> に含まれる以下の構成要素を理解する
　――出版と電子物の配布についての情報に関する <publicationStmt>
　――資料となる文書についてのメタデータを記録する <sourceDesc>
・<encodingDesc> を、ファイルの中で用いられているマークアップを記録するのに用いる
・<profileDesc> を、ファイルの書誌情報でない側面を記録するのに用いる
・<revisionDesc> で、ファイルへの大きな変更を記録する
・名前のタグ付けを深める

3-2．要点

この演習では TEI/XML ファイルのヘッダを意味のある形で改良する機会が提供されます。そして、そのマークアップと構造を理解します。これによって、<teiHeader> のさまざまな改良と、電子ファイルとその元資料に関する付加的なメタデータを記録する方法を体験することになります。さらに、名前を持つもののタグ付けにも取り組みます。なお、TEI 準拠のデータ作成に際しては、**ここで示す詳細なタグ付けは必須ではありません**。あくまでも付加的なものであり、しかし、それによって有用性をより高めることができるということです。

3-3．はじめに

前回の演習で完成させたファイルを読み込んでください。もしそれが完成していない場合には、「soseki_letter_ex2_finished.xml」というファイルを読み込んで、他のファイルを保存しているフォルダに新しい名前で保存することで、ちょっと近道ができます。

3-4．<publicationStmt> を改良する

ヘッダの中でも、<titleStmt> に関しては、演習 2 でいくつかの情報を記述しました。しかし、その他の情報はまだかなり貧弱です。そこで、まずは <publicationStmt> を改良してみましょう。このエレメントは、本来はさまざまな構造化された情報を記述できますが、今のところは一つの散文の段落しか持っていません。それをより詳細に書き換えてみましょう。

1. <p> の開始タグ・終了タグを含む段落全体を削除してください。
2. <publicationStmt> の内側に <publisher> エレメントを一つ追加してください。ここ

で、Oxygenがあなたをどのように手助けするか、改めて確認してください。なお、これは出版者（publisher）を記述するエレメントですので、自分の所属組織等を入力していただいても結構ですが、ここでは仮に「一般財団法人人文情報学研究所」としています。

3. `<publisher>`の次に、配布者を記述する`<distributor>`エレメントを追加することもできます。セミナーや授業などでこの教材を作成している場合は、その名称を書いておくとよいでしょう。ここでは仮に「今回の会合名」としておきます。
4. この後に、`<authority>`エレメントを追加してください。これは、誰に出版・配布の権限があるかということを詳しく説明するためのものです。この場合には、あなたの権限の下にある、ということであなたの名前を入れてください。
5. 次に、`<pubPlace>`エレメントを記述し、さらにその中に`<address>`エレメントを一つ記述してください。ここにはとりあえず仮の住所を書いてみましょう。たとえば、`<orgName>`として「一般財団法人人文情報学研究所」、`<street>`の住所（文京区本郷5-26-4）を一つ、`<settlement>`（東京都）を一つ、`<postcode>`（113-0033）を一つ、`<country>`（日本）を一つ、入れてください。
6. `<publicationStmt>`の内側で、`<pubPlace>`エレメントに続けて`<date>`エレメントを一つ、「令和四年七月二十五日」という内容で追加してください。`<date>`エレメントは@whenアトリビュートを用い、ISOによる国際標準規格であるISO8601に準拠してYYYY-MM-DDという日付の形式をとることができますので、`<date when="2022-07-25">`としてください。
7. この後に、`<idno>`を使ってID番号を追加してください。これはカタログ番号のようなものや、この文書が属するURLとなるべきものです。この場合、この手紙のあなたの版にとって有益なID番号となるとあなたが考えるものをマークアップしてください！
8. 次に`<availability>`という記述を、この文書を配布する際に従おうと思うライセンスについての記述を含む`<license>`エレメントとともに追加してください。われわれはクリエイティブ・コモンズライセンスを選んで@targetアトリビュートに書いておくことを推奨します（以下の例をみてください）。
9. あなたの`<publicationStmt>`は今、以下のようになっているはずです。

```
<publicationStmt>
    <publisher>一般財団法人人文情報学研究所</publisher>
    <distributor>今回の会合名</distributor>
    <authority>あなたの名前</authority>
    <pubPlace>
        <address>
            <orgName>一般財団法人人文情報学研究所</orgName>
            <street>文京区本郷5-26-4</street>
            <settlement>東京都</settlement>
            <postCode>113-0033</postCode>
        </address>
    </pubPlace>
    <date when="2022-07-25">令和四年七月二十五日</date>
    <idno>ID_of_this_file</idno>
    <availability>
        <licence target="https://creativecommons.org/licenses/by-sa/4.0/">
            クリエイティブ・コモンズ　表示 - 継承 4.0 国際 (CC BY-SA 4.0)
        </licence>
    </availability>
</publicationStmt>
```

3-5. <sourceDesc> に詳細な書誌情報を記述する

現在の <sourceDesc> もまた非常に貧弱です。これも充実させてみましょう。ここには元になった資料の情報を書きます。今回は東北大学附属図書館の Web サイトで公開されている書簡のデジタル画像を利用しましたので、ここでは元資料である書簡自体の情報を記述します。この場合、手稿や稀覯本をはじめとする貴重な資料の書誌情報を詳細に記述するための <msDesc> を中心とするエレメント群が適していると思われますので、それを用いてみます。なお、ここでは、<msDesc> の対象になる資料をまとめて「貴重資料」と呼びます。

1. <sourceDesc> のなかに現在ある段落全体を削除して、<msDesc> と置き換えてください。<msDesc> を入力すると、その内側に自動的に <msIdentifier> エレメントが追記されます。<msDesc> は複製が広く流通する書籍とは異なり、その貴重資料を識別するための情報を必要とします。そのために <msIdentifier> が必須となっています。

   ① <msIdentifier> には、貴重資料を所蔵する組織、それが含まれるコレクション、そこでの識別番号等が含まれます。今回の漱石の書簡は、東北大学附属図書館の Web サイトで所蔵・公開されているものですので、こちらの URL 等で入力可能な情報を確認します。https://www.i-repository.net/il/meta_pub/G0000398tuldc_sk00000771

   ②まず、所蔵する組織については、<institution> エレメントで記述します。組織名だけでなく住所等も記述できます。今回は、<orgName> エレメントに「東北大学附属図書館」<settlement> に「宮城県仙台市」と記述して <institution> 以下に入れておきます。

   ③次に、含まれるコレクションについては、このコレクションは、元資料としては「夏目漱石家族文書」に含まれるもののようですが、デジタルコレクションとしては「漱石文庫データベース（2020 年再撮影）」に含まれるようです。そこで、それぞれ

<collection> エレメントに入れておきます。

④識別子は <idno> に記述します。ここの組織での識別子は「sk00000771」のようですが、デジタルコレクションとしての URI も持っています。そこで、組織での識別子に加えて、<idno type="URI"> として URI（Uniform Resource Identifier）も記述しておきましょう。

2. <msDesc> 以下には、貴重資料に関するさまざまな情報を記述するための要素が用意されています。内容について記述する <textLang>、資料の物理的な状況を記述するための <physDesc> などがあり、さらに、<physDesc> の中には、物理的構成要素を記述する <objectDesc>、筆致などを記述するための <handDesc>、綴じ方を記述するための <bindingDesc>、装幀について記述するための <decoDesc>、印章等について記述する <sealDesc> 等、さまざまなものが記述できます。ここでは、<textLang>、<handDesc>、<bindingDesc> について。それぞれ以下のように気がついたことを記述してください。なお、<handNote scope="sole"> における @scope 属性の sole という値は、それが一人の手で書かれたことを示しています。その他、手書き資料についての詳細情報の記述の一部は、att.handFeatures[5] 属性クラスにまとめられています。

```
<sourceDesc>
    <msDesc>
        <msIdentifier>
            <institution>
                <orgName>東北大学附属図書館</orgName>
                <settlement>宮城県仙台市</settlement>
            </institution>
            <collection>夏目漱石家族文書</collection>
            <collection>漱石文庫データベース（2020年再撮影）</collection>
            <idno>sk00000771</idno>
            <idno type="URI">
                https://www.i-repository.net/il/meta_pub/G0000398tuldc_sk00000771
            </idno>
            <msName>漱石筆鏡子宛て書簡</msName>
        </msIdentifier>
        <msContents>
            <textLang>近代日本語の漢字仮名交じり文で書かれている。</textLang>
        </msContents>
        <physDesc>
            <handDesc>
                <handNote scope="sole">やや崩した字で書かれている。</handNote>
            </handDesc>
            <bindingDesc>
                <condition>
                    1枚紙の両面に書かれている。
                    この書簡が入れられていた封筒も保存されている。
                </condition>
            </bindingDesc>
        </physDesc>
    </msDesc>
</sourceDesc>
```

3-6. <fileDesc> の他の構成要素

ここまでは、<fileDesc> の下位で記述可能なエレメントをみてきました。これまでほどに大規模なものではないですが、他にもいくつかありますのでみてみましょう。

1. 終了タグ </titleStmt> の直後に、<editionStmt> を追記できます。これは、電子ファイル版に関して「第一版（First Edition）」のような説明的なフレーズを含む <edition> を記述するものです。ここでは第一版、と記述しましょう。

```
<editionStmt>
    <edition>第一版</edition>
</editionStmt>
```

2. 終了タグ </editionStmt> の直後に、<extent> エレメントを追記できます。これは、テキストの大きさの何らかの単位（たとえば、「260 語」）や、あるいは、この場合には「2 ページ」を伴うものです。
3. 終了タグ </publicationStmt> の直後に、<notesStmt> を記述できます。これは一つ以上の <note> エレメントを内側に持つことができます。「TEI 演習のために翻刻された」のようなものを含むことができます。

3-7. <encodingDesc> を追加する

<encodingDesc> エレメントは、その文書が実際にどのようにエンコーディングされたかを記述するためのものです。このエレメントは、この文書を他の人がコンピュータで処理・分析する際の拠り所となるものですので、可能な限り詳細に記述しておくことが重要です。

1. 終了タグ </fileDesc> の後に、<encodingDesc> を一つ追加してください。
2. <encodingDesc> の内側に、<projectDesc> を追記してください。その内側には、「TEI ガイドラインによる符号化を学ぶための演習」のようなことを含む <p> エレメントを書いてください。
3. 次に、<encodingDesc> の内側に、<editorialDecl> を追記してください。この内側には「誤記と思われる文字列は <gi>sic</gi> を付与し、<gi>choice</gi> と <gi>corr</gi> で訂正を記した」と書いた段落を含む <correction> エレメントを記述してください。。なお、XML 文中にエレメントを記述するために半角の山括弧を用いる場合には、TEI ガイドラインでは上述のように <gi>（generic identifier）を用いてください。
4. また、<editorialDecl> の内側に「漢字・ひらがな・カタカタ・合略仮名については Unicode14.0 の範囲で可能な限り元の表記に沿って記述した。変体仮名は使用していない。なお、合略仮名に関しては、<gi>choice</gi> と <gi>reg</gi> で対応するカタカナも示した。」という説明を記述した段落 <p> を含む <normalization> タグを付け加えてください。
5. 元資料には存在しない句読点を記述していますので、それについても説明が必要です。<editorialDecl> の内側に <punctuation> エレメントを付与し、その内側に「元資料には句点は存在しないが、翻刻者の判断により追加された。」と記述した段落 <p> を付加してておいてください。あるいは、あなたが句読点を追記・修正した場合は、そのことについても記述しておいてください。

6. <editoralDecl> と <encodingDesc> の内側であなたが使える他のオプションを見てください。
7. あなたの <encodingDesc> は次のようになっているはずです。

```
<encodingDesc>
    <projectDesc>
        <p>TEIガイドラインによる符号化を学ぶための演習</p>
    </projectDesc>
    <editorialDecl>
        <correction>
            <p>誤記と思われる文字列は<gi>sic</gi>を付与し、
              <gi>choice</gi>と<gi>corr</gi>で訂正を記した</p>
        </correction>
        <normalization>
          <p>漢字・ひらがな・カタカタ・合略仮名については
            Unicode14.0の範囲で可能な限り元の表記に沿って記述した。
            変体仮名は使用していない。なお、合略仮名に関しては、
            <gi>choice</gi>と<gi>reg</gi>で対応するカタカナも示した。
          </p>
        </normalization>
      <punctuation><p>元資料には句点は存在しないが、
        翻刻者の判断により追加された。</p></punctuation>
    </editorialDecl>
</encodingDesc>
```

なお、<encodingDesc> は、文字の扱いをはじめとしてさまざまな情報を記述することが可能であり、記述が手厚いほど、利用しやすくなります。自分にとっては当たり前のコンピュータ環境や資料の作り方であっても、他の人や、あるいは時代が変われば当たり前ではなくなってしまいます。少しの手がかりだけでも残っていると有用なことがありますので、詳しいことは書けなかったとしても、文書作成した際に使っているソフトウェアを記述しておくだけでも役立つことがあるかもしれません。

あるいは、データの機械可読性を高め、自動的に読み取りやすくするためには、<encodingDesc> 以下の記述をより精密に構造化するという方法もあります。ただし、精密に決めようとすればするほど、例外的な事項が発生してしまい、構造的な記述が困難なケースが増えて、作業に多くの時間がかかってしまったり、結局のところ統一的なマークアップができなくなってしまう場合もあります。そのようなことから、TEI ガイドラインでは、精密な記述方法を提供する一方で、上の例のように散文で自由に記述することも許容しています。それでも敢えて、高度な自動処理を目指して精密な構造化に取り組むのであれば、一定のプロジェクトやコミュニティ等で議論してルールを共通化するとよいでしょう。

3-8. <profileDesc> を追加する

<profileDesc> は、テキストに関する書誌情報以外のさまざまな情報を蓄積しておく場所です。

1. </encodingDesc> の後に <profileDesc> を付記してください。
2. ここでは、書簡としての情報を記述してみましょう。<correspDesc> は、手紙の送受信を効率的に記述するために近年開発されたものです。送信と受信に分けてそれぞれについての情報を記述するだけでなく、転送等のいくつかのアクションが用意されるなど、手紙としての情報を取り出しやすいように設計されています。

   ①まず、<correspDesc> を <profileDesc> の内側に入力してください。そして、<correspAction> エレメントを入力し、その後、@type 属性を入力しようとしてください。そうすると Oxygen は、その値として、sent、forwarded、received、redirected、transmitted の五つを提案してきます。ここではまず、送信に関する情報を記述するために sent を選びましょう。

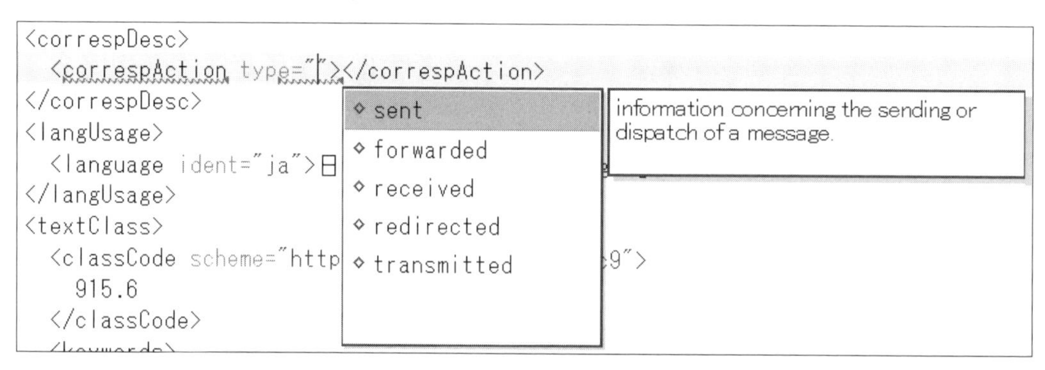

   ②これだけではまだ妥当（valid）にはなりません。<correspAction> に必要なエレメントを追加していきましょう。送信者として夏目漱石というテキストを含む <persName> と、日付情報を <date> エレメントを用いて以下のように書いてください。送信地情報として <location> エレメントを追加し、その中に「ペナン」を含む <placeName> エレメントを追記してください。そして、ペナンの港のあたりの座標情報を地図等で取得して <geo> エレメントで次の図のように記述してください。なお、座標情報は、たとえば Google マップ上の取得したい位置で右クリックするとコンテキストメニューの一番上にカンマ区切りの二つの小数点付き数値が表示されますので、それを選択するとクリップボードに座標情報がコピーされます。これを <geo> エレメント内にペーストすれば完了です。

   なお、この手紙の内容によれば、これが実際に発送されたのはこの後 10 月 1 日、コロンボに到着してからとのことですが、このときの漱石は汽船プロイセン号で欧州に向かっていた途上で、手紙自体は 9 月 27 日にペナン停泊中に書いたようです。この場合、発送をどの時点とみなすべきかについては議論の余地がありそうです。これについては、

TEIガイドラインでは「書いた日・場所」を別途記述できますので、それと送信日・場所を別々に記述するか、それとも以下のようにペナンで書いた時点を送信日・場所と扱うか、ということを決める必要がありますので、どう記述するかについて、検討してみてください。

```
<correspAction type="sent">
  <persName>夏目漱石</persName>
  <date when="1900-09-27">九月二十七日</date>
  <location>
    <placeName>ペナン</placeName>
    <geo>5.418799642029674 100.345223003859</geo>
  </location>
</correspAction>
```

③次に、受信者情報も入力しましょう。今度は <correspAction> に続けてもう一つ <correspAction> を入力し、@type 属性を received としてください。受信地についてはこちらも <location> で、今回は住所がわかっていますので <address> エレメントとその下位のエレメントを用いて書いておきます。また、座標情報は、現在は残っていない住宅であり、正確ではないですが、大体このあたりということで <geo> エレメントで記載してみています。受信した日付は残念ながらわかりませんでした。一通り記述すると以下のようになります。

```
<correspAction type="received">
  <persName>夏目鏡子</persName>
  <location>
    <geo>35.70348307829794 139.73306153078642</geo>
    <address>
      <country>日本</country>
      <region>東京</region>
      <settlement>牛込區</settlement>
      <street>矢来町三番地中ノ丸丙八十五号</street>
    </address>
  </location>
</correspAction>
```

3. 次に、<profileDesc> のなかに、<handNotes> を追記してください。この内側には「漱石筆」などと書かれた <handNote> がきます。
4. 次に、<langUsage> を、<profileDesc> の内側に、日本語の言語コードである「ja」を値として持つ @ident 属性を付与した <language>「日本語（明治時代）」とともに付け加えてください。
5. <correspDesc> に続けて、<textClass> エレメントを追加してください。そして、915.6 という内容と「http://jla.or.jp/data/ndc9」という @scheme 属性を持つ <classCode> をその下位に記述してください。これは十進分類法での「日本文学・書簡・明治以後」を表すコードです。そして、これに続けて、十進分類法での915.6に割り当てられているキーワードも<keyword>タグで記載しておきましょう。これは、十進分類法で探したい人や、それに対応したシステムにこのデータを組み込む際に役立ちます（これはあくまでも一例であり、このコードの利用を推奨しているわけではありません）。

6. あなたの<profileDesc>は、今、以下のようになっているはずです。

```
    </correspDesc>
    <langUsage>
        <language ident="ja">日本語（明治時代）</language>
    </langUsage>
    <textClass>
        <classCode scheme="http://jla.or.jp/data/ndc9">
            915.6
        </classCode>
        <keywords>
            <term>日本文学</term>
            <term>書簡</term>
            <term>近代：明治以後</term>
        </keywords>
    </textClass>
</profileDesc>
```

3-9. <revisionDesc>を追記する

<revisionDesc>は文書へのメジャーな変更のタイミングを記録する方法を提供します。

1. 終了タグ</profileDesc>の直後に<revisionDesc>エレメントを追記してください。
2. 二つの<change>エレメントをこの内側に追加してください。最初の一つに関しては、@whenアトリビュートを今日の日付とともに追記してください。<change>の内側で、あなたの名前を含む<persName>を追記してください。そして「ヘッダの改良」というテキストを記載してください。
3. 二つ目の<change>では、「2022-01-31」という値を持つ@when属性を、自分の名前を含む（ここでは例として「永崎研宣」としています）<persName>とともに追記し、「デジタル翻刻」と書いておいてください。<title>として「漱石筆鏡子宛て書簡」をマークアップしておくのもよいでしょう。
4. 一番新しい<change>が最初に来るのが一般的なやり方です。
5. あなたの<revisionDesc>は、今、次のようになっているはずです。

```
<revisionDesc>
    <change when="2022-07-25">
        <persName>あなたの名前</persName>によるヘッダの改良
    </change>
    <change when="2022-01-31">
        <persName>永崎研宣</persName>による<title>漱石筆鏡子宛て書簡</title>のデジタル翻刻
    </change>
</revisionDesc>
```

3-10．固有表現（人物・地名情報等）を記述する

演習 2 で、地名が登場するところには <placeName> のタグを付与しました。これらは同じ実体を指しているにも関わらず表記が異なる場合があります。人名の場合も同様のことがあります。このような場合、近年ではコンピュータでもある程度の正確さで同一かどうかを判定できるようになりました。しかし、人による判断にはまだ精度では及びません。一方で、コンピュータによる判断の精度を高めるためには手本となるデータが必要でもあります。そのようなことから、人手で対応可能なサイズであれば人手で作成してしまうというのもいまだ有力な選択肢です。TEI ガイドラインでは、そういった情報を記述するためのメカニズムを提供していますので、ここではそれを試してみましょう。

1. まず、本文中に登場する人名に <persName> タグをつけましょう。この書簡には「其許モ筆モ達者ト」のところに漱石の長女の筆子、<closer> のところに漱石と鏡子の名前がそれぞれ略された表記で登場していますので、それぞれ以下のようにタグ付けしてください。

```
<closer><lb/>
    <signed><persName>金之助</persName></signed>
    <lb/>
    <salute><persName>鏡</persName>どの</salute></closer>
```

2. 次に、人物の情報を記述してみます。人物情報をリストする <listPerson> は、本文中の記述ではない場合にはヘッダの <sourceDesc> や <text> の中の <back> に記載できます。ここでは後者のやり方でやってみましょう。

   ① <text> エレメントの最後にある </body> に続けて <back> エレメントを挿入してください。

   ② <back> の中に、<listPerson> を入力してください。ここに、二人の人物情報を <person> で列挙します。まずは、<listPerson> の中に <person> エレメントを一つ入力してください。

   ③一つ目の <person> には夏目漱石の人物情報を書きましょう。まず、この人物に @xml:id で識別子を与えておきます。ここでは「夏目漱石」としておきます。

   ④人名を記述します。本名とペンネームがありますので、それぞれを記述し、@type 属性で区別します。姓名はそれぞれ <surname> エレメントと <forename> エレメントでタグ付けしておきます。

   ⑤生年月日、没年月日を記載できるようになっていますので、これを記載してみましょう。それぞれ、<birth> と <death> というエレメントが <person> の中に書けます。ここで @when 属性で ISO8601 準拠の日付を記述し、タグ付けされるテキストとしては和暦を書いておきましょう。

   ⑥外部で蓄積されている関連データとつながるように、<idno> を付与しておきましょう。ここで以下のように、候補となる識別子名がリストされます。いずれも人文学におい

て有用なものですので、Web 検索等でそれぞれ確認してみてください。ここでは VIAF を選択した上で、その URI を VIAF のサイトで確認して記載しておきましょう。

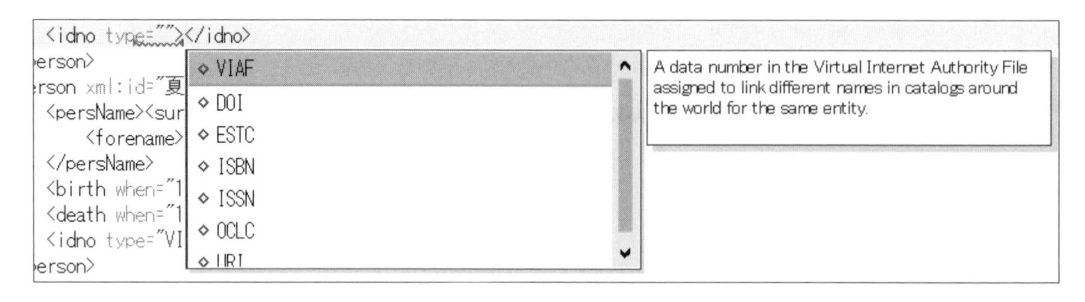

⑦夏目鏡子、筆子についても同様に記述してください。二人とも旧姓がありますのでそれも記載しておきましょう。そうすると、<listPerson> は以下のようになっているはずです。確認してみてください。

```
<listPerson>
    <person xml:id="夏目漱石">
        <persName type="本名"><surname>夏目</surname>
            <forename>金之助</forename>
        </persName>
        <persName type="ペンネーム"><surname>夏目</surname>
            <forename>漱石</forename>
        </persName>
        <birth when="1867-02-09">慶応3年1月5日</birth>
        <death when="1916-12-09">大正5年12月9日</death>
        <idno type="VIAF">https://viaf.org/viaf/56614190/</idno>
    </person>
    <person xml:id="夏目鏡子">
        <persName type="旧名"><surname>n中根</surname>
            <forename>鏡子</forename>
        </persName>
        <persName type="本名"><surname>夏目</surname>
            <forename>鏡子</forename>
        </persName>
        <birth when="1877-07-21">明治10年7月21日</birth>
        <death when="1963-04-18">昭和38年4月18日</death>
        <idno type="VIAF">https://viaf.org/viaf/58810142/</idno>
    </person>
    <person xml:id="松岡筆子">
        <persName type="旧名"><surname>夏目</surname>
            <forename>筆子</forename></persName>
        <persName type="本名"><surname>松岡</surname>
            <forename>筆子</forename>
        </persName>
        <birth when="1899-05-31">明治32年5月31日</birth>
        <death when="1989-07-07">平成元年7月7日</death>
    </person>
</listPerson>
```

⑧ここでつけた xml:id を、本文中の <persName> から参照するように記述しましょう。まず、「筆」のところで、@corresp 属性で入力しようとすると、Oxygen は以下のように助けてくれます。

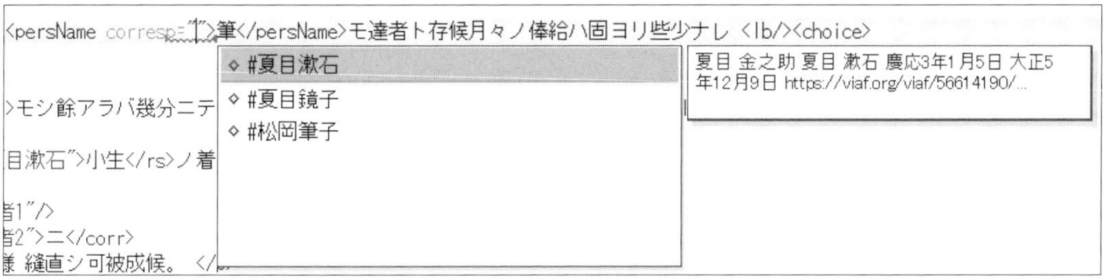

```
<persName corresp="1">筆</persName>モ達者ト存候月々ノ俸給ハ固ヨリ些少ナレ <lb/><choice>
                         ◇ #夏目漱石        夏目 金之助 夏目 漱石 慶応3年1月5日 大正5
                                             年12月9日 https://viaf.org/viaf/56614190/...
>モシ餘アラバ幾分ニテ  ◇ #夏目鏡子
                         ◇ #松岡筆子
目漱石">小生</rs>ノ着
旨1"/>
旨2">ニ</corr>
兼 縫直シ可被成候。 </
```

これは、xml:idを入力すべき属性値の箇所に入力する際に、この文書中に登場するxml:idとその内容を候補として一覧し、そこから選択するだけで入力できるようになっています。

ここでは「# 松岡筆子」を選んでください。ここで、@corresp属性に書かれるIDには「#」が最初についています。この「#で始まる文字列」は、XML文書の中で属性の値として記載された場合には、同じ文書内のそのID（ここではxml:idの値）を参照することを意味します。ここでは属性名が「corresp」であり、対応していることを意味します。このようにIDを参照できる属性はTEIでは他にもいくつかあります。なかでも、@ref、@sameAs等は比較的よく用いられます。

同様にして、`<closer>`の中の二人の`<persName>`も@correspをつけてみてください。

3. より深い読解の成果を共有し、より深い分析に役立てたりするために、代名詞などの参照文字列をタグ付けし、ID参照を与えることもできます。これには`<rs>`エレメントを用います。たとえば、以下の例では、「其許」に`<rs>`をタグ付けし、@correspで#夏目鏡子のIDを付与しようとしています。

```
<rs corresp="">其許</rs>モ<persName corresp="#松岡筆子">筆</persName>モ達者ト存候月々ノ俸給ハ固ヨリ些少
orig>               ◇ #松岡筆子        中根 鏡子 夏目 鏡子 明治10年7月21日 昭和38
reg>                ◇ #夏目漱石        年4月18日 https://viaf.org/viaf/58810142/...
・</del>モシ餘ア    ◇ #夏目鏡子
```

他にも「其許」「小生」といった表現が本文中にありますので、それぞれ、同様に`<rs>`と@correspでのID参照を付与してください。

4. 地名に関しては、`<listPlace>`と`<place>`を用い、人物情報と同様に、xml:idと@correspで参照できます。また、上で見てきたような形で、座標情報を記述できます。それらを踏まえて、地名情報を記述し、本文中に登場する地名から参照されるようにしてください。

なお、このような状況で座標情報を記述する場合、漱石が立ち寄った場所など、特定の場所の座標を記述するのか、あるいは、自治体等の代表的な庁舎等の地点の座標にするのか、ということを決めておく必要があります。上述の`<correspDesc>`の`<geo>`では、実際の場所になるべく近いと思われる場所の座標を記述していますが、本文中での地名への言及については、むしろ、代表的な地点の座標とした方がよい場合もあるかもしれません。これも検討してみてください。

3-11．あなたの作品を保存する

あなたの作品を保存しましょう。

- あなたの作品は形式が整っていますか？　幸せの緑の四角と怒りの赤い四角のどちらが出ていますか？
- あなたの作品を自動的に整形してインデントしましたか？
- 「ファイル」メニューから「保存」を選ぶか保存アイコンをクリックしてください。
- あるいは、もしよろしければ、「ファイル」を選んでから「別名で保存」のメニューを選んで、「soseki_letter_ex3.xml」の名前を用いるか、あるいは好きな名前を使って保存してください。

3-12．自己評価

以下の質問に答えることで、この演習の中核的な原理を理解しているかどうか確認してみてください。

- どんな種類のメタデータを `<titleStmt>` の中に蓄積することができますか？
- `<publicationStmt>` は何のために使われますか？　それは何を含むことができますか？
- どうやってあなたはファイルに関する元資料の詳細情報を提供しますか？
- 書簡に固有の構造はどのように捉えられていますか？
- `<encodingDesc>` は何のためのものですか？
- `<change>` エレメントは `<revisionDesc>` の中ではどんな順序で並べられるべきですか？
- そのテキストのなかの `<persName>` エレメントはどうやってヘッダの中の `<person>` エレメントを指し示しますか？

3-13．もっと読みたい人へ

- あなたが使った新しいエレメントのそれぞれに関して TEI P5 ガイドラインのリファレンスのページを見てください。
- ガイドライン第 13 章、名前（Names）, 日付（Dates）, 人物（People）, and 場所（Places）の章を読んでください。

```
https://www.tei-c.org/release/doc/tei-p5-doc/ja/html/ND.html
```

- ガイドライン第 2 章、teiHeader に関する章を読んでください。

https://www.tei-c.org/release/doc/tei-p5-doc/ja/html/HD.html.

3-14．実践演習 1〜3 のまとめ

ここまで、TEI ガイドラインにおけるさまざまなマークアップの仕方について見てきました。人文学の資料やそれについての解釈はきわめて多様であり、その一部を反映している TEI ガイドラインも十分に多様であり、この演習だけではとても説明を尽くせたとは言えません。しかし、基本的な事柄の多くを、この三つの演習を通じて知ったはずです。それを踏まえ、自らが向き合う資料にどのように TEI ガイドラインを適用可能なのか、ぜひ検討してみてください。

TEI ガイドラインは、テキストについての深い理解を共有するために使うこともできますが、むしろ、ごく基本的な情報だけを共有する浅い使い方もできます。ここまでの演習で習得してきたことは、必須事項ではなく、あくまでも選択肢に過ぎません。用途やかけられるコストに応じて柔軟な使い方が可能です。

そして、TEI ガイドラインはとても有用なものですが、万能ではありません。むしろ、TEI ガイドラインを使わない方が効率的にできる場合もあります。あるいは、一通りデータを作成した後に、それを広く共有するために TEI ガイドラインに自動変換するという方法もあります。クラウドソーシング翻刻サイトとして有名な「みんなで翻刻」でも、利用者側が意識してタグ付け等をせずとも、基本的な TEI に準拠した出力機能を備えています。

このようにして作成した TEI 準拠のデータをどのようにして利用すればよいのか、ということについては、次の章で利活用演習が用意されており、さらに、本書の第 3 部ではさまざまな事例が紹介されています。ぜひそちらをご覧ください。

注

1　これを実見してみたい人は、手元の MS-Office のファイルの .docx や .xlsx、.pptx などの拡張子を .zip と書き換えて ZIP を伸張するソフトウェアで展開してみてください。そうすると、フォルダが作成され、その中に XML で記述されたファイルが入っています。フォーマットやレイアウト、フォントの指定など、さまざまな情報が XML タグで記述されているのを確認できます。

2　encoding という属性（attribute）を意味する。以下、@xxx とあるものはすべて xxx という属性であることを指します。属性とはたとえば `<someElement xxx="value">`sometext`</someEement>` の「xxx」の部分でありエレメントを補足するのに用いられます。

3　Web 等で一般的に用いられる Unicode のエンコーディング方式の一つであり、近年 Unicode に導入された文字であっても問題なく扱えるという長所がある一方、ファイル容量が大きくなりがちという短所があり、逆の特徴を持つ UTF-16 としばしば対比されます。

4　なお、`<p>` タグが示す「段落」には、「冒頭は行頭で始まる」という含意があると見なすことができます。そうすると、`<p>` の直後は、行頭であるにも関わらず `<lb/>` をつけなくてもよいと考えることができます。しかし、`<p>` がそれを含意するとみなせない場合（段落の冒頭が行頭で始まらないケースを含むテキストの場合）には、`<p>` の直後にも `<lb/>` をつけるべきでしょう。

5　https://tei-c.org/release/doc/tei-p5-doc/ja/html/ref-att.handFeatures.html

第 5 章

利活用演習：TEI 準拠テキストの活用方法

永崎研宣

1．基本的な考え方

TEI/XML に準拠して作成されたデータは、XML 向けに提供されるさまざまなツール・ソフトウェア類や、さらに、TEI 専用に構築されたものも含めてさまざまな形で利活用可能です。紙媒体で公表された研究成果やツールが、国立国会図書館への納本制度に象徴されるように永続的な保存と利用が相当程度保証されているのに比べると、デジタルデータの持続可能性は必ずしも十分ではありません。その問題を解決することが TEI の重要な目標の一つとなっています。そして、結果として、一度記述すれば半永久的に利用できるような、オープンで永続的な記述ルールの策定を目指すことになったのが現在の TEI ガイドラインです。

民主的な手続きで選ばれた TEI 協会の技術委員会は、委員会での定期的な会合に加えて GitHub 上でオープンな議論を行い、それに基づいてガイドラインの改訂作業を行います。このため、改訂の過程は後から誰でも参照可能です。策定されたガイドラインに基づくスキーマファイルを用いることで、TEI/XML ファイルは、ガイドラインに準拠しているかどうかを自動的にチェックできることになります。そのようにして作成された TEI/XML ファイルは、一般の Web サイトや GitHub、GitLab 等のソースコードリポジトリ、あるいは Zenodo 等の研究データリポジトリで公開されることもあれば、TEI/XML ファイル専用のリポジトリである TAPAS リポジトリ[1]で公開されるものもあります。そのようにしてファイルをそのまま公開することもあれば、一方で、さまざまなソフトウェアや独自開発のプログラム等を介して見栄えをよくしたり、より可用性を高めたりして公開されることもあります。Web ページ・Web サイトなどとして公開したり、ePub や LaTeX 等に変換して印刷して利用したり、データベースにまとめて投入して横断的に検索・表示したりと、さまざまな使い道があります。ソフトウェアが古くなって使えなくなったとしても、ソフトウェアを作り直せば TEI/XML ファイルの方は引き続き利用可能です。これにより、人文学研究者が解釈を記述するために手間暇をかけた成果としての TEI/XML ファイルは存続し、それをその時々の技術トレンドにあわせて見られるようにすればよいということになり、紙媒体における持続可能性に少なからず近づけられるようになっています。一方で、ディー

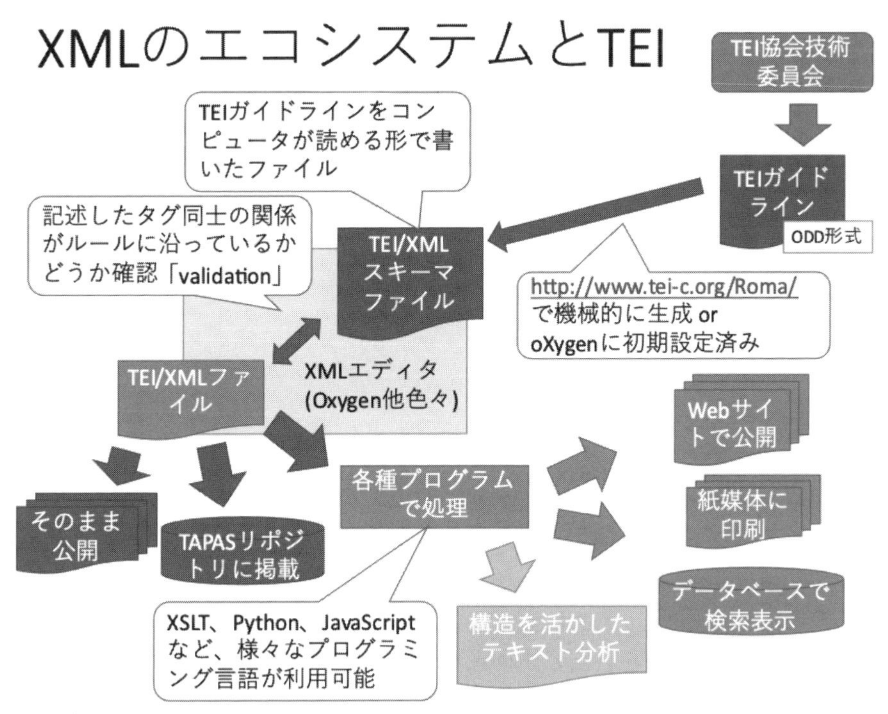

図 1　XML のエコシステムにおける TEI の概念図

プラーニング技術をはじめとして新たな分析手法が出てきた場合にも、データとしては引き続きほぼそのまま活用可能であり、その点はデジタル媒体の長所です。

また、TEI/XML のファイルは、ファイルに書かれたタグ付きテキストデータをそのまま見てもあまりわかりやすいものではありません。構造化が複雑になればなるほど、人が見てもわからないものになってしまうため、深い解釈を記述したものほど、それに対応する変換・表示システムがあった方がよいということになります。このような状況をまとめたものが【図 1】です。

TEI/XML の以上のような事情を踏まえ、この「利活用演習」では、TEI/XML ファイルの利活用の基本を習得する機会を提供します。

2．Oxygen 上での高度な検索

TEI/XML ファイルの有効な活用方法の一つは、Oxygen XML Editor による強力な検索機能を活かした検索です。検索結果を取り出してエクセル等で処理すれば、それだけでもさまざまな処理ができます。Oxygen では、XML の構造を活かした検索が可能であり、さらに、一つのフォルダに入っている複数の XML ファイルをまとめて対象として実行できます。それを踏まえて、まずは、XML の構造を活かした検索、そして、さらに高度な検索として、XPath を用いた検索をみてみましょう。

2-1．XML の構造を活かした検索

1. Oxygen での検索の準備

Oxygen で検索するにあたり、TEI/XML ファイルが必要です。ここでは、実践演習 3 で作成した soseki_letter_ex3.xml を利用しましょう。あるいは、実践演習 3 が終わっていない場合には、soseki_letter_ex3_finished.xml を利用してください。

2. 基本的な検索

Oxygen XML Editor では、Ctrl-F で検索ダイアログが現れます。あるいは、メニューバーに「検索」がありますので、そこから「検索／置換」を選んでも大丈夫です。ここで、「検索」と「置換」の窓があり、「検索」の方に入力した文字列で検索できます。「検索」ボタンをクリックすると通常の検索ができ、「すべて検索」をクリックすると、ウインドウが上下に分割され、下側に検索結果のリストが表示されます。以下の画面は、今回のファイルで「候」を「すべて検索」した例です。【図 2】

このようにして検索すると、テキストの地の文もタグ名として用いられているテキストも属性の値も、すべて一緒くたに検索してしまいます。せっかく構造的に記述していますので、その構造を活かした検索をしたいものです。そのための機能として Oxygen では「XML 検索オプション」という機能を「検索／置換」ダイアログに用意しています。次の図の①「XML 検索オプションの有効化」をチェックするとオプション設定の領域が開きますので、そのなかで②「属性値」を選んでください。

ここで「検索」欄に「鏡」と入力して「すべて検索」をクリックすると、属性値に鏡という文字を含む箇所、すなわち、この例では夏目鏡子に言及する箇所が一覧表示されるはずです。【図 3】

他にも、「次の中のみ検索」では要素（エレメント）名や要素内容等の検索箇所の指定ができ

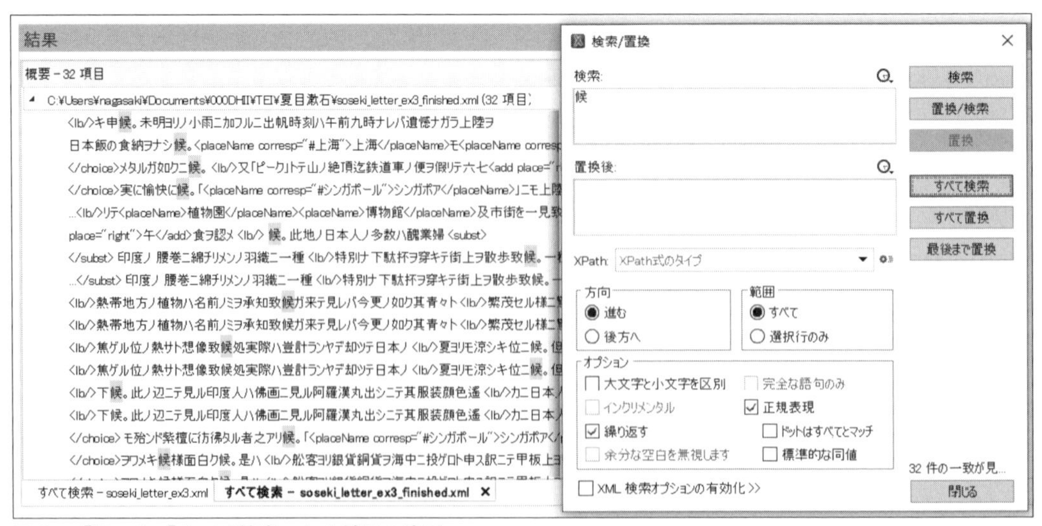

図 2　「候」を「すべて検索」した結果の表示

るようになっていますので、それぞれ試してみてください。

2-2. XPath 検索

XML では、本文に対してタグが付与されており、タグには属性と値も付与されていることがあります。そこで、そのような情報を用いてデータの位置を絞り込んだり特定したりできます。そして、タグ同士が親子関係を持っており、その関係を利用することで、さらに絞り込むこともできます。それを可能にするルールが XPath です。これは、XML のタグを Path とみなして記述し、それによってデータを特定するものです。

図 3　夏目鏡子に言及する箇所の検索

XPath は大きな進化を遂げており、これ自体が部分的にはプログラミング言語のような機能も持っています。しかしながら、ここでは、検索の絞り込みに特化した、より便利な検索の仕方をいくつかみてみることでその良さの片鱗を体験しましょう。

2-2-1. XPath でエレメントを検索

では、いよいよ、XPath を試してみましょう。「検索／置換」ダイアログで、①「XPath」の欄に「placeName」と入力して、②「正規表現」にチェックを入れて、「検索」の欄には半角のドットとアスタリスク「.*」を入力して「すべて検索」をクリックしてください。そうすると、21 項目ほどヒットするはずです。ここでの「.*」は、「正規表現」という記法（後述）において、「0 個以上のすべての文字」を意味します。これと XPath をあわせると「placeName タグに囲まれたすべての文字列」を検索し、21 件がヒットしたことになります。【図 4】

これは、文書内のすべての `<placeName>` を検索した結果です。`<placeName>` は、本文のエレメントである `<body>` の中だけでなく、`<correspDesc>` や `<back>` の中にも書いてしまいましたので、この書簡に登場する地名よりも数がずっと多くなってしまっています。では、書簡に

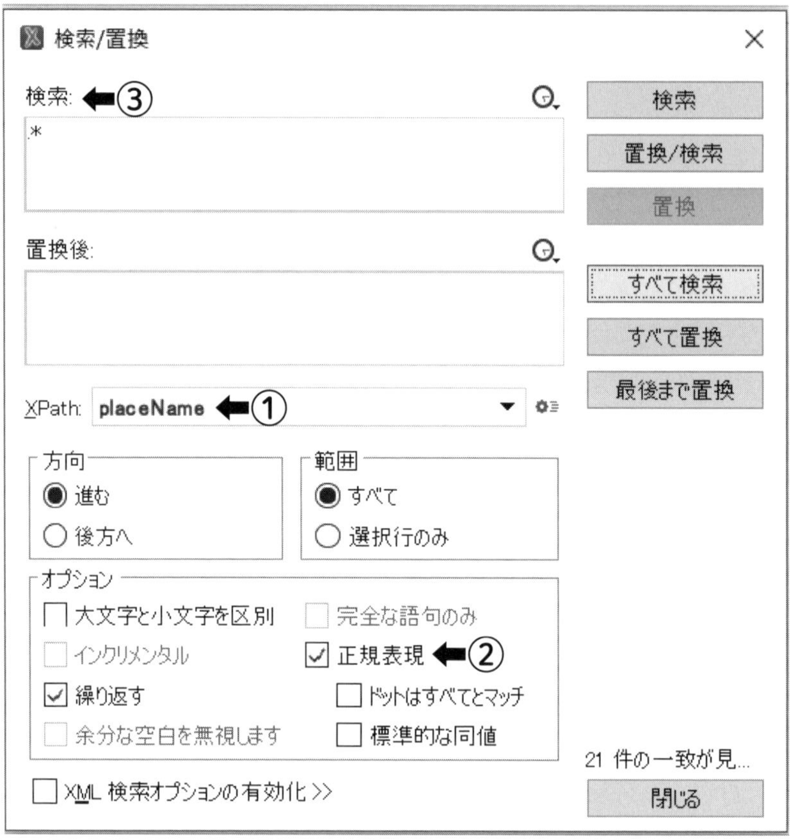

図 4　XPath を用いて文書全体から <placeName> を検索する例

登場する地名だけを数えてみたいときはどうすればいいか、ここで XPath 検索の良さが発揮されます。

それでは、XPath でのパスのたどりかたを見てみましょう。XPath の欄を以下のように書き直して「すべて検索」をしてみてください。

```
/TEI/teiHeader/fileDesc/titleStmt
```

このように、「/」区切りでエレメントの階層構造を記述していくことで検索対象の絞り込みができます。つまり、XPath は、XML 文書の階層構造を辿るために（URL のような）パス表記を使っているのです。

また、ルート（最初の「/」）から一つずつ階層構造を記述せずに省略表記をしたい場合には以下のように「//」を用いて記述します。

```
//titleStmt
```

なお、正規表現（regular expression）についても少しだけ説明しておきますと、これは、任意の文字列の集合を、記号を用いて一つの文字（列）で表現する方法です。たとえば、「.」はすべての文字を表し、「*」は直前の文字あるいは記号が 0 回以上繰り返すことを意味します。あるいは、タグを表現したい場合は「<.+?>」とします。ここでは「<」と「>」は通常の文字であり、「+」は直前の文字が 1 回以上繰り返すことを意味し、「?」は直前の繰り返し記号の繰返し回数が最小であることを意味します。つまり、「< で始まり、何らかの文字が 1 文字以上繰り返し、一つ目の > が来たら終了」ということを意味します。その他の正規表現の記号については、さまざまな書籍で紹介されていますのでそちらを参照してください。また、手軽に知りたい場合には Web サイトでもわかりやすい記事を載せているところが多くありますので探してみてください[2)]。正規表現は、多くのプログラミング言語やソフトウェアで実装されている検索・置換のための記法ですので、一度覚えておくといろいろな場面で役立ちます。

2-2-2. XPath でエレメントを絞り込み

上記の例では、本文だけでなく、それ以外の部分に付された `<placeName>` タグがすべて検索されました。ここでは、本文内に登場する地名だけを検索する場合についてみてみましょう。書簡の本文は `<body>` エレメントです。したがって、本文内だけを検索したい場合は、`<body>` エレメント以下の `<placeName>` だけを検索対象にできればよいということになります。これも XPath の得意とするところです。XPath の記入箇所を「//body//placeName」に書き換えて、再度、検索欄に「.*」と記入して「すべて検索」をクリックしてみてください。そうすると、13 項目ほどがヒットするはずです。ヒットした箇所が本文内のみであることを確認してみてください。

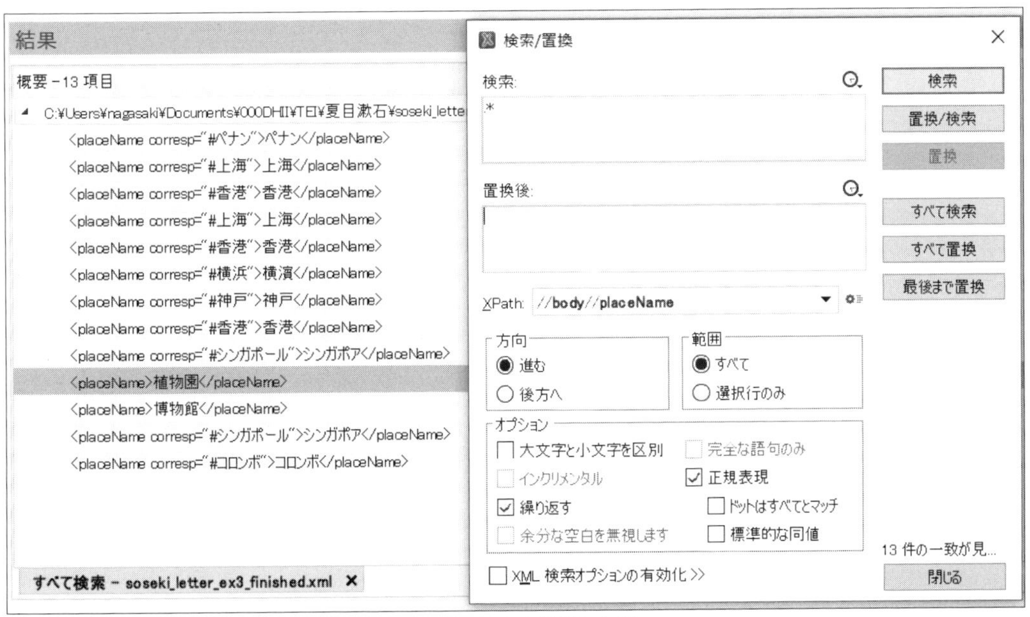

図 5　XPath を用いて本文内の <placeName> をすべて検索した例

なお、今回の XPath 指定では「//」が Path の途中にも使われていますが、これは「Path のなかで間にいくつの要素が入るか想定できない」場合に用いられる記法です。【図 5】

この検索の「結果」画面では、任意の行をクリックすると、本文を表示しているウインドウ上半分側で該当箇所にスクロールされてハイライトされます。それにより、本文中でのコンテキストの確認が簡単にできます。

2-2-3．XPath で属性を絞り込み

XPath では、エレメントでの絞り込み・特定に加えて、属性で絞り込むこともできます。たとえば、<rs> につけた人名 ID を対象として検索できます。この場合 XPath において、「//body//rs/@corresp」という風に書いてみます。このうち、<rs> は「/rs/」に対応する部分です。そして、「/@corresp」は、@corresp 属性を対象として検索を行うという意味です。【図 6】

このファイルには <rs> が多くないので効果的な検索と言えるような状態になっていませんが、数が増えれば増えるほど効果が高まります。

2-2-4．XPath への理解を深めるには

XPath 自体は、XML の関連技術として広く用いられているものであり、Oxygen XML Editor でなくても利用できる場面はさまざまにあります。次に扱う XSLT においても重要な役割を果た

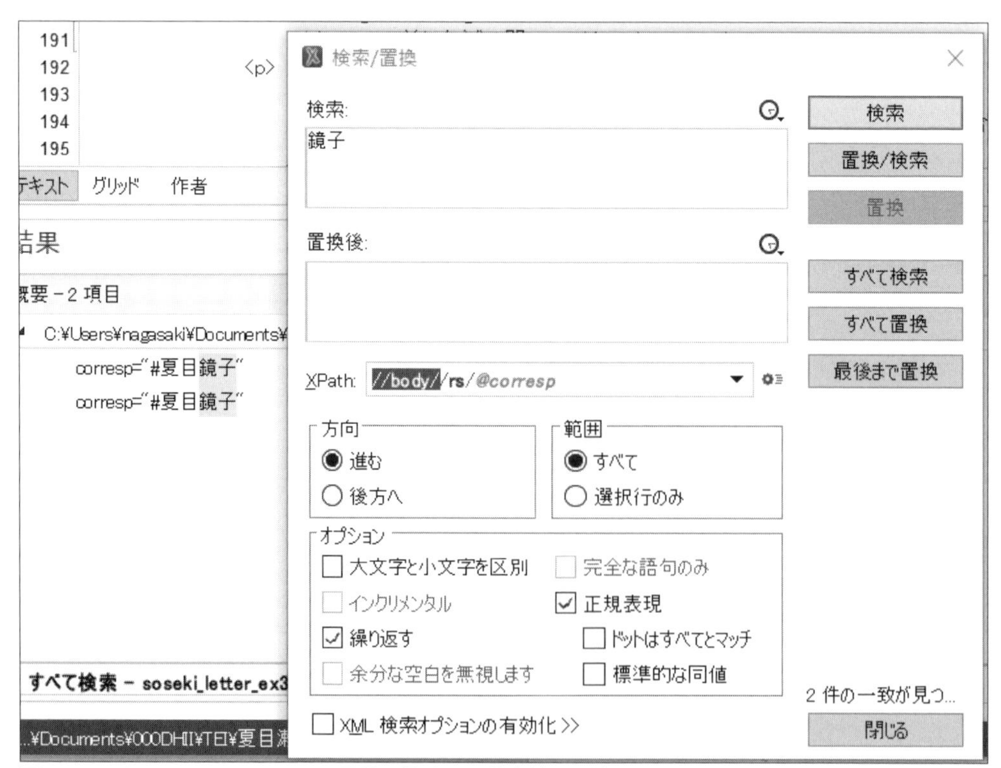

図 6　XPath で <rs> の @corresp 属性を指定して検索結果を絞り込み

しています。また、XPath を拡張したものとして XQuery というクエリ言語も利用されるようになっています。詳しくは、関連書籍などをご覧ください。[3)]

2-2-5．複数ファイルの同時検索

Oxygen XML Editor には、同じフォルダに入っているファイル群や、ワイルドカードで指定したいファイル群をまとめて検索したり置換したりする機能があります。この機能では、ここまで見てきた高機能な検索も一通り使えますので、同じルールでタグ付けしたファイルが増えてくると大きな効果を発揮します。

複数ファイルを同時検索する際には、メニューバーの「検索」から「ファイルから検索 / 置換」を選んでください。そうすると、以下のようなダイアログが表示されます。「検索するテキスト」

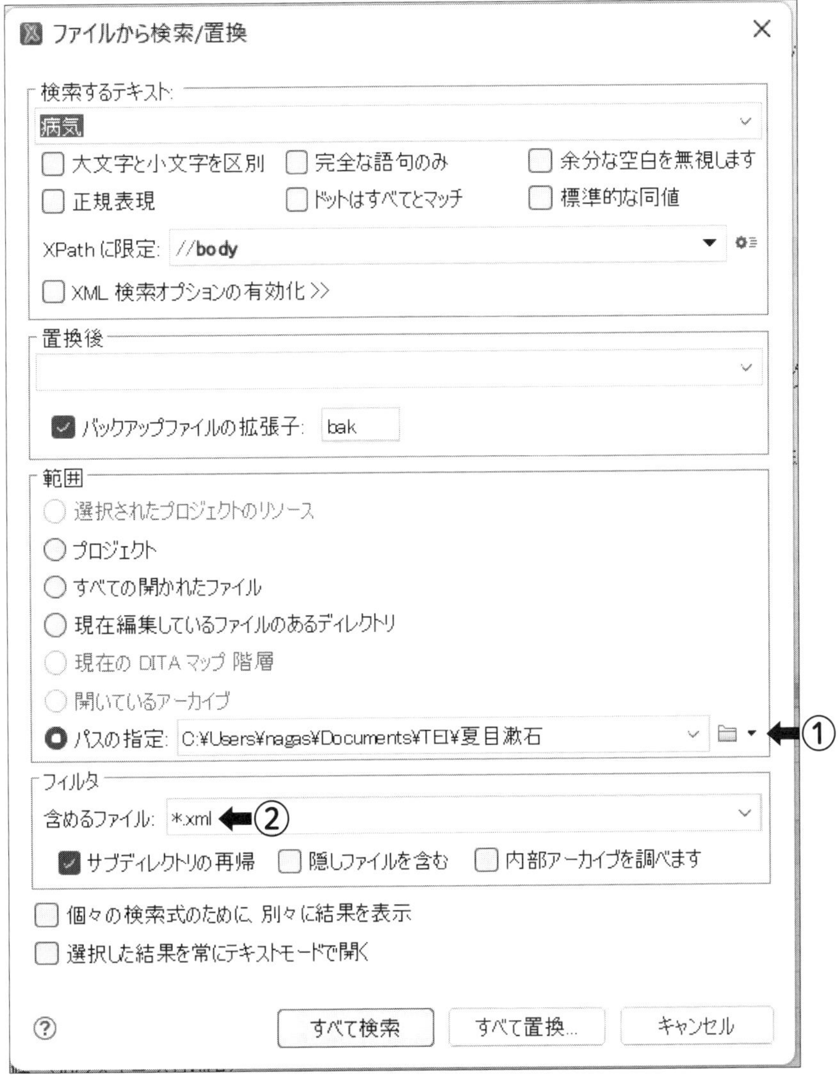

図 7　複数ファイルの一括検索の例

のところは、ここまで扱ってきたものと基本的に同じ機能です。もう少し下にある「範囲」のところで、①「パスの指定」を選んで、検索したいファイルが入っているフォルダを選択すると、それらをまとめて検索できます。また、②検索対象とするファイルの種類やファイル名を絞り込みたいときは、「フィルタ」の「含めるファイル」のところにワイルドカードで入力してください。たとえば、拡張子が .xml のファイルだけを検索したければ「*.xml」と書き込みます。【図 7】

検索結果では、ファイルごとにヒット数を表示したり、検索結果のウインドウを右クリックすると検索結果を保存したりすることもできますので、検索結果を分析する際にも有用でしょう。

3．XSLT による処理

XML 文書を処理・整形する有力な手法の一つとして、XSLT（XSL Transformations）があります。これは、XML の関連技術として XML データを変換するための XSL（Extensible Stylesheet Language）という言語を用いてデータの構造変換を行う手法です。XML 文書を扱うための容易かつ標準的な手法として欧米の Digital Humanities の授業では基礎として教えているところが多いようです。この技術は確立された体系を持つ言語であり、本来は基礎からきちんと学ぶべきですが、Oxygen XML Editor では、この XSLT を処理する機能が標準装備されており、比較的容易に試行できます。そこで、漱石書簡の TEI/XML 文書の整形を通じて簡単な処理を体験してみましょう。

3-1．XSLT 文書を新規作成する

Oxygen で「新規作成」をすると【図 8】のようなダイアログが開きます。ここで、今回は「XSLT Stylesheet」を選んで「作成」をクリックしてください。

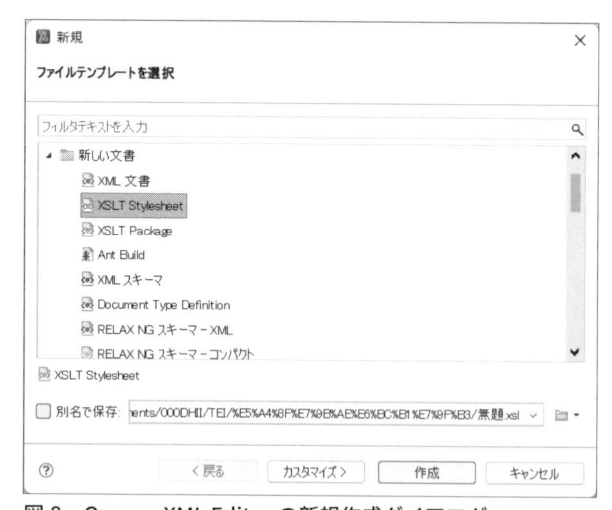

図 8　Oxygen XML Editor の新規作成ダイアログ

3-2．TEI の名前空間に関する情報を記述して保存

そうすると、XSLT Stylesheet の最小のテンプレートが書かれたファイルが開きます。これが XML に準拠して書かれていることに注目してください。

次に、【図 9】のように、**5 行目のところに、TEI の名前空間を記述**した上で、**6~9 行目の内容を記述**してください。これらはいずれも、Oxygen の強力な入力支援機能がタグの記述を助けてくれますので、うまく活用してください。その後、**このファイルを保存してください**。ファイル名はたとえば「sokei_trans.xsl」などとしてください。

```
1  <?xml version="1.0" encoding="UTF-8"?>
2  <xsl:stylesheet xmlns:xsl="http://www.w3.org/1999/XSL/Transform"
3      xmlns:xs="http://www.w3.org/2001/XMLSchema"
4      exclude-result-prefixes="xs"
5      version="2.0" xmlns:tei="http://www.tei-c.org/ns/1.0">
6      <xsl:output method="html" encoding="UTF-8" version="5"/>
7      <xsl:template match="/">
8          <xsl:apply-templates select="tei:TEI"/>
9      </xsl:template>
10 </xsl:stylesheet>
```

図9　XSLT テンプレートへの最初の記述

5行目に追記したTEIの名前空間の箇所は、この文書のなかでTEIの名前空間に属するタグにはteiという接頭辞を持たせるという宣言をしています。6〜9行目は、まず6行目ではHTMLをエンコーディングはUTF-8、HTML5に準拠して出力することを指示し、7行目のテンプレートタグでは変換対象となるXML文書のエレメントツリーのルート（XPathでの最初の「/」）を指定して、そのなかで、8行目において名前空間teiを持つエレメントTEIの内容を取り出す、という処理をしています。9行目は、7行目の開始タグを閉じる終了タグです。

3-3．XML 文書に XSL ファイルを関連付ける

XML文書にXSLファイルを関連付けると、変換結果を見ながら作業することが容易になります。そのために、上記のようにXSLファイルを保存してから**夏目漱石書簡のXML文書に戻り**、それから「変換シナリオの設定」ボタンをクリックしてください。【図10】

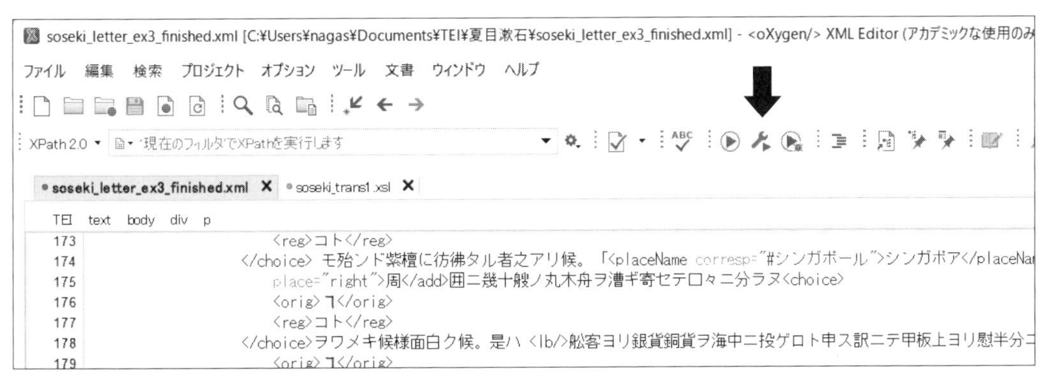

図10　変換シナリオの設定ボタンをクリック

3-4．「変換シナリオの設定」

「変換シナリオの設定」のダイアログが開いたら、「新規」ボタンをクリックして「XML Transformation with XSLT」を選んでください。【図11】

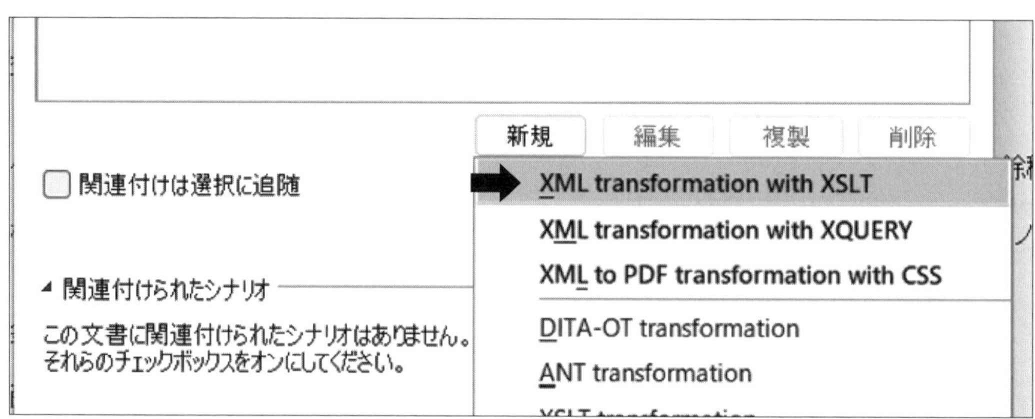

図 11　「新規」ボタンをクリックして表示されたメニューから「... with XSLT」を選択

3-5.「新しいシナリオ」の設定 -XSLT

「新しいシナリオ」は、XSL ファイルを用いてどのように変換を行うか、を設定します。XML 文書から設定を開始しましたので対象となる XML 文書は「XML URL」のところに指定されています。ここでは、「XSL URL」のところに、①先ほど保存した XSL ファイルを指定してください。その後②「出力」タブをクリックしてください。【図 12】

3-6.「新しいシナリオ」の設定 - 出力

この画面では、①「別名で保存」のところに何らかの HTML のファイル名を入れてください。それから、②「ブラウザ／システムアプリケーションで開く」にチェックを入れてください。その後③「OK」をクリックしてください。【図 13】

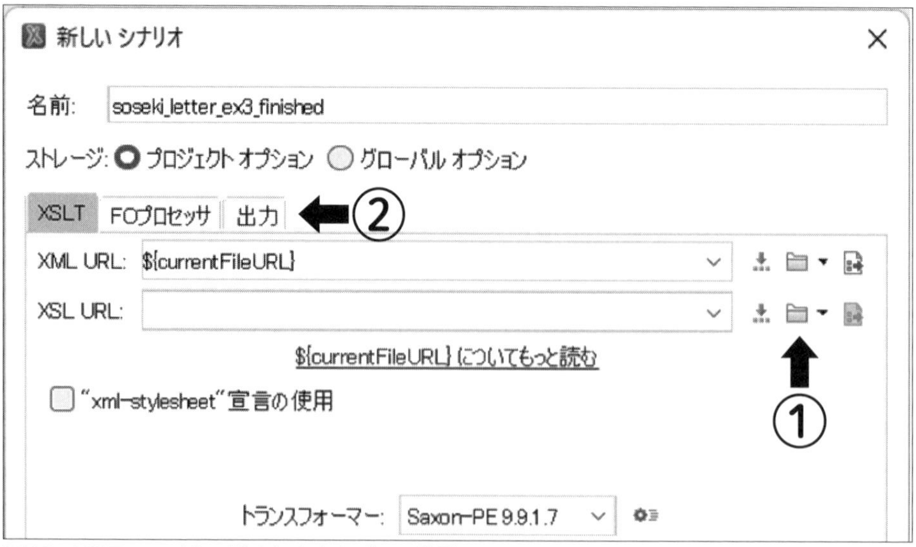

図 12　XSLT ファイルの指定と出力タブへの移動

図 13　出力結果をブラウザで自動表示するための設定

3-7.「変換シナリオの適用」をする

変換対象となる漱石書簡の XML 文書の画面に戻ってから「変換シナリオを適用』ボタンをクリックしてください。【図 14】

そうすると、Web ブラウザが起動して、以下のように、テキストだけが抜き出されて表示されるはずです。これができていれば、XSL ファイルの関連付けは完了です。これ以降、XSL ファイルや XML 文書を書き直した後、この「変換シナリオを適用」をクリックすると、それに応じた変換がなされ、Web ブラウザで表示されるようになります。【図 15】

3-8．本文 <body> の内容を表示させる

soseki_trans.xsl に戻ってください。ここで、以下の図の 10～18 行目を追記して、**保存してから、漱石書簡の XML 文書に戻って**「変換シナリオの適用」をしてみてください。そうすると、本文が Web ブラウザに表示されるはずです。【図 16】

ここでは、7～9 行目で漱石書簡 XML 文書中の `<TEI>` を処理した後、10 行目では `<teiHeader>` を指定しつつ何も出力せず、11 行目で `<text>` の処理を開始し、その下位にある

図 14　「変換シナリオを適用」ボタンをクリック

漱石筆鏡子宛て書簡 夏目漱石 あなたの名前 TEI符号化 第一版 2ページ 文学通信 一般財団法人人文情報学研究所 あなたの名前 一般財団法人人文情報学研究所 文京区本郷5-26-4 東京都 113-0033 令和四年七月二十五日 ID_of_this_file クリエイティブ・コモンズ　表示 - 継承 4.0 国際 (CC BY-SA 4.0) TEI演習のために翻刻された 東北大学附属図書館 宮城県仙台市 夏目漱石家族文書 漱石文庫データベース（2020年再撮影） sk00000771 https://www.i-repository.net/il/meta_pub/G0000398tuldc_sk00000771 漱石筆鏡子宛て書簡 近代日本語の漢字仮名交じり文で書かれている。

図 15　「変換シナリオを適用」ボタンをクリックした結果表示されるブラウザ画面の一部

<body> を 15 行目で出力しています。また、12 ～ 14 行目と 16 ～ 17 行目には HTML のタグとしての <html>、<head>、<body> が記述してありますが、これはこのまま出力されるものであり、この出力結果が HTML ファイルとして機能するようにしています。14 行目の <body> タグには @style 属性がついています。これで、周囲に 50px の余白をとるように設定しています。

3-9．本文の段落を表示

このままでは段落の区別すらなく、とても読みづらいので、とりあえず段落を区別するスクリプトを追加します。以下のスクリプトを先ほど書いたテンプレートの次に追記してください。今回の XML 文書では、<div> の中に複数の <p> が書かれているという構造になっていますので、繰り返しを扱う <xsl:for-each select=""> というタグを用います。これは、select="" で指定した XPath に対応する内容がなくなるまで繰り返し処理をします。これを**追記して保存したら、漱石書簡の XML 文書に戻って**「変換シナリオの適用」をしてみてください。【図 17】

```
7   <xsl:template match="/">
8       <xsl:apply-templates select="tei:TEI"/>
9   </xsl:template>
10  <xsl:template match="tei:teiHeader"> </xsl:template>
11  <xsl:template match="tei:text">
12      <html>
13          <head/>
14          <body style="padding:50px">
15              <xsl:apply-templates select="tei:body"/>
16          </body>
17      </html>
18  </xsl:template>
```

図 16　漱石書簡中の <body> の内容のみを表示する記述

このスクリプトでは新しくテンプレートを記述しています。19 行目で <div> タグを処理することを示し、20 行目では <p> を繰り返し処理すると宣言し、22 行目では、<p> タグのノードを処理・表示するようにしています。そして、21、23 行目では表示のために HTML の <p> タグを開始と終了として記述しています。これにより、各パラグラフが分割されて表示できるはずです。

```
19      <xsl:template match="tei:div">
20          <xsl:for-each select="tei:p">
21              <p>
22                  <xsl:apply-templates select="node()"/>
23              </p>
24          </xsl:for-each>
25      </xsl:template>
```

図 17　本文を段落毎に表示する記述

3-10．<choice> の選択を行う

このスクリプトは、現状では、<choice> として記述した <sic> と <corr>、<orig> と <reg> がそのまま並べて表示されてしまっています。これでは検索には不便です。そこで、とりあえず、全体としてオリジナルにあわせた表記のみを表示してみます。【図 18】のテンプレートを、先ほどのテンプレートに続けてさらに追記して**保存し、再び漱石書簡の XML 文書に戻って**「変換シナリオの適用」をしてみてください。

```
26      <xsl:template match="tei:choice">
27          <xsl:apply-templates select="tei:orig"/>
28          <xsl:apply-templates select="tei:sic"/>
29      </xsl:template>
```

図 18　正規化しない元の表記と原文ママを選択する記述

これは、<choice> タグの内容として <orig> か <sic> があればそれを表示すると指示しています。この tei:orig, tei:sic と書いてあるところをそれぞれ tei:reg, tei:corr と書き換えて保存し、漱石書簡の XML 文書に戻って「変換シナリオの適用」を実行してみて、違いを確認してみてください。

3-11．<subst> の表示を行う

<choice> と同様に <subst> における <add> と <del>、つまり、ミセケチと追記も記述して保存し、適用してみましょう。【図 19】

```
30      <xsl:template match="tei:subst">
31          <s>
32              <xsl:apply-templates select="tei:del"/>
33          </s>
34          <b>
35              <xsl:apply-templates select="tei:add"/>
36          </b>
37      </xsl:template>
```

図 19　ミセケチと追記を表示する記述

全体的な構造は <choice> と似ています。ここでは、<del> タグの文字列には HTML の <s> タグを用いて取り消し線を引き、<add> タグの文字列は HTML のタグ <b> を用いて太字で表記することになります。

3-12. <add> を表示する

漱石書簡の XML 文書では、<subst> に含まれない <add> タグもあります。これを太字にするとともに、@place 属性に right を持つものの位置を少しずらしてみましょう。以下のものを追記して**保存してから、漱石書簡の XML 文書に戻って**「変換シナリオの適用」を実行して、Web ブラウザに表示されるものを確認してみてください。【図 20】

```
38      <xsl:template match="tei:add">
39          <xsl:choose>
40              <xsl:when test="@place = 'right'">
41                  <span style="font-weight:bold;vertical-align: super;">
42                      <xsl:apply-templates/>
43                  </span>
44              </xsl:when>
45              <xsl:otherwise>
46                  <span style="font-weight:bold;">
47                      <xsl:apply-templates/>
48                  </span>
49              </xsl:otherwise>
50          </xsl:choose>
51      </xsl:template>
```

図 20　追記を本文からずらして表示する記述

ここでは、39 行目に <xsl:choose> を入れることで条件に応じて分岐するようにしています。40 行目では、<xsl:when> タグの@ test 属性において、<add> タグの @place 属性に right を持つものが来たら処理することを指示します。そして、41 行目では HTML の <span> タグに @ style 属性をつけて太字にした上で位置を上付けにします。そして、42 行目で対象となる <add> の内容を出力します。45 行目では、@place の値に right を持たない場合の処理を指示しています。

3-13. <closer> の表示

<closer> は、今のところ特に何もしていません。そこで、<salute> は少し行下げをして、署名は右寄せにしてみましょう。以下のように記述して保存し、適用してみましょう。【図 21】

これまでと同様に、HTML として Web ブラウザ等で見た目を適切に表示するために <div> タグの @style 属性に CSS でスタイルを記述しています。このように、CSS を記述することで見た目を調整します。

3-14. <lb> を改行させる

漱石書簡の XML 文書では、<lb> タグを見た目にあわせて入力してあります。Web ブラウザ上で同様に表示するためには、<lb> を
 タグに置換するのが一つの方法です。このために、以下のように記述して保存し、適用してみましょう。【図 22】

```
52  <xsl:template match="tei:closer">
53      <div style="text-indent:3em">
54          <xsl:apply-templates select="tei:salute"/>
55      </div>
56      <div style="text-align:right">
57          <xsl:apply-templates select="tei:signed"/>
58      </div>
59  </xsl:template>
```

図 21　書簡の結びの表示を整形する記述

記述の仕方としてはこれまでと同様ですので確認してみてください。

```
60  <xsl:template match="tei:lb">
61      <br/>
62  </xsl:template>
```

図 22　書簡中の改行にあわせて改行する記述

3-15．縦書き表示

縦書きにするためには上記の<body>を記述する際に @style として縦書きを指定するだけでも記述できます。しかしながら、縦書きであるかどうかは、個々の XML 文書の方で記述し、処理する側ではその記述に応じて横書きか縦書きかを決定して表示する方が処理の全体としては適切です。そのためには、以下のように記述するのが一つの方法です。記述・**保存してから、漱石書簡の XML 文書のタブに戻って**「変換シナリオの適用」を実行してみてください。【図 23】

先ほど、ただ<body>タグを書いただけのところが、14 行目のようになっています。これは、タグの作成を<xsl:element>によって行っているものです。この機能を通じて、15～18 行目を通じて変換対象となる XML 文書に書かれたスタイルを取り込んでいます。また、17 行目では、元の XML 文書をよりみやすくなるようにスタイルを追加しています。

```
11  <xsl:template match="tei:text">
12      <html>
13          <head/>
14          <xsl:element name="body">
15              <xsl:attribute name="style">
16                  <xsl:value-of select="tei:body/@style" />
17                  ;padding:50px
18              </xsl:attribute>
19              <xsl:apply-templates select="tei:body"/>
20          </xsl:element>
21      </html>
22  </xsl:template>
```

図 23　TEI/XML 中のスタイルを取り込み縦書き表示する記述

3-16．余計な空白を削除する：適切な検索のために

前項で作成した HTML のデータは、<choice> の境目をはじめとしてあちこちで半角スペースが入ってしまっています。単語間に空白が入る書記体系ではあまり問題になりませんが、日本語では空白が入ることで不便になることも多いのです。たとえば、検索するときに <choice> の中身とその前後の文字列を続けて検索できないという問題が生じます。とりあえずの解決策として、出力した本文部分の文字列から不要な半角スペースを削除してしまうスクリプトを追記してみましょう。以下の図のように記述・**保存してから、漱石書簡の XML 文書のタブに戻って**「変換シナリオの適用」を実行してみてください。【図 24】

```
68     <xsl:template match="text()">
69         <xsl:value-of select="normalize-space(.)"/>
70     </xsl:template>
```

図 24　余計な空白を削除する記述

3-17．人名リストを取り出してみる

ここまでは、全体的な整形と閲覧のための処理方法をみてきました。一方で、タグを活かして特定の情報だけを抽出する場合にも XSLT は便利です。たとえば、本文中の人名とその @corresp を抜き出してカンマ区切りでリストを作る場合には以下のようになります。新しい XSL ファイルを作成して以下のものを記述・保存し、適用してみてください。【図 25】

これまでと異なる点のみを見てみますと、まず、5 行目の method="" のところが異なっています。今回は本文である <body> のみを対象にしますので、8 行目、14 行目で、<body> 以外から出力されないようにしています。11 行目では二つの要素を取り出して、カンマと改行（<xsl:text>
</xsl:text>）を記述しています。15～17 行目では、これまでと同様に、余計な空白を削除しています。

```
4      xmlns:tei="http://www.tei-c.org/ns/1.0">
5      <xsl:output method="text" encoding="UTF-8"/>
6      <xsl:template match="/">
7          <xsl:apply-templates select="tei:TEI"/></xsl:template>
8      <xsl:template match="tei:teiHeader"></xsl:template>
9      <xsl:template match="tei:body">
10             <xsl:for-each select=".//tei:persName">
11 <xsl:apply-templates select="."/>,<xsl:apply-templates select="@corresp"/><xsl:text>&#xA;</xsl:text>
12             </xsl:for-each>
13     </xsl:template>
14     <xsl:template match="tei:back"></xsl:template>
15     <xsl:template match="text()">
16         <xsl:value-of select="normalize-space(.)"/>
17     </xsl:template>
18 </xsl:stylesheet>
```

図 25　人名情報を処理しやすい形で取り出す記述

同様にして、<rs>や<placeName>等でも試してみてください。

3-18. さらなる挑戦

「変換シナリオの設定」では、複数のXSLTファイルを作成・設定し、同時に複数のファイルを変換できます。そこで、ここまでの取り組みを踏まえ、検索用に「書かれたままのテキスト」と「検索しやすく正規化されたテキスト」を抽出するためのテキストを作成してみてください。そこで、「書かれたまま」「検索しやすく正規化する」ということをどのように定義するか、検討してみてください。

3-19. XSLTのまとめ

ここでは、特に原理的な説明はせずに、実際に動くものを一通り試していただきました。以上で、何がどのように可能なのか、ということについてのある程度のイメージをつかんでいただけたのではないかと思います。今回試してみたものを適当に調整するだけでもそれなりのことができます。XSLTはガイドブックやWebページでの解説などもいろいろ出ていますので、深く知り、きちんと使いこなしていくことを目指すのであれば、そういったものを参考にしてみてください。

4. 既存のツールによる活用

TEIガイドラインは、人文学のさまざまな分野・さまざまな観点を反映したものであり、したがって、TEIガイドラインに準拠したツールにもさまざまな用途のものがあります。自らの用途にあわせて表示・処理ツールを作成することも多いですが、近年はそのソースコードをオープンソースとして公開することも増えてきており、そういったものを元にして自分のデータにあったツールを開発することも可能になっています。既存ツールについては、詳しくは第3部第4章の中村覚氏による「TEIデータの可視化方法と事例紹介」をご覧ください。なかでも、今回の漱石書簡のXML文書を利用しやすいものとして挙げておきますと、書簡の視覚化ツールがあります。これに関してのみ、少し試してみましょう。

TEI協会東アジア／日本語分科会のGitHubサイトの青空文庫TEIプロジェクトのサイト[4)]にアクセスすると、ページの下の方に「視覚化ツール」というコーナーがあります。ここの中で「<correspDesc>を用いて書簡の送受信を可視化する」をクリックしてください。そうすると「書簡の送受信の可視化」というページが開きます。このページの一番下の「TEI/XMLファイルを選択して表示する」というフォームで、漱石書簡のXML文書を指定してみてください。そうすると、地図・年表等にこの書簡が表示されます。書簡一つだけではそれほどインパクトはありませんが、多くの書簡を同様にマークアップして一括して表示したなら、新たな気づきを得られることがあるかもしれません。TEI/XMLファイルは、このようにしてTEIガイドラインに準拠した既存のツールに読み込み、視覚化することで有用性を高めることもできます。

5．保存と共有

自分で作成したTEI/XMLファイルは、GitHubやGitLabといったソースコード共有サイトや、Zenodo[5] 等の研究データ共有のためのサイトで公開できます。また、TEI 協会も運営に関わっているTEIファイルの共有サイトTAPAS[1] も利用できます。ファイルの公開そのものが目的である場合には、いずれかのサイトで公開するのがよいでしょう。あるいは、大学に所属のある人場合、最近は機関リポジトリで研究データを受け付けている場合もありますので、その方向も検討してみてもよいでしょう。

あるいは、研究の一環としてTEIファイルを作成した場合には、TEIファイルを用いて適切な学会・研究会等で研究発表を行い、しかるべき成果として公表された後にTEIファイルを公開するのがよいでしょう。

いずれの場合にも、視覚化や分析のためにツールを開発した場合には、それも一緒に公開することで、利活用の選択肢が広がり、研究データとしての公開の価値が高まります。あるいはまた、他のファイルをファイル内から参照している場合には、参照先のファイルも含めて一緒に公開した方がよいでしょう。研究データの公開・共有は、近年、重要性が増しつつあり、そこでは、データがどのようなものであるかの説明をメタデータとして記述する必要がありますが、その場合には、`<teiHeader>`を活用してください。

6．おわりに

ここまで、TEIガイドラインの利活用に関する知識とある程度の実習を体験していただきました。TEI/XMLで作成された文書には幅広い利用可能性があります。XSLTのみならず、PythonやJAVA、RubyやR、PHPなど、さまざまなプログラミング言語はXMLを容易に扱うための機能を持っており、さまざまな利用が可能です。TEI 協会東アジア／日本語分科会のGitHubサイト[6] ではさまざまな利用例を紹介していますので、ぜひご覧になってみてください。

注

1　Tapas Project: Visualize, Store, and Share Your TEI, https://tapasproject.org/.
2　使い方をもう少し詳しく知りたい場合には、たとえば、「とほほの正規表現入門」https://www.tohoho-web.com/ex/regexp.html は用例も豊富でわかりやすくおすすめです。
3　日本語の書籍としては、『標準講座 XQuery』翔泳社（2008 年）等があります。
4　青空文庫で TEI プロジェクト、https://github.com/TEI-EAJ/aozora_tei/。
5　Zenodo, https://zenodo.org/.
6　TEI 協会東アジア／日本語分科会 https://github.com/TEI-EAJ/.

COLUMN 2

TEI 協会　東アジア／日本語分科会の活動

永崎研宣

1．はじめに

TEI 協会（Consortium）には、目的に応じた分科会（Special Interest Group, SIG）が設置されている。技術委員会による承認手続きを経て、これまでに、手稿・写本、CMC（コンピュータを介するコミュニケーション)、図書館、オントロジー、言語学、書簡など、さまざまな分科会が必要に応じて設置され、それぞれの観点から TEI ガイドラインを検討しつつ、用途に特化されたルールの策定やツールの開発、場合によっては、TEI ガイドライン自体の改訂の提案を行ったりしてきた。2016 年、ここに仲間入りしたのが東アジア／日本語分科会（EAJ）である。この分科会については本文中でも何度か触れているが、ここでは、その設立の経緯について改めて振り返るとともに、その活動について紹介しておきたい。

2．EAJ 分科会の設置

EAJ 分科会は、日本をその一部とする東アジア文献の伝統を TEI ガイドラインに適切に対応させることを目的として設置された。汎用的なガイドラインを目指す TEI 協会においては、個々の地域文化の特性に配慮することを避ける傾向があり、これまではそうした分科会は作られることはなく、そのような要素･属性もガイドラインにはほとんど含まれていなかった。しかしながら、英語文献をはじめとして欧米の文献であれば比較的自然に TEI ガイドラインを適用できるものの、東アジア文献では前提条件がさまざまに異なることから、独自の解釈が必要であり、それを突き詰めると、むしろこれにあわせた要素・属性・属性値、あるいは階層構造が必要となる場合もある。筆者らは、SAT 大蔵経テキストデータベースの構築を通じたデジタル研究基盤についての研究を踏まえてこのテーマについての議論を重ね、2016 年にクラクフで開催されたデジタル・ヒューマニティーズ年次国際学術大会において問題提起[1)]を行い、これに基づいて、チャールズ・ミュラー氏（東京大学教授・当時）と筆者が共同で分科会の設置を正式に提案した。その結果として、EAJ 分科会が設置されることとなったのである。これに続いて、インドテキスト分科会が設置され、2018 年には、TEI が開始されて 31 年目にしてようやく、欧米の外である東京において会員総会が開催され、さらに、2019 年には国際化ワークグループ [2] が設置されるなど、TEI のコミュニティが本格的に国際化に取り組み始めた一つの契機として EAJ 分科会を位置づけることもできるだろう。

3．EAJ 分科会の活動

EAJ 分科会は、設立後、運営委員を選出し、岡田一祐氏・中村覚氏・筆者がその任に就いて分科会の活動を企画し、運営してきている。その活動には、定例的なミーティングと、時宜に応じたイベントがある。定例的なミーティングとしては、主に 2 週間に一度の定期的な会合を行ってきており、翻訳会と勉強会を交互に実施している。近年は、情報処理学会人文科学とコンピュータ研究会、情報知識学会、日本デジタル・ヒューマニティーズ学会等が後援する形で行われている。イベントについては、シンポジウムを開催したり、初心者向けの TEI 入門セミナーを開催することがある。ここではそのうちの定例的なミーティングを中心として紹介しておきたい。

4．TEI 翻訳会

日常的な活動としての翻訳会は、日本において TEI を普及させるための基礎を築くものであると同時に、翻訳を通じて参加者が人文学テキストの構築とそれについての TEI ガイドラインにおける考え方に関する理解を深める場にもなっている。近年、TEI ガイドラインは、半年に一回の頻度でアップデートが行われており、そのたびに新たなエレメントや属性等が追加されたり構造に改良が加えられるなどし、それらに関する説明が追記・修正されてきている。そのうちで翻訳の対象となるものは大きく二つに分けられる。一つは、Oxygen XML Editor 等で表示されるタグや属性等の説明の箇所（以下、「タグ属性の説明」）であり、もう一つは、TEI ガイドラインの全体的な説明（以下、「ガイドライン全体」）である。「タグ属性の説明」については、P5 ガイドラインの初期版が大矢一志氏により全面的に日本語訳されているが、その後 10 年以上かけてアップデートが行われてきており、最新版への日本語訳の追従が十分でないため、これを翻訳する作業が継続的に行われている。また、これに際しては、TEI コミュニティの主力エンジニアの一人であるカナダ・ヴィクトリア大学の Martin Holms 氏が Google Spreadsheet 上に共同翻訳のためのスプレッドシートを作成し、これを中心として作業が始まった。その後、上記の国際化ワークグループの成果の一つとして、米国デューク大学の Hugh Cayless により GitHub 上の「タグ属性の説明」に対して翻訳の追記修正を容易に行う Web インターフェイスが提供され作業効率が向上した。

「ガイドラインの全体」の日本語訳は、分量の膨大さのため着手すら容易でなかったものの、関西大学アジア・オープン・リサーチセンターの東アジア DH ポータルにおける TEI ガイドライン日本語訳を支援する形で開始された。とはいえ、何か特別なことをしているわけではなく、関西大学のプロジェクトで作成された翻訳を翻訳会に集まったメンバーでひたすら確認しつつ修正していくだけである。全体的な説明の文章については、人文学のなかでも対象となる分野が多岐にわたる上に用例の多くが欧米圏のものであり、説明の多くもそれに即したものであるため、さまざまな分野の研究者が集って検討することがきわめて有効である。結果として、筆者も含め各々の参加者が、マークアップの考え方や用例の検討を通じて人文学におけるさまざまな分野の知識を相互に補完する機会となり、知的刺激に満ちた会となっている。また、この翻訳を通じてガイドライン原文の要修正箇所を発見して報告・修正することも数度にわたり、ローカルな翻訳の活動がグローバルに貢献するという事態も生じている。

5. TEI 勉強会

EAJ 分科会の勉強会では、何らかの形で TEI に準拠したマークアップを行ったり、それについての情報交換を行ったりすることが主な活動となっている。何らかのまとまった成果を共同で出すことを目指す場合もあり、成果のほとんどは GitHub[3] で公開してきている。これまでに取り組んできたことの一部を以下に紹介してみよう。

・青空文庫で TEI

青空文庫のテキストの一部を TEI 準拠テキストとしてマークアップしたり視覚化したりするなどの取り組みを行った。そのうちのいくつかを挙げてみると、書簡を <correspDesc> を用いてマークアップして地図・年表上にマッピングしたり、戯曲をマークアップして LINE 風に表示したりするなどのマークアップを行ったり、あるいは、与謝野晶子訳『源氏物語』を池田亀鑑(きかん)編著『校異源氏物語』[4] と文章単位でリンクして古文の源氏物語を読みやすくするための基礎データ作成を行った。視覚化については、主に中村覚氏が表示システムを開発し、GitHub で公開されているため、誰でも試したりその視覚化自体を自分のサイトに組み込んだりすることも可能である。源氏物語の古文・現代語訳リンクに関しては、デジタル源氏物語[5] で活用されている。

・TEI 日本語ガイドライン作成とルビエレメントの提案

TEI ガイドラインを日本語資料に適用するためのベストプラクティスとして、TEI 日本語ガイドラインを作成している。TEI に準拠したマークアップについての全般的な説明とともに、すでにマークアップが行われたテキストを中心として、日本語資料においてありがちな状況を採りあげてそれに対するマークアップの事例を示している。この議論の流れにおいて、日本語のルビを TEI ガイドラインにエレメントとして導入すべきかどうかの議論がなされ、結果として、TEI ガイドラインへの提案が行われ、TEI 技術委員会や関係者との長い議論の末に、第三章に記載される形での導入が決定した。この過程では、ルビをどう定義するかも含めてさまざまな角度からの議論が行われ、GitHub の Issues[6] の複数のスレッドに記録されている。興味がある方はぜひ参照されたい。

・『校異源氏物語』の校異情報マークアップ

日本語古典籍のためのマークアップの事例の作成と、その作成作業を通じた経験の蓄積のため、『校異源氏物語』の校異情報を TEI ガイドライン第十二章で示される Parallel segmentation method[7] に準拠してマークアップするという作業に取り組んだ。Parallel segmentation method に対応した校異情報表示ツールは米国[8]・フランス[9]・イタリア[10] でそれぞれに特徴的なものが開発・公開されており、利活用の幅が広いことから、そのような環境下での日本語古典籍のデジタル化の可能性を示すことを期待したものである。しかしながら、「きりつほ」（桐壺）の章のみを対象としたものの、写本も異同も多く、かなりの時間を要した。本書が刊行される頃には EAJ 研究会の GitHub サイトにて公開されている予定である。

TEI 勉強会では、このように勉強会として取り組むテーマ以外にも、参加した方々が取り組んでいるテーマを皆で検討することもあり、琉球の歴史文書や近代作家の草稿、日本語の言語コードなど、多様なテーマが採りあげられてきている。テーマについては事前に告知されることが多いため、興味のあるテーマがあればぜひご参加を検討されたい。

6．おわりに

ここまでみてきたように、EAJ 分科会は、人文学という本来的には国際的な枠組みにおける標準的なデジタル化ガイドラインの策定を目指す TEI 協会において、日本を含む東アジア全体のテキスト研究の伝統を反映させ、TEI ガイドラインをより適切な意味でグローバル化することを目指している。その過程ですべきことは膨大であり、現在のところは、いくつかのプロジェクトとの連携のなかで少しずつ活動を進めている。そこでは、東アジア・日本を対象とする研究者だけでなく、欧米圏においてすでに広まっている人文学向けテキスト構造化の知見や、そもそも、欧米圏におけるテキスト研究自体についての幅広い知識も必要である。日本における人文学向けのデジタルテキストの構築をよりよいものにしていくために、さまざまな分野からの参加が期待されるところである。

注

1　1. Kiyonori Nagasaki, Toru Tomabechi, Charles Muller, Masahiro Shimoda, "Digital Humanities in Cultural Areas Using Texts That Lack Word Spacing", Digital Humanities 2016, Krakow (Poland), (2016/7), http://dh2016.adho.org/abstracts/416.

2　https://tei-c.org/activities/workgroups/internationalization-i18n-workgroup/.

3 TEI 協会東アジア／日本語分科会、https://github.com/TEI-EAJ/。

4 池田亀鑑編著『校異源氏物語』中央公論社、国立国会図書館デジタルコレクション、https://dl.ndl.go.jp/info:ndljp/pid/3437686。

5 デジタル源氏物語、https://genji.dl.itc.u-tokyo.ac.jp/。

6 GitHub の TEI ガイドラインに関する Issues、https://github.com/TEIC/TEI/issues。

7 TEI ガイドライン 12.2 Linking the Apparatus to the Text, https://tei-c.org/release/doc/tei-p5-doc/en/html/TC.html#TCAPLK.

8 Versioning Machine 5.0, http://v-machine.org/.

9 TEI Critical Apparatus Toolbox, http://teicat.huma-num.fr/.

10 Edition Visualization Technology, http://evt.labcd.unipi.it/.

TEI活用の事例紹介⑤

Cambridge Digital Library – 詳細な書誌情報と版面画像から全文テキストまで

https://cudl.lib.cam.ac.uk/

ケンブリッジ大学図書館によるCambridge Digital Libraryでは、世界各地から収集した膨大な文献資料をデジタル化し公開している。TEI/XMLに準拠したリポジトリシステムを利用しており、テキスト本文だけでなく、teiHeaderエレメントを活用して装幀や来歴情報等も含む詳細な書誌情報を付与し検索もできるようにしている。画像はIIIFに準拠して公開されており、可用性が高い。たとえば、ニュートンの手稿は修正追記など作成過程で発生した状況も含めてマークアップされているが、ここではTEIガイドライン第11章に準拠した記法が採用されている*。

このデジタル図書館では日本語の貴重資料も400件以上含まれており、本文のテキストまでは含まれないものの、来歴情報等を含む詳細な書誌情報が付与されている。これはプログラムで情報を抽出・分析・可視化することが可能であり、書誌から得られる情報に基づく分析には有用である**。（永崎）

* TEI/XML準拠のファイルには、翻刻テキストとマークアップだけでなく各画像へのリンクや詳細な書誌情報も含まれている。https://services.prod.env.cudl.link/v1/metadata/tei/MS-ADD-03965.

** このサイトの日本語資料の書誌情報を分析した例としてこちらをご覧いただきたい。 https://digitalnagasaki.hatenablog.com/entry/2021/02/20/132545.

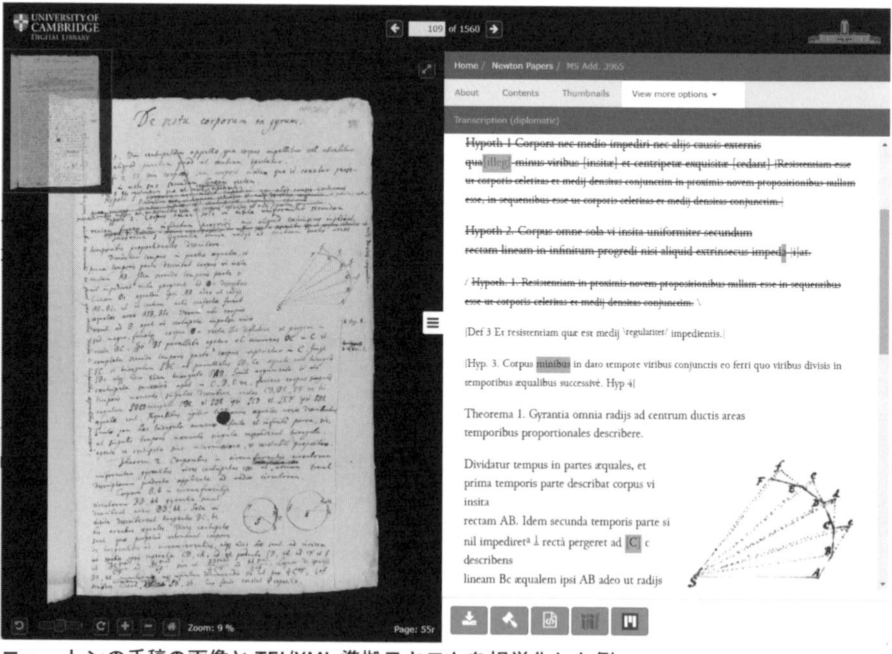

ニュートンの手稿の画像とTEI/XML準拠テキストを視覚化した例

第3部

事例編

テキストデータ構築の最新事情①

第1章

日本古辞書の TEI 符号化

岡田一祐

1．はじめに

日本における古辞書とは、慶長年間以前（–1615）の辞書を言い、現存最古の『篆隷万象名義』（9世紀）をはじめとして長い伝統を有する。それは中国編纂の字書などに強い影響を受け、現代の辞書とはかなり異なった構成を取る。本章では、その妥当な統一的符号化モデルを提示し、効率的な符号化や情報交換の一助としたい。また、古辞書は、典型的な翻刻／符号化の難しい文献である。それをどのように扱うかの心構えについても論じたい。

本章では、そのような目的のもとで、TEI に基づく符号化モデルを提示する。辞書の符号化については TEI の形成当初から取り組まれており、TEI の重要な一部をなすが、そのモデルについては漢字字書にかならずしも適用しやすく整理されたものではない。そのため、本章のモデルは、日本の古辞書の典型的な要素を効率よく符号化する基盤となることを重視するものである。このことによる正の効果として、辞書間の比較や統一的な処理が容易になることが期待できる。

本章では、まず日本の古辞書について概観したのち、古辞書にまつわる電子テキスト化の若干の問題を論ずる。そののち、辞書に特化した符号化モデルを提供する TEI の辞書モジュールについて解説を加え、それを補う TEI Lex-0 という試みについて述べる。そのつぎに、日本の古辞書の符号化モデルを論点ごとに示す。最後に『篆隷万象名義』および図書寮本『類聚名義抄』について符号化を試み、参考に『色葉字類抄』および『康熙字典』の符号化を行って、本モデルの応用可能性について見る。

2．日本の古辞書について

日本の古辞書、とくに平安期のそれは、中国の辞書史の伝統を汲み、中国辞書史をつうじてさまざまな辞書の伝統と相対しながら発展したものである[1)]。池田は、日本の古辞書に対して、いわゆる字書である『説文解字』[2)]や『玉篇』[3)]、また韻書と呼ばれる『切韻』[4)]などのほかに、仏典中の難語を釈義したものである仏典音義の影響が大であることを説く。その影響は、典拠として直接漢土の字書を引用することにとくにあらわである。たとえば、図書寮本『類聚名義抄』（1100年ごろ）の「詳」を見ると、つぎのようにある：

詳　宋云本音祥・慈云安者徐也、ー［詳］者審也。或以章反ー［詳］狂也。今從初・中云探玄記云ー［安］ー［詳］審諦之状。捷作庠。養也。庠之言詳也亦通・弘云審也論也議也諟也詐也。・又音与羊同　アキラカ詩　イツハル記　ツハヒラカニ選　眞云シヤウ[5)] …【例1】

ここでは、「詳」の文字がつづく注文（注釈文）の2行分の大きさを持つ掲出字（見出し）として現れ、その後に中国の字書である「宋」（宋本『大広益会玉篇（だいこうえきかいぎょくへん）』）や中国僧で法相宗を開いた「慈」（慈恩大師）の著作などにかくあるとし、その後にやはり出典の注記とともに和訓を提示する。このような掲出形式は、引書を明示しなくなって漢字字書としての色を強めた改変本系『類聚名義抄』（12世紀）においても、根本的に差異はない。

このような古辞書は、基本的には、同綴（異音）異義語 *homograph* を見出しにするものと把握でき、その弁義は主として音注によって行われる。つぎに掲げる「便」字は、そのような同綴異義語のひとつであるが、中国の『康熙字典』においてはつぎのようになっている：

便【廣韻】婢面切【集韻】【韻會】【正韻】毗面切, 竝音卞。順也, 利也, 宜也。［…］又【集韻】毗連切【正韻】蒲眠切, 音駢。【爾雅 · 釋訓】便便, 辨也。 …【例2】

日本の辞書に多大な影響を与えた宋代中国の『玉篇』においても、類例がある：

塞　蘇代切。《說文》云：隔也。又蘇得切。實也、滿也、蔽也。[6)] …【例3】

このような掲出字と注文という古辞書の構成は、国語辞書につながる『色葉字類抄』（1177–81ごろ）などにおいても大きく変わるわけではない。漢字をいろは順に整理し同一の字訓を持つ漢字をひと並びにする部を有する本書において、「ユルス」という字訓を有する漢字を検ずるに、

√許〈ユルス / 虚呂反〉√免〈亡弁反〉√赦（シヤ）　√聴〈—昇殿 / 他定反〉詐√原〈恕也〉[...]
税〈已上同〉[7)] …【例4】

となっていて、日本語としての語形や意味を重視する現代の国語辞書などとは異なり、漢字に優先的な地位が用意されていることがあきらかである。このため、古辞書であれば、漢字字書にかぎらず、統一的なモデルで処理が可能である。

3．文字標準化の埒外にある文献の翻刻

3-1．翻刻とはなにをすることか

さきほど、図書寮本『類聚名義抄』の翻刻を掲げた（【例 1】）が、これはあまり原典の現実に忠実ではない。【図 1】に該当箇所を掲げる。

翻刻とは、そもそも元あるものを同じ内容であらためて出版することを言う。被せ彫りといって、元あるものを版下として刷り出せば（ほぼ）まったく同じ内容となるし、単に文字だけ取り出すこともある。それは現代でも同じで、原義を拡張して、内容を取り出して別の存在物に移す行為と再定義することができよう。そして、この内容を取り出すという行為に大きな問題がある。

内容を取り出すうえでは、読める内容を取り出し、読める文字で伝えるという方法（*philological edition* を踏まえて文献学的翻刻と呼ぼう）と、書き手の残したものを尊重して、それを可能なかぎり伝える方法（*diplomatic edition* を踏まえて原典的翻刻と呼ぼう）の二極がある。ここでは、後者の原典的翻刻について考えよう。

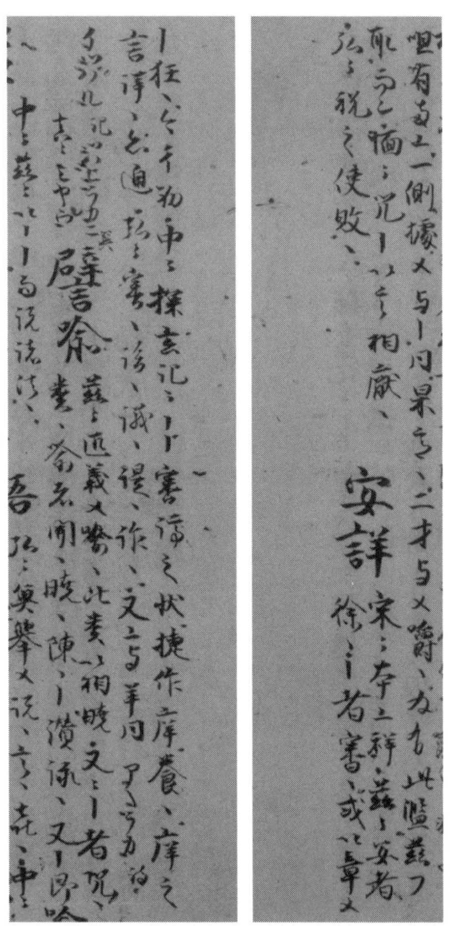

図 1　『残闕図書寮本類聚名義抄』（宮内庁書陵部、1950 年）、pp. 90–91

ここで掲げた翻刻は、原典的翻刻として成り立つ範囲においても、ワープロ上で再現するためのいくつかの判断が働いている。まず、掲出字に対して注は双行であるが、分かりきったこととして、字面だけ取って、行替えも示さないでいる。最後に和訓が示される箇所の最後には出典として詩や記などが脇に小さく印されているが、これは下付きに置き換えている。また、図版が白黒で分かりにくいが、「アキラカ」の周囲に着いた汚れのようなものは、原本では朱点が打ってあって、読み方を示す（声点といい、漢字や和語の声調を表す）。ワープロ上で済むならともかく、それを白黒印刷するなど、媒体を越えたときに再現し続けることの困難さと比べて、内容には関わらないことであるから、示していない [8]。

これらのことがらは、ワープロ上での再現は困難であるが、つぎに述べる符号化によって概念の記述をすることができるから、さしあたって問題とはならない。しかるに、つぎに述べることがらは、ワープロ上の再現としては問題とはならないが、概念の記述には差し支えることがらである。

注の中身を上から見ていくと、「本」は俗字「夲」だし、「音」は「亠」としか書かれないし、「也」は「丶」

でしかない。「でしかない」と書いたが、これは見た目を借りたまでで、「亠」は部首を表すための文字なのであって、ここでの「音」の略字とは異なるし、「丶」はチュという字音を持つ漢字であって、やはりここでの「也」の略字とは異なる。コンピュータ上の文字は、文字の種類を情報としてやりとりするもので、形を情報交換するには画像が与えられなければならない。つまり、これらの見た目の類似する文字での代用は、それらの文字「ではない」といわなければならない。

このような問題は、文字の標準化される以前の文献には抜きがたく付きまとう。目の前にある文字が漢字であることは分かり、筆画や部品の構造も分からないではないが、字音や字義の摑めない文字があったとき、たまたまUnicodeの漢字を眺めていて見つかった文字を宛ててしまってよいのか。そもそも、楷書体で書かれていなければ、Unicodeの文字コード表をどれだけ眺めても、同一の字形には巡り会えないわけである。

これには、豊島や池田が喝破したように[9]、翻刻（や符号化）をすることとは、読み方の解釈であるということをあらためて認識する必要があろう。そのうえで、文字をどう扱うか考えることになる。たとえば、「本」も「夲」も同一の漢字の異なる表れであるという解釈を加えたうえで、字形の微差も使い分けがあるかもしれないから、翻刻上も保存しておきたいという判断はありうる。しかしながら、じっさいには、現代の文字の区別と過去の文字の区別とは一貫しないことが少なからずあって、手偏と方偏が混用されたり、巳・已・己が相通じて用いられたりしたようなことは枚挙にいとまがない。それを、現代の正字観から手偏・方偏の漢字を宛て、巳・已・己に分けるのもまた原典の内実を重視した解釈であって、ただ単に見た目を優先するということが原典の尊重とは限らない。

また、池田のように検索をする目的で辞書の電子的翻刻を行う者には、見た目の表面的相違よりは、それを越えた同一性――これを池田は字体を「わたる」と呼んでいる――によって便益を得たいわけである。それは原典的翻刻ではなく文献学的翻刻の範疇にはなるが、Google検索のような確率的検索はともかくとすると、コンピュータで検索を行うには、1. 表面上の文字コードの一致だけではなく、2.（たとえば新旧漢字を一挙に検索するような）字体通用表による検索結果の同一視、3. 注釈による補助のような手立てがありうる。池田のような目的で1. の手段しかなければ、新字体・旧字体の混在すら検索の妨げとなるわけで、それを最優先にするならば、字体の保存とは相容れないことになる（なお、池田が1. のために字体の保存を捨てたというわけではない。原文に就かれたい）。

1. のような手段しか取れないものは、いわゆるプレーン・テキストと呼ばれる、文字コードの羅列によるデータである。それに対して、プレーン・テキストを基盤として高度な注釈を許容するTEIのような翻刻系では、原典の事実を保存しつつ、3. による高度な検索を許容する翻刻を可能とする（むろん、道具は道具に過ぎないから、扱い方次第ではある）。つまり、文献学的翻刻と原典的翻刻の間を取った翻刻も可能となるわけである。

3-2．古辞書の電子的な原典的翻刻の実際

とはいえ、未解読部分の多い資料を前にして、最初から解釈を確定させることは現実的ではない。このような本文の定まらない古辞書の性質は、つぎに触れるTEI Lex-0プロジェクト[10)]のように、語彙情報の機械処理を前提とした符号化を阻むものである。やはり、原典的・文献学的といわず、原典とつかず離れずの距離に身をおかざるを得ないのである。

それを体得するには、さまざまな電子的な原典的翻刻の企図に触れ、原本との距離感を得てゆくに如くはない。そのような電子的な原典的翻刻の実際として、以下のものが挙げられる。文献ごとに挙げよう。

李「古辞書の構造化記述」は『篆隷万象名義』のTEIによる翻刻である。TEIの辞書モジュールの利用に文法的問題があるものの、『篆隷万象名義』の構造に精通した者による符号化として学ぶところが多い。

申「本文解読」・「構造化テキストの設計と実践」は、図書寮本『類聚名義抄』のTEIによる翻刻である。李「古辞書の構造化記述」同様、辞書モジュールの構文的理解には問題があるが、古辞書のなかでも複雑な図書寮本『類聚名義抄』の把握として参考にすべきである。以下の符号化においても、両者の試みを参考にしたところが大きい。

藤本・韓・高田「古辞書の構造化記述」は、TEIではないが、独自のXMLスキーマ設計による『和名類聚抄』翻刻である。本章に叙す汎用的な設計態度と異なり、『和名類聚抄』の内容の取り出しに特化したものであり、読者は本章とこの翻刻とにおける、態度と実践との相違点を看取されたい。

劉ほか「多様性に対応したマークアップ・ツールの開発」は、特定の文献に限らない符号化の試みである。注釈的翻刻ではあるが、部分的構造の取り出しに特化した点で、本章と立場が大きく異なる。本章では、意味の取り出しまで注釈するには、以下に述べるようなTEIの構造に従うものにするためのコストがあるが、劉ほか「多様性に対応したマークアップ・ツールの開発」は、スキーマを用意していないので、そのような制約がない点で、事前の仮定を持たずに作業を進められる利点がある。厳密な構造化にも当然利点はあるため、善し悪しがそこで決するものではないが、プロジェクトの運営設計として学ぶところは大きい。

言うまでもないが、それぞれの古辞書の構造の理解には、数え切れない先行研究がある。それらについては、それぞれの文献に当たられたい。

4．TEI辞書モジュールとTEI Lex-0プロジェクト

TEIは、どのようなばあいも用いる中核*core*モジュールのほか、目的ごとに要素やデータモデルをモジュール化している。そのひとつが辞書モジュールであり、紙媒体における辞書のマークアップだけでなく、語彙資源の符号化にも対応しており、言語処理プログラムの用に供する汎用性を持つ。したがって、紙媒体の辞書をこのモジュールにしたがって符号化する際には、紙媒

体上で用いられていた記号が不要とされることも多い。

TEIの辞書モジュールは、さまざまな理由から、同じものの符号化を何通りもの方法でできるようなところがある。それ自体は多様な資料への対応という点で評価することもできるが、各者各様の符号化を推し進めれば、共通符号化フォーマットとしての価値も減じてしまう。そこで、個々の資料の個別性を活かしつつ、極力共通した処理を行うための運用を検討したTEI Lex-0というプロジェクトが生まれた。本章ではそれを直接に適用することはしないが、本章のモデル設計にも大きな影響を与えたので、紹介したい。

4-1. 辞書モジュールの前提とする構造と漢字字書の構造との相違

TEIの辞書モジュールは、西洋の近代的な辞書の構造をその前提としている。したがって、さきに述べたごとき漢字字書の構造に、ただちには適用しがたいことがある。TEIのガイドラインにおいて、例に挙げられた辞書項目はつぎのようである：

```
com.peti.tor /k@m"petit@(r)/ n person who competes.
```

```
<entry>
  <form>
    <orth>competitor</orth>
    <hyph>com|peti|tor</hyph>
    <pron>k@m"petit@(r)</pron>
  </form>
  <gramGrp>
    <pos>n</pos>
  </gramGrp>
  <def>person who competes.</def>
</entry>[11)]
```

ここで<entry>は構造化された項目であることを意味する。構造化されているとは、具体的には、構成要素が語形（表記・分綴・発音）・文法的情報・語義などごとに木構造をなすことを云う。したがって、つぎのような辞書項目は語形の要素とされるものが定義に含まれているために構造的とはされず、非構造化項目のための<entryFree>によって符号化されなければならない：

```
demi·god /ˈdemɪgɒd/ n
1 one who is partly divine and partly human 2 (in Gk myth, etc) the son of
a god and a mortal woman, eg Hercules /ˈhɜːkjʊliːz/
```

```
<entryFree>
  <form>
    <orth>demigod</orth>
     <hyph>demi|god</hyph>
     <pron>"demIgQd</pron>
  </form>
  <gramGrp>
    <pos>n</pos>
  </gramGrp>
  <def>one who is partly divine and partly human</def>
  <def>(in Gk myth, etc) the son of a god and a mortal woman, eg
    <mentioned>Hercules</mentioned>
  </def>
  <pron>"h3:kjUli:z</pron>
</entryFree>12)
```

このような前提にたってみれば、漢字字書の構造においては発音の位置が辞書モジュールの前提とする語形の構造にないために、原理的に <entry> 要素によって符号化が行えないことになる。しかしながら、上記のような構造がない例と異なり、漢字字書は掲出字（漢字表記）と発音とが分かれる構造なのであり、真に構造のない例（『新撰字鏡』など）[13] と区別できるほうが好ましい符号化に繋がるものと考えられる。

4-2．本モデルでの符号化について

さきに多音字において、字義が掲出字の持つ字音に対して説明されることを示した。本モデルでは、そのような字音と字義の関係を多音字以外にも拡張することで、日本の古辞書への TEI 適用にまつわる問題の解決を図りたい。すなわち、字音ごとに <hom>（同綴異義語）要素を設けることで構造の記述を行うというものである。さきほどの宋本『玉篇』（【例 3】）によって示せば、つぎのごとくになる：

```
<entry>
  <form><orth> 塞 </orth></form>
  <hom>
    <form><pron> 蘇代切。</pron></form>
    <cit>
```

```
      <bibl>《<name>說文</name>》云：</bibl>
      <sense><def>隔也。</def></sense>
    </cit>
  </hom>
  <hom>
    <form><pron type="fanqie">又蘇得切。</pron></form>
    <sense><def>實也、滿也、蔽也。</def></sense>
  </hom>
</entry>
```

すなわち、「塞」という表記形を有する項目 <entry> 以下に、同綴異音語として、それぞれの <hom> のもとに字音と字義が示されるというつくりである。

<hom> 要素は <entry> と異なり、その下に <hom> 要素を持てないので、これより複雑な例は構造化することができない。たとえば、昌住編の『新撰字鏡（しんせんじきょう）』（898–901 ごろ）における「便」がそれである：

> 便　正音：父賤反。平：習也，安也，利也，蕃彩也。借音：父面反。去：方便也，取也，寧也。[14]　…【例 5】

これは、「正音」として反切[15]によって字音が示され、さらに四声によって字義、くわえて仮借[16]の字義が示される。したがって、構造をあえて求めるのであれば、共通の反切の下にさらに四声などによって構造化することとなるが、これは現状のモデルでは表現しきれない。しかしながら、この例は、上に挙げた構造のないものの類例と考えるほうがモデルを複雑化させすぎないで済むし、また、それで十分符号化は行えるものと思われる。

4-3．TEI Lex-0

TEI Lex-0 は、TEI の辞書モジュールに含まれるあやふやさを整理し、なるべく共通した構造化を行うことで処理の汎用性を高めることを目的とした、符号化プロジェクト設計の基準線(ベースライン)である。2012 年以来、改訂が続けられている。プロジェクト設計の基準線であるとは、それ自体 TEI そのものの辞書モジュールの乗っ取りを目指したものではなく、明示的な運用を示すことによって、各プロジェクトの符号化モデルの検討に資して、統一的な機械処理の要諦を果たしやすくすることの謂いである。

あやふやさとは、たとえば、TEI には項目を記述するのに使用可能な要素としてもっとも基本的な <entry> に留まらず、<entry> を束ねる <superEntry> という要素が用意されているが、（歴史的にはともかく現在は）<entry> を多重に符号化すれば <superEntry> と同様のことができてしまい、TEI データの処理の明快さを損ねていることなどである。このなかには、<hom> の例も挙げられている。TEI のガイドラインで示されている以下の例は、

```
<entry>
  <form>
    <orth>bray</orth>
    <pron>breI</pron>
  </form>
  <hom>
    <gramGrp>
      <gram type="pos">n</gram>
    </gramGrp>
    <sense>
      <def>cry of an ass; sound of a trumpet.</def>
    </sense>
  </hom>
  <hom>
    <gramGrp>
      <gram type="pos">vt</gram>
      <subc>VP2A</subc>
    </gramGrp>
    <sense>
      <def>make a cry or sound of this kind.</def>
    </sense>
  </hom>
</entry>
```

以下のように書き直されるべきであるという。

```
<entry type="mainEntry" xml:id="bray" xml:lang="en">
  <form type="lemma">
    <orth>bray</orth>
    <pron>breI</pron>
  </form>
  <entry xml:id="bray_n" xml:lang="en" type="homonymicEntry">
```

```
        <gramGrp>
            <gram type="pos">n</gram>
        </gramGrp>
        <sense xml:id="bray_n.1">
            <def>cry of an ass</def>
        </sense>
        <pc>;</pc>
        <sense xml:id="bray_n.2">
            <def>sound of a trumpet</def>
        </sense>
        <pc>.</pc>
    </entry>
    <entry xml:id="bray_vt" xml:lang="en" type="homonymicEntry">
        <gramGrp>
            <gram type="pos">vt</gram>
            <gram type="subc">VP2A</gram>
        </gramGrp>
        <sense xml:id="bray_vt.1">
            <def>make a cry or sound of this kind</def>
        </sense>
        <pc>.</pc>
    </entry>
</entry>
```


たんに <entry> で置き換え可能であることに留まらず、<hom> を用いる難点としては、現実として別個の語である名詞や動詞としての bray よりも、同綴であることに強調を置きすぎると、別語として分ける辞書との統一的な符号化の妨げになるということである（Tasovac, Romary, et al. “TEI Lex-0”, §§3.4, 5.4.2 をとくに参照）。したがって、TEI Lex-0 としては、<entry> を用いることが正当化されている。このほかにも、符号化の合理的モデルとして、TEI Lex-0 に学ぶべきことは多い。

本章は、個別性を強調されがちな前近代資料において、構造的共通性を可能なかぎり取り出すことに主眼がある。したがって、西洋の近代言語学的辞書を前提とした TEI Lex-0 の立場には、同調できるところとできないところがある。たとえば、<hom> の使用はその最たるものであろうし、属性の与え方などの細部に、古典と近代の差を見いだすことができる。とはいえ、TEI Lex-0 自体、いまだに拡張を続けているところがあるし、彼我において符号化すべきことがらの重要度の付け方にも相違はあるから、それ自体はさして異とするに足らぬことである。それよりは、学ぶべき点は学ぶということをしたいと思うのである。

5．日本古辞書の符号化モデル

以下、本章で提示する符号化モデルについて述べる。例示に際しては、些事に渉る箇所は適宜省いたので、全体的な符号化の例は、6 節に示す符号化例を参照されたい。

5-1．符号化の段階

辞書の符号化は、そもそも考慮すべき点が多いうえ、研究の進展にともなって構造の把握が変わり得ることを考えれば、最初から構造化を目指すべきではないし、そもそも詳細な構造を見いだせないものもあろう。したがって、符号化には下記のような段階が考えられる：

・第 1 段階：分章を行い、<entryFree> によって項目の分割を適切に行う
・第 2 段階：項目を分析して適切な構造化を行う
・第 3 段階：注の構造化を行う

5-2．ヘッダー

ヘッダーには、原資料や符号化に関する情報を記載する。下記の点をのぞいて本モデルに固有のことがらはない。

5-2-1．引用文献の記載

古辞書によっては、引用の出典の記載がされるものがある。符号化の進展した段階で、そのような出典について整理の必要性が生まれることが考えられる。また、出典が書物であるとはかぎらないため、便宜的に <notesStmt> 要素にそれを整理することは優に考えられることである。<notesStmt> は <fileDesc> 要素内の <sourceDesc> 要素の前に配置しなければならないことに注意。以下は、図書寮本『類聚名義抄』（【例 1】）に基づく。

```
<notesStmt>
  <note xml:id="宋"> 宋本『大広益会玉篇』。</note>
</notesStmt>
[…]
<entry>
  <form>
    <orth> 詳 </orth>
```

```
  </form>
   <cit>
    <bibl><name corresp="#宋">宋</name>云</bibl>
    <pron>本音祥</pron>
  </cit>
  <pc>・</pc>
  <cit>慈云安者徐也、</cit>
</entry>
```

5-3．前置き・後置き

辞書項目を構成しない内容は、すべて<front>（前置き）要素ないし<back>（後置き）要素に記載することができる。序などが相当する。そのばあい、以下に述べる分巻・分部は<div>要素で符号化しがたく、適切な@unit[17)]を設定した<milestone>で代えることとなる。以下は、図書寮本『類聚名義抄』の識語である。

```
<front>
  <milestone unit="fascicle" n="法"/>
  <div type="note">
    <lb/>此書不可出経蔵外若有其志
    <lb/>之人臨此砌可令披覧非是
    <lb/>慳悋之義只為護持正法也
  </div>
  <div type="index">
    <list type="toc" rend="unnumbered">
      <item>水スイ</item>
      […]
    </list>
  </div>
</front>
```

5-4．本文構造：分巻・分部

分巻・分部は、<div>の@typeをそれぞれ"volume"、"part"として示す。部が細分化されているばあいは、明白な木構造であればさらに"subpart"などを設けてもよいし、つぎに示すような<label>を用いることも考えられる。複層的であるばあいは、@typeを"subpart"としたうえで@nの附番で工夫する。

分巻・分部などの見出しは <head> で符号化できる。随意的な見出しであれば、<label> を用いる。欄外であれば、@place で位置を示す。

なお、分冊は空要素の <milestone> 要素の @unit を "fascicle" とすることによって行う。@n によって、適宜附番する。以下は『篆隷万象名義』の冒頭である。

```
<div type="volume" n="1">
  <milestone unit="fascicle" n="1"/>
  <head> 篆隷万象名義巻第一 </head>
  <byline> 東大寺沙門大僧都 <docAuthor> 空海 </docAuthor> 撰 </byline>
  […]
```

5-5．本文構造：項目

5-5-1．項目の符号化

<entry>（ないし <entryFree>。以下、明示しないかぎり同様）によって符号化する（すべての <entry> は @xml:id を与えられねばならない）。

<entry> によって符号化するときは、すべての内容が定められた要素に収められていなければならない[18]。<entryFree> は全体としてそのような構造を持たないことを示唆するが、あきらかに構造をなす部分は <form>、<sense> などによって構造を符号化できる。

以下 <entry> による例は、『篆隷万象名義』による。

```
<entry>
  <form><orth> 一 </orth></form>
  <hom>
    <form><pron type="fanqie"> 於逸反。</pron></form>
    <sense><def> 少也、初也、同也。</def></sense>
  </hom>
</entry>
```

つぎは、『新撰字鏡』を <entryFree> によって符号化した例である（【例 5】）。この項目は、前出の仮借の注 16 で若干を述べたが、反切や正借の位置づけなどに問題があり、そのままでは構造化が困難である。したがって、単にそれぞれの内容をそれぞれの意味によって符号化するに留めた。

```
<entryFree>
    <form><orth> 便 </orth></form>
```

```
      <form> 正音 <pron type="fanqie"> 父賤反 </pron></form>
      <form><pron> 平 </pron></form>
      <sense><def> 習也安也利也蕃彩也 </def></sense>
      <form> 借音 <pron type="fanqie"> 父面反 </pron><pron> 去 </pron></form>
      <sense><def> 方便也取也寧也 </def></sense>
  </entryFree>
```

5-5-2．親子項目の符号化

検討の結果、親子として掲出されていると判断されるばあいは、それらをまとめる <entry> を設けてもよい。その際は <entry> の @type を "wordFamily" とする。

原文で親項目ないし掲出字として記号で示されるに留まるときは、親項目の <orth>、あるいは単字に適切な ID を附与することで、子項目から <oRef> 要素によって参照することが可能となる（親子構造にしなければ参照できないわけではない。しない例としては、6-2 節を参照）。また、その際、@expend によって略記しない形を明記することができる。以下の例は、図書寮本『類聚名義抄』による。

```
  <entry type="wordFamily">
    <entry xml:id="Z07372">
      <form>
        <orth xml:id="Z07372-1"> 訶 </orth>
      </form>
    </entry>
    <entry>
      <form>
      <orth expend="沙訶"> 沙 <oRef target="#Z07372-1"/></orth>
    </form>
  </entry>
  <entry xml:id="Z07413">
    <form>
      <orth><oRef target="#Z07372-1"/> 獃 </orth>
    </form>
    </entry>
  <entry xml:id="Z07432">
    <form>
      <orth><oRef target="#Z07372-1"/> 羅 </orth>
```

```
    </form>
    </entry>
  </entry>
```

5-5-3. 連続項目の符号化

検討の結果、連続して掲出される注文に共通性のある項目が掲出されているばあいは、一連の項目を <entry> によってまとめ、副項目を <re> 要素によって示す（6-3節の『色葉字類抄』の例を参照）。

5-5-4. 組み込まれた・欠損した・欄外にある項目

組み込まれた、ないし欠損した本文が単一の項目をなすと考えられるばあいは、<entry> 内に <dictScrap> 要素を設け、判読できるかぎりにおいて記録する。<dictScrap> における注文の符号化は、構造化されない要素であれば、<entryFree> と同等に可能である。

欄外にある項目は、丁の最後で <floatingText> 内の <entry> 要素によって記載し、@prev、@next によって見た目上ないし意味上の前後の項目に繋ぐ。<entry>、<entryFree> のどちらを選ぶかは、他の項目との一貫性によって判断する。<note> 要素を <entry> 内に置いて位置関係の詳細の説明を加えることができる。その際は、@resp によって責任を明示し、ヘッダー内の <respStmt> 要素に担当者についての説明を与える。

例としては、それぞれ6-1・6-2節、とくに末尾を参照。

5-6. 本文構造：掲出字

5-6-1. 単字項目

<form> 要素内に <orth> 要素を設け、記述する。例は前出のものを参照。

5-6-2. 複字項目：熟字のばあい

<form> 要素内に単一の <orth> 要素を設ける。もし、熟字を構成する一字が項目中で参照されるばあいは、<orth> 要素内に <seg> 要素を設けて、一字一字分割したIDを附与する。挙例は図書寮本『類聚名義抄』による。

```
<entry xml:id="Z07433">
  <form>
    <orth>不<seg xml:id="Z07433-1">計</seg></orth>
  </form>
</entry>
```

5-6-3．複字項目：重出のばあい

<form>をそれぞれ分けて記述する。重出の意図に沿って、副次的な項目に@typeを与えてよい。異体字のときは"variant"などとする。ほかの点にも言えることであるが、項目内の記述やプロジェクトの判断により、必要に応じて@subtypeを用いることが考えられる（以下の例では本文中の記述に基づいている）。以下の例は、図書寮本『類聚名義抄』による。

```
    <form type="variant" subtype="俗">
      <orth>訙</orth>
      </form>
      <form>
      <orth>訊</orth>
    </form>
  </entry>
```

5-7．本文構造：注文

5-7-1．注文の符号化

字音によって構造化されている注文は、字音ごとに<hom>によって符号化する。<entry>同様、@xml:idを付与する。うえに述べたように、日本の古辞書において字音注を中心に構成できない項目は、構造化しがたいと考える。例は5-5-1節を参照。

5-7-2．引用

内容が引用によって説明されるばあいは、箇々の引用全体を<cit>によって符号化し、出典（および云字などの引用にかかわる要素）を<bibl>と<name>によって構造化し、内容を<quote>で符号化する。引用の内部で字音や語釈が示されるばあいは、<quote>ではなく、直接適切な要素によって符号化する。<entry>の言語と明白に言語が異なるときは、@xml:langで明示することができる。

用例が示されるときは、全体を<cit>によって符号化し(@typeは"example"などとする)、箇々の用例は<quote>によって符号化する。以下の挙例は、図書寮本『類聚名義抄』による。

```
  <entry xml:id="Z07433">
    <form>
      <orth>不<seg xml:id="Z07433-1">計</seg></orth>
      <pron type="similar">音<seg xml:id="Z07433-N01">係</seg></pron>
    </form>
    <sense>
```

```
    <cit>
      <bibl>
        <name> 弘 </name> 云 </bibl>
      <quote>
        <quote type="def"> 會也算也謀也 </quote>
    </quote>
   </cit>
   <pc> ・ </pc>
  <cit>
    <bibl>
      <name> 應 </name> 云 </bibl>
     <def><oRef target="#Z07433-1"/> 欒也。經係非也。</def>
    </cit>
    <cit type="japanese" @xml:lang="ja">
      <quote> ハカル <bibl><name><add place="bottom"> 月 </add></name></bibl>
      </quote>
      <quote> カソフ <bibl><name> 律 </name></bibl>
      </quote>
    </cit>
  </sense>
</entry>
```

5-7-3．字音

<form> 要素内の <pron> 要素によって符号化する。表示方法によって @type を変えることができ、反切のばあいは "fanqie"、類音注のばあいは "similar"、和音注のばあいは "SJ" などとする。例は 5-7-2 節を参照。

5-7-4．語釈

個別の字義を <sense> 要素によって符号化し、語義の説明を <def>、字体の正俗などの用法は <usg>、それ以外のものは <note> によって符号化する。複数挙げられる字義が、多義を意味するとの確証を得られなければ、全体を単一の <sense> によって符号化してよい。例は 5-5-1 節を参照。

5-7-5．異体字

@type を "variant" とした <form> 要素内の <orth> 要素によって符号化する。字音注と距離があり、区別したいときは、それぞれ <form> の @type を "pron"、"orth" などとする。異体字についての説明は <usg> によって符号化する。例は 5-6-3、6-1、6-2 節を参照。

5-7-6. 和訓

@type を "japanese" とした <cit> 要素によって符号化する。語形単体は <quote> 要素に含め、必要に応じて出典を <bibl> 要素によって示す。例は 5-7-2 節を参照。

5-8. 本文要素：書き入れ

部分的な書き入れの対象は、<seg> によって符号化し、@corresp によって対応させた <add>、<del> など関連の要素によって符号化する。書き入れを符号化する要素は、@place によって、対象との位置関係を明示しなければならない。加点であれば "over"、傍書されるものは "surroundings" や "right"、"left"、行間は "interlinear"、欄外は "marginalia" などが考えられる。

声点については、<add> を用いず、箇々の点を <metamark> で符号化する。声点のばあいは空要素として、@ana によって "H"（High）、"L"（Low）などとして示す。その他のヲコト点や訓点返点記号は <add> 内の <metamark> の内容であらわす。その際は、なるべく Unicode の漢文用記号を用いて表現する。@function によって役割を明示してもよい。

朱筆などの墨筆以外のものは、@rend で "vermilion" などとして明記できる。また、他筆を @hands で示すこともできるが、とくに本モデル特有の規定は設けない。

以下の挙例は図書寮本『類聚名義抄』による。

```
音<seg xml:id="Z07433-N01">係</seg>
  <add corresp="#Z07433-N01" place="right">
    ケ<metamark ana="R">イ</metamark>
  </add>
```

```
<quote xml:lang="ja">
  ハ<metamark ana="L"/>カ<metamark ana="L"/>ル<metamark ana="H"/>
  <bibl><name><add place="bottom">月</add></name></bibl>
</quote>
```

5-9. 本文要素：校訂

<app> 要素や <choice> 要素など、既存の要素によって適切に符号化する。本モデル特有の規定は設けない。

第3部 事例編①

5-10．本文要素：割書きおよび改行の保存

割書きおよび改行は、それじたい本文要素ではないことがほとんどであるため、原則として符号化はしないが、本文に問題があるなどの理由から、それを符号化して保存したいことは考え得ることである。

本行の改行は <lb> 要素によって示すことができる（TEI P5 では <lb/> は Line Beginning とされているため、行頭に置かれるものであることに注意）。もし、<lb> を用いるならば、すくなくとも問題となる箇所のみでなく、前後にも用いるべきである。

割書きは、本文行そのものとは異なる配置を持つものであり、全体を <cit> でくくり、@type を "notes" として識別する。本文行としての改行が割書きのなかにあるものは、<lb> を用いればよく、割書きとしての改行を示す際は、@unit を "notes" などとした <milestone> によって明瞭に区別できるようにする。行数を示したいときは、@rend を "two-lined" などとする。

6．符号化の例

以下に第 3 段階まで解析した符号化の例を示す。第 1 段階および第 2 段階の符号化についてあらためてかんたんに触れると、第 1 段階は構造化されていない翻字に対して項目ごとに <entryFree> によって項目を分割する段階であり、第 2 段階は掲出字や字音や語釈などを構造化してゆく段階である。第 2 段階の例としては、5-5-1 節のものを参照。第 1 段階の例は、これの各部分に対する符号化のないものと考えていただければよい。

6-1．『篆隷万象名義』

『篆隷万象名義』は、空海が中国の字書『玉篇』を抄して作成した字書である。高山寺に唯一の古写本が残る。HDIC 版の理解に基づきつつ、第一帖の本文一丁前半の一部を符号化した。

```
<?xml version="1.0" encoding="UTF-8"?>
<TEI xmlns="http://www.tei-c.org/ns/1.0">
  <teiHeader>
    <fileDesc>
      <titleStmt>
        <title> 篆隷万象名義 </title>
        <editor> 東大寺沙門大僧都空海撰 </editor>
      </titleStmt>
      <publicationStmt>
        <p>[Omit]</p>
      </publicationStmt>
```

```
<sourceDesc>
  <bibl>
    『<title level="a">弘法大師空海全集</title>』<biblScope unit="volume">
    巻7</biblScope>、<publisher>筑　摩　書　房</publisher>、<date>1984</
    date></bibl>
</sourceDesc>
</fileDesc>
</teiHeader>
<text>
  <body>
    <milestone unit="fascicle" n="1"/>
    <div type="volume" n="1">
    <head>篆隷万象名義巻第一</head>
    <byline>東大寺沙門大僧都<docAuthor>空海</docAuthor>撰</byline>
    <div type="toc">
      <list>
      <item>一部第一</item>
      <item>上部第二</item>
      <item>示部第三</item>
    </list>
  </div>
  <div type="part" n="1">
    <head>一部第一凡八字</head>
    <entry xml:id="T1_016_A51">
      <form><orth>一</orth></form>
      <hom xml:id="T1_016_A51_01">
      <form><pron type="fanqie">於逸反。</pron></form>
      <sense><def>少也、初也、同也。</def></sense>
    </hom>
  <dictScrap><form type="variant"><orth>弌</orth></form><usg>古文。</usg></
  dictScrap>
  </entry>
  <entry xml:id="T1_016_A53">
      <form><orth>天</orth></form>
      <hom  xml:id="T1_016_A53_01">
```

```
        <form><pron type="fanqie"><choice>
            <sic>秦</sic>
            <corr>泰</corr>
          </choice>堅反。</pron></form>
          <sense><def>顛也、顯也、君也。</def></sense>
        </hom>
        <dictScrap><form type="variant"><orth>旡</orth></form><usg>古文。</
        usg></dictScrap>
        <dictScrap><form type="variant"><orth>兂</orth></form><usg>古文。</
        usg></dictScrap>
      </entry>
    </div>
   </div>
  </body>
 </text>
</TEI>
```

6-2. 図書寮本『類聚名義抄』

図書寮本『類聚名義抄』は、法相宗系の僧侶が諸書をまとめて作成した辞典であり、字典である。原撰本とおぼしき一帖が宮内庁書陵部図書寮文庫に伝わる。ここでは、冒頭および補入の例を持つ「一䣴」からはじまる半丁の符号化を行う。本文校訂については、池田「翻字本文」・申「図書寮本類聚名義抄の基礎的研究」に従う。

```
<?xml version="1.0" encoding="UTF-8"?>
<TEI xmlns="http://www.tei-c.org/ns/1.0">
 <teiHeader>
  <fileDesc>
   <titleStmt>
    <title>類聚名義抄</title>
    <respStmt xml:id="KO">
     <resp>TEI Encoding</resp>
     <persName>Kazuhiro Okada</persName>
    </respStmt>
   </titleStmt>
   <publicationStmt>
```

```
        <p>[…]</p>
      </publicationStmt>
      <sourceDesc>
        <bibl>『<title level="a">宮内庁書陵部蔵図書寮本類聚名義抄</title>』
        <publisher>勉誠社</publisher>、<date>1976</date>
      </bibl>
    </sourceDesc>
  </fileDesc>
    <encodingDesc>
      <charDecl>
        <glyph xml:id="辭a">
          <desc>⿰⿱⺈厺⿵冂弁辛</desc>
          <mapping type="standard">辭</mapping>
        </glyph>
        <glyph xml:id="辭b">
          <desc>⿰⿱⺈冈辛</desc>
          <mapping type="standard">辭</mapping>
        </glyph>
        <glyph xml:id="辤a">
          <desc>⿰⿱⺈マ冊辛</desc>
          <mapping type="standard">辤</mapping>
        </glyph>
      </charDecl>
    </encodingDesc>
  </teiHeader>
  <text>
    <front>
      <pb n="2"/>
      <milestone unit="fascicle" n="法"/>
      <div type="note">
        <p>
          <lb/>此書不可出経蔵外若有其志
          <lb/>之人臨此砌可令披覧非是
          <lb/>慳悋之義只為護持正法也
        </p>
```

```
    </div>
    <pb n="3"/>
    <div type="index">
      <list type="toc" rend="unnumbered">
        <item> 水スイ </item>
        [⋯]
      </list>
    </div>
  </front>
  <body>
    <pb n="4"/>
      <div xml:id="rad41" type="part" n="41">
        <label type="fascicle"> 類聚名義抄法 </label>
        <entry xml:id="Z00421">
        <form>
          <orth> 水 </orth>
        </form>
        <sense>
          <cit>
          <bibl>
            <name> 弘 </name> 云 </bibl>
           <pron type="fanqie"> 尸癸 <metamark rend="vermilion" ana="H"/> 反。
           </pron>
        </cit>
        <pc> ・ </pc>
        <cit>
          <bibl>
            <name> 中 </name> 云 </bibl>
           <quote> 所 <oRef/> 以 潤 万 物 <add type="gloss"
           place="surroundings"><metamark rend="vermilion"> 一 </metamark></
           add> 也 </quote>
        </cit>
       </sense>
     </entry>
  </div>
```

```
<div xml:id="rad43" type="part" n="43">
  <pb n="74"/>
    <entry xml:id="Z07413">
      <form>
        <orth><oRef target="#Z07372-1"/><!-- 訶 --> 獣 </orth>
      </form>
      <sense>
        <cit>
          <bibl>
            <name> 應 </name> 云 </bibl>
          <def><oRef target="#Z07372-1"/> 大言而怒也 </def>
        </cit>
        <pc>・</pc>
        <cit>
          <bibl>
            <name> 憲 </name> 云 </bibl>
          <note> 亦作呵 </note>
          <def> 責也怒發聲 </def>
        </cit>
        <pc>・</pc>
        <cit>
          <bibl>
            <name> 眞 </name> 云 </bibl>
          <def> 言責也。</def>
        </cit>
      </sense>
    </entry>
    <entry xml:id="Z07422">
      <form>
        <orth><oRef target="#Z07372-1"/> 梨怛鷄 </orth>
      </form>
      <cit>
        <bibl>
          <name> 應 </name> 云 </bibl>
        <def> 舊云呵梨勒。翻爲天主持來。此果堪爲藥以 <choice>
```

```
        <sic> 切 </sic>
        <corr> 功 </corr>
      </choice> 用極多如此土人参石斛等。 </def>
    </cit>
  </entry>
  <entry xml:id="Z07432">
    <form>
      <orth><oRef target="#Z07372-1"/> 羅 </orth>
    </form>
    <sense>
      <cit>
        <bibl><name> 應 </name> 云 </bibl>
        <pron type="fanqie"> 古河反。 </pron>
      </cit>
    </sense>
  </entry>
  <entry xml:id="Z07433">
    <form>
      <orth> 不 <seg xml:id="Z07433-1"> 計 </seg></orth>
      <pron type="similar"> 音 <seg xml:id="Z07433-N01"> 係 </seg>
        <add corresp="#Z07433-N01"  place="right"> ケ <metamark  ana="R">
        イ </metamark></add></pron>
      </form>
      <sense>
        <cit>
          <bibl>
            <name> 弘 </name> 云 </bibl>
          <quote><quote type="def"> 會也算也謀也 </quote></quote>
      </cit>
      <pc> ・ </pc>
      <cit>
        <bibl>
          <name> 應 </name> 云 </bibl>
        <def><oRef target="#Z07433-1"/> 樂也。 經係非也。 </def>
      </cit>
```

```
          <cit type="japanese">
            <quote xml:lang="ja">  ハ <metamark ana="L"/> カ <metamark
            ana="L"/> ル <metamark ana="H"/><bibl><name><add place="bottom">
            月 </add></name></bibl>
            </quote>
            <quote xml:lang="ja">  カ <metamark ana="L"/> ソ <metamark
            ana="L゛ "/> フ <metamark ana="H"/><bibl><name> 律 </name></bibl>
          </quote>
        </cit>
      </sense>
    </entry>
    <entry xml:id="Z07442">
        <form>
          <orth> 訐 </orth>
        </form>
        <sense>
          <cit>
            <bibl>
              <name> 弘 </name> 云 </bibl>
            <pron type="fanqie"> 況 <seg xml:id="Z07442-N01"> 俱 </seg>
                <add corresp="#Z07442-N01" place="bottom left"> ク <metamark
                ana="F"/></add> 反 </pron>
            <def> 大也差也美言也僞也。</def>
          </cit>
          <cit type="japanese">
            <quote xml:lang="ja"> マ <metamark ana="L"/> コ <metamark
            ana="H"/> ト <metamark ana="H"/></quote>
            <quote xml:lang="ja"> オ <metamark ana="L"/> ホ <metamark
            ana="L"/> イナリ </quote>
          </cit>
        </sense>
      </entry>
      <entry xml:id="Z07444">
        <form>
          <orth xml:id="Z07444-1"> 訐 </orth>
```

```
    </form>
    <sense>
      <cit>
        <bibl>
          <name>弘</name>云</bibl>
        <pron type="fanqie">柯戴反</pron>
      <def>揚惡也。</def>
      </cit>
    </sense>
  </entry>
  <entry xml:id="Z07451">
    <form>
      <orth>
          <seg xml:id="Z07451-N01"><oRef target="#Z07444-1"/></seg>
          <add corresp="#Z07451-N01" xml:lang="ja">ア<metamark ana="L"/>
          ハ<metamark ana="L"/>ク<metamark ana="H"/></add> 群臣之德失<add
          type="gloss" place="over"><metamark ana="を"/></add>。 </orth>
      </form>
      <sense>
        <cit>
          <bibl><name>顔氏</name></bibl>
        </cit>
      </sense>
  </entry>
  <entry xml:id="Z07453">
    <form>
      <orth>謌</orth>
    </form>
  <sense>
      <cit>
        <bibl><name>類</name>云</bibl>
        <pron type="similar">哥音</pron>
      </cit>
    </sense>
  </entry>
```

```
<entry xml:id="Z07454">
  <form>
    <orth> 言 <seg xml:id="Z07454-1"> 詞 </seg></orth>
    <pron type="similar"> 音 <seg xml:id="Z07454-N01"> 辭 </seg>
      <add  corresp="#Z07454-N01"  place="bottom  left"> シ <metamark
      ana="L"/></add>
  </pron>
</form>
  <sense>
  <cit>
    <bibl>
      <name> 應 </name> 云 </bibl>
    <def> 意内而言外也。審言語也 </def>
  </cit>
  <pc>・</pc>
  <cit>
    <bibl>
      <name> 中 </name> 云 </bibl>
     <def>  言辭也。</def><usg> 或作 <g  ref="#辭 a"> 辭 </g>。</usg><def> 不受也
     訟也。</def><usg><g  ref="# 辤a"> 辤 </g><g  ref="#辭 b"> 辭 </g> 辥辞四形聲
     類以爲皆 <oRef  target="#Z07454-1"/> 字。</usg><def><cit><bibl><name> 新
     切韻 </name></bibl><oRef target="#Z07454-1"/> 辭異  </def>
  </cit>
<pc>・</pc>
  <cit>
  <bibl>
      <name> 眞 </name> 云 </bibl>
  <def>  言語也告也。  <choice>
      <corr> 直 </corr>
      <sic> 真 </sic>
     </choice>  言曰言  <add type="gloss"  place="surroundings"><metamark
     rend="vermilion"> 一 </metamark></add>  々  己  事  <add type="gloss"
     place="surroundings"><metamark  rend="vermilion"> 一 </metamark></
     add>  也。答述曰 <oRef target="#Z07454-1"/>
     <add  type="gloss"  place="surroundings"><metamark
```

```
rend="vermilion"> 一 </metamark></add>  爲 人 <add type="gloss"
place="surroundings"><metamark rend="vermilion"> 一 </metamark></
add> 説也。</def><usg> 論語作辭 </usg></cit>
<pc>・</pc>
<cit>
<bibl><name> 東 </name> 云 </bibl>
<def> 請也安定 <oRef target="#Z07454-1"/> 也。</def>
</cit>
<cit>
<quote xml:lang="ja">
<unclear> コ </unclear> ト <unclear> ハ </unclear><bibl><name> 選 </
name></bibl>
</quote>
<quote>
<bibl><name> 眞 </name> 云 </bibl> シ <metamark ana="L"/><metamark
ana="N"/>
</quote>
</cit>
<add place="marginalia above">
<cit>
<bibl>
<name> 倶舎 </name> 云 </bibl>
<def> 詞謂訓釋言詞 </def>
</cit>
</add>
</sense>
</entry>
<entry xml:id="Z07474">
<form>
<orth xml:id="Z07474-1"> 許 </orth>
</form>
<sense>
<cit>
<bibl>
<name> 弘 </name> 云 </bibl>
```

```
        <pron type="fanqie">虚語反</pron>
         <def>進也聽也從也然也諾也所也與<unclear>也</unclear></def>
      </cit>
      <pc>・</pc>
        <cit>
          <bibl><name>中</name>云</bibl>
          <def>聽也<oRef target="#Z07474-1"/>可也</def>
        </cit>
        <pc>・</pc>
        <cit>
        <bibl><name>了義燈</name>云</bibl>
          <def>以悔<oRef target="#Z07474-1"/>字少相近故寫者有悞。</def>
        </cit>
        <cit>
           <quote xml:lang="ja">ス<metamark ana="H"/>ヽ<metamark
           ana="H"/>ム<metamark ana="L"/></quote>
        </cit>
      </sense>
    </entry>
    <floatingText>
      <body>
        <entry xml:id="Z07465" prev="#Z07454" next="#Z07474">
          <form>
            <orth>祝詞</orth>
          </form>
          <sense>
            <cit>
                <quote xml:lang="ja">ノ<metamark ana="H"/>ト<metamark
                ana="H"/>コ<metamark ana="H゛"/>ト<metamark ana="H"/></
                quote>
                <quote xml:lang="ja">ハ<metamark ana="L"/>ラ<metamark
                ana="L"/>ヘ<metamark ana="L"/>コ<metamark ana="L゛"/>ト
                <metamark ana="L"/></quote>
            </cit>
          </sense>
```

```
          </entry>
        </body>
        <note><ref target="#Z07474" resp="#KO">許</ref>の下部にあり。</note>
      </floatingText>
    </div>
  </body>
 </text>
</TEI>
```

6-3．参考：『色葉字類抄』

『色葉字類抄』（1177–81年ごろ）は、橘忠兼（たちばなのただかね）撰の字書である。いろはによって語を四十七部に分け、意義分類を施したものである。同訓の漢字を類聚した部もあることで知られる。前掲の箇所（【例4】）を部分的に符号化する。割書きを「聴」についてのみ保存した。

```
<entry>
  <form><orth>許</orth></form>
  <form><pron type="japanese" xml:lang="ja">ユ ル ス</pron><pron
  type="fanqie" xml:lang="zh">虚呂反</pron></form>
  <re><form><orth>免</orth></form><form>
   <pron type="fanqie" xml:lang="zh">亡弁反</pron></form></re>
  <re><seg xml:id="orth3">赦</seg><add corresp="#orth3" place="right">シ
  ヤ</add></re>
  <re><form><orth>聴</orth></form>
   <cit><quote type="example"><oRef/>昇殿</quote><milestone unit="notes"
   /><form><pron type="fanqie" xml:lang="zh">他定反</pron></form></cit></
   re>
  <re><form><orth>祚</orth></form></re>
  <re><form><orth>原</orth></form><sense><def>恕也</def><sense></re>
   […]
  <re><form><orth>税</orth></form><note>已上同</note></re>
</entry>
```

6-4．参考：『康熙字典』

時代はおおはばに下るが、康熙帝の命で作られた清朝中国の字書である。中国漢字字書の掉尾を飾る書となった。

```
<entry>
  <form><orth>便</orth></form>
  <hom>
   <cit>
   <bibl><name>【廣韻】</name></bibl>
    <pron>婢面切</pron>
   </cit>
   <cit>
    <bibl><name>【集韻】</name><name>【韻會】</name><name>【正韻】</name></
    bibl>
    <pron>毗面切，音卞。</pron>
    <def>順也，利也，宜也。</def>
   </cit>
  </hom>
[…]
  <hom>
   <pc>又</pc>
   <cit>
    <bibl><name>【集韻】</name></bibl>
    <pron>毗連切</pron>
   </cit>
   <cit>
    <bibl><name>【正韻】</name></bibl>
    <pron>蒲眠切，</pron>
    <def>音駢。</def>
   </cit>
   <cit>
    <bibl><name>【爾雅・釋訓】</name></bibl>
    <def>便便，辨也。</def>
   </cit>
  </hom>
</entry>
```

7. おわりに

本モデルを用いることで、日本の古辞書に共通の符号化が一定程度可能となる。利用と校勘を同時に要する古字書というものの性質上、原本から離れすぎることは許容しがたいが、同時に、情報交換の効率化という点で、最低限の共通要素を取り出せたのではないかと思われる。

本モデルのような符号化によって、最終的にグラフが得られれば、そこから統計的な機械処理を行う可能性も広がる。もちろんそれは、より軽量な符号化によっても可能であるが、構造化でしか分からない情報もあるし、なにより、可能な校訂の質が異なる。本格的な検討には、本モデルの適用が十分考えられるべきであろう。

付記：本稿は、岡田一祐「日本平安期古辞書の符号化モデル：TEI をもとにした符号化」（『デジタル・ヒューマニティーズ』2、2020）で述べた内容を本書のために書き改めたものである。なお、前稿の誤りを正した箇所もある。本稿をなすにあたっては、日本学術振興会科学研究費補助金 JP19H00526（研究代表者：池田証壽）の援助を受けている。

注

1　Ikeda, “Japanization,” 15–16; Li, Shin, and Okada, “Japanese Rendition,” 83–85. 中国辞書史については大島『漢字と中国人』が参考になる。

2　中国後漢の許慎によって撰述された字書で、100 年頃成立。漢字の原型をなすと考えられた小篆をもとに、構成要素にもとづく部首分けと六書とよばれる手法で漢字の体系的な解明を図り、それによって正しい字形・字音・字義の究明を行わんとした。その後の漢字の文字としての理解は、本書に強く影響を受けている。

3　中国梁の顧野王（519–81）によって撰述された字書で、543 年成立。部首体の字書で、経書や注釈類からの多数の引用によって正しい字形・字音・字義の究明に努める。原本は散逸し、断簡が伝わる。また、引用類が省略された『篆隷万象名義』・『大広益会玉篇』がある。なぜこのように引書に励むのかは、大槻「『倭名類聚抄』の和訓」およびそこに引かれる文献を参照。

4　中国隋の陸法言によって撰述された辞書で、漢詩で重要となる韻 *rhyme* によって漢字の音を整理したもので、601 年の序を有す。声調によって音を大別したのち、さらに韻に従って同音の漢字を示す構成を取る。弁別のために字義の簡単な説明を附す。

5　Li, Shin, and Okada, “Japanese Rendition,” 86. 記号類は除外した。

6　HDIC 版（Version: 1.0.36、2019 年 3 月）による。https://github.com/shikeda/HDIC/.

7　Li, Shin, and Okada, “Japanese Rendition,” 88. 記号類は省いた。〈　〉は二行割り書き、（　）は振り仮名の意。

8　このような点があることだけ分かればよいという向きもあろうが、それがそう単純ではないことの一例として、平子「試論」を参照。

9　豊島「「原文に忠実な翻刻」」、池田「包摂と分離」

10　Tasovac et al., “TEI Lex-0.”

11　TEI Consortium, “Dictionaries,” P5 Guidelines. なお、以下の挙例においても、見やすさのために積極的

に改行を行うが、実際の作業においては過度の改行は避けるべきであろう。

12 TEI Consortium, “Dictionaries,” P5 Guidelines.

13 本章の初出では、この箇所を図書寮本『類聚名義抄』と誤っている。

14 HDIC版（Ver. 1.0.48、2019年9月）による。

15 中国では、伝統的に、漢字の音（厳密にいえば、音声言語としての語形）を声母（現代言語学では頭子音 *onset*）・韻母（音節核 *nucleus* および尾子音 *coda*）・声調 *tone* に整理している（『切韻』への注を参照）。これを声母と韻母・声調に区分し、同じ声母を持つ字と同じ韻母（声調を含む）を持つ字とによって示すのが反切である。たとえば、「唐 /dɑŋ/」という字の音は、『切韻』では「徒郎反」と示される。これは、隋・唐のころには、「唐」という字が「徒 /duo/」という字とおなじ声母 d を持ち、「郎 /lɑŋ/」という字と同じ韻母 ɑŋ を持つ（声調はともに平声調）ことを意味する。

16 本来の字義を離れて、音の近い別語としての意義に用いること。たとえば、「者」（上代音では /tjaːʔ/（鄭張の推定））は、本来は、「煮」（同 /tjaʔ/）という語を表すものだったのが、図示しがたい「者」の多様な意味（日本語の「コト（事）」という言葉の絵を描いてみることを考えてみると参考になろう）を文字にするために、いわば乗っ取られたかたちになる。ここでは、「便」字が、「去声」の「父面反」という発音では、「取・寧」という語義を持ち、それは本来義ではないという意味を持つことになる。この内容はなにか混乱があり、詳細は省くが、すくなくとも去声が仮借というのは一般的な認識ではない。混乱のために『新撰字鏡』が構造化できないわけではないが、たんじゅんな誤りや欠損などのために構造化が阻まれるときに、校訂して構造化するかどうかはそれぞれの目的に応じて考えられなければならないことであろう。

17 @ によって属性の名前を示す。このばあいは、unit="volume" などとなることを示す。なお、属性の値は、制御文字・空白文字以外のすべての Unicode の文字を用いることができるため、日本語を用いることもできるが、細かすぎるものとならないよう、ここでは英語による内容を提案している。

18 https://tei-c.org/release/doc/tei-p5-doc/en/html/ref-entry.html.

参考文献

[1] Ikeda, Shoju. “Japanization in the Field of Classical Chinese Dictionaries,” *Journal of the Graduate School of Letters*, no. 6 (March 2011): pp. 25.

[2] Li, Yuan, Woongchul Shin, and Kazuhiro Okada. “Japanese Rendition of *Tenrei bansho meigi*’s Definition in Early Japanese Lexicography: An Essay,” *Journal of the Graduate School of Letters*, no. 11 (March 2016): pp. 83–96.

[3] 大島正二『漢字と中国人：文化史を読み解く』岩波書店、2003年。

[4] 大槻信「『倭名類聚抄』の和訓：和訓のない項目」『平安時代辞書論考：辞書と材料』吉川弘文館、pp. 85–117。

[5] 平子達也「平安時代京都方言における下降調に関する試論：観智院本『類聚名義抄』に見られる平声軽点の粗雑な写しを手がかりにして」『日本語の研究』9巻1号（2013年1月）、pp. 1–15。

[6] 豊島正之「「原文に忠実な翻刻」をめぐって」日本語の文字と組版を考える会、1998年3月。

[7] 池田証壽「包摂と分離：多漢字文献翻刻の問題」『情報処理学会研究報告』2003、no. 107（2003-CH-60）（2003年10月）、pp. 41–48。

[8] 李媛「TEI P5 Dictionaries モジュールに基づく古辞書の構造化記述の試み：篆隷万象名義を中心に」『情報処理学会研究報告』2018-CH-117、no. 5（2018年5月）、pp. 1–8。

[9]　申雄哲「図書寮本類聚名義抄の本文解読とデータベース作成の問題点」漢デジ 2016、2016 年 8 月。

[10] 劉冠偉・李媛・鄭門鎬・張馨方・池田証壽「部首分類体日本古辞書の項目構造の多様性に対応したマークアップ・ツールの開発」『人文科学とコンピュータシンポジウム 2017 予稿集』(2017 年 12 月)、pp. 97–102。

[11] 藤本灯・韓一・高田智和「古辞書の構造化記述の試み：『和名類聚抄』を例に」『国立国語研究所論集』21 号（2021 年 7 月)、pp. 85–94。

[12] 申雄哲「図書寮本『類聚名義抄』の構造化テキストの設計と実践」国際シンポジウム「古辞書研究の射程」、2018 年 8 月。

[13] 岡田一祐「日本古典籍テクストの TEI/XML による符号化ガイドライン作成のこころみ」、『東洋学へのコンピュータ利用第 32 回研究セミナー』(2020 年 3 月)、pp. 335–53。

[14] Tasovac, Toma, Laurent Romary, Piotr Banski, Jack Bowers, Jesse de Does, Katrien Depuydt, Tomaž Erjavec, Alexander Geyken, Axel Herold, Vera Hildenbrandt, et al., "TEI Lex-0: A baseline encoding for lexicographic data," DARIAH Working Group on Lexical Resources, last modified March 24, 2021 (ver. 0.9.1), https://dariah-eric.github.io/lexicalresources/pages/TEILex0/TEILex0.html.

[15] 池田証壽『図書寮本類聚名義抄の翻字本文及び注解の作成に関する基礎的研究』、平成 14 年度～平成 16 年度科学研究費補助金（基盤研究(C)(2)）研究成果報告書（2005 年 3 月)、pp. 24–67。

[16] 申雄哲「図書寮本類聚名義抄の基礎的研究」北海道大学大学院博士論文、2015 年 3 月。

TEI 活用の事例紹介❻

Vincent van Gogh The Letters - 書簡のマークアップ

https://vangoghletters.org/vg/

後期印象派の画家ゴッホは書簡を多く書いたことでも知られており、そのうちの 900 通ほどがこの Web サイトで公開されている。書簡の特徴を活かしたカスタマイズを行った TEI/XML 準拠ファイルに基づき、文通の時期や相手の人名や地名で書簡を抽出でき（①）、スケッチ付きの手紙を閲覧することもできる（②)。ここで用いられている TEI/XML ファイルは「About this edition」のリンク * から zip ファイルとしてまとめてダウンロード可能であり、CC BY-NC-SA のライセンスの下で再利用可能となっている。（永崎）

* About this edition, https://vangoghletters.org/vg/about_6.html#intro.VI.6.4.

①ゴッホの書簡を地名で抽出

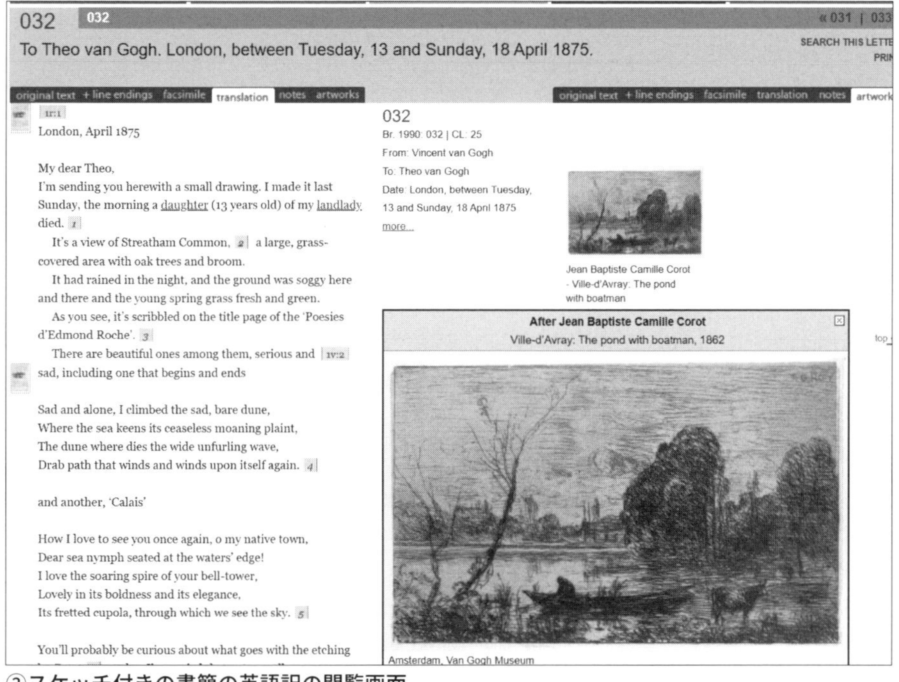

②スケッチ付きの書簡の英語訳の閲覧画面

第2章

TEIを用いた『渋沢栄一伝記資料』テキストデータの再構築：「渋沢栄一ダイアリー」公開まで

金甫榮・井上さやか

1．まえがき

『渋沢栄一伝記資料』（以下、『伝記資料』）は、実業家・渋沢栄一（1840–1931）の事績をまとめた、全68巻（本編58巻、別巻10冊）、約48,000ページにわたる膨大な資料集である。『伝記資料』は、渋沢の嫡孫であり民俗学者でもあった渋沢敬三（1896–1963）および渋沢栄一記念財団（以下、財団）の前身となる財団法人竜門社によって、数多存在する渋沢の伝記は必ずしも正確さや詳細さにおいて十分ではないとの認識から、伝記を書くための「資料集」として企図されたものである。渋沢没後すぐの1932年に編纂を開始、太平洋戦争により一時期中断を余儀なくされたが、同社の後継となる渋沢青淵記念財団竜門社により1955年から1971年にかけて刊行された。長命であり、かつ経済・政治・民間外交・社会公共事業など広域にわたる活動を行った渋沢の記録は、渋沢一個人のみならず、幕末から昭和初期にかけての種々の情勢を知るための基本資料として今日に至るまで活用されている[1)]。

その編纂の主任には、小説家・幸田露伴の弟であり歴史学者の幸田成友（1873–1954）が1932年より、経済学者の土屋喬雄（1896–1988）が1936年より当たった。編纂方針は、幾度かの見直しを経て、最終的に本編（索引巻を含む）と別巻の二つの構造をもつ資料集として刊行された。本編は渋沢の生涯を、第一編「在郷及ビ仕官時代」（誕生から大蔵省を辞するまで）、第二編「実業界指導並ニ社会公共事業尽力時代」（第一国立銀行総監就任から70歳の実業界引退まで）、第三編「社会公共事業尽瘁並ニ実業界後援時代」（実業界引退から91歳没後まで）の三つの時代に区分し、第一編は編年体で、第二編・第三編は類別された分野や事業・項目別の編年体でまとめられている。編纂方法は、項目ごとに要約文である綱文を示し、綱文の典拠となった資料を列挙する形を取っている。これは、東京帝国大学文科大学史料編纂掛（現在の東京大学史料編纂所）が編纂し、1901年より刊行が開始された日本史の基礎史料集『大日本史料』（あるいは幸田が編纂に関わった「大阪編年史料」）と同様の方法である。一方、別巻は渋沢の日記や書簡、講演、談話、余録、遺墨、写真などの諸資料が、種別ごとにまとめられ収録されている。

財団では、渋沢栄一と実業史に関する情報資源の開発・提供を中核事業のひとつとして「『伝記資料』デジタル化プロジェクト」に取り組んでいる。同プロジェクトは、2004年から開始され、2016年にはその成果として索引巻である58巻を除く本編1～57巻を「デジタル版『渋沢栄一伝記資料』」としてインターネットで公開した[2)]。別巻第1～10については、現在公開の方法を検討しているところである。本章では、別巻第1～2に収載された渋沢栄一の「日記」および日程表である「集会日時通知表」のテキストデータを、TEIを用いて再構築・公開した事例について紹介する。

2.『渋沢栄一伝記資料』デジタル化の歩み[3)]

『伝記資料』デジタル化プロジェクトは、『伝記資料』を、渋沢栄一および日本近代史の情報資源としてインターネットで広く公開し、利用できるようにすることを目的とした事業である。ここではTEIを用いる前段階として、簡単にデジタル化の歩みについて触れておきたい。『伝記資料』デジタル化は段階的に進められ、イメージ化、目次（綱文）データ化、全文テキスト化の三つのフェーズを経て、本編の公開に至るまで約12年という年月がかかった。とりわけ三つ目のフェーズ、2006年度より取り組んだ全文テキスト化は、対象テキストが膨大な量であるほか、新旧字体の活字や表組み、図、割書などが混在しており、困難を極めた。当初テキストデータはMS Wordを用い、書籍版面の再現や目視での校正のしやすさなどを考慮し、縦書き体裁で作成された。全文テキスト化にあたっては以下の方針を決めている。

（1）検索性を優先するため、文字コードはユニコードを採用し、旧字は新字へ統一する
（2）書籍の物理的構造や『伝記資料』全体の内容的構造など、幾つかの基準で区切る単位を定め、単位ごとに固有のID（DK010001kなど）を付与し、テキストに埋め込む
（3）見出しの項目を目安に、一定の長さで分割したファイルとする
（4）判読・入力が不可能な文字やルビ、注記、図表、挿図、改ページなどを示すため、該当する部分に固有の記号（○、▲、★など）を埋め込む

全文テキスト化は、2007年度に本編の、翌年度には別巻の作成が完了し、簡単なデータベースシステムを通じて財団内部の業務で活用を始めた。システムは、MS Excelのマクロ機能を用いて自前で制作したもので、検索機能と検索結果から該当ページのテキストファイルおよび画像を確認するための機能を実装している。しかし、公開のためにはテキストの校正や、検索機能の向上、権利処理、資金調達などでさらに年月を要した。そのため、公開方針を『伝記資料』全体の同時公開ではなく段階的な公開へと変更し、まず本編の公開を優先することとなった。本編の公開にあたっては、「項目―綱文―資料リスト」という本編固有の構造に合わせた独自の公開用プラットフォームを構築した。テキストデータは、MS WordのDOC形式より、テキスト中に埋め込んだIDや記号を活用した独自ルールのXML形式に変換し、同前のプラットフォームに乗

せるためコンバート可能な形に整形したものを公開用マスターデータとして管理している。

本編の公開後、別巻 10 冊の公開のための検討を開始した。当初『伝記資料』全 68 巻という枠組みのもと、本編と別巻を同プラットフォームで公開することが検討された。しかし、先に述べたように本編の構造に基づき構築したプラットフォームは、別巻の資料構造に必ずしも適切とは言えず、より適した公開方法を模索することとなった。また、『伝記資料』デジタル化プロジェクトは、開始より相当数の年月が経っていることから、新しい情報技術の導入や国際規格への準拠など、デジタル情報資源の保存と利活用において既存の方針を見直す時期が来ていた。『伝記資料』のデジタル化は、第 4 フェーズとなる新しい局面を迎えていたと言えよう。

3．TEI マークアップ の検討

3-1．TEI を用いる理由

別巻 10 冊には、前に述べたように日記や書簡、講演、談話、遺墨、写真などが収載されており、その内容と本文構成はさまざまであるため、それぞれのテキストの特徴に対応した多様な公開方法が求められた。また、テキストデータの信頼性と長期保存性の向上についても検討を行い、人文学資料のデジタル化のためのデファクトスタンダードである TEI（Text Encoding Initiative）のガイドラインに沿ったテキストデータの構築を試みることとなった。

TEI を用いることで得られる利点はたくさんあるが、ここでは主に三つに触れたい。その一つ目は、多様な内容のテキストに一貫したルールの適用が可能でありながら、その活用方法は無限であることが挙げられる。『伝記資料』本編の公開にあたっては、独自のルールで作成された XML 形式のマスターデータを、専用の公開用プラットフォームで公開できるように変換・処理しているため、限定的な利用しかできない。しかし、TEI を用いることで、汎用性および利便性を向上させることが期待される。二つ目の利点は、長期保存に向いていることが挙げられる。MS Word で作成された既存のテキストデータは、特定のソフトウェアに依存しているため、長期保存には不安な要素が多い。しかし、TEI は基盤技術として XML を採用し、特定のハードウェアやソフトウェアに依存せずデータを効果的に共有することを目指しているため、長期間にわたってより安定的かつ利用可能な形でデータを保存することが可能である。三つ目の利点に、データの信頼性を維持できることが挙げられる。既存のテキストデータにはそのデータに関するメタデータが含まれていないため、データが独り歩きしてしまった場合はその信頼性を失う可能性が高い。しかし、TEI はヘッダーにデータに関する記述的かつ書誌的な情報とメタデータを含めるようになっており、そのデータの作成者や編集者、原資料（もととなった資料）の出所、関連プロジェクトの概要、エンコーディング方針など、そのデータを理解する上で重要な情報を付与することができる。つまり、テキストデータ自体にメタデータを組み込んだ形でデータを保存・提供することで、データの信頼性を維持することが可能である[4)]。

3-2．構造化について考える

『伝記資料』にTEIを適用するために、財団内で検討会が始まったのは2018年のことである。検討会のメンバーは、別巻の公開方法を模索していた2017年にTEIの存在を知り、人文情報学研究所が開催する「デジタルアーカイブ構築・利活用セミナー：TEI入門・実践編」[5]に参加する機会を得た。本セミナーでは、TEIに関する基本的な知識の取得とその後の学習方法を学び、TEIに対する理解を深めるきっかけとなった。

検討会でまず取り掛かったのは、対象とするテキストデータの整備である。MS Wordで作成されたテキストデータは、本章第2節の全文テキスト化の方針（3）で挙げた通り、一定の単位で分割され、複数のファイルとして作成された。しかし、TEI適用においては、1冊が複数のファイルに分かれた状態より、一つのファイルに統合された方がタグ付けやテキストの管理が容易であろうと考えた。そこで、分割されたファイルを標題紙より奥付まで突き通しの1ファイルとして結合させた。また、マークアップのためにMS WordのDOC形式をプレーンテキストのTXT形式に変換した。変換の際には、縦書きや書体といったDOC形式に依存する一部の情報が失われることとなったが、検討段階では考慮しないこととした。

毎月一度担当者が集まり、別巻10冊にTEIを適用する場合どのようにマークアップをすれば良いかについて検討を行った。しかし、いずれの担当者もTEIについて入門的な知識しか持っていなかったため、TEIガイドラインを参考に施したタグをお互いに比較しながら良い方法を模索する形となった。議論の中心となったのは、何を基準にして構造化するかである。一つのファイルには、『伝記資料』全68巻の中の1冊であるという物理的な構造だけではなく、本の中身である内容的な構造をもマークアップする必要がある。例えば、【図1】左で示すように第1巻、第2巻という物理的な書籍の単位と、内容的な編・部・章の単位が一致しない場合がある。さらに、内容的な構造については、解題や凡例、目次、本文、奥付などのマークアップ方法に加え、それらの関連性をどのように表現するかという課題もあった。例えば、【図1】右のように別巻第1にある「日記」の解題は、別巻第2に掲載の「日記」までを包含しており、解題と本文との関連性が分からなければ本文を理解する上で支障をきたす。

特に困難を極めたのは、テキストの階層記述である。印刷された書籍では、タイトル、サブタイトル、本文のような構成が一部ずれることは珍しいことではないが、マークアップによる構造化を図る際には、このズレによりすべてのタグを変更しなければならないことがある。さらに、そのズレをどのように表現すれば良いかという問題も生じる（これについては本章第5節で述べる）。

検討会はこのような議論を重ねながら1年ほど継続されたが、直面した問題をすべて解決することは困難であったため、完璧なマークアップを目指すのではなく、課題の整理と別巻の大まかな構造を把握することに焦点を置いた。その結果、別巻第1から第8までの構造を「できる範囲で」把握し、最上位レベルの簡単なマークアップを施すことが可能となった。

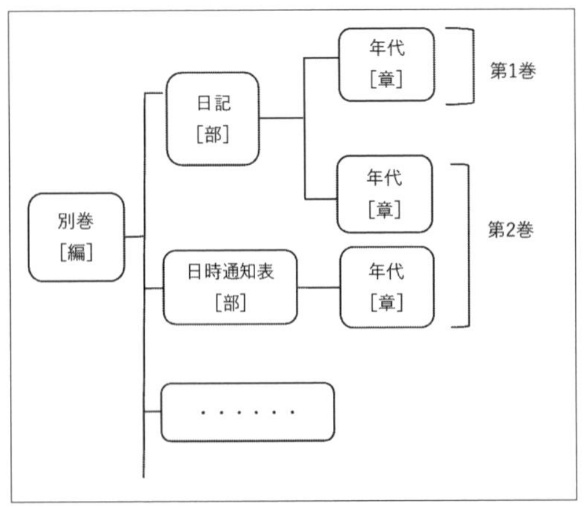

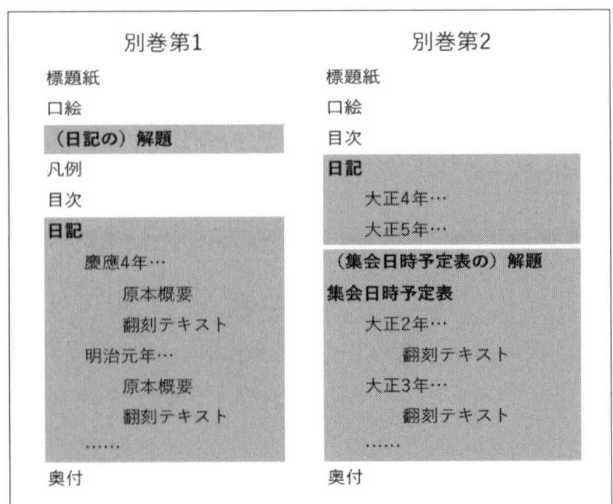

図 1　別巻第 1、第 2 の全体構造

4．テキストデータの再構築

4-1．共同研究の始まり

『伝記資料』への TEI の適用が本格化したのは、2020 年のことである。国立歴史民俗博物館の 2020 年度総合資料学奨励研究として研究課題「TEI を用いた『渋沢栄一伝記資料』テキストデータの再構築と活用」[6] が採択された。ここからは、本研究（以下、共同研究）で行った TEI マークアップの過程とその成果を紹介する。

共同研究の目的は、テキストデータを TEI のガイドラインを踏まえて構築しつつ、テキストデータのあり方や公開、活用方法などについて考察することである。具体的には、以下の三つの研究目標を定めた。

(1) 近現代日本語資料に汎用性のある TEI マークアップ手法を提案することで、日本語資料のテキストの構造化および公開に貢献する
(2) 様々な可視化および分析を用いた多角的な研究アプローチを提示することで、新たな研究の手掛かりや研究範囲の拡大に関する可能性を示す
(3) アーカイブズ資料への TEI マークアップの応用可能性を探る

研究対象となったのは、別巻第 1 および第 2 に掲載されている渋沢の自筆日記 [7] と「集会日時通知表」である。資料の形態としては、原資料、書籍、DOC 形式のデータが存在している。共同研究では、前述の財団内の検討会で作成した DOC 形式から変換した TXT 形式のプレーンテキストを用いることとなった【図 2】。

「日記」と「集会日時通知表」には、慶応 4（1868）年から昭和 6（1931）年に至る渋沢栄一の日々の出来事が記されており、関連人物や組織、地域などに関する膨大な情報が含まれている。「日

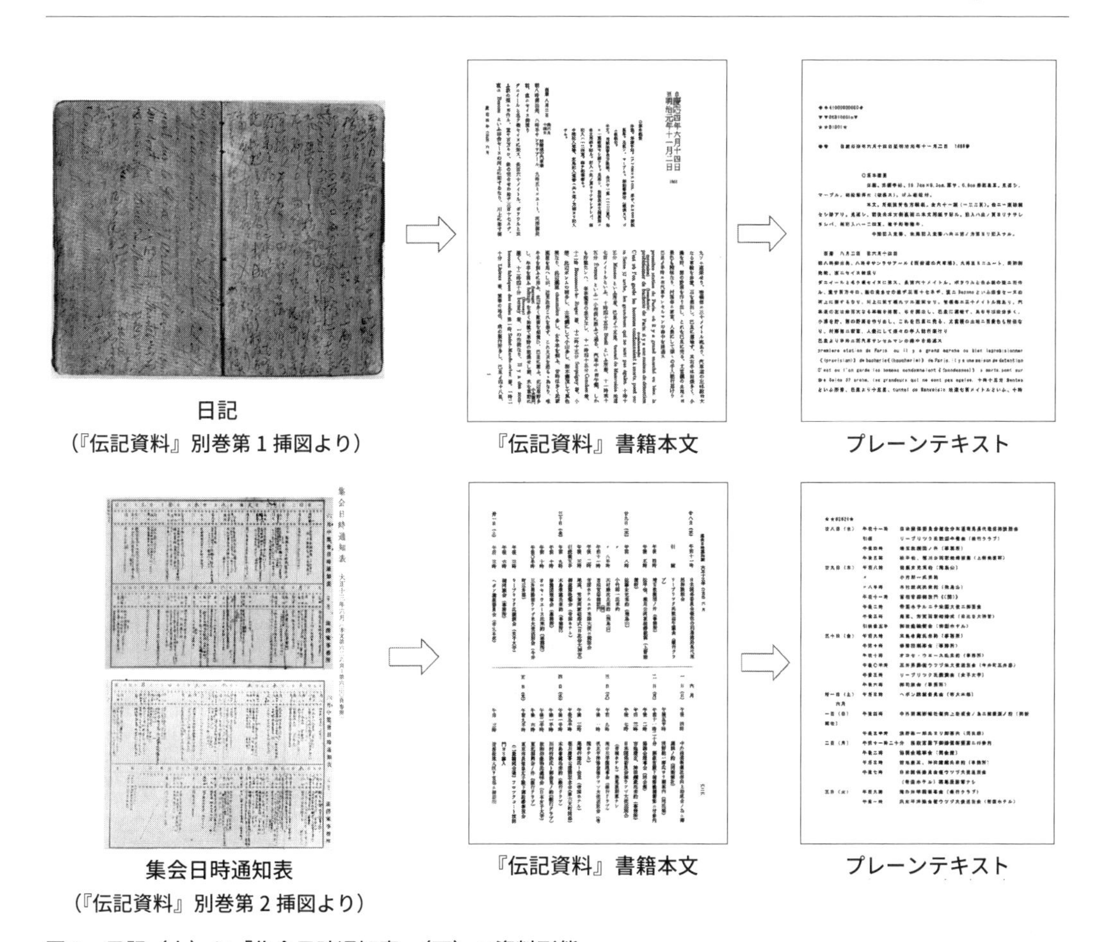

図2　日記（上）と「集会日時通知表」（下）の資料形態

記」は、慶応4年（渋沢28歳）から昭和5年（渋沢90歳）の直筆で書かれた30冊余りの日記帳から[8]、まず編纂作業用の写本が作成され、『伝記資料』に翻刻が掲載された。「集会日時通知表」は、大正2年（渋沢73歳）から昭和6年（渋沢が91歳で亡くなるまで）のものが存在する。渋沢の住む飛鳥山邸と、古稀の実業界引退後なお多忙であった渋沢のスケジュール管理を行っていた渋沢事務所との間で、来訪者や訪問先、会合などを相互に連絡し合うために用いられた日程表である。あくまで予定表ではあるが、相互連絡の都合上予定取りやめなどの補記もあり、ある程度実際の日程に近いものではないかと推測できる。この時期の日記は少ないため、日記を補完するものとして重要な資料であると言える。「集会日時通知表」も『伝記資料』に翻刻が掲載された。

4-2．マークアップ方針

4-2-1．マークアップの深さ

TEIマークアップにおいては、まず深さ、つまりどの程度まで構造化するかのレベルを決める必要がある。その検討には、Best Practices for TEI in Libraries[9]を参考にした。これは、図書館

でTEI準拠のテキストデータを作成するためのガイドラインで、マークアップの深さをレベル1から5までとしている。これらのレベルに関する説明は割愛するが、共同研究で検討したタグ付けの内容をこれに沿って簡単に整理すると、基本的な書誌情報とページ画像へのリンク（レベル1)、見出し（レベル2)、本文の階層構造（レベル3）に加え、一部の固有表現（レベル4）である[10]。

固有表現のマークアップは、その量が膨大であるため情報のアクセスポイントとして重要な役割をする表現に限定した。「日記」と「集会日時通知表」は、日常の記録である。主にいつ、誰と、どこで、何をしたかが記されており、日時、人名、地名が重要なキーワードとなる。また、渋沢の人脈と活躍の範囲が広域にわたることを考慮すれば、とりわけ人名のタグ付けは不可欠である。そして、検索結果の表示や可視化、他の情報とのリンク付けでは、日単位でテキストの制御が必要となる。そこで、固有表現のマークアップは「日時」、「人名」、「地名」に絞って行うこととした。

マークアップのレベルを深めるには、TEIガイドラインだけではなく、対象とするテキストの内容自体をより詳しく分析し、理解していく必要がある。本共同研究の目的は、近現代日本語資料に汎用性のあるTEIマークアップ手法を提案することにあって、テキストの内容を深く研究することではない。よって、共同研究におけるTEIマークアップは、前述で挙げたレベルにとどめた。テキストの内容理解を深める研究は、公開されたテキストデータをもって今後なされることを期待する。

4-2-2. 構造化

TEIマークアップおいては、マークアップの深さに加え、構造化のための基準が必要となる。共同研究では、財団内の検討会で行われた議論を踏まえ、以下の方針を決めた。

(1) 1冊の書籍としての物理的構造（表紙、凡例、解題、目次、本文、奥付など）だけではなく、内容的構造（編・部・章・節など）をも表現すること
(2)『伝記資料』に引用された原資料の来歴情報や、出所といったコンテクスト情報を明確に表現すること

これは、『伝記資料』の各巻を独立した1冊の書籍ではなく、全68巻の中の1冊として位置付けることで、テキストをバラバラな情報ではなく、集合体として認識・理解できるようにするためである。また、『伝記資料』は原資料を蒐集・翻刻して編纂した資料集であることから、その本文には原資料に関する情報が記されているが、その情報を失くすことなくマークアップすることで、書籍上で得られるテキストの文脈を引き継ぎつつ、原資料に関する外部情報との結び付けを可能にする狙いがある。

まず、方針（1）については、異なる二つの構造を表現することが必要となる。TEIが採用しているXMLスキーマでは、タグによる階層構造としては一つしか記述できない。内容的構造を

主とする場合は、空タグを用いることで物理的構造を共存させることになる 11)。また、物理的構造を主とする場合には、XML の属性値を用いることで内容的構造を表現することも可能である。『伝記資料』は、その内容が書籍をまたがって記載されていることがあるため、書籍の単位では物理的構造でマークアップし、一つの書籍の中では内容的構造に基づいて記述した。そして、内容的構造とオーバーラップする書籍内部の物理的構造については、空タグでマークアップした。一方、書籍をまたぐ内容的構造については、XML の属性値として一連の ID を与えることで、これらの異なる構造を同時に表現した。

「日記」は、別巻第 1 から第 2 まで巻をまたいで掲載され、「集会日時通知表」は別巻第 2 の途中から始まる【図 1】。この構造をマークアップしたものを、詳細タグを省略した形で示したのが【図 3】である。<text> 要素にいくつかの属性を用いて表現しているが、@type 属性を用いた「type="volume"」は、一つのファイルが物理的な書籍単位で作成されたことを意味する。@xml:id 属性を用いた「xml:id="DKB1"」、「xml:id="DKB2"」は、別巻第 1 または第 2 を指す。@n 属性を用いた「n="41000000000"」、「n="42000000000"」は、『伝記資料』の全体構成の編・部・章の中で、部に該当する「日記」と「集会日時通知表」を指す。

方針（2）は、『伝記資料』別巻が、種別ごとに資料を収録した資料集である特徴を考慮したものである。デジタル化により実現可能となった原資料と『伝記資料』とのリンク付けを通じて、テキストデータの信頼性を向上させると同時に、原資料の発見・利用にも貢献することが期待される。そのつながりにおいては、テキストのかたまりと階層を整理し、原資料との関係性が分かるようにタグ付けすることが求められる。そこで、最小限のタグを用いることで階層構造の把握を容易にし、@type 属性を適宜活用することでかたまりの内容に関する人間可読性の向上を図ることとした。

「日記」は、【図 4】左のように (a)「原資料のタイトル」、(b)「原資料の概要」、(c)「日記本文」（原資料の翻刻文）、(d) 原資料を読解するために付された『伝記資料』編纂時の「補記」の四つのかたまりで把握した。「補記」に関しては、本文の中で不規則に出現するため、独立したかたまりとして図で表すことが難しく、便宜上本文のかたまりの中に配置している。【図 4】右が詳細

```
<! ファイル1>
<group>
  <text type="volume">
    <text n="41000000000" xml:id="DKB1">
      <text xml:id="DKB100001m">…</text>
      <text xml:id="DKB100002m">…</text>
    </text>
  </text>
<group>
```

```
<! ファイル2>
<group>
  <text type="volume">
    <text n="41000000000" xml:id="DKB2">
      <text xml:id="DKB200001m">…</text>
      <text xml:id="DKB200002m">…</text>
    </text>
    <text n="42000000000" xml:id="DKB2">
      <text xml:id="DKB200003m">…</text>
      <text xml:id="DKB200004m">…</text>
    </text>
  </text>
</group>
```

図 3　別巻第 1 と第 2 の全体構造

タグを省略したマークアップ構成である。原資料とのつながりでは、タイトルだけではなく、原資料の概要も重要な役割をしている。そこには、もととなった日記帳の物理的特徴、所蔵先情報などが記載されていることから、@type 属性に「archival-description」という値を付与し、該当する日記帳と対応させることを目指した。

「集会日時通知表」は、【図 5】左のように（e）「タイトル（年）」、（f）「月、日」、（g）「時間、予定」、（h）「備考」の四つのかたまりで把握した。「備考」に関しては、「日記」の「補記」と同じ理由で本文のかたまりの中に配置している。テキストのかたまりおよび階層を表現する際には、番号なしの `<div>` タグを用いる方法と、`<div1>`、`<div2>` のように番号を付与したタグを用いる方法がある。共同研究では、極力シンプルなタグ付けにより処理の効率を向上させるため、番号なしの `<div>` タグを使うこととした [12]。【図 5】右が詳細タグを省略したマークアップ構成である。

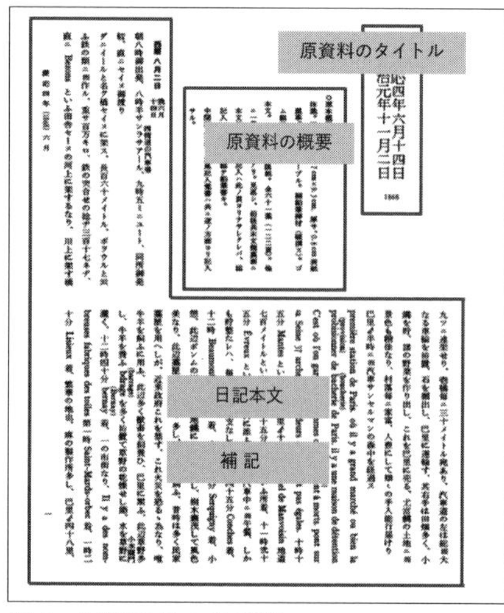


```
<text type="diary">
  <front>
    <head>原資料のタイトル</head>
  </front>
  <body>
    <div type="archival-description">原資料の概要</div>
    <div type="diary-entry">日記本文（原資料の翻刻文）</div>
    <div type="note"> 編纂時の補記 </div>
  </body>
</text>
```

図 4　日記の最上位構造

```
<text type="schedule">
  <front>
    <head>タイトル（年）</head>
  </front>
  <body>
    <div type="month">月
      <div type="day">
        <head>日</head>
        <listEvent>時間と予定</listEvent>
      </div>
      <div type="memo">備考</div>
    </div>
  </body>
</text>
```

図 5　「集会日時通知表」の最上位構造

4-2-3. 固有表現

テキストに詳細なタグ付けを行う際には、テキストデータの活用方法を視野に入れる必要があろう。「日記」および「集会日時通知表」は、その内容が特定人物の日々の行動記録であるという特徴から、可視化と分析の手がかりになるのは、日時、人名、地名の三つの要素であると判断し、これらのタグ付けに注力した。渋沢の「日記」および「集会日時通知表」の記述には、心情の吐露などにあたる感情表現が少なく、その内容が極めて事務的であるということも選択の要となった。

『伝記資料』のテキストは、共同研究で用いた2冊分だけでもその量が膨大である。基本的なタグ付けは、Pythonで作成した専用のプログラムで機械的に処理した後、手動で確認をする半自動処理で行った。この機械処理には、プレーンテキストの特徴に基づくルールベースによる構造化と、全文テキスト化の際に埋め込んだ○、▲、★のような記号や、ID、改行[13]などが活かされている。さらに、人名・地名の処理には、オープンソースの形態素解析エンジンであるMeCab[14]と近代文語UniDic[15]を組み合わせて使用した。日時の処理には、プレーンテキストの構成や階層構造、文字列の順序などを活用している。

さて、三つの要素に対して機械的に付与されたタグの確認には、基準が必要となる。タグ付けをより丁寧に行えばテキスト活用の幅はひろがるが、人的な作業負担は増加する。そのため、タグ付けおよびその確認作業は、機械処理がしやすい方法を優先し、共同研究の限られた資源の中で処理可能な範囲にとどめることを決め、以下の基準に沿って実施した。

- 日時 <date></date> <time></time>
  明確な日時を優先する。例えば、「三月十六日より五日後」のように日時を算出する必要があるものは、日付が明確な「三月十六日」の部分にタグ付けする。また、「六時二十分頃」のように曖昧な時間は「六時二十分」の部分にタグ付けする。
- 人名 <persName></persName>
  一般的に使用されている姓名や、『伝記資料』の中で特定の人物を指す名称として明確なものを優先する。例えば、「渋沢栄一」や「渋沢」、「栄一」、渋沢の号である「青淵」などである。本文の内容を確認し、誰を指しているかを特定する必要がある官職名（運輸大臣）や役職名（頭取）、爵位（男爵）、職種（医師）、通称（民部公子）、戒名（宝光院）などは対象外とする。
- 地名 <placeName></placeName>
  地図上に記載された地名を優先する。例外として、『伝記資料』において特定の場所を示す名称として頻繁に使用されるものは対象とする。例えば、渋沢栄一の晩年の邸宅「飛鳥山邸」の地図上の地名は「西ヶ原」となるが、「飛鳥山邸」のまま地名としてタグ付けする。山、川のような地理情報や、橋、寺、建物などの名称は対象外とする。

これらの基準は、あくまでも限られた時間内に効率よくマークアップを行うためのものである。しかしながら固有表現に詳細なタグ付けを施すためには、より綿密な検討が必要であることが浮き彫りになった。例えば、「石川」の場合、「石川県」、「小石川」、「石川安太郎」、「石川島造船所」のように、「石川」を含むさまざまな名称が登場する。この場合、「石川」に <persName> または <placeName> のタグを機械的に一括して付与することは不可能である。人名なのか、地名なのか、会社を指しているか、造船所という場所を指しているか、それぞれ判断が必要となる。共同研究では、手動による人名の識別にさほど迷いは生じなかったため、機械的な処理により地名扱いとなっている人名については、ほぼすべてのタグを修正できた。しかし地名の判断はやや複雑であったため、地理情報や建物名などはタグ付けしないこととなった。ただし、この確認の過程で明らかになった会社名および組織名には、当初の基準では検討されていなかったが、作業にかかった時間と労力を考慮し、新たに <orgName> のタグを付与している。

TEIガイドラインでは、人名、地名、時間に関する詳細なタグが用意されており、また、@corresp や @ref などの属性を活用すれば、異なる名称の関連付けと統制を行うことも可能である[16)]。しかし、固有表現のタグ付けと確認作業は、多大な時間と労力を要するものであり、共同研究における確認作業はいまだ完了していない。そのため、後述する共同研究の成果として公開したTEI/XMLファイルには、後から付与することとなった <orgName> タグ、また、名称の統制を試すための @corresp 属性が、一部のテキストにだけ付与された状態で残っている。結果的に、やや一貫性に欠けるマークアップとなってしまっており、これらの改善は今後の課題となった。

5. 成果

5-1. テキストデータの改善

共同研究で行ったTEIマークアップを通じて、既存のテキストデータが抱えていた問題点を解決できたことは、大きな成果と言える。その問題点の一つ目は、書誌情報およびテキストデータに関する背景情報を保持できなかったことである。しかし、【図6】のような <teiHeader> を記述することにより、そのデータがどういうものであるかを明確に示すことが可能となった。

二つ目の問題点は、DOC形式およびTXT形式のファイル作成過程で、テキストを構成する要素間の関係性を把握することが困難となったことである。まず、段落の区分が難しくなった事例を紹介する。【図7】は、明治元（1868）年9月16日と17日の日記であるが、左は『伝記資料』の書籍本文で、右はそのプレーンテキストである。当初の全文テキストデータ（DOC形式）作成においては、書式機能は極力使わず、書籍版面に見える形のまま再現する方針のもと、複数人が作業を行った。作業において内容の解釈が必要となる場合、人によって判断にばらつきが生じる可能性があるため、誰もが同じ結果を見いだすためには合理的な方法であろう。しかし、割書[17)]の場合はやや複雑な構成になってしまっている。割書は、本来1行であるところに複数行に分けて文章を書く必要があるが、全文テキストデータの作成では、全体の行数を増やしてテキストを配置する方法を取った。つまり、2行の割書を表現するため3行を使用している。これは、書式を含まないテキストデータではやむを得ない選択であろう。【図7】右は、このような方針で作成されたDOC形式を、さらに横書きに変換したプレーンテキストである。

```
<teiHeader>
  <fileDesc>
    <titleStmt>テキストデータのタイトル、責任情報</titleStmt>
    <publicationStmt>発行者情報</publicationStmt>
    <sourceDesc>もととなった資料情報</sourceDesc>
  </fileDesc>
  <encodingDesc>
    <projectDesc>マークアップの目的や経緯に関連する情報</projectDesc>
    <editorialDecl>マークアップの方針や方法</editorialDecl>
  </encodingDesc>
</teiHeader>
```

図6 <teiHeader> の概要

7行目から9行目にある点線で囲まれている部分が2行割書の例であるが、3行を使い真ん中の行は空けて上下にテキストを配置している。しかし、このような背景を知らずにプレーンテキストだけを読むと、割書に該当する上の1行は前の段落に含まれ、「九月十七日　晴風　日」以下から別の段落が始まるように読める。要するに、段落の区分を曖昧にさせる要因となってしまっている。

また、テキストの読み順にも変化が生じた。【図7】は、慶応3（1867）〜明治元（1868）年、徳川昭武がパリ万博へ参列するのに際し、渋沢が随員として渡仏した際の日記である。渋沢は帰途航海の最中にあり、日々の記録の冒頭には、【図8】のように①和暦（旧暦）の日時・天気・曜日、②緯度、③経度、④船の移動速度、⑤次の渡航先までの距離、⑥西暦の日付が記されている。これらの実際の読み順は①→②→③→④→⑤→⑥であるが、プレーンテキストは横書きの左上から右下へと読む順に従うため、②→④→①→③→⑤→⑥になってしまう。この事例では、読み順の変化により意味が変わってしまうような問題にはつながっていないが、もとのテキストを正確に表現したとは言えないことや、意味が変化してしまう場合もあることを考慮すれば、改善が求められる。

TEIマークアップでは、割書に対しては、<div>タグで段落のかたまりとその構成要素を明確

風静にして艘行随意なり、逆風なれとも烈しからされハ、夜に入ては
涼気其快を覚ゆ
九月十六日　晴風　土　北緯十九度二十三 東経三十八度五十　速弐百弐十六里 亜迄三百六十九里
十月三十一日
朝より逆風強く、天気朗晴なれとも波濤頗る高し、時〻両沿に島嶼を見る、午後より風ます〳〵強く、船追〻揺動せり、夜に入ては殊に甚し
九月十七日　晴風　日　北緯十三度四十六 東経四十度三十一　速百八十九里 亜丁迄百八十里
十一月一日
朝より逆風艘行甚あしし、午後蒸気船の東より来るを見る、時〻船の右に小島を見る、風故暑気ハ稍凌よきを覚ゆ、第三時頃亜刺比亜洲の地方を左に見る、一箇の市街白壁の海岸に映するを見る、モツカアといふ市街なり、カツフヘイの名所なりといふ、市街もいと繁華なるへく見ゆ、追〻風穏かに艘行随意なり、時〻両沿の島嶼を見る
夜に入ては清風涼しく、甲板上の夕涼尤清絶なり

北緯十九度二十三
九月十六日　晴風　土　東経三十八度五十
速弐百弐十六里　亜迄三百六十九里
十月三十一日
朝より逆風強く、天気朗晴なれとも波濤頗る高し、時々両沿に島嶼を見る、午後より
風ますます強く、船追々揺動せり、夜に入ては殊に甚し
北緯十三度四十六　速百八十九里
九月十七日　晴風　日
東経四十度三十一　亜丁迄百八十里
十一月一日
朝より逆風＝行甚あしし、午後蒸気船の東より来るを見る、時々船の右に小島を見る、
風故暑気ハ稍凌よきを覚ゆ、第三時頃亜刺比亜洲の地方を左に見る、一箇の市街白壁
の海岸に映するを見る、モツカアといふ市街なり、カツフヘイの名所なりといふ、市
街もいと繁華なるへく見ゆ、追々風穏かに＝行随意なり、時々両沿の島嶼を見る
夜に入ては清風涼しく、甲板上の夕涼尤清絶なり

図7 『伝記資料』書籍本文（左）とプレーンテキスト（右）

にすることで、問題点を改善することができた。しかし、読み順に関する問題点は改善できていない。この事例では、緯度、経度、速度を示す北、東、速の言葉の出現順番を決めることで機械処理ができる可能性はあるが、これは応急処置に過ぎないだろう。この点については、TEIのガイドラインにおける縦書きおよび割書に対するさらなる検討が必要であると思われる[18]。

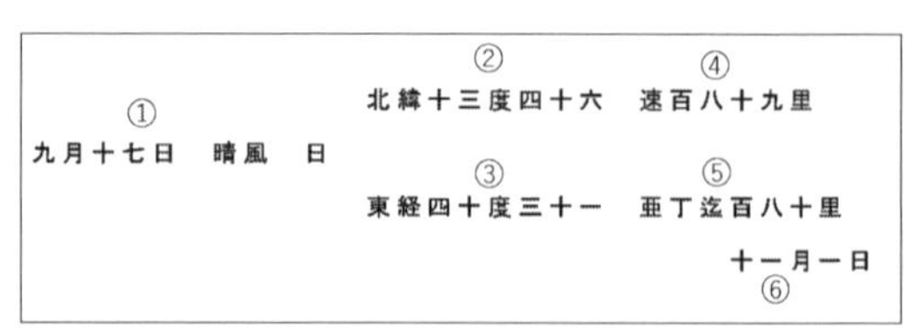

図8　読み順

三つ目の問題点は、複雑な階層とその関連性を表現できなかったことである。特に「日記」では、【図4】のように複数のかたまりで本文の構造を分けることができるが、(a)「原資料のタイトル」、(b)「原資料の概要」、(c)「日記本文」の包含関係を明示することは、テキストデータに原資料のコンテクスト情報を与えることにつながる。しかし、既存テキストデータでは、このような関係性を明示する情報を記述できていなかった。TEIマークアップでは、前節で述べたように <div> タグと @type 属性を活用し、テキストのかたまりとそれらの関係性を明確にすることが可能となったが、『伝記資料』の編纂過程で起きた不規則な本文の構造についても改良を図った上、マークアップを行っている。

その例を紹介する前に、該当部分のテキストについて簡単に説明を加えておきたい。渋沢の「日記」は大きく2種に分けられる。青年期における特定の用務のための旅中あるいはその用務に関係するだろう記録ごとにまとまった日記、そして、壮年期以降の日記である。前者の場合は

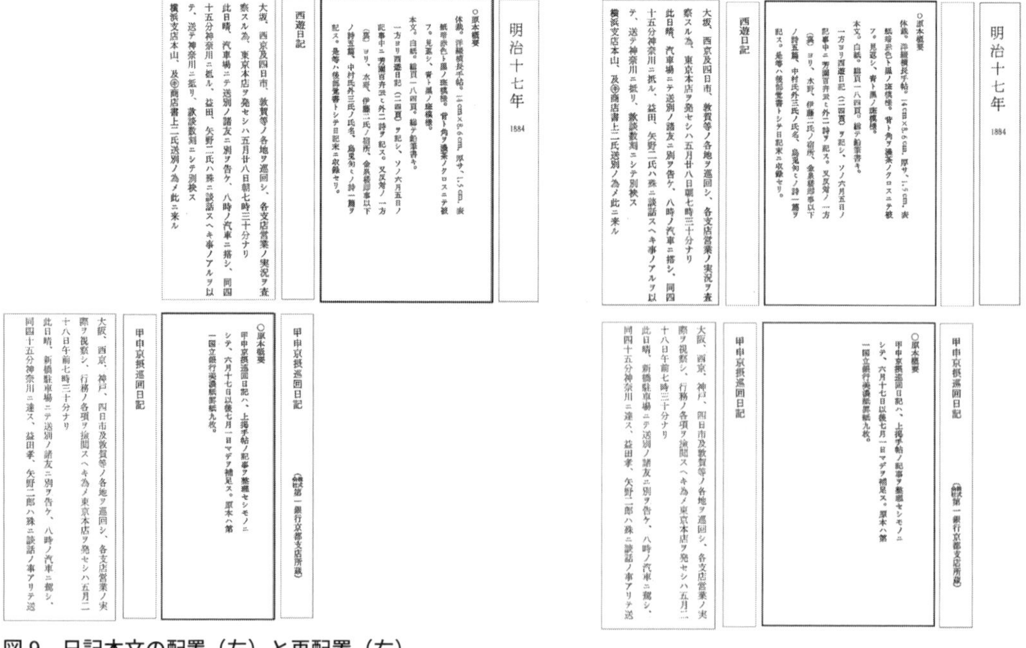
明治十七年
1884

○原本概要
体裁。洋綴横長手帖。14cm×8.6cm、厚サ、1.5cm、表紙暗赤色ト黒ノ斑模様。背ト角ヲ濃茶ノクロスニテ被フ。見返シ、青ト黒ノ斑模様。
本文。白紙。総頁一八四頁。総テ鉛筆書キ。
一方ヨリ西遊日記（三四頁）ヲ記シ、ソノ六月五日ノ記事中ニ芳園百弁云々外二詩ヲ記ス。又反対ノ一方（裏）ヨリ、水町、伊藤二氏ノ宿所、余某総郎事以下ノ詩五篇、中村氏外三氏ノ氏名、爲覚句々ノ詩一篇ヲ記ス。是等ハ後部覚書トシテ日記末ニ収録セリ。

西遊日記

大坂、西京及四日市、敦賀等ノ各地ヲ巡回シ、各支店営業ノ実況ヲ査察スル為、東京本店ヲ発セシハ五月廿八日朝七時三十分ナリ
此日晴、汽車場ニテ送別ノ諸友ニ別ヲ告ケ、八時ノ汽車ニ搭シ、同四十五分神奈川ニ抵ル、益田、矢野二氏ハ殊ニ談話スヘキ事ノアルヲ以テ、送テ神奈川ニ抵リ、款談数刻ニシテ別袂ス
横浜支店本山、及㊥商店書上二氏送別ノ為メ此ニ来ル

甲申京摂巡回日記　（株式会社第一銀行京都支店所蔵）

○原本概要
甲申京摂巡回日記ハ、上掲手帖ノ記事ヲ整理セシモノニシテ、六月十七日以後七月一日マデヲ補足ス。原本ハ第一国立銀行美濃紙罫紙九枚。

甲申京摂巡回日記

大阪、西京、神戸、四日市及敦賀等ノ各地ヲ巡回シ、各支店営業ノ実際ヲ視察シ、行務ノ各項ヲ接聞スヘキ為メ東京本店ヲ発セシハ五月二十八日午前七時三十分ナリ
此日晴、新橋駐車場ニテ送別ノ諸友ニ別ヲ告ケ、八時ノ汽車ニ鎮シ、同四十五分神奈川ニ達ス、益田孝、矢野二郎ハ殊ニ談話ノ事アリテ送

図9　日記本文の配置（左）と再配置（右）

1冊の日記帳に複数年、もしくは複数の旅中日記が記されていることがある。後者は博文館発行の日記帳「当用日記」を用いており、年が改まっても日記帳を変えることなく続けて記された部分もあるが、基本的に「一年」を単位にまとめられている。『伝記資料』の本文構造もこれに従っており、一つの「日記」には対応する一つの原資料の概要に当たる「原本概要」が付され掲載されている。

この構造において不規則になっている部分は、前者における明治17（1884）年の日記である。【図9】は、『伝記資料』に掲載された当該年の構造を略図にしたものである。この年は一つの日記帳に「西遊日記」と「甲申京摂巡回日記」の二つのタイトルを持つ日記が記されており、原本概要もそれぞれに付与されている。【図9】左の上段が「西遊日記」、下段が「甲申京摂巡回日記」で、太い線で囲まれている部分がそれぞれの原本概要である。そして、「西遊日記」のタイトルは原本概要の後に一つあり、「甲申京摂巡回日記」のタイトルは原本概要の前後に二つあることがわかる。しかし、上段の原本概要は、全体的な構造からだと二つの日記帳のタイトルの前に配置されているため、明治17（1884）年全体（もしくは二つの日記帳）に該当するように読める。

```
<group>
  <text>
    <front>
      <head/>
      <div type="archival-description">原資料の概要</div>
    </front>
    <body>
      <div>
        <head>西遊日記</head>
        <div type="diary-entry">日記本文</div>
      </div>
    </body>
  </text>
  <text>
    <front>
      <head>甲申京摂巡回日記…</head>
      <div type="archival-description">原資料の概要</div>
    </front>
    <body>
      <div>
        <head>甲申京摂巡回日記</head>
        <div type="diary-entry">日記本文</div>
      </div>
    </body>
  </text>
</group>
```

図10　再配置された構造に基づくタグ付け

TEIマークアップでは、この不規則な構造を整えるため、テキストのかたまりを【図9】右のように再配置した。上段の「西遊日記」に足りないタイトルを、原本概要の前に空要素で補った。その上で、下段の「甲申京摂巡回日記」のかたまりを、該当する部分に合わせて再配置すると、それぞれの原本概要の範囲がより明確になる。【図10】は、再配置された構造に基づくタグ付けを、大まかなに示したものである。

5-2.「渋沢栄一ダイアリー」の公開

もう一つの研究成果として、「渋沢栄一ダイアリー」（【図11】）のインターネット公開がある[19)]。同サイトは、共同研究による成果の集大成として構築された。サイト設計にあたって考慮したことを、大きく二つに分けて紹介する。

一つ目は、機械可読化による検索機能の提供にとどまらず、TEIを用いた構造化を通じてテキ

図 11　「渋沢栄一ダイアリー」のウェブサイト

ストデータをバラバラな情報ではなく、そのテキストが作成・維持された文脈の中で理解できるようにすることである。具体的には、資料集という特徴を構造化に反映させ、原資料とリンク付けすることにより、『伝記資料』の信頼性を向上させると共に、原資料の利用にも貢献することである。リンクを生成するにあたっては、`<div type="archival-description">`タグで指定した「日記」の原本概要部分が重要な役割をしている。「渋沢栄一ダイアリー」では、現在渋沢の日記の大半を所蔵する国文学研究資料館「日本実業史博物館コレクションデータベース」収載の該当日記情報を閲覧できるページへのリンクを提供している [20)]。同前データベースでは、2021 年 4 月の「渋沢栄一ダイアリー」公開時には日記の表紙画像のみが公開されていたが、その後全ページ画像が公開された。2022 年 2 月現在は、インターネット上で『伝記資料』と原資料の本文を両方確認できる状況となっている。

二つ目は、情報の拡張と多様な利用ニーズに応えることである。「渋沢栄一ダイアリー」では、TEI Viewer を活用した全文閲覧、IIIF（International Image Interoperability Framework）Viewer によるページ画像の閲覧、RDF（Resource Description Framework）記述による外部データベースへの接続が可能である（【図 12】）。また、共同研究で作成した TEI/XML ファイルを、ここからすべてダウンロードすることも可能である。また、テキストデータのカレンダー表示や、人物

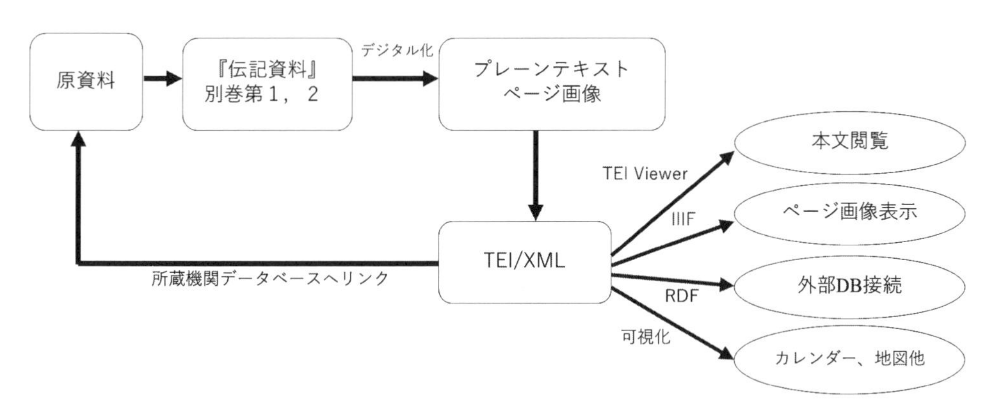

図 12　研究成果の全体像

同士のネットワーク図、人名リスト、地名の地図上の表示など、さまざまな可視化も行っている。このような情報の拡張および可視化は、テキストデータを総合的に理解し、今までなかった新しい視点からデータを分析することに貢献できることが期待される。これに関する技術的な内容については、本書の第 3 部第 4 章で紹介する。

6．あとがき

「渋沢栄一ダイアリー」は、オープンソースソフトウェアや無料サービスを駆使して構築され、さまざまな可視化にも挑んでいる。しかしながら、1 年という短い研究期間で試行錯誤をしながら作成した TEI/XML ファイルは、まだ不完全な状態であり、解決に至らなかった問題点も多々残っている。データがまだ不完全な状態でありながら、公開に踏み切ったのには理由がある。『伝記資料』は膨大な資料集であるにも関わらず、そのテキストの分析事例はいまだ皆無である。それには、利用者がテキストデータを一括で入手できないこと、その量が膨大であるがゆえに内容を把握することが困難であることが理由として挙げられるだろう。このような困難を解決し、利用者のニーズに応えるためには、まずデータの公開が第一であると考えたからである。これは、資料を所蔵する機関の使命でもある。

『伝記資料』テキストへの TEI 適用の第一歩が成しえたのは、幸いにも人文情報学分野の研究者との共同研究が叶ったからであり、財団の中だけでは難しかっただろう。研究助成をいただいた国立歴史民俗博物館、そして、共に研究課題に取り組んでいただいた研究者の皆様に改めて感謝の意を表する。現在、「TEI-C 東アジア / 日本語分科会」によって、TEI ガイドラインの日本語訳の一部公開も始まっており [21)]、TEI に関する基本情報を日本語で参照することが容易になってきた。しかしながら、実際に TEI に取り組むことを考えると、TEI に関する基礎的・応用的な知識を有する先達の知見を得ることが肝要と思われる。すべてが揃う必要はないだろうが、資料の所蔵者、資料の内容に関する専門家、TEI に関する専門家、さらに TEI 利活用に関する専門家とコラボレートし、役割分担できるとなお良いのではないかと思う。

また、『伝記資料』へのTEI適用を実際に行ったメリットのひとつとして、対象である『伝記資料』そのものへの理解が深まったことを挙げたい。これまでも財団では、デジタル化プロジェクトを通じて『伝記資料』の利活用に取り組み、その過程で『伝記資料』の調査をすすめてきた。しかし、人文情報学の手法を用いてテキストを分析することで、『伝記資料』の編纂方針や収録された渋沢の記録などを、新しい視座から再確認する機会を得た。

『伝記資料』の編纂過程は、竜門社の機関誌『竜門雑誌』（竜門社、1888～1948 年刊）に不定期連載された「青淵先生伝記資料編纂所通信」（連載名称の変更あり）で委細報告されているが、いまだ判明していないことも少なからずある。共同研究の目的は、テキストの内容を深く研究するところにはまだない、と先に述べたが、TEI を用いたテキストの再構築に取り組んだ結果、期せずしてその入口に立ったとも言える。

付記：本稿は金甫榮ほか「TEIを用いた『渋沢栄一伝記資料』テキストデータの再構築」『じんもんこん2020 論文集』2020、2020 年、pp. 47–52 に大幅な加筆・修正をしたものである。

注

1　『渋沢栄一伝記資料』については次を参照。公益財団法人渋沢栄一記念財団ウェブサイト『渋沢栄一伝記資料』。https://www.shibusawa.or.jp/eiichi/biography.html（参照 2022-02-28）

2　「デジタル版『渋沢栄一伝記資料』」。https://eiichi.shibusawa.or.jp/denkishiryo/digital/main/（参照 2022-02-28）

3　小出いずみ「実業史研究情報センターの歩み」『渋沢栄一記念財団の挑戦』公益財団法人渋沢栄一記念財団編, 不二出版, 2015, pp. 91-100.

4　Nancy Ide, C. Michael Sperberg-McQueen, Lou Burnard.「招待論文 TEI：それはどこからきたのか. そして, なぜ, 今もなおここにあるのか？」『デジタル・ヒューマニティーズ』Vol.1, 2018, pp.3–28. https://doi.org/10.24576/jadh.1.0_3（参照 2022-02-28）

5　セミナーの開催情報は次を参照。2017 年 11 月 21 日開催、一般財団法人人文情報学研究所主催。https://www.dhii.jp/dh/tei20171121.html（参照 2022-02-28）

6　研究概要は次を参照のこと。Boyoung Kim, Satoru Nakamura, Yuta Hashimoto, Naoki Kokaze, Sayaka Inoue, Toru Shigehara, Kiyonori Nagasaki. Reconstruction and Utilization of Text Data Using TEI: Case Study of the Shibusawa Eiichi Denki Shiryo," Proceedings of JADH conference, vol.2021, 2021, pp.126–129. https://www.hi.u-tokyo.ac.jp/JADH/2021/Proceedings_JADH2021_rev0905.pdf#page=126（参照 2022-02-28）

7　直筆日記の収集・保存については次の記事が詳しい。井上さやか「情報資源センターだより：『渋沢栄一伝記資料』別巻のインターネット公開に向けて」『青淵』No.860, 2020, pp.46–47. 本文は次のサイトで閲覧できる。https://www.shibusawa.or.jp/center/newsletter/860.html（参照 2022-02-28）

8　昭和 6 年のものも存在するが、中は未記入。

9　Best Practices for TEI in Libraries. http://www.tei-c.org/SIG/Libraries/teiinlibraries/（参照 2022-02-28）

10　永崎研宣「歴史データのさまざまな応用―Text Encoding Initiative の現在―」『歴史情報学の教科書：歴史のデータが世界をひらく』後藤真, 橋本雄太編, 文学通信, 2019, pp.131–154. https://repository.bungaku-report.com/htdocs/?action=repository_uri&item_id=21（参照 2022-02-28）

11 この事例については、本章第5節で述べる。TEI ガイドラインは、次を参照。"Non-hierarchical Structures," TEI P5: Guidelines for Electronic Text Encoding and Interchange. Version 4.3.0. https://www.tei-c.org/release/doc/tei-p5-doc/en/html/NH.html（参照 2022-02-28）

12 Nancy Ide, C. Michael Sperberg-McQueen, Lou Burnard. 2018, p.17.

13 機械処理では、行頭復帰または改行を行う制御文字の CR（Carriage Return）を活用した。

14 MeCab: Yet Another Part-of-Speech and Morphological Analyzer, https://taku910.github.io/mecab/（参照 2022-02-28）

15 小木曽智信, 須永哲矢「『近代文語 UniDic』『中古和文 UniDic』を利用した総索引作成システムの開発」『じんもんこん 2010 論文集』Vol.2010, No.15, 2010, pp.119–124.

16 "Names, Dates, People, and Places," TEI P5: Guidelines for Electronic Text Encoding and Interchange, Version 4.3.0. https://www.tei-c.org/release/doc/tei-p5-doc/en/html/ND.html#NDPLGU（参照 2022-02-28）

17 本章では、本文の間に細字で2行以上に文章を割って書く体裁の記述を一括して割書と呼ぶことにする。

18 王一凡, 永崎研宣「東アジア文献への TEI の適用をめぐって」『研究報告人文科学とコンピュータ（CH）』Vol.2018-CH-118, No.4, 2018, pp.1–4.

19 「渋沢栄一ダイアリー」。https://shibusawa-dlab.github.io/app1/（参照 2022-02-28）

20 「『渋沢栄一伝記資料』別巻第1、第2の概要（もととなった資料の情報）」。https://shibusawa-dlab.github.io/app1/ad（参照 2022-02-28）

21 「TEI ガイドライン日本語訳」。https://www.dh.ku-orcas.kansai-u.ac.jp/?cat=9（参照 2022-02-28）

参考文献

[1] 渋沢青淵記念財団竜門社編『渋沢栄一伝記資料』全68巻, 渋沢栄一伝記資料刊行会, 渋沢青淵記念財団竜門社, 1955-1971.

[2] 青淵漁夫, 靄山樵者録『航西日記』巻之 1–6, 耐寒同社, 1871.

[3] 大塚武松編『渋沢栄一滞仏日記』日本史籍協会, 1928.

[4] 公益財団法人渋沢栄一記念財団編『渋沢栄一記念財団の挑戦』不二出版, 2015.

[5] 大谷明史著『渋沢敬三と竜門社：「伝記資料編纂所」と「博物館準備室」の日々』勉誠出版, 2015.

[6] 後藤真, 橋本雄太編『歴史情報学の教科書：歴史のデータが世界をひらく』文学通信, 2019.

[7] 京都大学人文科学研究所・共同研究班「人文学研究資料にとってのWebの可能性を再探する」編, 永崎研宣著『日本の文化をデジタル世界に伝える』樹村房, 2019.

第3章

TEIとRDFを用いた財務史料の構造化：古代日本・近世スペイン・近代イギリスを事例に

小風尚樹

1．はじめに

本章では、人文学史資料の中でも特に財務史料に焦点を絞り、Text Encoding Initiative（以下、TEI）に準拠した構造化データをどのように作成・分析するかについて解説する。筆者が携わってきた古代日本、近世スペイン、近代イギリスの事例を紹介しつつ、財務史料の構造化のデジタル・ヒューマニティーズ的意義について考察したい。なお、筆者の研究関心から、歴史学の視点が中心になることを断っておく。

2．財務史料の構造化におけるふたつの困難

人文学史資料のデジタルアーカイブ構築については、①歴史的につくられてきたさまざまな史料のメタデータおよびコンテンツのデータを持続的に管理すること、②研究者や関心ある市民の間でデータを共有すること、③原史料へのアクセスを確保することの重要性が認知されてきている。

しかし、財務記録を含む史料（手形・領収書・帳簿・出納帳・貿易統計など）については、統計処理を行うために数値をうまく取り出せるようにする必要がある。このため、財務史料の原史料へのアクセス性と計算可能性を確保することは困難であった。すなわち、

（1）近代以前における財務史料は、必ずしも表形式で記述されているわけではなく、散文の中に財務記録が含まれていることもある。そのため、数値計算に特化した現代の表計算プログラムやソフトウェアでは、その計算過程で用いられた数値を原史料における記述と突き合わせて検討できるようにすることが難しい。つまり、データが元の文脈から切り離されてしまう危険性がある。

（2）関連する史料の間で記述内容が食い違う場合が往々にして存在するため、プログラム上で一意に財務記録を特定することが難しい。歴史学者は、史料間で一致しない数値を後で検討する余地を残しつつも妥当と思われる数値を用いて計算を行うという、あいまい

さを許容しながら研究を進めたい。数値の矛盾を無視してしまっては、そのニーズに応えるような財務史料データとは言えない。

このような事情から、機械処理できる形式かつ原文へのアクセスが可能な財務史料のデジタルアーカイブは、ほとんど存在しなかった[1)]。

たとえば、初代アメリカ合衆国大統領ジョージ・ワシントンに関する財務史料のデータベースである The George Washington Financial Papers Project では[2)]、【図 1】のように史料画像と翻刻テキストデータの比較・検索が可能になっている。元帳の現金出納帳を見てみると、借方欄と貸方欄それぞれに対応する翻刻テキストデータが分かれて記述されており、CSV や XLS といった表形式のデータとしてダウンロードすることもできる。

たしかに、このデータベースは、翻刻テキストデータを原文と対照させて確認することができる点で利便性は高いが、そこから一歩踏み込んで、たとえば会計年度ごとの取引収支の検算や特定品目の支出状況だけを取り出して分析したいといったような場合には、機械処理だけでは実現できない作業が必要となる。わかりやすい例で言えば、ドル・セントの繰り上げの計算が挙げられる。通貨単位の計算式というのは、たとえ同じ単位であっても時代・地域によって変わるものであるから[4)]、分析対象の時代に応じてコンピュータプログラムが自動で計算式を適用して収支状況を分析できるようにするには、単純な翻刻テキストデータだけでは不可能である。財務史料から数値を取り出して機械処理できるようにするには、時代的・地域的コンテクストを反映した構造化データが必要になるのである[5)]。

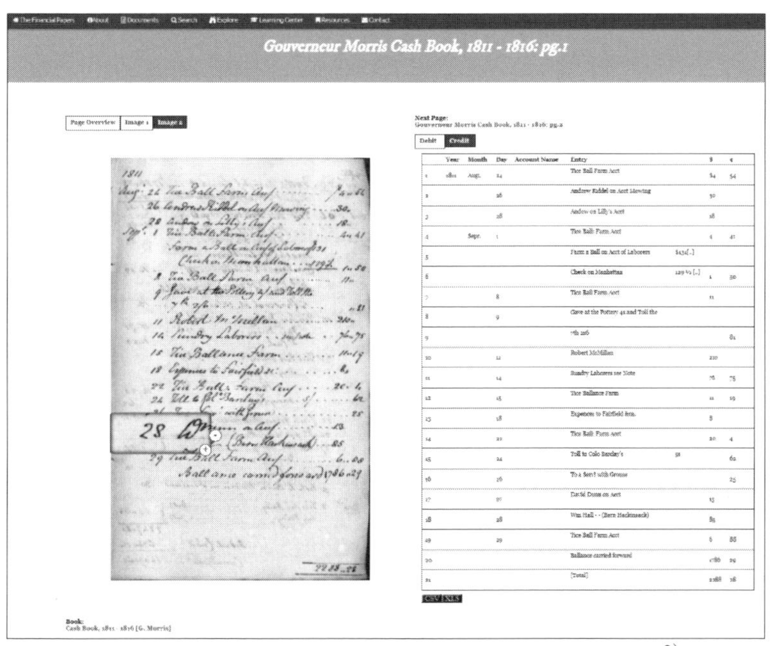

図 1　ジョージ・ワシントン関連の財務史料データベースからの抜粋[3)]

3．財務史料の構造化に関する方法論的考察

3-1．TEI P5

前述の二つの困難を克服するための枠組みとして、TEI が有用である。原史料の記述から得られた知見や解釈を構造化データとして明示できるし、あいまいさや不確実さが残る記述に対して <certainty> タグを用いることで解釈を留保することもできる[6)]。たとえば、本章で後述するイギリス海事史の事例を【マークアップ 1】に示す。ここでは仮に、「Leslie & Godwin 社に船舶保険を 1 か月間分、4 ポンド 14 シリング 5 ペンスで支払った。しかし、Leslie & Godwin が会社名であるかどうか不安が残る」という史料の記述と留保を TEI でタグ付けしたい場合の例を示しておく。たしかに TEI P5 では、このように財務情報をタグ付けすることはできるが、それらの数値や人物・組織といった情報同士が、どのように関係しあっているのかまでは表現できないという問題がある。

3-2．Transactionography

この問題を解決する手法として 2013 年に提案されたのが、TEI に準拠した方法論であるトランザクショノグラフィ（Transactionography）である[7)]。トランザクショノグラフィは、散文形式だけでなく複式簿記のように複雑な構造を含む財務記録マークアップのための拡張 TEI スキーマの開発を含む研究である。その本質は、財務取引を「モノの移動」として構造的に捉えることにあった。すなわち、人や組織など取引主体の間を、取引されるモノが移動すると考える。この最小単位の動きを構造化データとして表現し、財務取引の情報として蓄積した結果、財務史料のマークアップが完成するという考え方である[8)]。

下記の【マークアップ 2】では、Wheaton の雑貨店（places.xml ファイルで @xml:id 属性値

```
<table>
  <row>
    <cell><name xml:id="uncert1">Leslie &amp; Godwin Ld</name>
      <measure commodity="Insurance">Insurance for 1 month L12500</measure></cell>
    <cell><measure commodity="Currency" quantity="4" unit="pound">4</measure></cell>
    <cell><measure commodity="Currency" quantity="14" unit="shilling">14</measure></cell>
    <cell><measure commodity="Currency" quantity="5" unit="pence">5</measure></cell>
  </row>
  <certainty locus="name" target="#uncert1"><desc>probably a company's name, but possibly not</desc></certainty>
</table>
```

マークアップ 1　TEI P5 に準拠した財務史料の構造化（留保つき）

```
<hfr:transfer xmls:hfr="http://www.wheatoncollege.edu/tei-extensions/
  financialRecords/1.0" fra="persons.xml#WCDH2" placeRef="places.xml#W2GS"
  source="daybook.xml#dle363 daybook.xml#dle393" til="persons.xml#WCDH633">
  <measure commodity="lard" quantity="2.268" unit="kg"/>
</hfr:transfer>
```

マークアップ 2　トランザクショノグラフィにおける「モノの移動」の構造化[9)]

がW2GSと定義された場所）にて、Laban Moery（persons.xmlファイルで@xml:id属性値がWCDH633と定義された人物）がAbigali Webber（persons.xmlファイルで@xml:id属性値がWCDH2と定義された人物）から5ポンド（キログラムに換算すると2.268kg）のラードを購入したと記述されている。後の説明に関連する重要な概念として、transferとfra（ノルウェー語でfromの意）、そしてtil（ノルウェー語でtoの意）に注目しておきたい。これらの概念によって、「何が（を）」「誰から」「誰へ」というモノの移動を表現することができるのである。

これらの概念は、トランザクショノグラフィの後継プロジェクトであるDEPCHA（Digital Edition Publishing Cooperative for Historical Accounts）にも継承されており、本章はこのDEPCHAの方法論を中心に検討していくことになる。

3-3．XBRL

DEPCHAについて考察する前に、財務史料の構造化に関する別の手法を検討する必要がある。それは、現代の会計実践、とくに財務諸表の構造化において標準的に用いられているXBRL（eXtensible Business Reporting Language）である。XBRLは、財務文書の書式や記載項目、項目同士の関係性や計算方法などを定義するタクソノミ文書と、そのひな形に流し込む実際の値を入力したインスタンス文書から構成される（【図2】）。国別の書式や通貨単位を揃えることもでき、財務情報の作成・流通・比較を効率的に行えるような構造化データを作成することを目的としている。日本でも、国税庁が運営するe-Taxや金融庁が運営するEDINETといったシステムが、XBRLを用いてデータを記述している。XBRLに準拠した財務諸表データの分析のための商用ソフトウェアも数多く開発されており、ひな形が定められた数値を横断的に計算したいような場合に有用な選択肢である。

それでは、財務史料の記述・数値を構造化する際にXBRLは有効なのだろうか。まず、数値だけを問題にしたい場合は、

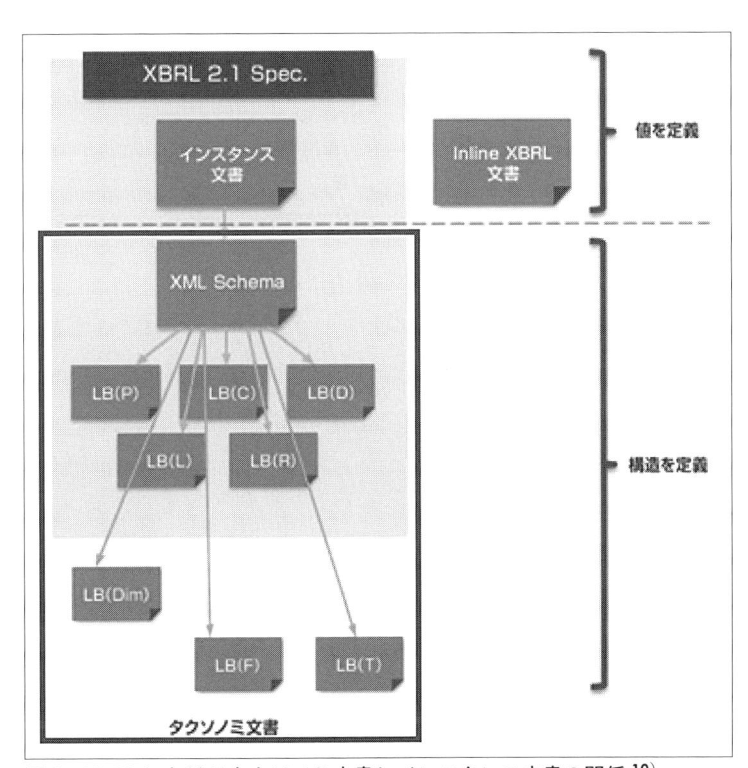

図2　XBRLにおけるタクソノミ文書とインスタンス文書の関係[10)]

XBRLに準拠してデータを作成しておけば、既製の分析ソフトウェアを活用できるという利点がある。一方、TEIに準拠したデータを作成したとすると、現状では分析ソフトウェアを自前で開発する必要性が出てきてしまう。前述の通り、TEIに準ずることが有効な場面は、財務史料のレイアウトやあいまいな記述が重要であり､元の文脈を確認できるようにしておきたい時である。

しかし、財務史料の数値だけに関心がある場合においても、XBRLに準拠することでいくつかの不都合が生じるという指摘がある。前述のトランザクショノグラフィのプロジェクトメンバーのひとりClifford Andersonによれば、

（1）財務史料の中に登場する書式や記載項目をXBRLのタクソノミ文書の中で独自の語彙として定義することはできるものの、その語彙同士の関係性をタクソノミ文書の中であらためて定義しなければならない。

（2）現代の通貨ではなく歴史的な単位で数値を記述したい場合に、各国の通貨単位を規定するISO 4217では不十分である。

（3）ある研究で定義された語彙やタクソノミ文書が、汎用的なものとして他の研究で再利用できるかどうかは疑わしい[11]。

ここまでをまとめる。TEIは、言語表現や史資料の体裁情報、あいまいな情報をうまく構造化できる。一方、現代的な観点からの財務情報の表現にはXBRLが標準的に用いられている。しかし、これらの利点を両立できるような枠組みが存在していないという課題が浮き彫りになってきた。

3-4．DEPCHA

2016年頃からTEIとXBRLの双方の利点を兼ね備えた財務史料の構造化データ記述に取り組んでいるプロジェクトがDEPCHAである。このプロジェクトは、MEDEA（注7参照）を主導していたKathryn Tomasekを責任者とし、グラーツ大学のGeorg VogelerとChristopher Pollinが技術チームの中心となって設計・開発を進めている。

DEPCHAは、財務史料のマークアップにあたって、史料にあらわれる人物や地名に加えて、取引の対象となる品物や金額、取引の関係性といった概念を、現実世界の知識として意味の疎通がはかれるような機械可読データとして表現すべく、セマンティックウェブの概念[12]を導入することを提唱した[13]。DEPCHAが開発しているBookkeeping Ontology（以下、DEPCHAオントロジー）は、TEIで構造化されたXMLファイルから、ある者と別の者の間で交わされたカネ・商品・サービスの取引の解釈を表現するRDF/XMLファイルを生成するものである[14]。2022年度を目安に最終開発を進めている最中である。このDEPCHAオントロジーの最大の利点は、変換対象のTEIファイルがどんな文書構造を持っていたとしても、DEPCHAが定義する取引構造さえ表現されていれば、自動的にRDFファイルを生成できることである。この柔軟性・汎用性の意義については後述することとしよう。

DEPCHAが推奨するマークアップ方法はシンプルである。財務史料本文のマークアップをベー

```
<table>
  <head>表の見出し</head>
  <row ana="bk:entry bk:transfer">
    <cell ana="bk:when">日付</cell>
    <cell><measure ana="bk:commodity bk:from">購入品目</measure></cell>
    <cell><measure ana="bk:money bk:to">購入金額</measure></cell>
  </row>
</table>
```

マークアップ3　DEPCHAにおける財務取引の構造化

スとし、取引構造を解釈する際に必要なタグに、@ana属性と対応する参照IDを属性値として付与するだけで良い。最低限必要な構造を、対応する属性値とともに書き出すと次のようになる。

例えば【マークアップ3】のように属性値を付与することによって、DEPCHAオントロジーにおいて「ひとつの取引（transaction）」が成立していることを表現することができる。すなわち、「ひとつの取引（bk:transaction）」を構成するのは、「ひとつ以上のモノの移動（bk:transfer）」であり、この「モノの移動」が成立するためには、「いつ（bk:when）」「誰から（bk:from）」「誰に（bk:to）」「何が送られたか[15]（bk:commodityやbk:service）」「代償として何が支払われたか（bk:money）」といった情報が記述されることが必要なのである[16]。

マークアップの際、DEPCHAでは、財務取引に関わった人物やグループそれぞれに、固有の参照IDを付する。これは、TEIマークアップファイルから取引に関する情報だけを取り出してRDFグラフを用いた表現に変換するにあたって、URI（Uniform Resource Identifier）を生成するためである。

4．事例研究

次に、三つの事例研究を通して、DEPCHAに準拠した財務史料の構造化手法とその分析成果を紹介したい。ひとつ目は、筆者が2016年から研究協力者および共同研究員として携わってきた国立歴史民俗博物館「古代の百科全書『延喜式（えんぎしき）』の多分野協働研究」における成果[17]、ふたつ目は筆者が2018年から研究協力者として携わってきた科学研究費基盤研究（B）「近代ヒスパニック世界における文書ネットワークの成立・展開・変容（衰退）過程の究明（代表：吉江貴文）」における成果[18]、そして最後は筆者自身の専門分野における近代イギリスの船舶解体業者の帳簿史料を分析した成果である[19]。

4-1．古代日本史

まず、延喜式の史料的性質と研究史上の問題点について説明する。『延喜式』は10世紀前後の律令制下の日本における行政マニュアルである。非常に広範な社会的側面に関わる細則が定められた、全50巻の編纂史料である。例えば、日本各地の祭式儀礼やそこに必要な供物の指定、律令政府に納める租庸調や貢納品の詳細、各国に運用資金として割り当てられた正税や公廨稲の額の規定などが記載されている。こうした詳細な記述は、これまでの延喜式研究を幅広い分析対象を持った彩り豊かな研究分野にしてきたことは間違いない。しかし、一方で研究対象の細分化を招き、当時の社会や行政に関する俯瞰的な像を描くことを困難にしてきた[20]。このように研究対象が細分化することの問題のひとつとして、分析の妥当性を第三者が検証することが難しくなる点が挙げられる。このような問題点は延喜式研究に固有のものではないが、研究の継承・批判的発展の観点から望ましくない。

次に、延喜式のマークアップをTEI準拠で行う理由について述べる。延喜式は行政マニュアルという性質を持つ史料である。特に第24・25巻の主計式や第26・27巻の主税式に典型的に見られるように、各地の特産品に基づく貢納品の規定や租税の徴収など、必然的に「モノの移動」として理解できる記述が豊富に含まれている。すなわち、DEPCHAのデータモデルに沿った形での財務記録構造化手法を応用することが可能なのである。本章の趣旨に照らし合わせてまとめるならば、国立歴史民俗博物館「古代の百科全書『延喜式』の多分野協働研究」プロジェクトは[21]、TEIおよびDEPCHAに準拠した構造化テキストを作成することによって、①原史料の記述に基づきながら計算可能性を確保すること、②統計処理などの妥当性を元の文脈にさかのぼって検証しやすくするような構造化データを発信することを目指しているのである。

さて、研究対象の細分化に伴って分析の妥当性を検証するのが難しくなってしまう課題に対するひとつの解決策である、構造化テキストに基づいた定量分析の事例を紹介し、延喜式研究における基礎的データの例として提示したい。このような基礎的データは、歴史的解釈に深く踏み込んだ形で提供するというよりも、比較的広く関心を持たれるような基本的事実を提示することに主眼を置くものである。

ここでは、各国財政規模を比較できるようなマッピングの事例を扱う。財政規模の指標としては、「主税式（上)」の「出挙本稲」という条に記載があるように、各国の行政運用資金として割り当てられた正税・公廨稲の数量（単位：束）を用いる。正税稲は、律令制下、諸国の正倉に蓄えられ、飢饉等に際して臨時に支給する賑給など特殊な用途以外での使用を原則として禁止し、公出挙による利稲を地方行政経費や中央への進上物の調達経費に充てるものであった。公廨稲もまた公出挙によって運営され、進上物に損失があった際の補填に充てられた。

```
<span ana="bk:entry">
  <placeName ana="bk:to" ref="#suruga_county">駿河国</placeName>、
    <measure ana="bk:tax" commodity="Shōzei" quantity="230000" unit="#束">
      正税廿三万束</measure>、
    <measure ana="bk:tax" commodity="Kugai" quantity="250000" unit="#束">
      公廨廿五万束</measure>、
</span>
```

マークアップ4　駿河国の正税・公廨稲の構造化

前頁下に、サンプルとして駿河国に割り当てられた正税・公廨稲のマークアップ例を提示する【マークアップ4】。財務記録の構造については、駿河国が行政の財源として運用するために、駿河国の納税対象者である住民から、正税・公廨稲がそれぞれ移動されたと考えて、DEPCHAオントロジーを適用する。

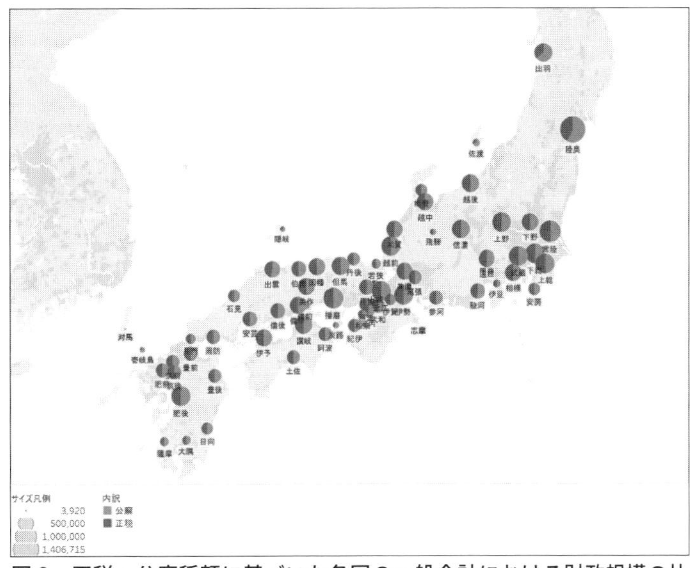

図3　正税・公廨稲額に基づいた各国の一般会計における財政規模の比較

このようなマークアップを蓄積して各国の国府所在地の緯度経度情報と合わせると、【図3】のように地図にデータをマッピングすることができる。

このようにして、一般会計の規模や公廨稲への偏りといった傾向を可視化することができ、地域的傾向などに対する新たな気づきが期待できるのである。

4-2. 近世スペイン複式簿記史料

科学研究費基盤研究（B)「近代ヒスパニック世界における文書ネットワークの成立・展開・変容（衰退）過程の究明」では、16世紀半ばに北スペインの都市ブルゴスで活動していたサラマンカ商会の複式簿記の会計簿をTEIおよびDEPCHAを用いて構造化し、現代で言うところの勘定関連の用語法や情報の空間的配置、取引収支の分析などを行なった。

同プロジェクトで主なマークアップの対象としたのは、複式簿記における元帳である。元帳は、商業取引に関して作成された書類のひとつの形式を指す。他の書類として、書簡や受領証、日記帳や仕訳帳などがある。元帳における見開きの2ページには、同じ番号が記載されている。例えば、左側ページの左上隅に35と書かれていれば、右側ページの右上隅にも35と同じ数字が記載される。つまり、左右の見開きページが、一組になっている。左側のページには、取引のうち、借方（debe：英語のdebitに相当）という形式の取引、右側のページには、貸方（ha de haber：英語のcreditに相当）の取引が記入される。

したがって、左右それぞれのページを横断するように取引の対応関係が表示されていることから、マークアップの際も見開きページをひとつのまとまった空間として捉える必要がある。その際、ページの区切りよりは、あくまで仕訳の対応関係が重要であるから、何をひとまとまりのテキスト群として扱うかを考えなければならない。もう一点注意しておきたいのは、1ページ全体

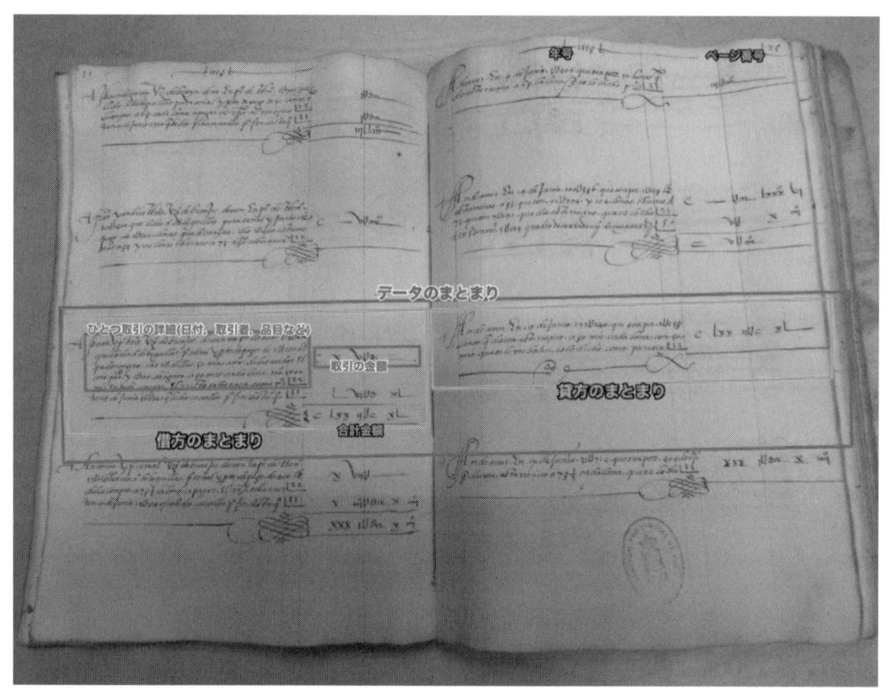

図4　サラマンカ商会の元帳の構造

を埋めるほどのデータ数がない場合、たとえば左右1件ずつしかない場合、そのままではページには多くの余白ができてしまう。そのため、実際の元帳では、【図4】にあるように、見開きページの中に一定の余白をはさんで四つのデータのまとまりが記入されることもある。【図4】では、そのうち上から三つ目のデータのまとまりの内訳を示している。

まとめると、見開きページ上に左（借方）右（貸方）として仕訳され対応づけられた取引のまとまりが、1ないし複数、余白をはさんで上から並んでおり、データのまとまりごとに貸借の収支が釣り合っている。同プロジェクトで重視したのは、この左右にまたがる仕訳をひとつのまとまりとして捉えつつ、計算可能性を確保することであった。

筆者らは、2021年3月にDEPCHA開発チームのChristopher Pollin氏とオンライン会合の機会を設けた。会合では、当時のDEPCHAオントロジーでは表現することのできなかった、合計金額の構造化と取引のグループ化についてのマークアップ手法を検討した。その成果を抜粋したものを【マークアップ5】に示す。

【マークアップ5】で注目したい点は、次の通りである。

1. 576行目の`<div n="2">`の子要素である二つの`<div>`(577～607行目と608～620行目)が借方欄と貸方欄にあたる。@facs属性を用いて、【図5】で示された位置情報を有するポリゴンの「借方①」が@xml:id属性値zone_ledg_35_debit_001に、「貸方①」がzone_ledg_35_credit_001に紐づいている。
2. 借方欄の取引には@ana属性値としてbk:debit（579, 590, 600行目）が、貸方欄の取引

```
576 <div n="2">
577   <div facs="#zone_ledg_35_debit_001">
578     <table>
579       <row ana="bk:entry bk:debit" corresp="#total.4" n="1">
580         <cell ana="desc">+ <persName ref="#BRGSSLMNC0014">Jhoan Dezcaray</persName>
581              vzo de lozoya <span ana="bk:account">deue</span>
582           <date ana="bk:when" when="1558-01-01">En pro de Heno</date> 1 U 700 que
583              le dio <persName ref="#BRGSSLMNC0018">ao de beguillas</persName> para
584              señal y pte de pago de 50 lanas q^ le compro a 68 cada lana a pagar el
585              rrsto al rreciuo |_22</cell>
586         <cell>
587           <measure ana="bk:money" quantity="1700" unit="#maravedí">jUdcc</measure>
588         </cell>
589       </row>
590       <row ana="bk:entry bk:debit" corresp="#total.4" n="2">
591         <cell ana="desc">+ <date ana="bk:when" when="1558-06-09">en 9 de
592              junio</date> 1700 q^ <persName ref="#BRGSSLMNC0014">le</persName>
593           <span ana="bk:account">dio</span>
594           <persName ref="#BRGSSLMNC0015">po de cauallos</persName> pa fin desta qa
595              |_31</cell>
596         <cell>
597           <measure ana="bk:money" quantity="1700" unit="#maravedí">jUdcc</measure>
598         </cell>
599       </row>
600       <row ana="bk:total bk:debit" n="3" xml:id="total.4">
601         <cell></cell>
602         <cell>
603           <measure ana="bk:money" quantity="3400" unit="#maravedí">iijUcccc</measure>
604         </cell>
605       </row>
606     </table>
607   </div>
608   <div facs="#zone_ledg_35_credit_001">
609     <table>
610       <row ana="bk:total bk:credit" n="1" xml:id="total.5">
611         <cell ana="desc">+ <span ana="bk:account">A de auer</span>
612           <date ana="bk:when" when="1558-06-09">En 9 de junio</date> 3 U 400 que
613              son por 50 las q^ Dio este rreciuo a 68 lana q es lo dicho pez
614              |_33</cell>
615         <cell>
616           <measure ana="bk:money" quantity="3400" unit="#maravedí">iij U cccc</measure>
617         </cell>
618       </row>
619     </table>
620   </div>
621 </div>
```

マークアップ5　左右ページにまたがり収支が釣り合った借方と貸方の構造化

には @ana 属性値として bk:credit（610 行目）が付されている。

3. ここでの借方欄には二つの取引が記されており、それぞれ 1700 マラベディの取引で（587, 597 行目）、その合計金額は 3400 マラベディとなっている（603 行目）。
4. 借方欄における合計金額とその個別取引の関係性を示すための構造化手法として、それぞれ @ana 属性値として bk:total（600、610 行目）と bk:entry（579, 590 行目）が用いられているものと、600 行目の合計金額欄の `<row>` に @xml:id として total.4 と定義されているものを、579 行目と 590 行目の `<row>` が @corresp 属性を用いて参照している。
5. 貸方欄には一つの取引しか記されていないが、bk:total と bk:credit を用いて（610 行目）金額が 3400 マラベディと構造的に示されている（616 行目）。

サラマンカ商会の元帳の構造化ファイルから分析した結果の概要は、「近世スペイン複式簿記

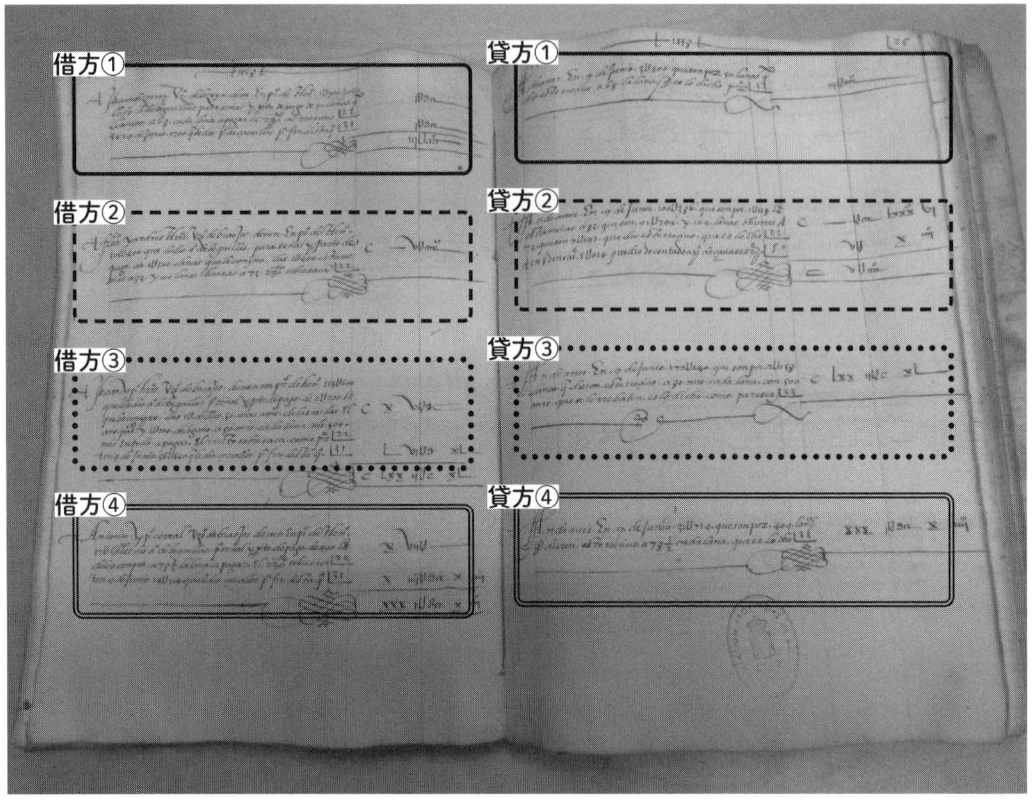

図5　借方欄と貸方欄におけるまとまりをポリゴンで図示したもの

史料マークアップのためのガイドライン」（暫定版）22) から閲覧されたい。ここで強調しておきたいのは、欧語で書かれた紙の書物における情報は、左から右に、そして同じページの中で上から下に流れるのが一般的と考えられるが、複式簿記の元帳を例にとると、左右のページを軽々とまたいで対応関係が記されていることである。この特徴から、同プロジェクトのマークアップにおいては、【図5】の「借方①→借方②→借方③→借方④→貸方①→貸方②…」というように左ページの中で上から下、そして右ページに向かって順番に構造化したのではなく、「借方①→貸方①→借方②→貸方②…」と左と右のページの取引群を交互に構造化していった。この例は、複式簿記史料においては、物理的な区切りよりも意味的な区切りを重視してマークアップする必要性を示している。数値計算だけを問題にするのではなく、原史料の記述や情報の空間的配置にまでさかのぼって検証できるように構造化しておくことの利点や面白さを端的に示していると思われる。

4-3．近代イギリス会計史料

三つ目の事例研究は、筆者の専門分野である19世紀半ばから20世紀前半にかけてのイギリス海事史に関するものである。とくに、帝国主義諸国との間の建艦競争に伴って軍事技術の革新が著しく見られた当時、イギリス海軍において処分に回されることになった旧式艦が、財政的・

外交的・文化的・経済的にどのような影響をもたらしたかを検討するものである[23]。そのうち、経済面に着目してみると、処分されることになった旧式艦は、19世紀半ばまでは海軍のドックヤードで解体されることもあったが、それ以降は基本的に民間の船舶解体業者に売却され、解体することによって木材や鉄材、麻やロープなどの船舶必需品、あるいは高価な非鉄金属などとしてリサイクル（再資源化）され、有価物に生まれ変わることとなった。筆者は、このような価値の再生産の仕組みに着目して研究を進めている。

20世紀初頭からイギリス最大の船舶解体業者として台頭していったのは、シェフィールドに本社を構えるThos W. Ward社であった。このWard社の帳簿史料にはいくつかの種類があるが、筆者が2019年に発表した研究[24]では、解体用の船舶を購入してから解体ヤードに船が移管されるまでの過程における支払い記録を対象に、TEIおよびDEPCHAの枠組みに基づいて構造化データを作成した。この作業を通じて、船舶解体に従事した業種を浮かび上がらせ、船舶解体のリサイクルを通じて価値が再生産される産業構造の一端を明らかにしようとした。なお、Ward社の帳簿分析を通じて筆者が主眼に置くのは、会計の実務的側面に着目して近代会計理論に与えた影響を考察することではなく[25]、あくまで産業史的観点から隣接産業の状況を明らかにしたり、Ward社の財務状況を時系列に沿って分析したりすることであるとあらかじめ断っておきたい。

【図6】からわかるように、Ward社の支出記録史料は、各種情報が罫線で区切られたものとなっている。ページ上部には解体する船の名前と解体ヤードが記載され、以下、左から日付・支出先の会社名・支出内容・参照番号・金額（左からポンド・シリング・ペンスの順）の情報が罫線で区切られて記されている。このレイアウト上の特徴から、史料の翻刻時にはそれぞれの情報を格納するためのカラムを備えたCSV形式でテキストデータを保存した。

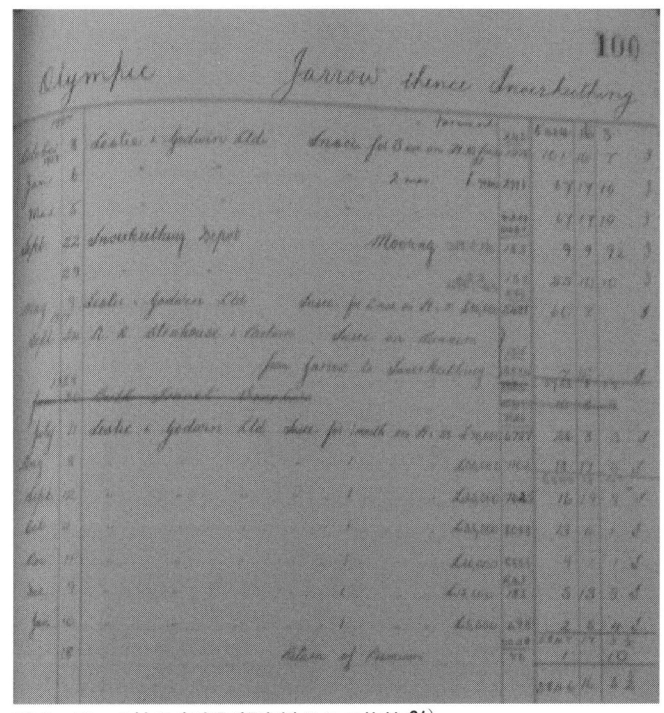

図6　Ward社の支出記録史料からの抜粋[26]

その後、TEIとDEPCHAに準拠したマークアップ作業は、プログラミング言語Pythonを用いて半自動的に行った。処理内容は単純で、まず本文テキストを記述する<body>の部分に関しては、翻刻データであるCSVのカラムごとに対応する要素と

```
<fw type="pageNum">3A</fw>
<div>
    <table>
        <head>Comus<placeName>Barrow</placeName></head>
        <row ana="bk:entry">
            <cell><date ana="bk:when" when="1934-08-01"/></cell>
            <cell><name ana="bk:to" ref="#LeslieGodwinLd">Leslie &amp;
                Godwin Ld</name>
               <measure ana="bk:service bk:to"
                commodity="Insurance">Insurance for 1 month
                L12500</measure></cell>
            <cell><rs/></cell>
            <cell><measure ana="bk:money bk:from" commodity="Currency"
                quantity="4" unit="#pound">4</measure></cell>
            <cell><measure ana="bk:money bk:from" commodity="Currency"
                quantity="14" unit="#shilling">14</measure></cell>
            <cell><measure ana="bk:money bk:from" commodity="Currency"
                quantity="5" unit="#pence">5</measure></cell>
        </row>
```

マークアップ6　マークアップファイルの抜粋

属性値を割り当て、最終的に【マークアップ6】のような結果を得るようにした。このような自動化処理にあたって、そもそも帳簿史料が罫線で区切られて人間にわかりやすく構造化されていたことは、作業の簡略化を後押ししたと言える。

このマークアップ作業の後は、他の関連企業群の業種やWard社からの支出規模を把握できるようにするデータ分析の段階に入った。細かい分析手法の説明については、すでに発表済みの原稿に譲るとして[27)]、ここでは要点のみ記す。前述のように、DEPCHAオントロジーでは、作成したTEIファイルから、取引の構造だけを抽出したRDFファイルを作成することができる。そこで、そのRDFファイルから、Pythonを介してSPARQLという検索文を投げかけ、「隣接産業の業種」「支出先の企業名」「支出金額」の3種類を取得した。その後、Ward社がイギリス海軍から購入した軍艦を解体するまでの過程で代金を支払った企業群について、そのサービス内容ごとに企業を分類し、支払った金額の大小に応じてランキング形式で企業を列記する横棒グラフを【図7】のように作成した。【図7】によれば､軍艦解体に至る過程で特に支出額の大きかったサービスはTowage（曳航）やInsurance（保険）であり、それぞれUnited Towing Co. Ld.やLeslie & Godwin Co. Ld.に対して支払った代金が突出して大きいことがわかる。ほかにも、解体資材を運搬（Carriage）するための鉄道会社（Great Western Railway）への支出も見られ、Ward社が多種多様なサービスを外部委託していたことがわかった。

このようなデータ分析の意義にはどのようなものがあるだろうか。史料に残された情報を整理し、どのような点に着目するのが妥当なのか自分自身で確認すると同時に、視覚的にわかりやすい図にすることによって読者の理解を促すこともできる。たしかに、このことは、史料名を示してその史料を読んだ結果だけを読者に提示するよりも､ひと手間多く感じられるだろう。しかし、

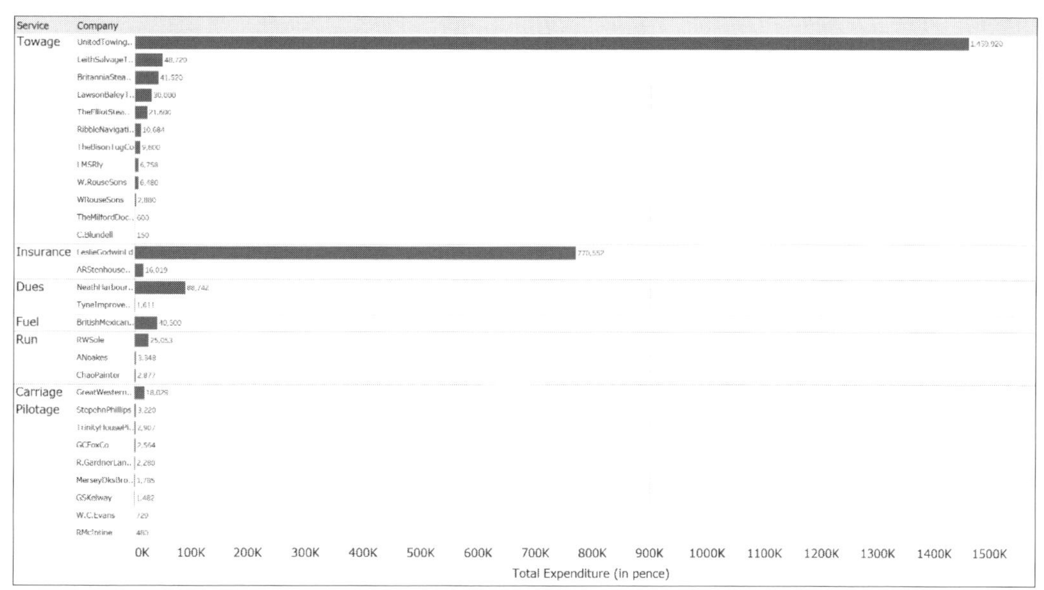

図７　業種・取引金額の大小で分類したWard社の取引先企業一覧（単位：ペンス）

ことデジタル技術が介在するような研究の場合、データの入手先や作成方法、分析手法やデータ可視化のモデルなど、さまざまな要素が分析結果に影響を与えるため、そのひとつひとつを読者が点検できるようにしておくことが重要である[28]。

5．財務史料の標準的構造化データの意義

5-1．TEIにおける相互運用性の限界と克服に向けた取り組み

これまで三つの事例研究を通してデータ作成・分析の具体例を見てきたが、ここで解消しておきたい疑問が一つある。それは、「わざわざRDFファイルを生成しなくても、マークアップしたTEI/XMLファイルからデータを抽出するか、元の紙媒体の史料から翻刻したデータをそのままスプレッドシートなどで管理すれば済むのではないか」という疑問である。確かにこれは、研究者個人の研究実践としてはありふれたものだと考えられる。その上、「二重三重にデータ構築のコストをかけてまで得られる見返りはあるのか」という問いは、素朴ながら的を射ていて本質的ではないだろうか。なぜ的を射ているのかと言うと、この疑問は、「標準的な形式でデータを構築することのメリット」を問うているからである。

この問いに答えるために、事例研究で踏んできた手順を振り返ってみよう。(1) 紙の原史料に記載されている内容を翻刻し、プレーンテキストデータとする。(2) プレーンテキストデータを、TEI/XML準拠でマークアップする。(3)マークアップファイルを基に、DEPCHAのオントロジーを用いてRDFファイルを生成する、という流れである。(1) から (2)、そして (2) から (3) へのデータ化は、人文学の世界だけでなく、ウェブの世界に広がる「知のつながり」に向けて、

財務取引のデータを発信している。まず、TEIマークアップは、テキストに見られる人名や地名などの固有表現について可能な限り外部の学術ソースへのリンクを貼ることによって、参照点（URI）を生成する。自らがマークアップしたテキストをセマンティックウェブ技術によって解釈しやすいデータとして流通させることができ、結果としてウェブ上に広がる膨大な知のネットワークを豊かにする営みであると解釈できる[29)]。すなわち、TEIマークアップは、テキストの読解・解釈にあたって、外部の学術情報にアクセスしながら自分の理解を促進するという側面がある一方で、適切なタグ選定やリンク付けによって、ウェブの世界へ知を発信するという側面も兼ね備えていると言えよう。

しかし、TEIはXMLに準拠しながらも柔軟なマークアップをするため、どうしても史料ごとの多様性に影響される。マークアップファイルからデータを取り出したりするには、研究プロジェクトごとに処理プログラムを開発しなければならない。TEIはあくまでガイドラインであって厳密なマークアップ方法を強制するものではないし、史資料の個別性を重視したデータ記述を可能にする緩やかさは不可欠である。そのトレードオフとして、コンピュータによる画一的なデータ処理が困難になっていると考えられる。このことについてTEIの技術委員会に長年貢献してきているSyd Baumanは、データのやり取りにあたっての人間とコンピュータとの関係性を、【表1】のように三つの類型にまとめている。

表1　Syd Baumanによる相互運用性をめぐる類型

類型	含意
Negotiated Interchange	データのやり取りに人間の介入・プロジェクト間で直接的な対話が必要
Blind Interchange	データのやり取りに人間の介入・プロジェクト間で間接的な対話が必要
Interoperation	データのやり取りに人間の介入・プロジェクト間の対話がほぼ不要

このようにまとめた上で、Baumanは、人文学分野におけるテキストマークアップ事業が目指すべきはBlind Interchangeであって、プロジェクトごとにマークアップの意図やタグの選定基準を構造化データとして記しておき[30)]、マークアップファイルを利用する第三者がその意図・基準を読み取って処理プログラムを開発すれば良いとしている[31)]。

一方DEPCHAは、TEIにおける史資料の柔軟性と画一的コンピュータ処理のトレードオフを乗り越えるべく、取引情報だけを取り出してRDFグラフに変換するための語彙セットとアルゴリズムを開発した。DEPCHAの開発したアルゴリズムによって変換したRDFファイルには、TEIファイルの中で記述されていたはずの書誌情報や、異なる校訂版の間で見られるテキストの異同、紙媒体の史料におけるレイアウト情報といったデータは抜け落ちている。しかし、取引情報だけをRDFグラフの形式で取り出せるようにしたことによって、時代・地域・分野を問わず、どのようなTEIマークアップファイルを対象にしたとしても、取引情報さえ記されていれば、共通の処理プログラムを適用できるようにしたのである。つまり、DEPCHAは、TEIが持つ「汎用性の高い処理プログラム開発の困難さ」への解決策を、経済史的文脈において提示している。

なお、画一的に機械処理ができるようなデータを構築しようとする動きは他にも見られる。たとえばTEI P5における`<correspDesc>`タグセットは、書簡史資料の送受信情報に関するメタデータを定型的に構造化することによって、画一的なデータ分析を可能にしている[32]。日本では、この書簡メタデータを活用した成果が、「TEI-C東アジア / 日本語分科会」[33]の活動の一環として、東京大学史料編纂所助教の中村覚らによって公開されている[34]。

5-2．分析プログラムの開発

すでに述べてきた通り、DEPCHAは財務史料を対象とした「汎用性の高いプログラム開発」を可能にする素地を整えたと言ってよい。しかし、現時点でDEPCHAはデータ分析ツールの開発・公開には着手しておらず、依然としてデータ分析は個々の利用者に委ねられている。そこで筆者は、科学研究費の研究活動スタート支援「財務記録史料の構造化データを対象とした汎用的分析ツールの開発と実践例の提示（代表：小風尚樹）」[35]にて、DEPCHAオントロジーに準拠して作成されたRDFデータを分析するためのツールを、中村覚と共同で開発した。

開発工程とツールの概要を【図8】に示す。

(1) 2021年3月時点でDEPCHAのサイトで公開されていたRDFデータを取得
(2) DydraとSNORQLを用いて (1) のデータを格納・検索するためのRDFストアを作成
(3) データ分析のサンプル事例を二つ提供
　a. 取引に関わった人物の関係性を示すネットワーク図

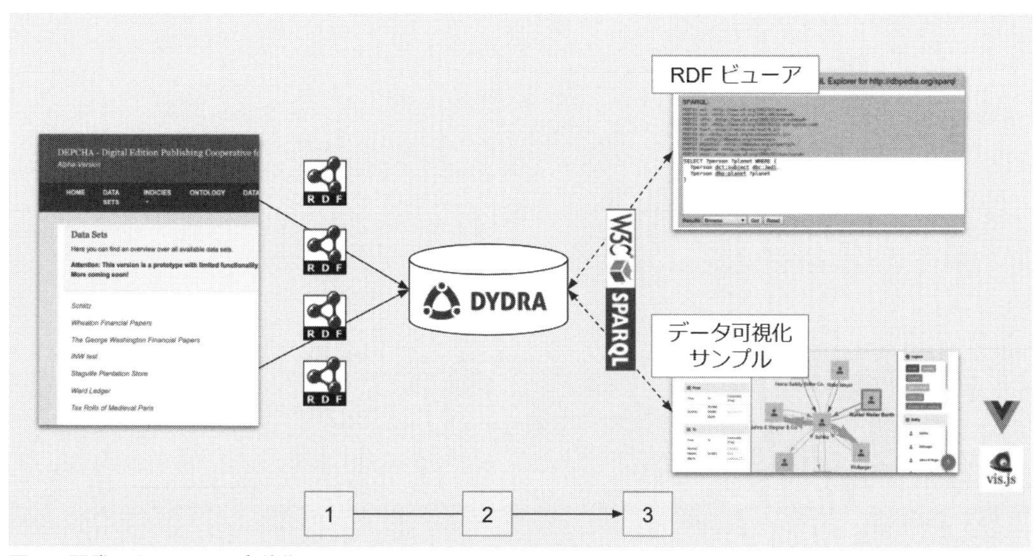

図8　開発したツールの全体像

b. 取引の頻度や金額の大小を示す棒グラフ

このツールを作成した意図は、次の通りである。RDF グラフは、それ自体でネットワーク構造を有しているデータベースだが、歴史研究の分析にそのまま用いることに最適化しているわけではない。研究目的に沿うようなデータを取り出せるようにしたいところである。「いつ誰が誰との間で何を取引したのか、その代金はいくらで、どのような品物をどの程度手に入れたのか」といった取引情報さえ構造化されたデータ形式で取り出せれば、人物間の商取引ネットワークを描いたり、ある特定の人物が営んでいたビジネスに関係するステークホルダーを取引規模の大小に応じて把握したりするような経済史的分析に活用することができるだろう。

筆者の研究データを用いて、データ可視化事例を以下に提示する。

【図 9】が示しているのは、本章の事例研究 3 で紹介した Ward 社の支出帳簿に基づくネットワークである。解体する船舶を解体ヤードまでけん引する（曳航）サービスを、どの会社にどの程度の件数発注していたのか、矢印の大きさで差別化している。同じ情報を棒グラフで示したのが、次の【図 10】である。なお、金額の大小による比較オプションは開発中である。

今回対象としている支出帳簿は、せいぜい 150 ページ程度の分量だが、支出品目ごとに重要な取引相手の特定が一目で可能になっている。重要なのは、DEPCHA オントロジーに準拠したデータさえ用意できれば、プログラミング作業を介さずとも、このようなデータ分析が可能になっている点である。中期的な展望としては、今回開発したツールのコードを DEPCHA の開発チームと共有し、DEPCHA のサイトでデータ分析ができるようにすることを目指したい。

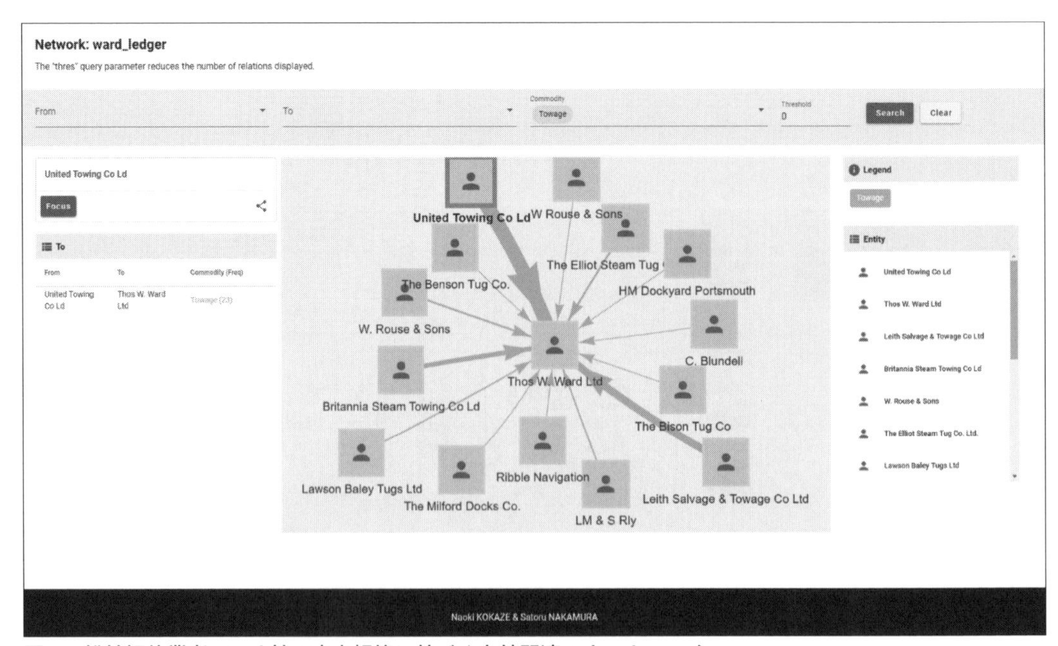

図 9　船舶解体業者 Ward 社の支出帳簿に基づく曳航関連のネットワーク

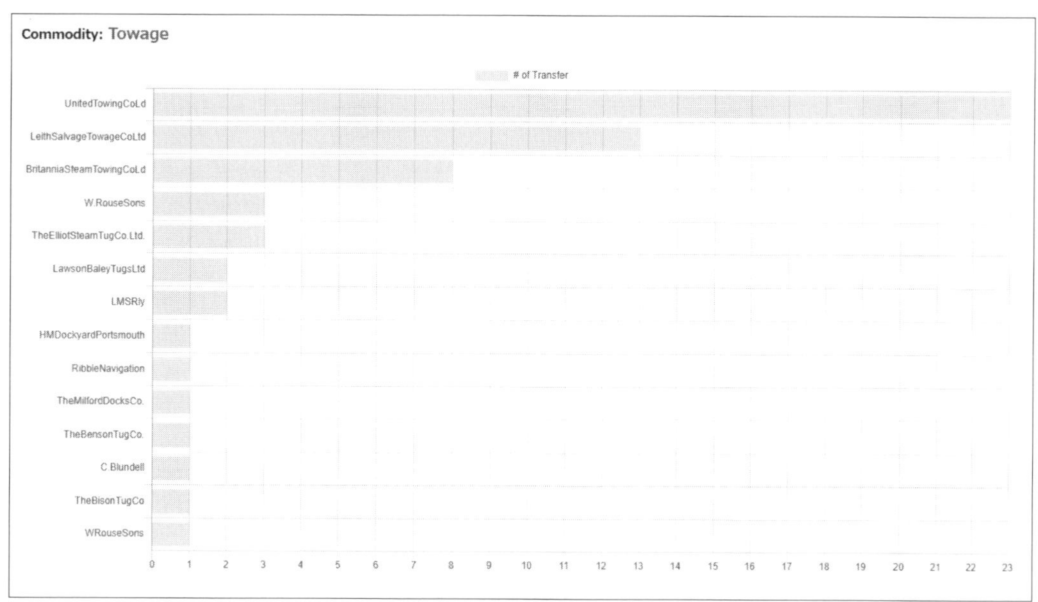

図 10　船舶解体業者 Ward 社の支出帳簿に基づく曳航関連の棒グラフ

6．まとめ

本章では、TEI と RDF に準拠した財務史料の構造化データの作成・分析について、DEPCHA の開発に至る国際的な学術潮流とともに、三つの事例研究を挙げつつ紹介してきた。とくに強調しておきたい点は、以下の通りである。

(1) 数値計算を目的とした現代の表計算ソフトウェアやスプレッドシートでは、数値の妥当性を検証するために原史料における記述までさかのぼることができない。原史料に欠損や解釈の余地がある箇所があった時に、解釈を留保することもできない。一方、これらのニーズに応えられる TEI は、財務史料の構造化にあたって有力な選択肢である。

(2) TEI に準拠した財務史料の構造化にあたっては、現状では DEPCHA が最新の方法論を開発しており、TEI の文書構造にかかわらず取引の情報だけを RDF グラフに変換できる。このことは、史資料の個別性を重視するがゆえに画一的なデータ処理の可能性を犠牲にせざるを得ない、TEI の課題を克服するものである。

(3) DEPCHA オントロジーで生成された RDF グラフは定型的な構造を有しているため、5-2. で紹介したようなデータ処理プログラムを作成すれば、異なるプロジェクト間のデータであっても少ないコストで横断的に比較検討が可能である。

以上見てきたように、本章では TEI と RDF を用いて財務史料を構造化するデジタル・ヒューマニティーズ的意義について、史資料のユニークさを損なうことなく、相互運用性をいかに高めるかといった観点から考察してきた。しかし、DEPCHA はいまだ開発途中の枠組みである。今後の進展に期待しつつ、筆者も実践を通してその価値や意義を検討していきたい。

なお、本研究の一部は、科学研究費 JP20K21981「財務記録史料の構造化データを対象とした汎用的分析ツールの開発と実践例の提示」の助成を受けたものである。

注

1 Tomasek, Kathryn and Syd Bauman, “Encoding Financial Records for Historical Research,” *Journal of the Text Encoding Initiative*, Issue 6, 2013, https://doi.org/10.4000/jtei.895（アクセス確認日時 2022 年 2 月 28 日。特記のない限りは以下同様）

2 http://financial.gwpapers.org/

3 http://financial.gwpapers.org/?q=content/gouverneur-morris-cash-book-1811-1816-pg1

4 たとえば、次を参照。Zupko, Ronald E., *British Weights and Measures: A History from Antiquity to the Seventeenth Century,* Madison: University of Wisconsin Press, 1977.

5 なお、この点については、筆者らが解決策を提示し、すでに TEI P5 ガイドラインには反映されている。ただし、その方法論にしたがって構築されたデータベースが現状では存在していない。Kokaze, Naoki et al., “Toward a Model for Marking up Non-SI Units and Measurements,” *Journal of the Text Encoding Initiative*, Issue 12, 2019-2020, https://doi.org/10.4000/jtei.1996; TEI Consortium, eds. “2.3.9 The Unit Declaration,” TEI P5: Guidelines for Electronic Text Encoding and Interchange. Version 4.3.0. Last updated on 31st August 2021. TEI Consortium. https://www.tei-c.org/release/doc/tei-p5-doc/en/html/HD.html#HDUDECL.

6 TEI Consortium, eds. “21 Certainty, Precision, and Responsibility,” *TEI P5: Guidelines for Electronic Text Encoding and Interchange*. Version 4.3.0. Last updated on 31st August 2021. TEI Consortium. https://www.tei-c.org/release/doc/tei-p5-doc/en/html/CE.html.

7 トランザクショノグラフィのプロジェクトについては、アメリカ NEH（the National Endowment for the Humanities）とドイツ DFG（Deutsche Forschungsgemeinschaft）の研究助成を受け、2015 年から研究コミュニティ MEDEA（Modeling semantically Enriched Digital Edition of Accounts）によるワークショップが数度開催された。ワークショップで発表された研究の例としては、中世フランスの王侯貴族による森林地帯の管理・運営に関する手稿帳簿、ドイツ騎士団の財務文書、アメリカのプランテーション産業における奴隷貿易管理のための帳簿などがあった（https://medea.hypotheses.org/workshops/wheatonmassachusetts-april-6-8-2016/program-abstracts）。

8 Tomasek and Bauman, 2013.

9 Tomasek and Bauman, 2013.

10 piqcy「財務分析に欠かせない、XBRL を理解する Part3（End）」programming-soda、2019 年、https://medium.com/programming-soda/%E8%B2%A1%E5%8B%99%E5%88%86%E6%9E%90%E3%81%AB%E6%AC%A0%E3%81%8B%E3%81%9B%E3%81%AA%E3%81%84-xbrl%E3%82%92%E7%90%86%E8%A7%A3%E3%81%99%E3%82%8B-part3-4cffee01d92a.

11 Anderson, Clifford, et al., “Modeling semantically Enhanced Digital Edition of Accounts (MEDEA) for Discovery and Comparison on the Semantic Web,” *Humanities Commons*, 2016, https://doi.org/10.17613/z3tv-ep21, p. 8.

12 具体的には、前述のトランザクショノグラフィにおける「モノの移動」の概念を、CIDOC CRMと親和的な形で設計しなおすことを目指している。CIDOC CRMは、美術館・博物館などの文化遺産セクターにおける人文学史資料の知識表現において、最もよく使われるモデル。以下を参照のこと。村田良二「CIDOC CRMによるデータモデリング」『アート・ドキュメンテーション研究』第11巻、2004年、49–60頁；Ciula, Arianna and Øyvind Eide, “Reflections on Cultural Heritage and Digital Humanities: Modelling in Practice and Theory,” *DATeCH '14: Proceedings of the First International Conference on Digital Access to Textual Cultural Heritage*, New York, NY, USA: Association for Computing Machinery, 2014, pp. 35–41, http://doi.acm.org/10.1145/2595188.2595207.

13 Vogeler, Georg, “The Content of Accounts and Registers in their Digital Edition,” *Humanities Commons*, 2017, https://doi.org/10.17613/M6D967.

14 Pollin, Christopher and Georg Vogeler, “Bookkeeping Ontology for Historical Accounts, *Version 1.2*,” DEPCHA: Digital Edition Publishing Cooperative for Historical Accounts, 2022, http://gams.uni-graz.at/archive/objects/o:depcha.bookkeeping/methods/sdef:Ontology/get.

15 厳密には、何を所有する権利が譲渡されたか。

16 なお、より厳密に財務取引の詳細を記述したい場合には、関わった人物をグループとして定義したり、単なる金額ではなく税金として定義したりと、それぞれの用途に適した方法がある。

17 Kokaze, Naoki, “Application of the Methodology for Structuring Historical Financial Records to a Japanese Historical Source along with Financial Information,” in the National Museum of Japanese History, ed., *Japanese and Asian Historical Resources in the Digital Age*, Chiba: The National Museum of Japanese History, 2021, https://www.fulcrum.org/epubs/4q77ft81p?locale=en#/6/20[Ch09]!/4[chapter09]/2/2/2[ch09]/2/1:0.

18 小風尚樹・伏見岳志・中村雄祐「近世スペイン会計史料のマークアップ：16世紀北スペイン・サラマンカ商会の元帳を事例に」『じんもんこん2020論文集』2020年、http://id.nii.ac.jp/1001/00208575/, 53–60頁。

19 小風尚樹・中村覚・永崎研宣「構造化記述された財務記録史料データの分析手法の開発：イギリスの船舶解体業を事例に」『じんもんこん2019論文集』2019年、http://id.nii.ac.jp/1001/00200999/, 183–190頁。

20 虎尾俊哉『延喜式』吉川弘文館、1964年。

21 https://www.rekihaku.ac.jp/research/list/joint/2016/engishiki.html

22 https://naoki-kokaze.github.io/earlyModernSpanishLedger/

23 小風尚樹「イギリス海軍における節約と旧式艦の処分：クリミア戦争からワシントン海軍軍縮条約を中心に」『国際武器移転史』第8号、2019年、http://hdl.handle.net/10291/20441, 127–156頁。

24 小風・中村・永崎、2019年。

25 このような視点に立った研究として、たとえば、村田直樹『近代イギリス会計史研究：運河・鉄道会計史』晃洋書房、1995年、などがある。

26 Marine Technology Special Collection: The Shipbreaking Collection, Newcastle University, https://web.archive.org/web/20220303082343/https://www.ncl.ac.uk/media/wwwnclacuk/engineering/files/marine/Shipbreaking.pdf.

27 小風・中村・永崎、2019年。

28 小風尚樹「《連載》「デジタル・ヒストリーの小部屋」第3回「フルコースにレシピを添えて：Journal of Digital History誌のねらいと意義」『人文情報学月報』第128号【後編】、2022年3月。

29 Bizer, Christian, Tom Heath, and Tim Berners-Lee, “Linked Data: The Story So Far,” *International Journal on Semantic Web and Information Systems*, 5 (3), 2009, pp. 1–22, DOI: 10.4018/jswis.2009081901; Oldman,

Dominic, Martin Doerr, and Stefan Gradmann, “Zen and the Art of Linked Data: New Strategies for a Semantic Web of Humanist Knowledge,” in Susan Schreibman, et al., eds., *A New Companion to Digital Humanities*, West Sussex: John Wiley & Sons, 2016, p. 265.

30　たとえば、TEIヘッダー内の `<editorialDecl>` を用いれば、この種の情報を記述できる。詳しい実践例として、関西大学アジア・オープン・リサーチセンター（KU-ORCAS）ユニット4「古典籍資料の情報資源化」（主幹：菊池信彦）が公開している次のTEIファイル54～98行目を参照されたい。https://github.com/KU-ORCAS/manyoshuTEI/blob/main/manyo_hirose_v02_85_140a.xml.

31　Bauman, Syd, “Interchange vs. Interoperability,” *Proceedings of Balisage: The Markup Conference 2011*, Montréal, Canada, 2011, http://www.balisage.net/Proceedings/vol7/html/Bauman01/BalisageVol7-Bauman01.html.

32　小風尚樹「書簡資料のデータ構造化と共有に関する国際的な研究動向：TEI2018書簡資料WSを通じて」小風尚樹・小川潤・纓田宗紀・長野壮一・山中美潮・宮川創・大向一輝・永崎研宣編著『欧米圏デジタル・ヒューマニティーズの基礎知識』文学通信、2021年、85–93頁。

33　https://github.com/TEI-EAJ

34　「青空文庫でTEI：書簡の送受信の可視化」https://tei-eaj.github.io/aozora_tei/tools/visualization/letters/map.html.

35　https://kaken.nii.ac.jp/ja/grant/KAKENHI-PROJECT-20K21981/

参考文献

［1］Anderson, Clifford, et al., “Modeling semantically Enhanced Digital Edition of Accounts (MEDEA) for Discovery and Comparison on the Semantic Web,” *Humanities Commons*, 2016, https://doi.org/10.17613/z3tv-ep21.

［2］Bauman, Syd, “Interchange vs. Interoperability,” *Proceedings of Balisage: The Markup Conference 2011*, Montréal, Canada, 2011, http://www.balisage.net/Proceedings/vol7/html/Bauman01/BalisageVol7-Bauman01.html.

［3］Bizer, Christian, Tom Heath, and Tim Berners-Lee, “Linked Data: The Story So Far,” *International Journal on Semantic Web and Information Systems*, 5 (3), 2009, pp. 1–22, DOI: 10.4018/jswis.2009081901.

［4］Ciula, Arianna and Øyvind Eide, “Reflections on Cultural Heritage and Digital Humanities: Modelling in Practice and Theory,” *DATeCH '14: Proceedings of the First International Conference on Digital Access to Textual Cultural Heritage*, New York, NY, USA: Association for Computing Machinery, 2014, pp. 35–41, http://doi.acm.org/10.1145/2595188.2595207.

［5］GAMS (Geisteswissenschaftliches Asset Management System), DEPCHA: Digital Edition Publishing Cooperative for Historical Accounts, 2022, http://gams.uni-graz.at/context:depcha.

［6］Kokaze, Naoki et al., “Toward a Model for Marking up Non-SI Units and Measurements,” *Journal of the Text Encoding Initiative*, Issue 12, 2019-2020, https://doi.org/10.4000/jtei.1996.

［7］Kokaze, Naoki, “Application of the Methodology for Structuring Historical Financial Records to a Japanese Historical Source along with Financial Information,” in the National Museum of Japanese History, ed., *Japanese and Asian Historical Resources in the Digital Age*, Chiba: The National Museum of Japanese History, 2021, https://www.fulcrum.org/epubs/4q77ft81p?locale=en#/6/20[Ch09]!/4[chapter09]/2/2/2[ch09]/2/1:0.

［8］Marine Technology Special Collection: The Shipbreaking Collection, Newcastle University, https://web.

archive.org/web/20220303082343/https://www.ncl.ac.uk/media/wwwnclacuk/engineering/files/marine/Shipbreaking.pdf.

[9] Oldman, Dominic, Martin Doerr, and Stefan Gradmann, "Zen and the Art of Linked Data: New Strategies for a Semantic Web of Humanist Knowledge," in Susan Schreibman, et al., eds., *A New Companion to Digital Humanities*, Chichester, West Sussex: John Wiley & Sons, 2016, pp. 251–273.

[10] TEI Consortium, eds., *TEI P5: Guidelines for Electronic Text Encoding and Interchange*. Version 4.3.0. Last updated on 31st August 2021. http://www.tei-c.org/Guidelines/P5/.

[11] Tomasek, Kathryn and Syd Bauman, "Encoding Financial Records for Historical Research," *Journal of the Text Encoding Initiative*, Issue 6, 2013, https://doi.org/10.4000/jtei.895.

[12] Vogeler, Georg, "The Content of Accounts and Registers in their Digital Edition," *Humanities Commons*, 2017, https://doi.org/10.17613/M6D967.

[13] Zupko, Ronald E., *British Weights and Measures: A History from Antiquity to the Seventeenth Century*, Madison: University of Wisconsin Press, 1977.

[14] 小風尚樹「イギリス海軍における節約と旧式艦の処分：クリミア戦争からワシントン海軍軍縮条約を中心に」『国際武器移転史』第 8 号、2019 年、http://hdl.handle.net/10291/20441, 127–156 頁。

[15] 小風尚樹・中村覚・永崎研宣「構造化記述された財務記録史料データの分析手法の開発：イギリスの船舶解体業を事例に」『じんもんこん 2019 論文集』2019 年、http://id.nii.ac.jp/1001/00200999/, 183–190 頁。

[16] 小風尚樹・伏見岳志・中村雄祐「近世スペイン会計史料のマークアップ：16 世紀北スペイン・サラマンカ商会の元帳を事例に」『じんもんこん 2020 論文集』2020 年、http://id.nii.ac.jp/1001/00208575/, 53–60 頁。

[17] 小風尚樹・小川潤・纓田宗紀・長野壮一・山中美潮・宮川創・大向一輝・永崎研宣編著『欧米圏デジタル・ヒューマニティーズの基礎知識』文学通信、2021 年。

[18] 小風尚樹「《連載》「デジタル・ヒストリーの小部屋」第 3 回「フルコースにレシピを添えて：Journal of Digital History 誌のねらいと意義」『人文情報学月報』第 128 号【後編】、2022 年 3 月。

[19] 虎尾俊哉『延喜式』吉川弘文館、1964 年。

[20] 村田直樹『近代イギリス会計史研究：運河・鉄道会計史』晃洋書房、1995 年。

[21] 村田良二「CIDOC CRM によるデータモデリング」『アート・ドキュメンテーション研究』第 11 巻、2004 年、49–60 頁。

第4章

TEI データの可視化方法と事例紹介

中村覚

1．はじめに

TEI（Text Encoding Initiative）などを用いたテキストデータの構造化の利点の一つとして、計算機による処理が容易となる点が挙げられる。本章では、TEI データの可視化方法と、その応用事例について取り上げる。

2．TEI データの可視化方法

2-1．導入

TEI データの可視化方法として、まず Python などのプログラミング言語を用いた処理が挙げられる。分析に必要な要素のみを抽出し、統計処理などに応用することが可能である。

例えば【図 1】に示す Google Colab の例では、TEI/XML（Extensible Markup Language）ファ

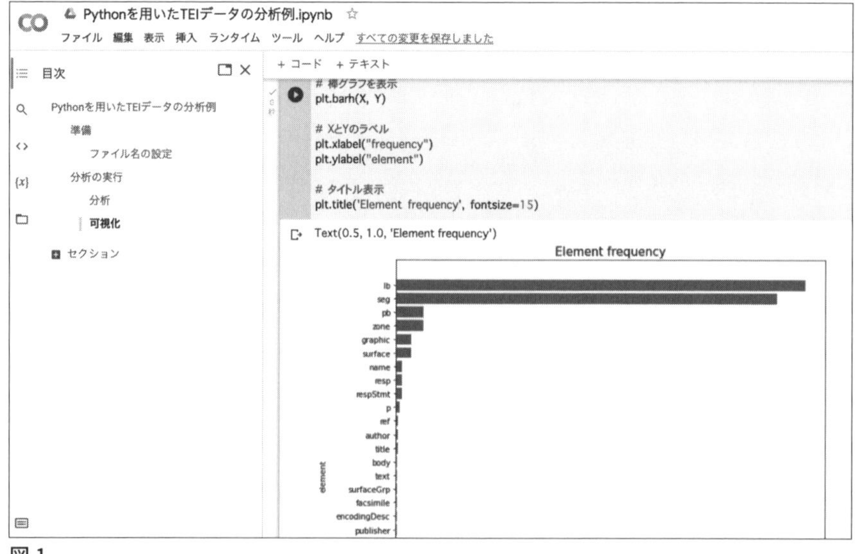

図 1

イル中で使用されている要素の頻度を可視化する。

https://colab.research.google.com/drive/1fji80KZW8typjJMi01fyUWjrdYrNldsK?usp=sharing

一方、上記のようなプログラミング言語に慣れていない利用者も数多く存在する。そのような利用者のため、また「車輪の再開発」（すでに発明されたものを作ること）を防ぐ目的などのため、TEI データに対する分析や可視化をノーコードで（プログラミング言語の知識がなくても）利用できるツールが開発・公開されている。

ここでは、それらのツールの一例を紹介する。

2-2．可視化ツールの例

2-2-1．Voyant Tools

Voyant Tools[1] はデジタルテキストの読解と分析のためのウェブアプリケーションである。詳細な使用方法は割愛するが、【図 2】に示すように入力フォーマットとして、TEI/XML に対応している。本アプリケーションを用いることで、TEI ファイルの内容をさまざまな角度から分析・可視化することができる。

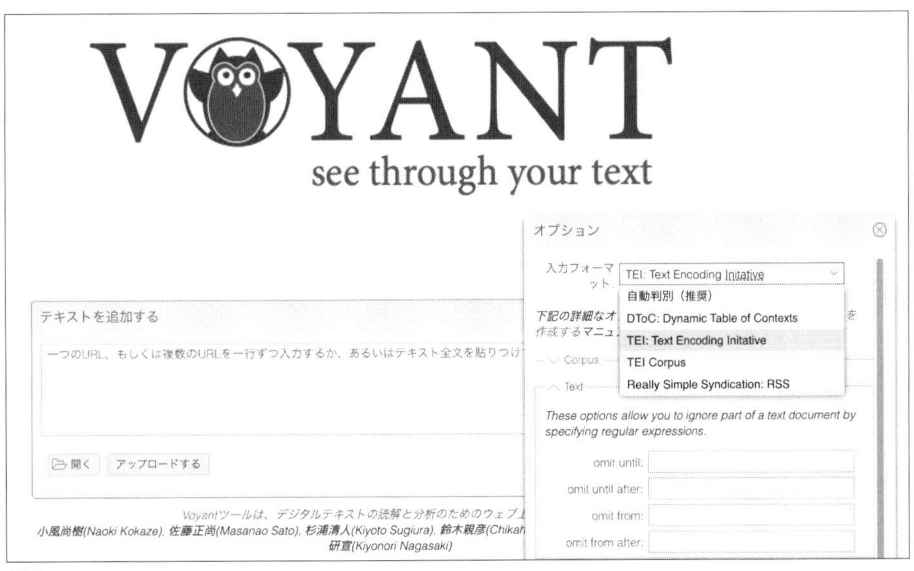

図 2

2-2-2．校異情報の可視化

校異情報の可視化を行うアプリケーションとして、Versioning Machine[2] や TEI Critical Apparatus Toolbox[3] などがある。

【図 3】は「東アジア／日本語分科会」を中心とするボランティグループが TEI 符号化した『校異源氏物語』を Versioning Machine で可視化した例である [4]。当該ツールは米国メリーランド大

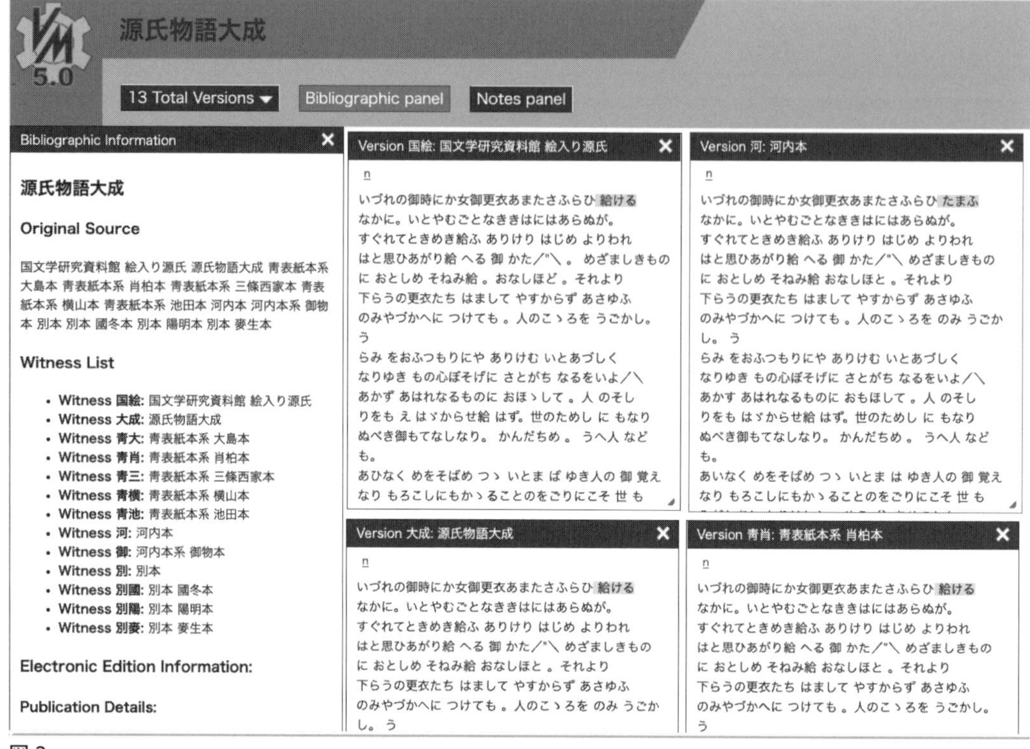

図 3

学（当時）の Susan Schreibman 氏によって開発されたものである。

具体的な使用方法として、本書第 2 部第 5 章の「利活用演習」中の「3-3. XML 文書に XSL ファイルを関連付ける」において示したように、Oxygen XML Editor の機能を使い、「vmachine.xsl」というファイルを関連付けることで、HTML ファイルに変換する方法がある。この「vmachine.xsl」は、Versioning Machine のサイトからダウンロードした ZIP ファイルを伸張すると現れるフォルダ中の「src」フォルダの中にある。

または Oxygen XML Editor とは独立して、「vmachine.xsl」へのリンクを先に示した校異情報を含む TEI/XML ファイル内に追記することで、ブラウザ表示を行うことができる。この場合、「vmachine.xsl」への URL、または相対パスを【図 4】に示すように指定する。

なお、Versioning Machine をはじめて使用する場合には、校異情報を含む TEI/XML ファイルを、Versioning Machine のフォルダの中の「samples」フォルダの中に配置することを推奨する。当該フォルダにはサンプルデータが数多く含まれており、導入の参考となる。

また、【図 5】は『校異源氏物語』を TEI Critical Apparatus Toolbox で可視化した例である。当該ツールはフランス国立科学研究センター（CNRS）の Marjorie Burghart 氏によって開発されたものであり、日本語の使用方法は東京大学の永井正勝氏によるものがある [5]。

```
<?xml version="1.0" encoding="utf-8"?>
<?xml-stylesheet href="https://tei-eaj.github.io/koui/src/vmachine.xsl" type="text/xsl" ?>
<TEI xmlns="http://www.tei-c.org/ns/1.0">
  <teiHeader>
    <fileDesc>
      <titleStmt>
        <title>01 きりつぼ</title>
        <respStmt>
          <resp when="2019-10-30">Transcription</resp>
          <resp when="2019-12-30">Parallel encoding on 27.jpg</resp>
          <name>Misa Nakamura</name>
        </respStmt>
        <respStmt>
          <resp when="2019-10-30">Transcription</resp>
          <name>Takashi Tamura</name>
        </respStmt>
        <respStmt>
          <resp when="2019-10-30">TEI Encoding</resp>
          <name>Satoru Nakamura</name>
        </respStmt>
        <respStmt>
          <resp when="2019-10-30">Advisor</resp>
          <resp when="2019-12-09">Parallel encoding on 33.jpg, 34.jpg</resp>
          <name>Kiyonori Nagasaki</name>
        </respStmt>
```

図 4

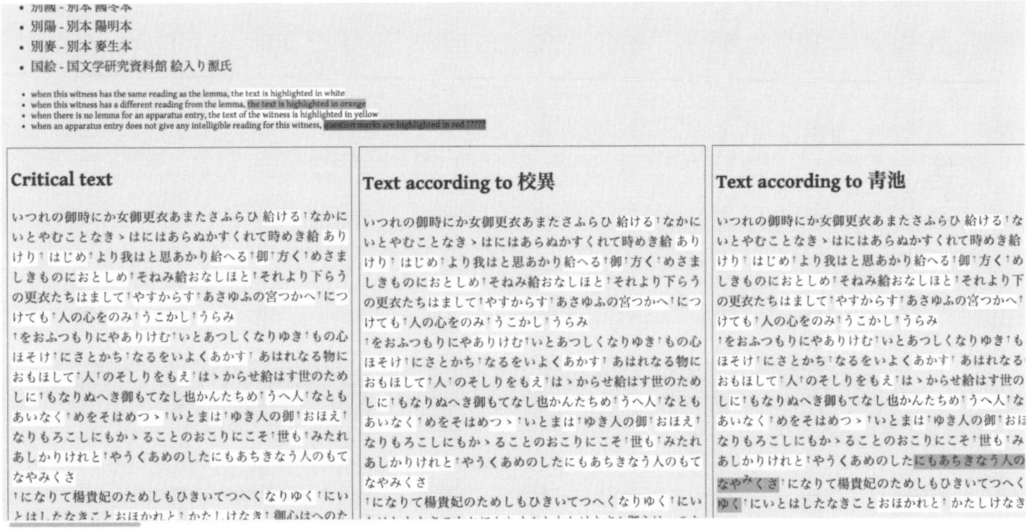

- 別陽 - 別本 陽明本
- 別麥 - 別本 麥生本
- 国絵 - 国文学研究資料館 絵入り源氏

- when this witness has the same reading as the lemma, the text is highlighted in white
- when this witness has a different reading from the lemma, the text is highlighted in orange
- when there is no lemma for an apparatus entry, the text of the witness is highlighted in yellow
- when an apparatus entry does not give any intelligible reading for this witness, question marks are highlighted in red ?????

Critical text

いつれの御時にか女御更衣あまたさふらひ給ける↑なかにいとやむことなき＞はにはあらぬかすくれて時めき給ありけり↑はじめ↑より我はと思あかり給へる↑御↑方く↑めさましきものにおとしめ↑そねみ給おなしほと↑それより下らうの更衣たちはまして↑やすからす↑あさゆふの宮つかへ↑につけても↑人の心をのみ↑うこかし↑うらみ
↑をおふつもりにやありけむ↑いとあつしくなりゆき↑もの心ほそけ↑にさとかち↑なるをいよくあかす↑あはれなる物におもほして↑人↑のそしりをもえ↑は＞からせ給はす世のためしに↑もなりぬへき御もてなし也かんたちめ↑うへ人↑なともあいなく↑めをそはめつ＞↑いとまは↑ゆき人の御↑おほえ↑なりもろこしにもか＞ることのおこりにこそ↑世も↑みたれあしかりけれと↑やうくあめのしたにもあちきなう人のもてなやみくさ
↑になりて楊貴妃のためしもひきいてつへくなりゆく↑にい

Text according to 校異

Text according to 青池

図 5

2-2-3. TEI Publisher

TEI Publisher は、デジタル編集プロジェクトの公開のために作られたツールである。特徴として、コードを書かずにデジタル編集版を作成することができる、一つの文書から HTML、ePUB、PDF などの作成が可能、といった点が挙げられている。本システムを用いることにより、GUI（Graphical User Interface）を用いた要素ごとのスタイルや挙動のカスタマイズを行うことができる。

【図 6】は、Vincent van Gogh - The Letters を TEI Publisher で再構成した例である。

また、【図 7】の例は、筆者が TEI Publisher の独自コンポーネント（奥の画面右の「Snorql for BBP DB」）を追加した例である 7) [1]。

奥の画面左部のテキスト中の用語を選択すると、その用語に関する RDF データが同画面右部に表示される。テキストのレイアウトの修正などは GUI を用いて行うことができるが、構造の変化を要する変更については、この例のように独自のコンポーネントの開発等が必要となる。独自のコンポーネントの開発方法については、以下に記載されている。

https://teipublisher.com/exist/apps/tei-publisher/doc/documentation.xml?odd=docbook.odd&id=custom-components

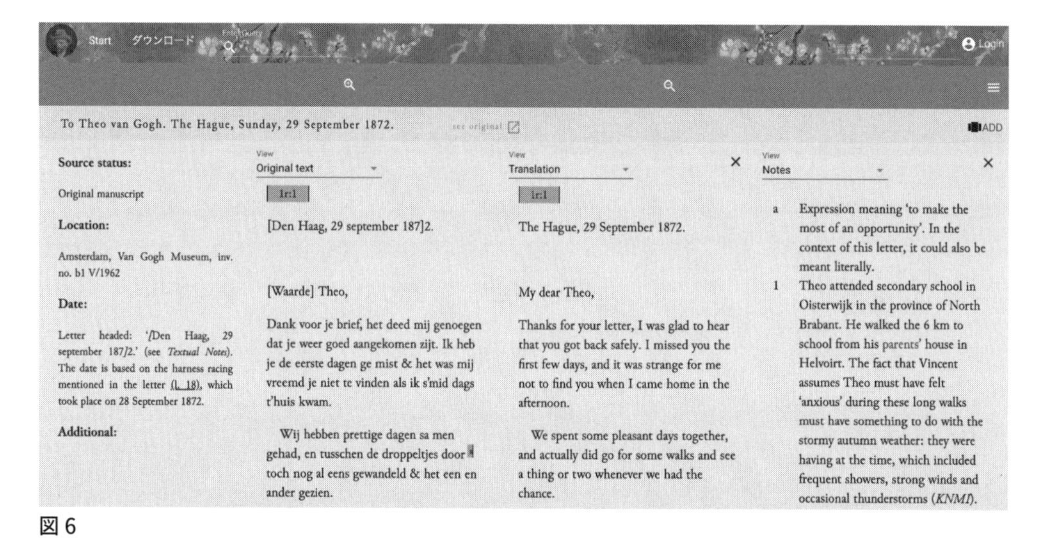

図 6

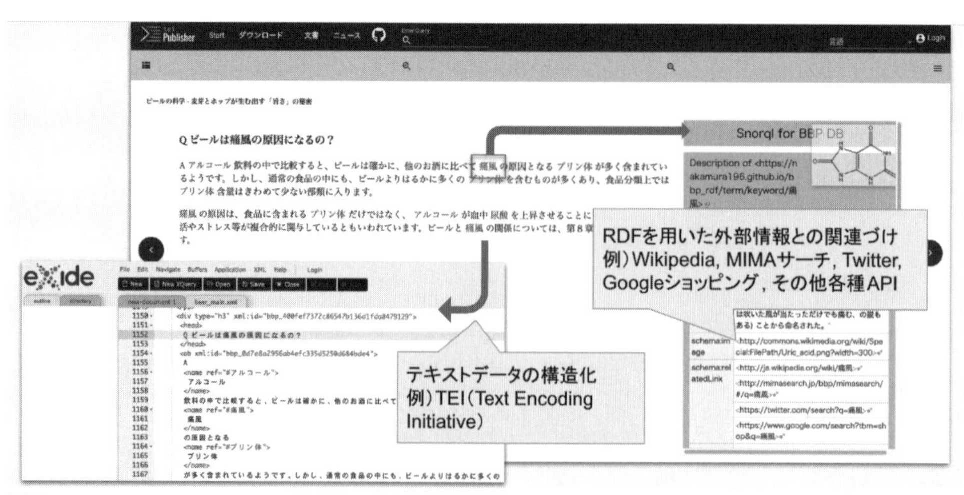

図 7

2-2-4．Omeka S

Omeka S は、オンラインのデジタルコレクションを構築するためのオープンソースのコンテンツ管理システムである。モジュールを用いた機能拡張が可能であり、Linked Data、IIIF、Scripto、OAI-PMH といった、人文情報学関連のモジュールが豊富に提供されている。

そのモジュールの一つに、XML ファイルを取り扱うモジュール「XML Viewer モジュール」がある。本モジュールを使用することにより、例えばこちら[8] の TEI/XML ファイルを、【図 8】のように表示することができる。

この変換に使用されている XSLT（XSL Transformations）ファイルは以下である。

https://gitlab.com/Daniel-KM/Omeka-S-module-XmlViewer/-/blob/master/asset/xsl/xml-html.xslt

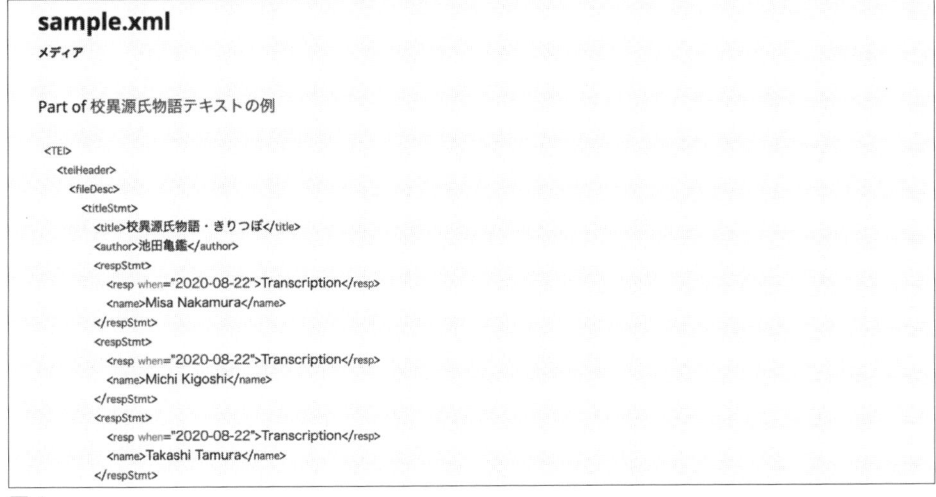

図 8

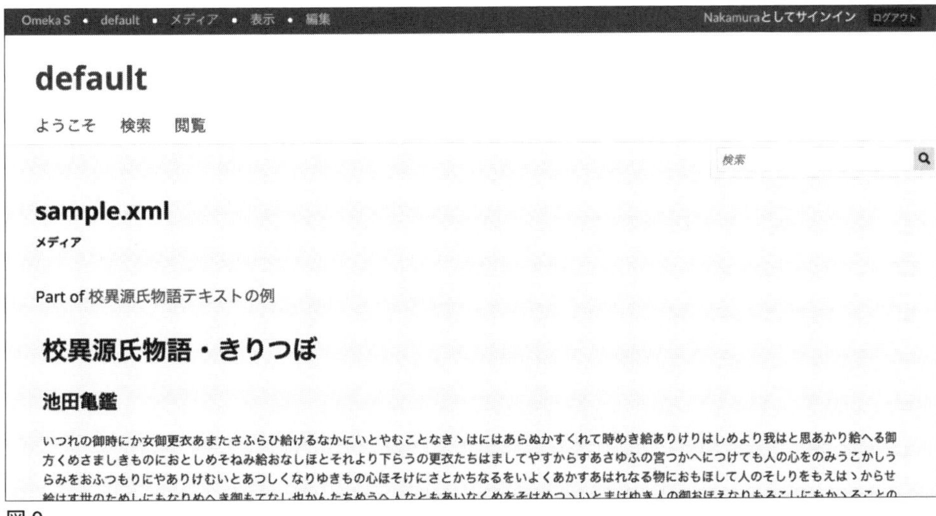

図 9

また、使用する XSLT ファイルをこちら[9] のように変更することで、Omeka S 上で【図 9】のように TEI/XML ファイルの表示方法を変更することができる。

XSL（Extensible Stylesheet Language）の知識が必要になるが、用途に応じた柔軟な表示内容のカスタマイズが可能である。

3．独自開発

3-1．導入

上述したように、今日数多くの可視化ツールが公開されている。したがって、既存のツールの利用またはそのカスタマイズを検討することが、まずは重要である。

一方、研究ニーズや運用環境の制約により、独自開発が必要となるケースも存在する。後者の運用環境については、例えば上述した TEI Publisher は豊富な機能を提供するが、Java の実行環境が必要となり、github pages といった静的コンテンツのホスティングサービスや、一般的に LAMP（Linux, Apache, MySQL, PHP）環境を提供するレンタルサーバ等では利用できない。

上記のような観点から、独自開発を行うか否かを検討する必要がある。

独自開発を行う際、上述した Python のような一般的なプログラミング言語を使用するほか、XML データに対する処理体系である XSL および XSLT などを使用することも多い。先に紹介した Omeka S の項目では、XSLT ファイルをカスタマイズすることで、ニーズに応じた可視化を行う例を示した。

さらに今日では、JavaScript の発展に伴い、JavaScript を用いた TEI データの処理も一層普及しつつある。

3-1-1．CETEIcean

TEI を JavaScript で処理するライブラリの代表的なものとして、CETEIcean[10] がある。使用方法については、以下のチュートリアルスライドなどが参考になる。

- https://www.i-d-e.de/wp-content/uploads/2019/11/Viglianti_CETEIcean.pdf
- https://github.com/TEIC/CETEIcean/tree/master/tutorial_en

具体的には、上記のスライドで示されている例を取り上げるが、【図 10】のような形でライブラリと TEI/XML ファイルを読み込むことで、ブラウザ上に TEI/XML ファイルの内容を表示することができる。

スタイルシートのサンプルは以下で確認することができる。

https://github.com/TEIC/CETEIcean/blob/master/test/CETEIcean.css

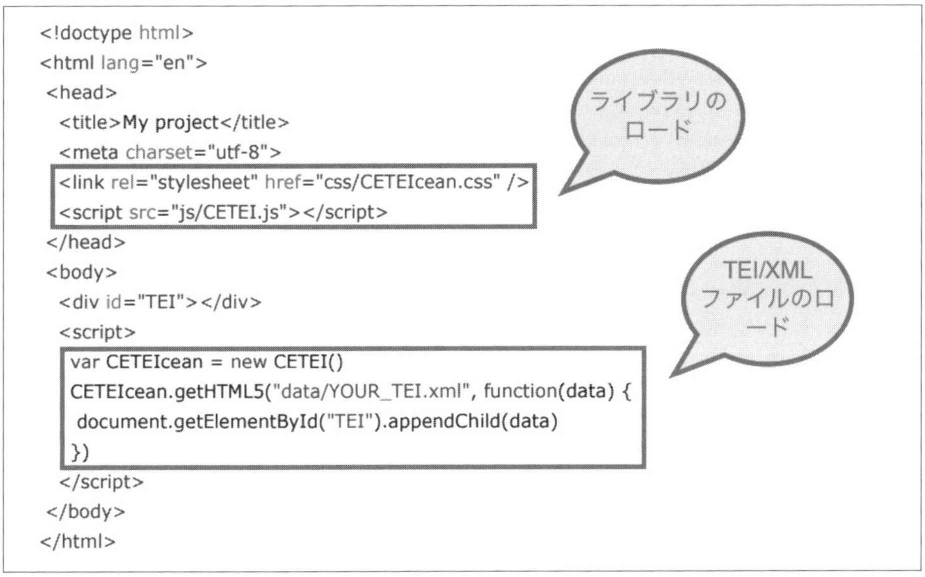

```
<!doctype html>
<html lang="en">
 <head>
  <title>My project</title>
  <meta charset="utf-8">
  <link rel="stylesheet" href="css/CETEIcean.css" />
  <script src="js/CETEI.js"></script>
 </head>
 <body>
  <div id="TEI"></div>
  <script>
   var CETEIcean = new CETEI()
   CETEIcean.getHTML5("data/YOUR_TEI.xml", function(data) {
    document.getElementById("TEI").appendChild(data)
   })
  </script>
 </body>
</html>
```


図 10

上記のチュートリアルに記載がある通り、これらの CSS や JavaScript ファイルを追加・修正することで、各種カスタマイズを行うことができる。

3-1-2．発展：JavaScript フレームワークでの利用

少し発展的な内容になるが、JavaScript フレームワーク（Vue、React など）での利用方法も示されている。以下の Issue で議論されている。

https://github.com/TEIC/CETEIcean/issues/27

Vue.js での具体的な実装例を以下で確認することができる。

https://gist.github.com/hcayless/34e13eecc7686aeafd1f37592730ec5e

3-2．事例紹介

以下では、筆者が主に JavaScript を用いて開発に関わった TEI/XML ファイルの可視化ツールおよびプロジェクト例について紹介する。具体的には、事例 1 と 2 はノーコードでの使用を意図したツールの紹介、事例 3 と 4 はプロジェクトに特化した可視化例の紹介を行う。

3-2-1．事例 1：TEI-C 東アジア / 日本語分科会［2］

「TEI-C 東アジア / 日本語分科会」は、XML でのテキストの符号化を目指す TEI コンソーシ

アムの「東アジア／日本語分科会」である。本分科会の活動の一環で、TEI/XML ファイルの視覚化ツールを公開している。以下のページで公開済みのツールをまとめている。

https://github.com/TEI-EAJ/aozora_tei/wiki#%E8%A6%96%E8%A6%9A%E5%8C%96%E3%83%84%E3%83%BC%E3%83%AB

ここでは、上記のページから、いくつかのツールをピックアップする。

TEI Multi Viewer

本ビューアは TEI/XML ファイルの視覚化を意図した汎用的なツールである。以下のリポジトリで公開している。

https://github.com/TEI-EAJ/tei_viewer

例えば、persName を用いた人物情報の構造化や、said を用いた発話内容の構造化がなされた TEI/XML ファイルを読み込んだ場合、【図 11】のように、本文テキストに加えて、人物の呼称や発話内容の一覧も合わせて表示される。なお、本ビューアの開発にあたっては、永崎研宣氏が開発された以下のビューアを参考にしている。

http://www.dhii.jp/nagasaki/TEI/dazai_3.html

上記でロードしている TEI/XML ファイルは以下である。

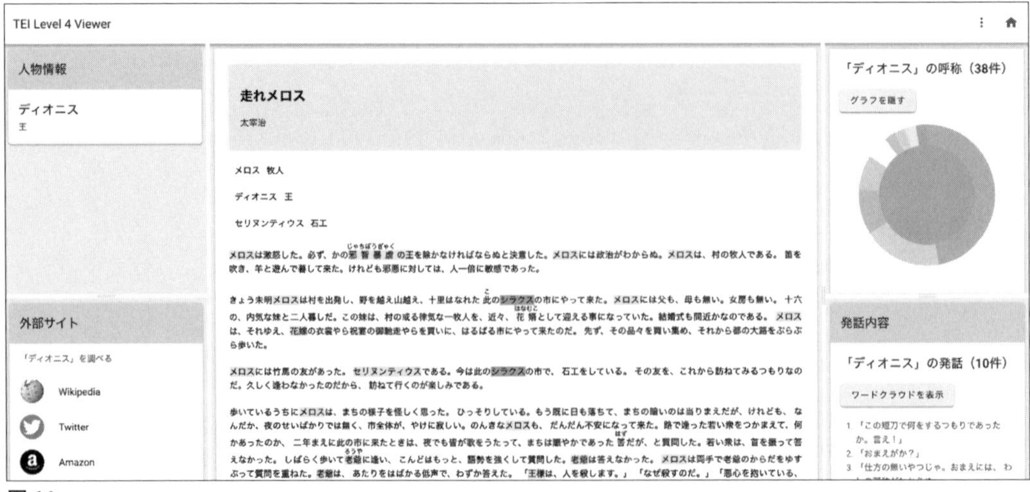

図 11

https://www.dhii.jp/nagasaki/dazai_all_20191012.xml

本ツールはVue.jsを用いて開発しており、画面の分割に「Vue Split Pane」[11]というライブラリを使用している。本ライブラリを使用することで、ユーザが画面の構成要素のサイズを自由に変更できるほか、ペイン（構成要素）の内容も設定できるようにしている。画面右上部のメニューアイコンから、各ペインに表示する内容を変更することができる。【図12】に、人物名などの「固有表現の出現頻度」を表示した例を示す。

この機能を応用したビューアの設定変更により、【図13】に示すように、画像と縦書きテキストの表示も同一ビューア上で行うことができる。これらの設定については、リポジトリ[12]のドキュメントを参考にされたい。本図の表示に利用しているTEI/XMlファイルは、以下に示す「校異源氏物語テキストDB」で公開されているものを利用している。

https://kouigenjimonogatari.github.io/

なお、本ビューアにおける【図13】のような画像表示にあたっては、TEI/XMLファイル中に

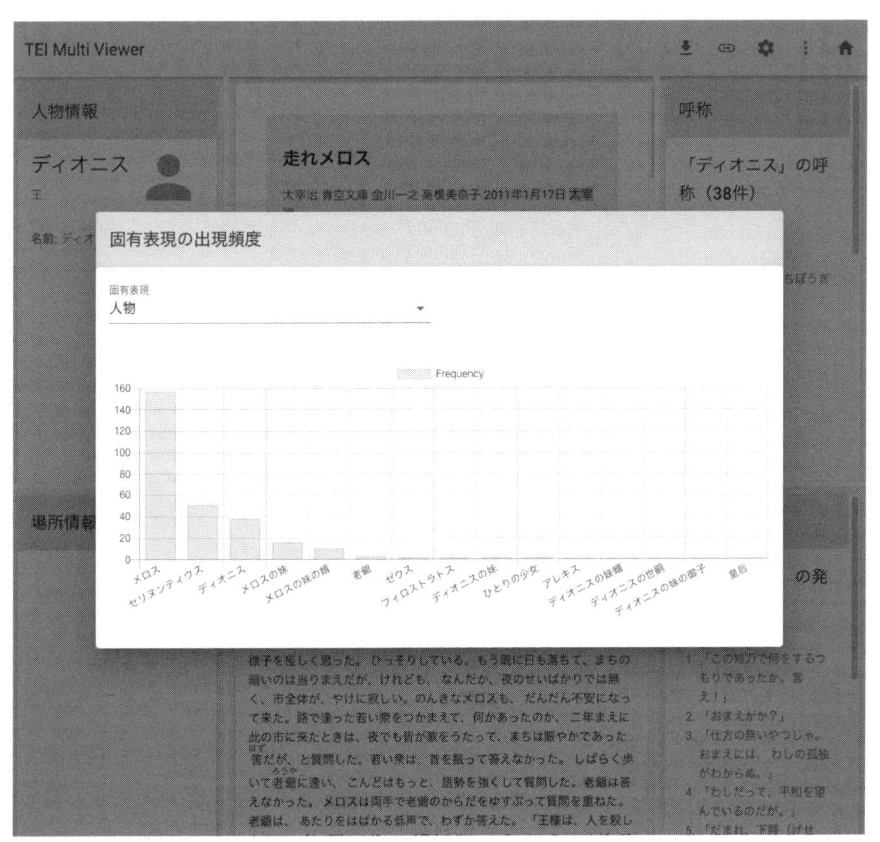

図12

図 13

IIIF に関する記載があることを前提としている。

TEI と IIIF を対応づける方法の例は、以下で確認することができる（なお、IIIF との対応づけに関する TEI の公式な方法は存在せず、以下はあくまでベストプクティィクスの一つである点に注意されたい）。

https://github.com/TEI-EAJ/jp_guidelines/wiki/IIIF%E7%94%BB%E5%83%8F%E3%81%A8%E3%81%AE%E3%83%AA%E3%83%B3%E3%82%AF

また、IIIF マニフェストファイルから、上記リンク先の `<facsimile>` 要素を生成するプログラムを以下で公開している。必要に応じて活用いただければ幸いである。

https://colab.research.google.com/drive/1_wMEW_ivNc4YqgSXO0JTPydccDEgIFAI

なお、TEI/XML を用いた可視化にあたっては、テキストの表示と、それに関連する情報の提示、というケースが多く見られる。そのため、本ツール以外にも、Versioing Machine や TEI Publisher などにおいて、一つの画面を複数のペインに分割したユーザインタフェースが多く採用されている。TEI/XML の可視化ツールの開発にあたって、参考になれば幸いである。

校本風異文可視化ツール

【図 14】に示す校本風異文可視化ツールは、上述した Versioning Machine や TEI Critical

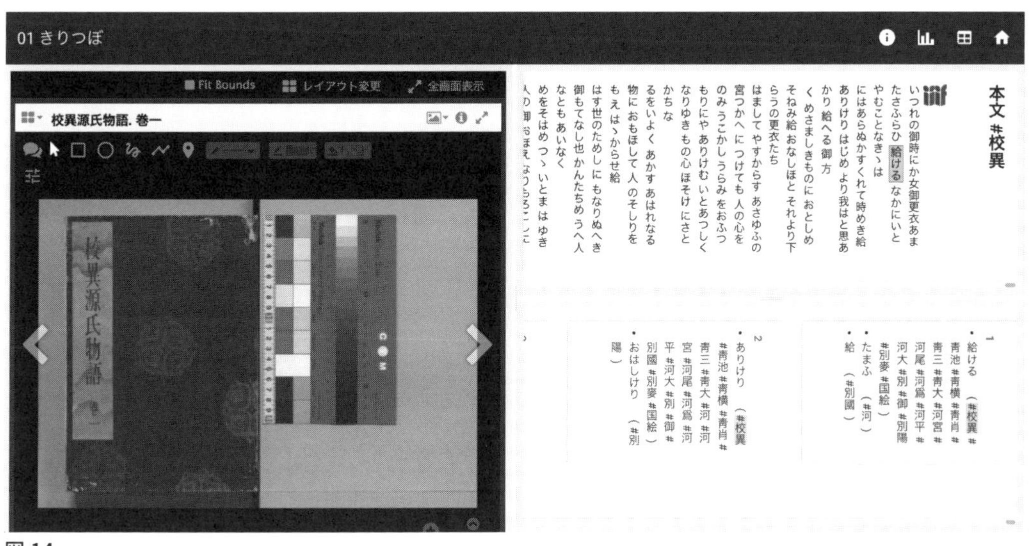

図 14

Apparatus Toolbox に続く異文の可視化ツールであり、特に校本のようなインタフェースを持つ点に特徴がある。画面右上部にテキストが表示され、画面右下部に異文情報が表示される。異文の番号をクリックすることで当該箇所のテキストに遷移できるほか、諸本の名前を選択することで、画面右上部を当該諸本のテキストに切り替えることができる。

上記の可視化ツールにロードしている TEI/XML ファイルは以下である。

https://tei-eaj.github.io/koui/data/01_with_wit.xml

また、本ツールの特徴の一つとして、【図 15】に示すように、諸本（Witness）間の異同の定量的な分析を行う機能がある。この異同の算出に用いる計算式は、目的等に応じて調整を行う必要があるが、TEI によるテキスト構造化の利点を示す一例であると考える。

戯曲の LINE 風チャット画面での表示

この可視化例は、TEI でマークアップした戯曲を LINE 風のチャット画面で表示するものである。戯曲のマークアップの方法の例は、以下を参照されたい。

https://github.com/TEI-EAJ/jp_guidelines/wiki/%E6%88%AF%E6%9B%B2

具体的には、【図 16】に示すように、発話内容を LINE 風のチャット画面で表示する。発話内容が構造化されたことによって可能になる可視化例の一つであり、TEI による構造化の利点を示す一例であると考える（なお、このようなインタフェースを用いた表示方法の有効性については未検証である）。

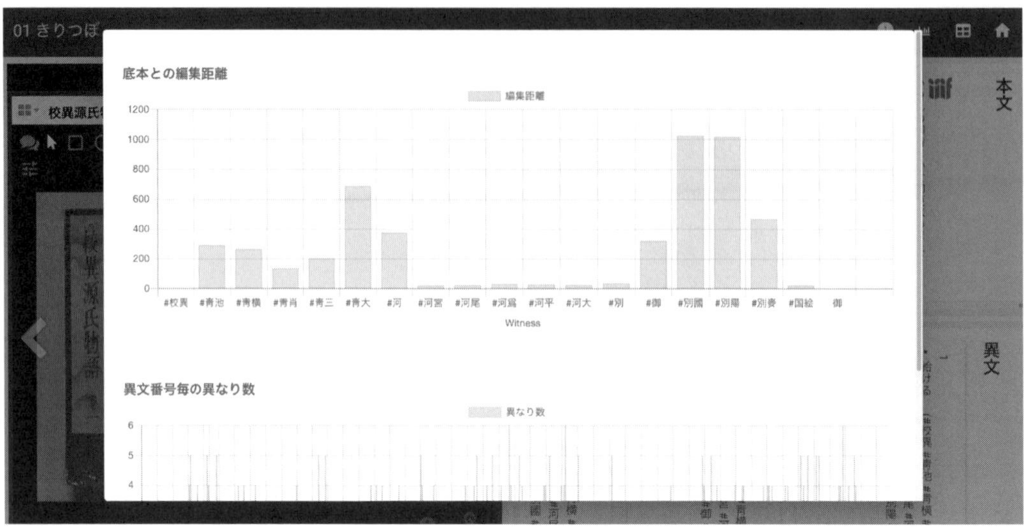

図 15

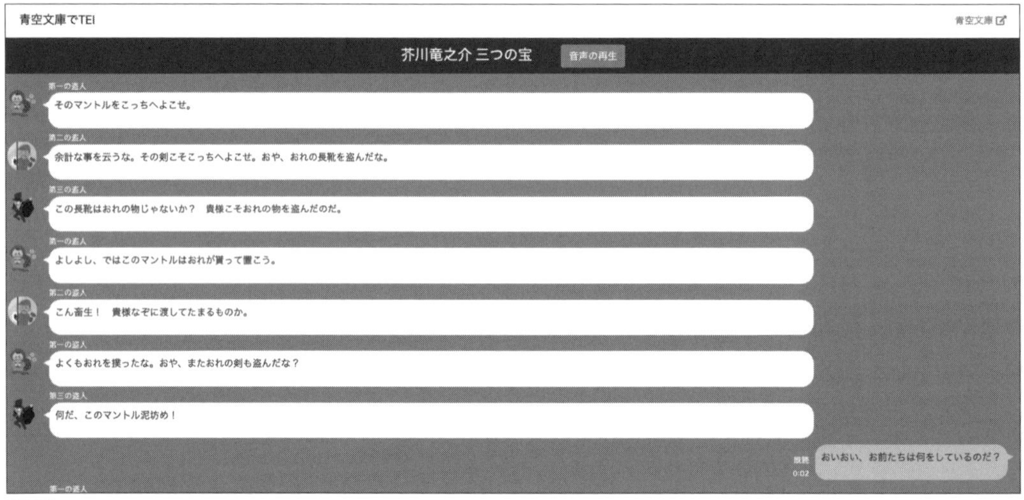

図 16

上図の例でロードしている TEI/XML ファイルは以下である。

https://github.com/TEI-EAJ/aozora_tei/blob/master/data/complete/tei_lib_lv3/1126_tei.xml

具体的な TEI/XML ファイルに対する処理内容は、以下のファイルのソースコードを参照されたい。jQuery を使用しているため、今日の JavaScript 開発の主流には適合しないが、構造化された要素の取得および表示を行う方法において、参考になる部分があれば幸いである。

https://tei-eaj.github.io/aozora_tei/tools/visualization/performance_texts/line.html

書簡の送受信情報の可視化

TEIでは、書簡の送受信情報を記述する`<correspDesc>`要素が用意されている。本要素の記述方法については、以下のドキュメントを参考にされたい。

https://github.com/TEI-EAJ/jp_guidelines/wiki/%E6%89%8B%E7%B4%99

本要素に記述される送受信に関する緯度経度および時間情報を用いることにより、【図17】に示すように、書簡の送受信情報の可視化を行うことができる。

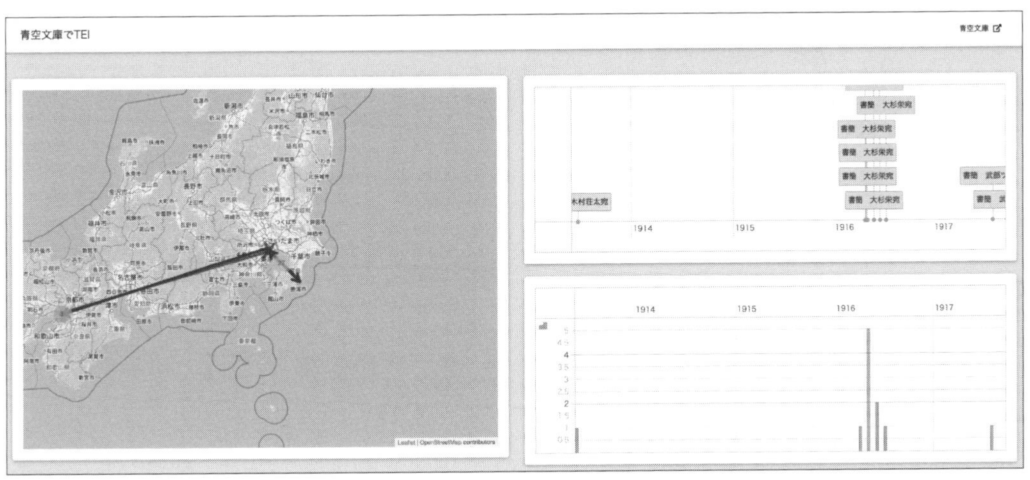

図17

本ビューアは以下のURLから利用可能である。アップロードフォームも提供しており、`<correspDesc>`の記載がある任意のTEI/XMLファイルを利用することができる。

https://tei-eaj.github.io/aozora_tei/tools/visualization/letters/map.html

また、アニメーションを用いて動的に表示内容を更新するアプリには、以下からアクセスできる。

https://tei-eaj.github.io/aozora_tei/tools/visualization/letters/map_timeline

3-2-2．事例2：デジタル源氏物語［3］

「デジタル源氏物語」[13]は、源氏物語の本文研究のプラットフォームを構築すべく取り組んでいるプロジェクトである。東京大学総合図書館所蔵『源氏物語』[14]の公開（2019年6月）を契機に、有志により「『源氏物語』研究にとって有意義なデジタル機能は何か」という検討を開始した。『源氏物語』に関するさまざまな関連データを収集・作成し、それらを結びつけることで、

『源氏物語』研究はもちろん、古典籍を利用した教育・研究活動の一助となる環境の提案を目指している。

「デジタル源氏物語」が提供する機能の例を【図 18】に示す。

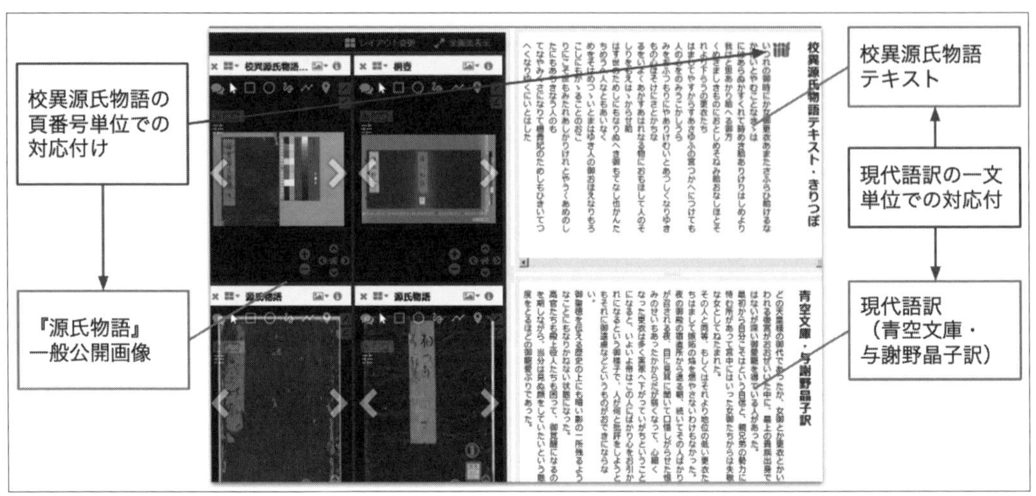

図 18

画面右上部には校異源氏物語のテキストデータを表示し、画面右下部には青空文庫で公開されている与謝野晶子による現代語訳 15) を表示している。これらのテキスト間で対応づけがなされている場合には、各々のテキストをクリックすることで、もう一方のテキストの対応箇所がハイライト表示される。また、画面右上部のテキストについて、頁ごとに IIIF アイコンが表示される。このアイコンをクリックすると、画面左部の Mirador ビューア上に、国立国会図書館、東京大学、九州大学等で公開されている画像が表示される。この時、利用者が選択した校異源氏物語の頁数に該当する画像箇所がフォーカスされて表示される。

【図 18】は、以下のリポジトリで公開しているビューアを使用している。詳細な使用方法は以下のリポジトリを確認されたい。画面右上に表示するメインテキスト（翻刻テキストなど）と、画面右下部に表示するサブテキスト（現代語訳など）などをパラメータで指定することができる。

```
https://github.com/TEI-EAJ/parallel_text_viewer
```

3-2-3．事例 3：渋沢栄一ダイアリー［4］

「渋沢栄一ダイアリー」は、『渋沢栄一伝記資料』別巻第 1、第 2 に掲載の渋沢栄一の日記および集会日時通知表を公開するシステムである。本プロジェクトの詳細については、本書の別章（第 3 部第 2 章）を参考にされたい。

本システムでは、【図 19】に示すように、TEI を用いて構造化した情報を、さまざまな形で可視化する機能を提供する。

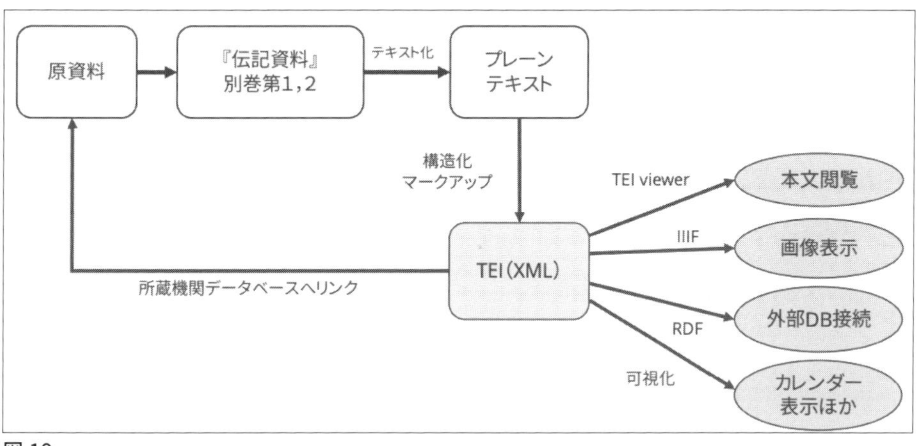

図 19

本プロジェクトで使用しているTEI/XMLファイルには、以下からアクセスすることができる。

https://github.com/shibusawa-dlab/lab1/tree/master/tei

TEIによって構造化された人物や地名、日付や時間に関する情報を確認することができる。

日付、時間

【図 20】は、TEIによって構造化した日付・時間情報を利用した可視化例である。具体的には、date要素を利用した年別の分布に加えて、time要素を利用した日記内容のカレンダー形式での表示を行う。

カレンダー表示にあたっては、本システムで採用したフレームワークであるVuetify[16]で提供されているv-calenderコンポーネントを使用している。

https://vuetifyjs.com/ja/components/calendars/

人物関係の可視化

【図 21】は、TEIで構造化された人物情報を用いたネットワークの可視化例である。人物の共起頻度に基づきエッジの太さを変更しているほか、Linked Dataの技術を応用し、サムネイル画像などの情報をWikipediaから適宜参照している。

また、【図 22】の右部に示すように、人物関係の根拠となる本文記述を確認できるようにしている。可視化のために抽出・再構成した情報から、抽出元となるテキストに戻ることができる点が、TEIを用いたテキストの構造化における大きな利点の一つであると考える。

なお、本ネットワークの表示には、vis.js[17]という可視化ライブラリを使用している。

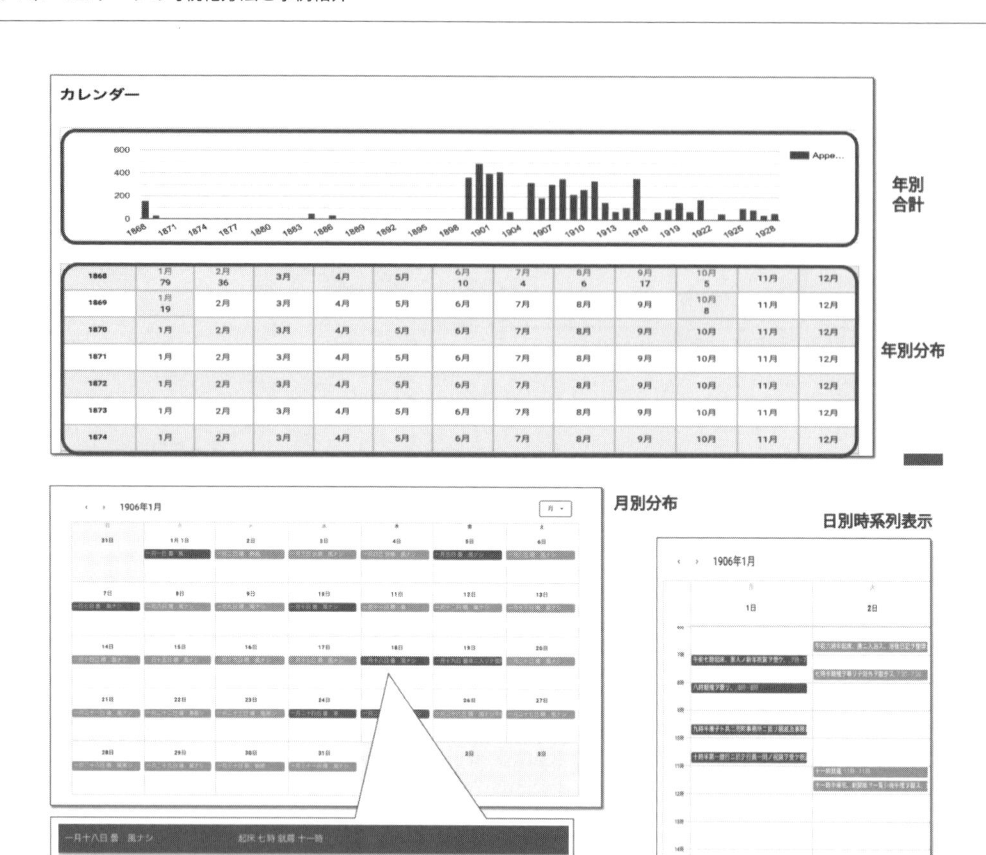
カレンダー
年別合計
年別分布
1906年1月
月別分布
日別時系列表示
日記本文

図 20

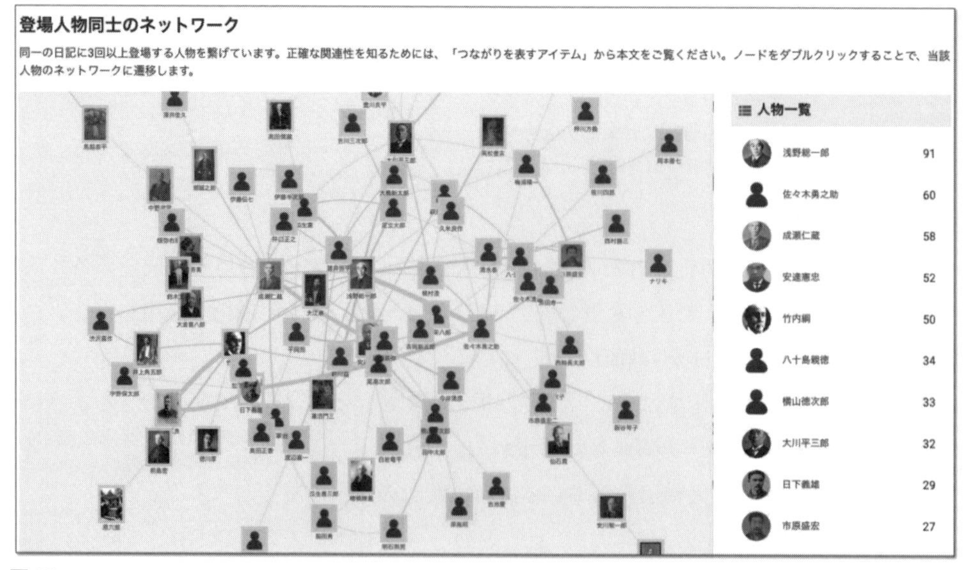
登場人物同士のネットワーク
同一の日記に3回以上登場する人物を繋げています。正確な関連性を知るためには、「つながりを表すアイテム」から本文をご覧ください。ノードをダブルクリックすることで、当該人物のネットワークに遷移します。
人物一覧
浅野総一郎 91
佐々木勇之助 60
成瀬仁蔵 58
安達憲忠 52
竹内綱 50
八十島親徳 34
横山徳次郎 33
大川平三郎 32
日下義雄 29
市原盛宏 27

図 21

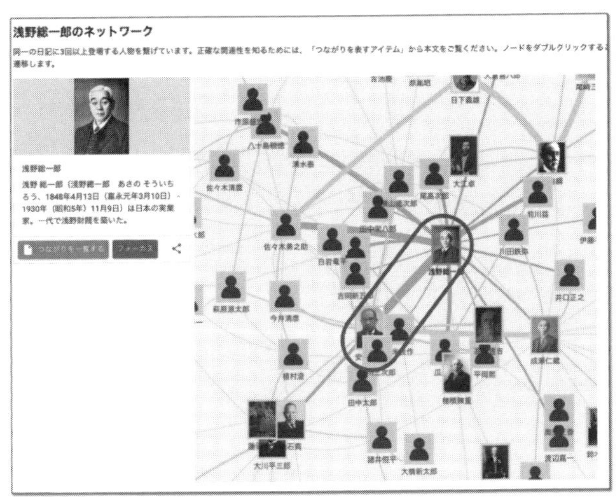

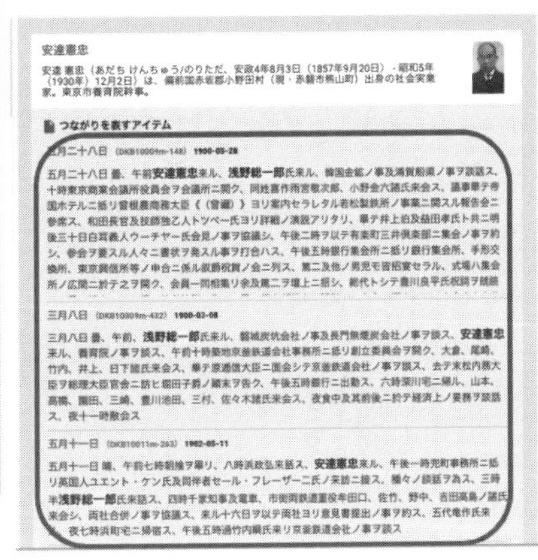

図 22

3-2-4．事例 4：東京大学史料編纂所「蒋洲咨文」[5]

東京大学史料編纂所が所蔵する「蒋洲咨文」に関する情報を可視化した例を【図 23】に示す。

https://www.hi.u-tokyo.ac.jp/collection/degitalgallary/wakozukan/tei/

この可視化例は、本章でこれまで述べてきた、異種テキスト（釈文、読み下し、大意）の関連づけ、IIIF 画像との連携、地図を用いた地理情報の利用、および Linked Data 技術を応用した固有表現（人名や地名）との関連付け、などの技術を統合したものである。

図 23

画面左部に三つの異種テキストのそれぞれ対応する箇所がハイライトされるほか、画面中央部に示す画像中の当該領域も合わせてハイライトされる。この画像領域との対応づけにあたっては、TEI の zone 要素を利用している。

また、異種テキスト中に登場する固有表現に連動して、画面右上部の地図および右下部の固有表現に対する説明が表示される。地理情報については、GeoJSON データを参照している。また、人物情報などの固有表現については、適宜ジャパンナレッジへのリンクを付与している。

固有表現と連動する表示の方法については、TEI Publisher のデモコレクションとして公開されている以下を参考にしている。

```
https://teipublisher.com/exist/apps/tei-publisher/test/graves6.xml
```

本システムで使用している各種情報は、TEI/XML ファイルの中に全て包含されている。これにより、アプリケーションとデータを疎結合（各要素の独立性が高く、一方に障害が生じても他方に影響を与えることは少ない状態）にすることができ、研究成果の長期保存に寄与することができると考える。例えば、アプリケーションが動作しなくなっても、データは存続させることができる。

この TEI/XML ファイルは、以下の URL からダウンロードすることができる。固有表現に関する note 要素の使い方などにおいて、一部独自の記述ルールを含む点に注意されたいが、TEI を用いた異種データの関連づけ等において参考になれば幸いである。

```
https://www.hi.u-tokyo.ac.jp/collection/degitalgallary/wakozukan/tei/data/main.xml
```

4．まとめ

以上、本章では、TEI データの可視化方法と、筆者がこれまで開発したツールの紹介を行った。TEI/XML ファイルを作成した後のプロセスにおいて、本章の内容が役に立てば幸いである。

TEI の今後の普及にあたっては、作成した TEI/XML ファイルの可視化環境の整備も重要であると考える。各人が作成した TEI/XML ファイルを、各人のニーズに合わせて自由にカスタマイズして可視化することができる環境が求められる。各人がプログラミング言語を学ぶことも一つの方法であるが、TEI Publisher のようにノーコードでカスタマイズ可能な環境の整備も必要性が高いと考える。

筆者は、これまで TEI/XML ファイルに対する JavaScript や Python を用いた個別開発を中心としてきたが、今後は TEI Publisher のようなプラットフォームの活用や拡張を視野に入れていきたい。

注

1 https://voyant-tools.org/
2 http://v-machine.org/
3 http://teicat.huma-num.fr/
4 https://www.dhii.jp/nagasaki/v-machine/samples/genji2.html
5 http://u-parl.lib.u-tokyo.ac.jp/archives/japanese/blog44-column33
6 http://vangoghletters.org/
7 https://jstagedata.jst.go.jp/articles/presentation/Possibility_of_Beyond_Book/19129865
8 https://kouigenjimonogatari.github.io/tei/01.xml
9 https://gist.github.com/nakamura196/a74202c691e9957938e89a36d4da319a
10 https://github.com/TEIC/CETEIcean
11 https://github.com/PanJiaChen/vue-split-pane
12 https://github.com/TEI-EAJ/tei_viewer
13 https://genji.dl.itc.u-tokyo.ac.jp/
14 https://iiif.dl.itc.u-tokyo.ac.jp/repo/s/genji/page/home
15 https://www.aozora.gr.jp/cards/000052/card362.html
16 https://vuetifyjs.com/ja/
17 https://visjs.org/

参考文献

[1] 柳与志夫、企画セッション（2）『ビヨンドブック』の可能性：書籍、電子書籍を超えるもの、デジタルアーカイブ学会誌、Vol.5、No.3、p.170、2021。
[2] Satoru Nakamura, Kazuhiro Okada, Kiyonori Nagasaki, An Attempt of Dissemination of TEI in a TEI-underdeveloped country: Activities of the SIG EAJ, The 19th annual Conference and Members Meeting of the Text Encoding Initiative Consortium, 2019.
[3] 中村覚、田村隆、永崎研宣、源氏物語本文研究支援システム「デジタル源氏物語」の開発におけるIIIF・TEIの活用、研究報告人文科学とコンピュータ（CH）、Vol. 2020-CH-124、No.2、pp.1–7、2020。
[4] 金甫榮、中村覚、小風尚樹、橋本雄太、井上さやか、茂原暢、永崎研宣、TEIを用いた『渋沢栄一伝記資料』テキストデータの再構築、じんもんこん2020論文集、Vol. 2020、pp.47–52、2020。
[5] 中村覚、須田牧子、黒嶋敏、井上聡、山田太造、データ駆動型歴史情報研究基盤の構築に向けた知識ベースの構築とその活用：絵図史料を対象として、じんもんこん2021論文集、Vol.2021、pp.88–95、2021。

第5章

Transkribusを用いたTEIの人名タグ付きテキストの機械学習による自動人名抽出：ジャアファル・ブン・イドリース・カッターニー『目録』を例に

石田友梨

1. はじめに

筆者の専門はイスラーム思想史である。思想の流れを検証するには、思想家たちの著作の内容とともに、彼らの知的環境についても確認しておく必要がある。知的環境に当たるものとして、読んだ本や、教えを受けた師などが挙げられる。無論、思想は知的環境だけの産物ではない。同じ本を読み、同じ師について学んだとしても、異なる思想に辿りつくことはあるだろう。しかし、ある思想家が読んだ本で展開されている思想や、教えを受けた師が論じている思想と、その思想家自身の考えのどこが同じで、どこが異なるのかを明らかにすることはできる。

イスラーム教徒の学問には、伝承学と呼ばれる分野がある。開祖である預言者ムハンマドが言ったこと、行なったことは、宗教的規範の根拠となる言行録ハディースとして語り継がれてきた。言行録ハディースを収集し、記録し、その信頼性を評価するのが伝承学である。初期の信者たちは、預言者ムハンマドと同じ時代を生き、彼が言ったことを直接聞き、彼が行なったことを直接見ることができた。初期の信者たちが語ったと伝えられている内容は、より真実に近いと信頼される。複数の人物から同じ内容が語られている伝承であれば、なおさら信頼性が高まる。そもそも聖典クルアーンは、天使が預言者ムハンマドに伝えた神の言葉の記録である。誰から何を伝えられたかについて、聖典クルアーンや言行録ハディース以外にも記録が残されるようになったのは、当然の流れかもしれない。

2. カッターニーの『目録』について

本章で取り上げるジャアファル・ブン・イドリース・カッターニー（Ja‘far b. Idrīs al-Kattānī, 1830–1905）の『目録（*Fahrasa*）』は、学問の伝承の記録である。カッターニーは、アフリカ大陸北西部に位置する現モロッコ（以下同様）の町フェズで代々学者を輩出していた名家に生まれた。『目録』には、カッターニーが学んだ師や、彼が教えた弟子の名前が記録されている。学問分野別に、その分野の重要な書物について、どの本を誰から学んだかまで書かれている箇所もある。たとえば、イスラーム思想の金字塔である『宗教諸学の再興（*Iḥyā' 'ulūm al-dīn*）』という本は、著者のアブー・ハーミド・ガザーリー（Abū Ḥāmid al-Ghazālī, 1058–1111）から 15 人を経てカッターニーに伝えられたと書かれている。

学問がどのように伝えられたかを記録する『目録』の性質上、そのアラビア語のテキストには学者の名前が多く含まれている。前述のガザーリー『宗教諸学の再興』の伝承過程を述べた箇所をみてみよう。以下に引用したアラビア語テキストの下線部分が人名に当たる。人名の羅列といってよい。アラビア語が読めなくても、下線がある方が読みやすくなることをご想像いただけるのではないだろうか。

أروي كتاب الإحياء لأبي حامد الغزالي، وسائر تآليفه عن الشيخ علي بن ظاهر عن الشيخ
أحمد منة الله المالكي عن الأمير الكبير عن الحفناوي عن البديري عن المنلا إبراهيم الكوراني
عن منلا محمد شريف عن الفقيه الحكمي عن ابن حجر المكي الهيتمي عن القاضي زكرياء
الأنصاري عن علم الدين البلقيني عن أبي إسحاق التنوخي عن التقي سليمان بن حمزة عن
عمر بن كرم الدينوري عن الحافظ أبي الفرج البغدادي عن مؤلفها، وبهذا السند إلى القاضي
زكرياء أروي جميع مؤلفاته.

（Ja'far b. Idrīs al-Kattānī, *Fahrasa Ja'far b. Idrīs al-Kattānī*, Muḥammad b. 'Azzūz ed., Beirut: Dār Ibn Ḥazm, 2004, p. 227）

そこで筆者は、『目録』のテキストを XML ファイルとしてデジタル化し、人名部分に TEI（Text Encoding Initiative）の人名タグ `<persName>` を付けてみることにした。『目録』に登場する人名を集めていけば、データベースにすることができる。11 世紀のイランに生まれたガザーリーの書いた本が、19 世紀のモロッコに生まれたカッターニーに至るまで、どのような過程で伝わったのかを明らかにすることは、思想史を紐解く大きな手掛かりとなる。

『目録』によれば、著者のガザーリーから『宗教諸学の再興』を直接学んだバグダーディーという人物を 1 人目、そのバグダーディーに学んだ何某を 2 人目、と数えて 6 人目がザカリーヤー・アンサーリー（Zakarīyā' al-Anṣārī, ca. 1420–1520）である。アンサーリーは、15 世紀のエジプトに生まれた学者である。10 人目のイブラーヒーム・クーラーニー（Ibrāhīm al-Kūrānī, 1615–1690）は、17 世紀のクルディスタン[1]に生まれた学者である。そして、16 人目がカッターニーである。『宗教諸学の再興』はイランからエジプトに伝わり、そのまま西に進んでモロッコに届けられたのではなく、一度クーラーニーによって北東に戻されたようである。いや、実際にクーラーニーが学者として活躍していたのは、サウジアラビア西部に位置するマディーナという町だったので、南東とするべきか。いやいや、それを言うならばガザーリーもイランに留まっていたわけではない。ガザーリーから『宗教諸学の再興』を直接教わったバグダーディーという人物は、名前からしてイラクのバグダード出身だろうから、ガザーリーがバグダードで教えていた時の教え子だろうか。そもそも『宗教諸学の再興』が書かれたのは何年頃だったか……といった具合に考察を広げていくことができる。

また、ガザーリーからアンサーリーは400年を6人、アンサーリーからクーラーニーは200年を4人、クーラーニーからカッターニーは200年を6人でつないでいることになる。この密度の差はどう考えればよいだろうか。単純に古い時代についての記録が失われているせいであるのか、他の書物の伝承についての記述とも比較すべきであろう。さらに、これらの間をつなぐ人々の詳細が分かれば、ガザーリーの思想が伝播されていった経路もより明確となる。人名データベースを作成しておけば、たとえばガザーリーに直接教わったバグダーディーが『目録』以外の文献に登場することを発見した場合、情報を追加することができる。一方、ガザーリーやアンサーリーについて調べている人たちは、『目録』に言及があることを知り、彼らのもつ情報を追加することができる。お互いに知識を分け合い、蓄積していくことで、これまで以上に研究が推進されることだろう。

3．人名の自動抽出方法

人名データベースへの期待は高まるが、データベース構築には多大な労力が必要である。人名タグで目印を付けておけば、自動で人名を抽出してデータベース化することも可能となる。しかし、筆者ひとりでできるタグ付けの作業量には限界がある。アラビア語を読むことができる上に、タグ付けまでできるデータ入力補助者も周囲にいない。何とかタグ付けまで自動化できないものだろうかと思い悩んでいたところ、Transkribus（https://readcoop.eu/transkribus/）の機械学習の仕組みを利用することを思いついた。

Transkribusは、文字資料の画像からテキストを読み取る装置（platform）である。既存の光学文字認識（OCR）では読み取りがうまくいかないアラビア語のテキストや、写本などの手書きのテキストであっても、機械学習で読み取りの精度を上げていくことができる。詳しい操作方法は第2部第1章「Transkribus入門」に譲るとし、ここでは単純化した手順を以下に示す。

1. 『目録』の1ページから200ページまでをスキャンし、PDFファイルにする[2)]。
2. 作成したPDFファイルをTranskribusにアップロードする[3)]。
3. 『目録』の1ページから50ページまでに対応するアラビア語テキストを、Transkribusの操作画面で正しく入力していき（【図1】）、機械学習させる[4)]。
4. 『目録』の51ページから200ページまでをTranskribusに読み取らせ、アラビア語テキストを出力させる[5)]。

つまり、ある程度の量のテキストを自分でデジタル化しておけば、残りのテキストはTranskribusが自動でデジタル化してくれる。筆者は、人名タグが付いたアラビア語テキストをTranskribusに入力することで、人名タグが付いた状態のアラビア語テキストを出力させようと考えた。以下にその手順を述べる。

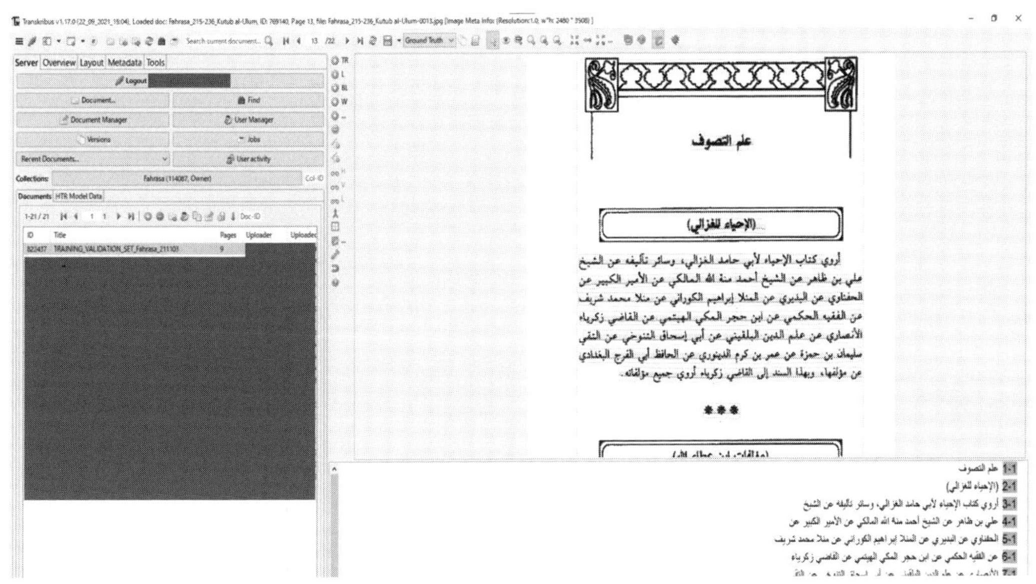

図1　Transkribusの操作画面
画面右の上半分が『目録』のPDFファイルの画像で、下半分がテキスト入力欄。画像の行と対応させながら、アラビア語テキストを入力している。

1. 教師データの準備。『目録』から2章分35ページのアラビア語テキストをXMLファイルとしてデジタル化し、人名タグを付ける（【図2】）。
2. 評価データの準備。『目録』から1章分9ページのアラビア語テキストをXMLファイルとしてデジタル化し、人名タグを付ける。
3. Transkribusによる機械学習。教師データと評価データを合わせた44ページ分のアラビア語テキストをXMLファイルからコピーし、Transkribusのテキスト入力画面にペーストする（【図3】）。
4. 自動人名抽出。評価データに当たる9ページ分をTranskribusに読み取らせ、人名タグが付けられたアラビア語テキストを出力させる（【図4】）。

4．抽出結果の評価

人名タグが付いた状態のアラビア語テキストをTranskribusに機械学習させた結果、アラビア語テキストの画像を読み取らせるだけで、人名部分がタグ付けされたアラビア語テキストを出力させることができるようになった。しかし、どれほどの精度なのだろうか。【図4】の画像のアラビア語テキストには、人名が7か所含まれている。下欄の出力結果では、人名もタグも完璧であるのが3か所、タグの位置についての小さな間違いが1か所[6]、人名やタグに明らかな間違いがあるのは3か所だった。とはいえ、「</persName>」とすべきタグが「>/persName<」になっ

```xml
<text>
  <body xml:lang="ar">
    <pb n="227"/>
    <div n="1" type="chapter">
      <head>علم التصوف</head><lb/>
      <div n="1" type="section">
        <head>الإحياء ل<persName corresp="#Al-Ghazali">لغزالي</persName></head><lb/>
        <p>أروي كتاب الإحياء <persName corresp="#Al-Ghazali">لأبي حامد الغزالي</persName>،
         وسائر تآليفه عن <persName>الشيخ علي بن ظاهر</persName> عن
         <persName>الشيخ أحمد منة الله المالكي</persName> عن
         <persName>الأمير الكبير</persName> عن
         <persName>الحفناوي</persName> عن
         <persName>البديري</persName> عن
         <persName>المنلا إبراهيم الكوراني</persName> عن
         <persName>منلا ﷴ شريف</persName> عن
         <persName>الفقيه الحكمي</persName> عن
         <persName>ابن حجر المكي الهيتمي</persName> عن
         <persName corresp="#ZakariyyaAl-Ansari">القاضي زكرياء الأنصاري</persName> عن
         <persName>علم الدين البلقيني</persName> عن
         <persName>أبي إسحاق التنوخي</persName> عن
         <persName>التقي سليمان بن حمزة</persName> عن
         <persName>عمر بن كرم الدينوري</persName> عن
         <persName>الحافظ أبي الفرج البغدادي</persName> عن
         مؤلفها<!-- (the author of them (these books -->،
         وبهذا السند إلى <persName corresp="#ZakariyyaAl-Ansari">القاضي زكرياء</persName> أروي جميع مؤلفاته.</p>
      </div>
    </div>
  </body>
```

図2　XMLファイルでのタグ付け作業

アラビア語テキストの人名部分に<persName>タグを付けている。ただし、アラビア語は右から左に読むので、「<persName> 人名 </persName>」ではなく「<persName/> 名人 <persName>」となっている。

علم التصوف
(الإحياء للغزالي)
أروي كتاب الإحياء لأبي حامد الغزالي، وسائر تآليفه عن الشيخ
علي بن ظاهر عن الشيخ أحمد منة الله المالكي عن الأمير الكبير عن
الحفناوي عن البديري عن المنلا إبراهيم الكوراني عن منلا محمد شريف
عن الفقيه الحكمي عن ابن حجر المكي الهيتمي عن القاضي زكرياء
الأنصاري عن علم الدين البلقيني عن أبي إسحاق التنوخي عن التقي
سليمان بن حمزة عن عمر بن كرم الدينوري عن الحافظ أبي الفرج البغدادي
عن مؤلفها، وبهذا السند إلى القاضي زكرياء أروي جميع مؤلفاته.
1-1 علم التصوف
2-1 (الإحياء <persName>للغزالي</persName>)
3-1 أروي كتاب الإحياء <persName>لأبي حامد الغزالي</persName>، وسائر تآليفه عن <persName>الشيخ
4-1 علي بن ظاهر</persName> عن <persName>الشيخ أحمد منة الله المالكي</persName> عن <persName>الأمير الكبير</persName> عن
5-1 <persName>الحفناوي</persName> عن <persName>البديري</persName> عن <persName>المنلا إبراهيم الكوراني</persName> عن <persName>منلا محمد شريف
6-1 عن الفقيه الحكمي</persName> عن <persName>ابن حجر المكي الهيتمي</persName> عن <persName>القاضي زكرياء
7-1 الأنصاري</persName> عن <persName>علم الدين البلقيني</persName> عن <persName>أبي إسحاق التنوخي</persName> عن <persName>التقي
8-1 سليمان بن حمزة</persName> عن <persName>عمر بن كرم الدينوري</persName> عن <persName>الحافظ أبي الفرج البغدادي</persName>
9-1 عن مؤلفها، وبهذا السند إلى <persName>القاضي زكرياء</persName> أروي جميع مؤلفاته.

図3　タグ付けしたテキストの入力

Transkribusの操作画面で、<persName>タグが付いたアラビア語テキストを入力している。上欄の『目録』の画像は【図1】と同じだが、下欄に入力されたアラビア語テキストにはタグが追加されている。

(الطريقة السنوسية)

ومن ذلك الطريقة السنوسية أخذتها عنه أيضاً عن العارف الأشهر
سيدي محمد بن علي السنوسي الخطابي الإدريسي عن العارف بالله سيدي
أحمد بن إدريس عن الشيخ سيدي عبدالوهاب التازي عن القطب الأشهر
مولانا عبدالعزيز الدباغ عن أبي العباس الخضر عليه السلام، وقد أجازه
الشيخ السنوسي بجميع الطرق التي تلقّاها عن مشايخه، وهي مذكورة في
مؤلفات الشيخ السنوسي رحمه الله، كتأليفه المسمّى بالمورد العذب المعين
في السلاسل الأربعين.

1-1 (الطريقة السنوسية)
2-1 ومن ذلك الطريقة السنوسية أخذتها عنه أيضاً عن <persName>العارف الأشهر
3-1 سيي</persName>سمد بن علي السنوسي الخطابي الإدريسي</persName> عن <persName>العارف بالله سيدي
4-1 أحمد بن إدريس</persName> عن <persName>الشيخ سيدي عبدالوهاب التازي</persName> عن <persName>القطب الأشهر
5-1 مولانا عبدالعزيز الدباغ</persName> عن <persName>أبي العباس الخضر عليه السلام</persName>، وقد أجازه
6-1 اه </persName>السنوسي<>persName< مبع الطرقَpersN التي اهاعن شايe نوره
7-1 مؤلفات <persName>الشيخ السنوسي</persName> رحمه الله، كتأليفه المسمّى بالمورد العذب المعين
8-1 <persName>سا<prse

図4　自動人名抽出の結果
上欄のアラビア語テキストの画像から、人名タグが付いたアラビア語テキストを下欄に自動で出力させている。

てしまっている箇所などは、右から左に読むアラビア語でなければ生じなかった間違いかもしれない。

タグを含めたアラビア語テキストの文字誤り率（CER）の全9ページ平均は19%、単語誤り率（WER）は26.34%であった（【表1】）。言い換えれば、80%ほどの正確さで文字を読み取り、75%ほどの正確さで単語を読み取ることができている。筆者の体感になるが、90%以上の正確さで読み取った出力テキストであれば、自分ですべてのテキストを入力していくよりも、そのテキストの間違いを修正していく方が楽になる。

誤り率が最も低いページ、つまり最も読み取り精度が高かったページでは、文字誤り率と単語誤り率がそれぞれ10.97%と18.68%、誤り率が最も高いページ、つまり最も読み取り精度が低かったページではそれぞれ25.47%と35.03%であった。読み取り精度が最も低かったページには、

表1　各ページの精度評価

ページ	1	2	3	4	5	6	7	8	9	平均
CER	15.11	20.43	17.09	21.54	17.29	26.37	16.73	10.97	25.47	19
WER	28.57	27.91	21.45	27.79	22.92	33.77	20.91	18.68	35.03	26.34

文字誤り率がCERで、単語誤り率がWER。自動で出力したテキストに間違えがなければ0%、すべて間違えていたら100%になるので、数字が低ければ精度が高いと評価できる。

行の途中に広い空白が入る詩が挿入されていたり、下部に脚注があるなどの特徴があった。通常のテキスト配置と異なることが、読み取り精度を低くした原因と考えられる。

5．おわりに

教師データが35ページ分と比較的少ない現段階では、自動で完璧に正しく抽出できる人名は半分程度であった。しかし、Transkribusを用いれば、テキストのタグ付けまで含めて機械学習をさせることが可能であることを確かめることができた意義は大きい。アラビア語の人名にはいくつかの規則があるが、それらをすべて定義して学習させることは困難である。たとえば、先ほどバグダーディーはバグダード出身と思われると書いたのは、地名にイー（ī）を付けて出身地を示す慣習からの推測である。しかし、全員の名前に出身地が含まれているわけではないし、あらかじめすべての地名を網羅しておくのも不可能に近い。タグ付けした人名をいくつか用意しておくだけで規則を学習してくれるのであるから、機械学習技術の恩恵を最大限に活かすことができたといえよう。

また、TEIの知識と、Transkribusが提供する機械学習を利用したテキスト認識技術を組み合わせるという発想により、プログラミングなしに人名を自動抽出するための道を拓くことができた。人文学を専門とする筆者に新しい技術を開発することはできないが、新しい活用方法を提案することはできる。TEIのタグ付け規則にも、プログラミングをせずに機械学習の仕組みを利用できるTranskribusにも、さらなる可能性が広がっていると思われる。やりたいことを実現する技術がないからと諦めず、自分にできることを試してみれば、まだ誰も気づいていない新しい活用方法が見つかるかもしれない。

付記：本研究の一部は、馬場謙介（当時岡山大学サイバーフィジカル情報応用研究コア教授）との共同研究として、2021年9月7日のThe 11th Conference of Japanese Association for Digital Humanities (JADH2021) において“Picking out Arabian Names from Fahrasa by Ja‘far b. Idrīs al-Kattānī without Reading Arabic”の題目で発表したものである。また、JSPS科研費JP18K00114およびJP20H05830の助成を受けた。

注

1　現在のイラン、イラク、シリア、トルコ、アルメニアの国境にまたがる地域。
2　実際には、デジタル化の許可を得るため出版社に問い合わせた際にPDFファイルをいただくことができた。
3　Transkribusにアップロードする画像は公開されるわけではないが、Transkribusのサーバに転送しても問題がない資料であるかを確認する必要がある。
4　入力したテキストも公開されるわけではないが、Transkribusに蓄積される。
5　読み取る量に応じた使用料を支払う。
6　偉人の名前の後に挿入される祈願文「平安あれ（‘alay-hi al-salām）」まで人名としてタグ付けされている。

COLUMN 3

TEI におけるセマンティック記述と <standOff>

小川潤

1．はじめに

デューク大学図書館の DH（Digital Humanities）シニア・プログラマーであり、TEI（Text Encoding Initiative）コミュニティの重鎮でもあるヒュー・ケイラスは、TEI によって構造化されたテクストデータは、同等の重要性を持つ三つの層によって構成されると述べている[1)]。すなわち、1）文字の連なりとしてのテクストそのもの、2）文構造の入れ子状（ツリー状）の階層化、3）グラフ構造で表現されうるメタ構造である。三つ目に言及される「メタ構造 metastructure」はやや難解な表現だが、ケイラス自身の説明によれば、TEI が提供する何らかの参照システムを用いて構造化されたテクストデータを意味するという。この三つの層のうち、1）2）については、階層的な XML のタグ構造を用いて記述することに大きな問題はない。しかし 3）に関連するようなセマンティックな記述を実現するためのマークアップ手法をめぐっては、なお活発な議論が行われている。ここでいう「セマンティックな記述」とは、TEI で構造化される個々のエンティティ（例えば人物や場所など）が含有する意味内容や他の要素との意味連関を機械可読に記述するということである。だが、そうした意味情報は往々にしてテクスト外在的なものであり、注釈（アノテーション）としての性質を持たざるをえない。それゆえに、マークアップの手法が議論の対象となるのである。

2．インラインとスタンドオフ

TEI を用いたセマンティック記述の手法は大別して二つ存在する[2)]。一つはテクスト本文を表す <text> 要素下に直接タグを挿入し、注釈情報を付与するインライン・マークアップ（以下、IM）である。この方法でマークアップされたテクストデータは、注釈対象となるテクスト箇所と注釈情報が一体となって記述されるがゆえに、個々の記述に対して注釈を施すという人文学的作業との親和性も高く、TEI ファイルの可視性という面でも優れている。もう一つの方法は、テクスト箇所とその注釈を分離するスタンドオフ・マークアップ（以下、SM）である。この場合、同一ファイル内において別の場所に記述することもあれば、ファイル自体を分離して記述することもある。近年のTEIにおける議論の動向を見るに、二つ目の手法、すなわちSMを用いた構造化手法に注目が集まっているように思われる。TEIガイドラインに新たに `<standOff>` が導入されたことも、その一環と捉えることができよう[3]。こうした動きは、たとえば次の二つの議論とも関連する。第一に、一時期TEIに関連して議論されていた、テキストの構造化が単一の階層構造によってなされるというOHCOモデル[4]に基づくテクスト構造理解に対する見直しが進み、多様な階層構造によって成立している状況を記述し共有することに焦点が強くあてられるようになっている[5]。そして第二に、史資料のデータ構造化という大きな文脈において、セマンティック表現やLinked Open Data（以下、LOD）活用の重要性が増している。

そもそもSMという手法は、入れ子状の階層記述に基づくXMLマークアップの制約を克服するための手法として提案された。すなわち、XMLでは入れ子状の階層構造には収まらない重複要素や複合的な階層関係を十分に表現することができない。このような問題は、単一の語について複数のPOS注釈（POSはParts of Speechの略。いわゆる品詞のこと）や形態・統語といった異なる観点からの注釈を要する言語学的注釈においてとくに顕著であったがゆえに、SMは言語コーパス構築のためのデータ構造化において広く採用されてきた[6]。だが、当然ながらこのような問題は言語学的注釈に限られるものではなく、あらゆる史資料の構造化に当てはまる。これは、先にあげたテクスト構造理解の変化とも関わるが、テクストは段落や文といった構造的観点、校訂情報や他文献との関連といった文献学的観点、人物や場所に関する歴史学的観点など重層的な観点から理解される可能性がある。このような重層的で重複もありうるような注釈情報を記述するにあたって、SMが適していることは間違いない。それゆえ、TEIにおいてもSMを可能にするさまざまなタグは従来から存在し、例えば、`<teiHeader>` 内に記述された `<listPerson>` などがその一例である。

以上のような、テクスト理解の重層性を構造化するという問題に加えて、LODの活用を推進する動きが人文情報学分野において進んでいることも重要であろう。このことは、テクスト内の記述を外部データに繋げる形で注釈を施す「利用」の側面と、テクスト内の情報をLinked Data（以下、LD）として記述し、それを公開することでLODを「構築」する側面の両面を含んでいる。前者の「利用」については、従来から@refや@correspを用いて外部データを参照する手段が用意されており、これが注釈情報をテクスト本文の記述から分離するSMとしての性格を有していることは言うまでもない[7]。一方で後者の「構築」についても以前からいくつかの試みがなされているが[8]、近年では、RDFa（Resource Description Framework in attributes）を表現可能な形でTEIスキーマを拡張し中世フランス語で書かれた医学関連文献を辞書データに紐づける試みや[9]、財務記録史料の内容をRDF準拠のLDとして、TEIでマークアップする手法を提案するDEPCHAなどが存在する[10]。この場合、RDFによる構造化の特徴であるグラフ構造、それも複雑で重層的な意味連関を表現するトリプル（主語 - 述語 - 目的語の構造で記述される一組のデータ）群を記述しようとすれば、やはりIMでは限界があり、SMが適していると言えよう。

3. TEIにおける<standOff>要素の導入

このように、さまざまな局面においてSMに対する需要が高まる中で近年、<standOff>要素が新たに導入された。<standOff>は、スタンドオフに記述されるあらゆる注釈情報を含みうるエレメントであり、従来は<teiHeader>内で記述された<listPerson>なども、この要素内に含まれることになる。この要素の導入により、テクスト本文と分離されたスタンドオフな注釈情報を、<teiHeader>に記述されるメタデータでも、<text>に記述されるテクストそのものでもない要素として一括に記述することが可能になる[11)]。TEIにおいて、SMそのものは以前から可能であった点を踏まえれば、<standOff>の導入によって新たな構造化手法が提案されたわけでは必ずしもない。それよりはむしろ、SMの標準化を進める試みの一環とみなすべきであろう。というのも従来は、注釈内容や本文とのリンク情報についての具体的な記述方法はもちろん、注釈がTEIファイル内のどこに記述されるべきかについてさえ明確には定まっていなかったのである[12)]。<standOff>の導入は、その標準化という面で大きな意義がある。しかしそれでも、SMの手法はいまだ限られた範囲でしか採用されていない。その理由としてはまず、テクストの記述と注釈を別個にマークアップすることのコストがあるだろうが[13)]、それに加えて、個々の史資料やプロジェクトごとに注釈の対象や観点が異なる以上、分野横断的な標準を確立することが難しいという問題もあるだろう。だが、そうした課題はあるとしても、SMという手法を有効に利用することができれば、TEIに準拠しつつ、より豊かなテクストデータを構築することが可能になる。その例として、史資料において言及される出来事や社会関係の構造化を考えてみたい。

史資料では往々にして、出来事や社会関係、それに関連する人物や集団、場所が言及される。こうした出来事や社会関係に関する情報をTEIで構造化する場合、どのような選択肢がありうるだろうか。最もシンプルな選択は、<event>要素等を用いたIMである。例えば、出来事についての記述箇所を直接<event>タグで囲み、その出来事の種別や関連する人物・場所等をその中に記述する。この手法は、テクスト箇所そのものに種々の注釈情報を付与していくという意味で、マークアップのコストは低く、ファイルの可視性も高い。しかしこの場合、XMLが要求する入れ子構造（ツリー構造）に拘束されるため、例えば、一文が複数の出来事や社会関係に言及する場合、関連する人物・場所について複数の観点から異なる注釈を付与したい場合、あるいは、出来事に付随する複雑な人間関係などの知識を構造化しようとする場合にはマークアップが困難になる。そのような場合にSMを導入し、テクスト箇所に直接的に注釈情報を記述するのではなく、テクスト外からスタンドオフに記述すれば、単一のテクスト箇所に複数の注釈を付与したり、複雑なネットワーク構造を有する人間関係を構造化するといったマークアップも可能になるだろう。実際、史資料に現れる出来事や社会関係についての複雑な記述をSMによってTEIで構造化することの有用性は、最近、キングス・カレッジ・ロンドンで長年DH研究に携わり、歴史情報の構造化にも取り組んできたジョン・ブラッドリーによっても提起された[14)]。

このように、テクストに含まれる複雑で多層的な情報構造を記述する必要がある際には、テクストそのものと情報構造の記述を分離するSMは極めて有効な手法である。それゆえ、有用性とコストのバランスは常に考慮される必要があるが、新たに導入された<standOff>を活用して、より豊かなテクストデータの構築手法を模索することには大きな意義がある。今後、個々の分野における実践例を蓄積し、そこから方法論的共通項を見出していくという仕方で研究を進めていく必要があるだろう。

4. TEIとセマンティックデータ

最後に、そうした模索の一環として、わたしなりに今、考えていることを述べて稿を閉じたいと思う。

SMのように情報構造の記述をテクストそのものから分離するのであれば、もはやこれをTEIの枠組みの中で記述する必要はなく、例えばRDFなど、複雑な知識表現に適したほかの規格を用いて構造化してもよいのではないか、という疑問が生じる。この疑問は極めて正当なものであり、真剣に議論されるべきだろう。TEIがもともと、テクストそのものの構造化を主に志向するものである以上、これまでに整備されてきた規格は基本的に、IMを想定するものであった。この、テクストそのものの構造をIMでマークアップする局面においては、TEIでデータを構築することには大きな意義があっただろう。だが、テクスト構造そのものから離れ、その意味内容や関連知識といった情報構造の記述に焦点が移っていく段階においては、データをTEIという形式で構造化することはもはや必然ではない[15]。むろん、<standOff>のような新たな規格の整備によって、TEIでもテクスト外在的な知識を含む情報構造の記述が可能になってはいるが、それはあくまで数ある構造化手法の一つの選択肢であり、テクストそのものの構造化におけるような優位性を見いだすことはできない。

そうなれば、問題はより実用的な次元、すなわち、データ構築のコストや検索・可視化インターフェイスの利便性との関わりで考えられる必要がある。実はわたしは今、歴史一次資料において言及される出来事や社会関係にまつわる種々の情報を、TEIの<standOff>を用いて構造化する作業を進めているが[16]、その入力はなかなかに煩雑な作業である。ただ諸々の情報を接続するのみであれば、スプレッドシートのようなテーブル形式で入力するほうが簡易でありコストが低いだろう。また、わたしの場合は、TEIで記述したデータを最終的にRDFに変換し、可視化・分析アプリで利用している以上、はじめからRDFで記述するという選択もありうる。

このように見ると、<standOff>を用いて記述されるようなデータについては、従来のようにTEIデータ自体をある種の資産として蓄積することを重視するのではなく、構造化のフォーマットはどうあれ、必要な時に、必要な情報をTEIとしても表現できるようにしておくことが重要ではないか。すなわち、そうしたデータに互換性を持たせるということであり、それによって、時と場合に応じて最適な利用を実現することができる。実際のデータ記述をどのようなフォーマットで行うかについては、データ作成者やプロジェクトが各々の事情に基づいて決定すればよいし、場合によっては、既存のLODなどからデータを取得し、<standOff>を用いてそれをTEIデータに変換することも可能であろう。

<standOff>の導入によって、セマンティック記述のための標準的な形式がTEIにもたらされたとはいえ、テクストに関わるセマンティックな情報構造が必ずTEIの枠組みの中で記述されねばならないわけではない。現在、学術研究のDXが進む中で、テクストに関わる多くの情報がさまざまなデータフォーマットに沿って作成され、共有されるようになってきている（たびたび言及されるLODはその代表例）。そのような状況の中で<standOff>、ひいてはSMという手法にはむしろ、テクストそのものの外に存在し、場合によってはTEIとは異なるフォーマットで構造化されたさまざまな情報と、TEIによって構造化されたテクストデータを繋ぐ媒介としての役割こそ、大いに期待されるところではなかろうか[17]。

注

1 H. A. Cayless (2013), 'Rebooting TEI Pointers', *Journal of the Text Encoding Initiative*, 6. URL: https://doi.org/10.4000/jtei.907 (last accessed: 6 April 2022).

2 J. Pose, P. Lopez and L. Romary (2014), 'A Generic Formalism for Encoding Stand-off annotations in TEI', hal-01061548. URL: https://hal.inria.fr/hal-01061548/file/A_Generic_Formalism_for_Encoding_Standoff_annotations_in_TEI.pdf (last accessed: 6 April 2022). [Pose et al., 'A Generic.']

3 https://www.tei-c.org/release/doc/tei-p5-doc/en/html/ref-standOff.html (last accessed: 6 April 2022).

4 S. J. DeRose, D. G. Durand, E. Mylonas and A. H. Renear (1990), 'What Is Text, Really?', *Journal of Computing in Higher Education*, 1(2), pp. 3–26.

5 R. Viglianti (2016–19), 'Why TEI Stand-off Markup Authoring Needs Simplification', *Journal of Text Encoding Initiative,* 10. URL: https://doi.org/10.4000/jtei.1838 (last accessed: 6 April 2022). [Viglianti, 'Why TEI.']

6 TEIにおけるスタンドオフ注釈の文脈でしばしば言及されるプロジェクトとして、P. Bański and A. Przepiórkowski(2019), 'Stand-off TEI Annotation: the Case of the National Corpus of Polish', *Proceedings of the Third Linguistic Annotation Workshop (LAW Ⅲ)*, pp. 64–67. また、XMLの文脈ではTEIよりも早い時期からスタンドオフ言語学的注釈についての議論が行われている。その概要については以下の論考が参考になる。S. Dipper (2005), 'XML-based Stand-off Representation and Exploitation of Multi-Level Linguistic Annotation', Conference Paper for: Berliner XML Tage 2005, pp. 39–50.

7 Ø. Eide (2014–15), 'Ontologies, Data Modeling, and TEI', *Journal of Text Encoding Initiative*, 8. URL: https://doi.org/10.4000/jtei.1191 (last accessed: 6 April 2022).

8 G. Tummarello, C. Morbidoni and E. Pierazzo (2005), 'Toward Text Encoding Based on RDF', *Proceedings ELPUB2005 Conference on Electronic Publishing*, pp. 57–64; F. Ciotti, M. Daquino and F. Tomasi (2016), 'Text Encoding Initiative Semantic Modeling. A Conceptual Workflow Proposal' , in: D. Calvanese, D. De Nart, C. Tasso (eds.), *Digital Libraries on the Move* (Communications in Computer and Information Science, 612), pp. 48–60. URL: https://doi.org/10.1007/978-3-319-41938-1_5 (last accessed: 6 April 2022).

9 S. Tittel, H. Bermúdez-Sabel and C. Chiarcos (2018), 'Using RDFa to Link Text and Dictionary Data for

Medieval French', *Proceedings of the 6th Workshop on Linked Data in Linguistics (LDL-2018)*.

10 C. Pollin (2019), 'Digital Edition Publishing Cooperative for Historical Accounts and the Bookkeeping Ontology', Conference Paper for: Doctoral Symposium on Research on Online Database in History (RODBH 2019). 日本では小風尚樹氏が、DEPCHA を用いた史料構造化と歴史学的分析への活用を論じている。小風尚樹他（2019）「構造化記述された財務記録史料データの分析手法の開発：イギリス船舶解体業を事例に」『じんもんこん 2019 論文集』、183–190 頁。

11 TEI P5 Guidelines, '16. 10 The <standOff> Container'. URL: https://www.tei-c.org/release/doc/tei-p5-doc/en/html/SA.html#SASOstdf (last accessed: 6 April 2022).

12 Pose et al., 'A Generic.', p. 2.

13 Viglianti, 'Why TEI.'

14 J. Bradley and D. Jakacki (2021), 'Combining the Factoid Model with TEI: Examples and Conceptual Challenges', Poster for: TEI Consortium 2021. URL: https://hcommons.org/deposits/objects/hc:42096/datastreams/CONTENT/content (last accessed: 6 April 2022). ブラッドリーは従来、歴史情報をテーブル形式、あるいはグラフ構造のデータで表現する手法を用いてきたが、一次資料参照性の観点から、TEI によるデータ構築を試みたという。

15 セマンティック記述についての直接的な言及ではないが、プロジェクトのある段階において「TEI を用いないとする合理的な理由」がありうる点は、J. Lavagnino (2006), 'When Not to Use TEI', in: L. Burnard, K. O. O'Keeffe, and J. Unsworth (eds.), *Electronic Textual Editing*, New York: Modern Language Association of America, pp. 334–338 においても指摘されている。

16 この作業の内容については、正式な学会発表や論文の形では発表していないが、2022 年 2 月 23 日に開催された DH フェス 2022 において、「歴史情報構造化のための方法としての TEI と Linked Data」という題目で、報告を行った。DH フェス 2022 については、https://sites.google.com/view/dhfes2022/ を参照。

17 TEI が、そもそもは「データの『交換』のための標準的な形式を提供する」ための「媒介言語の役割を果たす」ものとして設計されたことは、2017 年にモントリオールで開催された Digital Humanities Conference 2017 におけるナンシー・イデの発言からもわかる。`<standOff>` の導入は、そのような理念がテクストデータのみならず、Linked Data にまで拡張されたものと見ることもできよう。ナンシー・イデ、C. マイケル・スパーバーグ＝マックイーン、ルー・バーナード（2018）、小風綾乃・小風尚樹・中村覚・小林拓実（訳）、王一凡・永崎研宣（監訳）、「TEI：それはどこからきたのか. そして, なぜ, 今もなおここにあるのか？」『デジタル・ヒューマニティーズ』1 巻、3 頁。URL: https://doi.org/10.24576/jadh.1.0_3（last accessed: 6 April 2022）。

第4部

事例編

テキストデータ構築の最新事例②

第1章

大正新修大蔵経 TEI 化に関する概略

渡邉要一郎

1. はじめに

大正年間から昭和初期に刊行され、現在でも漢文仏典研究の標準として広く用いられている『大正新修大蔵経』(たいしょうしんしゅうだいぞうきょう)(以下、大正蔵と略称する)は全 85 巻、仏典 2920 点、漢字にしておよそ 1 億字の膨大な分量にのぼっている。1994 年に発足し、現在は東京大学大学院人文社会系研究科下田正弘教授が代表をつとめている SAT 大藏經テキストデータベース研究会(以下、SAT と略称)は、この大正蔵全体の電子テキストをウェブ上で検索可能な形で公開しており、狭義の意味の仏教研究にとどまらない研究基盤を提供している[1)]。

われわれ大正蔵 TEI 化研究会(以下「本研究会」と略す)は、SAT が保有している大正蔵の電子テキスト全体を、TEI/XML 形式に構造化することを目的として活動している[2)]。この大正蔵全体の TEI 化にあたっては大規模な人員を導入しての作業が想定されるが、その本格的な大規模人数で作業を行う前の準備段階として、本研究会は現在 10 名程度の小グループで、大正蔵全体の TEI 化マークアップのための方針策定を協議している。実際にテキストを実見しつつ、マークアップを行い、いかなるマークアップ方針を策定すべきか議論を重ねている。本章では、このようにして策定した大正蔵 TEI 化のためのガイドラインを提示し、今後の仏教学内外の TEI 化のための一助となることを目的とする。

また、本章以後の当研究会メンバーの原稿は、各メンバーの自身のテキストマークアップ作業を通じ、個々人の関心と必要性に即した、研究としての側面が強いが、本章に関しては筆者が個人で作業を行ったテキストマークアップや、考案した手法を元にしているのではなく、研究会のメンバー、本書に寄稿している永崎研宣氏、矢島正豊氏、佐久間祐惟氏、井野雅文氏、王一凡氏、左藤仁宏氏、片倉峻平氏のほか余新星氏(東京大学大学院人文社会系研究科)、村瀬友洋氏(大蔵経研究推進会議)、渡邉眞儀氏(東京大学大学院人文社会系研究科博士課程単位取得退学)が協働して作成した漢文仏典のためのマークアップ方針を筆者が代表して取りまとめ紹介しているものであることをお断りしておく(順不同)。

現在、SAT 研究会は検索可能な形で大正蔵データベースを web 上で公開しているが、この電子テキストには1990年代に作成された独自マークアップ形式のデータが用いられており、現在に至るまで十分に構造化されているとは言い難い。CBETA（中華電子仏典協会）は独自拡張した大正蔵のTEI/XMLファイルを公開している[3)]。その電子テキストは、独自に句読点を補うなど人間にとっての可読性をさらに増す工夫を凝らしている点で貴重であるものの、その独自性のためにかえって可読性と汎用性を欠く面があるように思われる。本研究会は独自拡張を行わないTEI/XML形式をそのまま用い、大正蔵の可能な限りの電子上の複製を目指すマークアップ方針を立てている。

また、大正蔵は大まかに印度撰述部・中国撰述部に加えて、日本撰述部に分けられているが、このうちCBETAは日本撰述部のテキストを扱っていない。印度撰述部・中国撰述部に関しては、すでに中国・朝鮮半島で千年以上にわたり編纂されてきた仏典叢書としての過去の大蔵経に入っていたテキストをおさめており、過去の大蔵経編纂時点において、ある程度のフォーマットの統一が図られていた。そのため、一定の規格による統一的なマークアップを行うことは比較的容易であった。しかし、日本撰述部においては初の入蔵になるテキストが多く、テキストの形態も、写本であったり木版の刊本のものであったりと多様であり、また内容においても経典の解説、儀礼に関するもの、問答体のもの、目録など統一性が比較的乏しく、印度・中国撰述部を主眼として規定した大まかなマークアップの枠組みを基礎とした上で、発展的な方針を作り上げていく必要がある。そのため、目下、個々のテキストに対して専門知識を持つ作業担当者がそれぞれ中心となって議論を重ね、コンピューターにとって可読で汎用性が担保されつつも、仏教研究の立場としても各文章の持つ意味をできる限り損なわずに掬い上げることのできるようなマークアップ方針を考案している最中である。

また、漢訳仏典を例にとると、大正蔵の存在は多数のレイヤーの上に存在している。例えば、存在したと想定されるサンスクリットなどのインド古典語で書かれた（諸）写本、当時の中国訳経僧らによって翻訳された時点の恐らくは巻物としての形態を持っていたと考えられる漢訳、書き写された漢文写本、各時代に編纂された木版印刷本、大正蔵が元としたとされる高麗大蔵経、大正蔵以前、明治期に刊行された縮刷蔵（大日本校訂大蔵経）など、さまざまな形態を経て大正蔵は結実したものであり[4)]、文献研究を行う上ではそれらの差異を意識し、何を「原典」と見做すのかに注意を払わなければならないのは当然の

起世經卷第一

図1　大正蔵版面の例

80	32149	24	_	1	310	c	22	成。所謂金銀琉璃頗梨眞珠車&T027012;瑪瑙之所	SAT 2007-10-31 00:00:00 Taisho 1931-01-01 00:00
81	32150	24	_	1	310	c	23	莊挍。諸比丘。須彌山下。別有三級。諸神住	SAT 2007-10-31 00:00:00 Taisho 1931-01-01 00:00:
82	32151	24	_	1	310	c	24	處。其最下級。縱廣正等。六十由旬。七重牆	SAT 2007-10-31 00:00:00 Taisho 1931-01-01 00:00:
83	32152	24	_	1	310	c	25	院。七重欄楯。七重鈴網。復有七重多羅行	SAT 2007-10-31 00:00:00 Taisho 1931-01-01 00:00:00 o
84	32153	24	_	1	310	c	26	樹。周匝圍遶。端嚴可愛。其樹皆以金銀琉	SAT 2007-10-31 00:00:00 Taisho 1931-01-01 00:00:00 o
85	32154	24	_	1	310	c	27	璃頗梨赤珠車&T027012;瑪瑙七寶所成。一一牆院。	SAT 2007-10-31 00:00:00 Taisho 1931-01-01 00
86	32155	24	_	1	310	c	28	各有四門。於一一門。有諸疊堞重閣輦軒却	SAT 2007-10-31 00:00:00 Taisho 1931-01-01 00:00:00 o
87	32156	24	_	1	310	c	29	敵樓櫓臺殿房廊苑<#6/>園池沼。具足莊嚴。一	SAT 2007-10-31 00:00:00 Taisho 1931-01-01 00:00:
88	36864	24	_	1	310	x	1	<#1/>世＋（因本）＜三＞ 	SAT 2007-10-31 00:00:00 Taisho 1931-01-01 00:00:00 origina
89	36865	24	_	1	310	x	2	<#2/>隨天……譯＝隨三藏法師達摩笈多等譯＜三＞，〔等〕－＜宋＞ 	SAT 2007-10-31 00:00:0
90	36866	24	_	1	310	x	3	<#3/>（周羅…髻）＝（此言髻）＜明＞ 	SAT 2007-10-31 00:00:00 Taisho 1931-01-01 00:00
91	36867	24	_	1	310	x	4	<#4/>直＝正＜明＞ 	SAT 2007-10-31 00:00:00 Taisho 1931-01-01 00:00:00 original
92	36868	24	_	1	310	x	5	<#5/>止住＝住止＜三＞ 	SAT 2007-10-31 00:00:00 Taisho 1931-01-01 00:00:00 original
93	36869	24	_	1	310	x	6	<#6/>園＝圃＜三＞ 	SAT 2007-10-31 00:00:00 Taisho 1931-01-01 00:00:00 original

図 2　電子テキストの例

ことである。しかしながら、あくまでも本プロジェクトが目的とするものは、大正蔵の TEI 化そのものであり、原典は大正時代に編纂された大正蔵を固定的なものと仮に見做し、その明らかな誤記も含めて、できる限り正確な電子上の複製を目標としている。

まずは、大正蔵のレイアウトを提示したい。大正蔵刊本は【図 1】のように 3 段組になっており、これらはそれぞれ一般に a、b、c 段と呼ばれる [5]。また、その 3 段の下に脚注が書かれている。

続いて、今まで利用されてきた電子テキストは【図 2】のようなものである。

各脚注を指示する番号は <#6/> のように電子テキストに書き写されている。また、電子テキストは本文だけではなく、注釈も別途書き起こされており、これは各ページの x 段として記入されている。

これらの電子テキストは、永崎研宣氏が作成したスクリプトによって暫定的な TEI/XML ファイルに変換されたのち、各作業担当者にプライベートな GitHub を通じて提供され、各人がローカル環境で作業したものを再度 GitHub に投稿するという作業フローを介して作業管理を行っている。

また、電子テキストの現状についてさらに付言すると、これらの電子テキストは 1990 年代に作成されたため、当時の環境では直接表現できず、今昔文字鏡の符号や SAT 独自の符号を用いて表現せざるを得なかった漢字が含まれているが [6]、これは可能であれば現行の Unicode に置き換えられる予定である。また、この電子テキストは作成されたのちに幾度かのチェックを経たようであるが、その際に本文と脚注が別々の担当者に割り当てられるなど、文字起こしの精度は同一テキスト内であっても箇所によって必ずしも一定してはいなかった。しかしながら、あくまでも私見ではあるが、これらの電子テキストは全体として驚くほどの正確性を保っており、スクリプトによる変換作業は非常にスムーズに行われていると言ってよいと思われる。

2. 概要

本章では、以下のように TEI 化の方針を紹介する。このうち、☆印がついているセクションに関しては例外的な内容を扱い、やや煩瑣であるかと思われるため、最初は読み飛ばしていただいた方がよいかもしれない。大まかに言って、「3. 本文の構造化」では <body> に「4. 註釈の構造化」では、<back>にあたる箇所の構造化方針について述べる。

- ●3　本文の構造化
  - ○3-1　広義の本文
  - ○3-2　狭義の本文の階層性
  - ○3-3　奥書に関して
    - ■☆3-3【補足】孤立的なブロックの階層性について
  - ○3-4 「巻」の区分
  - ○3-5 「巻」に付随する要素
- ●4　註釈の構造化
  - ○4-1　異読情報
  - ○4-2　異読情報でない脚注
  - ○☆4-3　複雑な異読情報
  - ○☆4-4　省略表記の処理
  - ○4-5 「誤り」の記述
    - ■4-5-1　誤字の記載
    - ■☆4-5-2　アンカー位置の間違い
  - ○☆4-6　註の追加
  - ○☆4-7　<lem>が長くなる場合

また、各テキストのTEI/XMLファイルのおおまかな骨子の一例は以下のようになる。読者にとっての見通しのため、あらかじめここに提示しておくことにする[7]。

```
<TEI>
  <teiHeader> … </teiHeader>
  <text>
    <body>
      <div1 type="taisho_head">
       ……
      </div1>
      <div1 type="taisho_body">
        <div2 type="preface"> …… </div2>
        <div2 type="body" subtype="品" n="1"> …… </div2>
         ……
        <div2 type="body" subtype="品" n="x"> …… </div2>
```

```
        <div2 type="colophon"> …… </div2>
      </div1>
    </body>
    <back>
        <note> … </note>
        <note> … </note>
       <listApp>
        <app> … </app>
        <app> … </app>
       </listApp>
    </back>
  </text>
</TEI>
```

3．本文の構造化

3-1．広義の本文の確定

大正蔵の本文をマークアップするにあたって、当研究会はまずは複数の「本文」の階層性を識別する必要があると考えた。このため、階層性が見えやすいように、各テキスト要素に対して <div1>、<div2>…等の番号付き <div> タグを付与することとした。例えば、下記の【図3】では「No.24…」と書かれている箇所があるが、これは大正蔵の本文コラムの中に含まれてはいるものの、明らかに大正蔵校訂者によって記入された箇所であり、その意味において本文ではなく、header 部分に属すると考えるべきである。これを <div1 type="taisho_head"> とし、それ以後の「広義の本文」と見做される部分と区別した。この「広義の本文」は <div1 type="taisho_body"> とする。

```
<div1 type="taisho_head">
  <p><lb n="T0024_.01.0310a01"/>8)
  No.24[No.1(30),Nos.23,25]</p>
</div1>
```

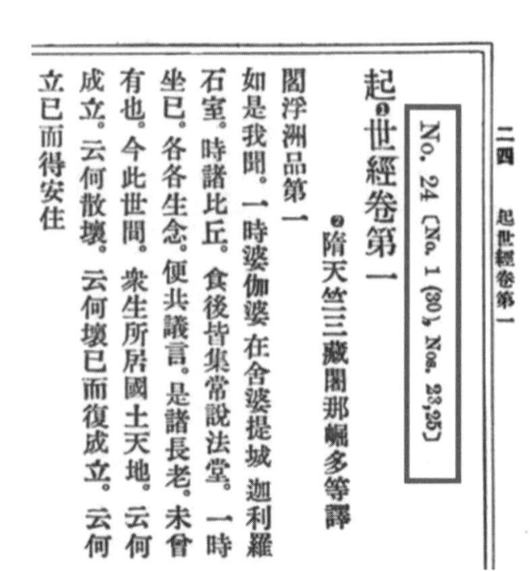
二四　起世經卷第一

No. 24 [No. 1 (30), Nos. 23, 25]

起世經卷第一

隋天竺三藏闍那崛多等譯

閻浮洲品第一

如是我聞。一時婆伽婆在舍婆提城 迦利羅
石室。時諸比丘。食後皆集常説法堂。一時
坐已。各各生念。便共議言。是諸長老。未曾
有也。今此世間。衆生所居國土天地。云何
成立。云何散壞。云何壞已而復成立。云何
立已而得安住

図 3　@type="taisho_head" の例

<div1 type="taisho_body"> で示される「広義の本文」であるが、このなかでも各テキ

ストには序文と見られる要素や、奥書と見られる要素が含まれる。それらの要素は序文であり、かつ本文著者と同一人物に書かれたならば `<div2 type="preface">`、本文著者以外の人物によって書かれたならば `<div2 type="foreword">`、奥書であれば `<div2 type="colophon">` と @type 属性を付与している（奥書についてはさらに 3-3 節で説明する）。その一方、序文でも奥書でもない、「狭義の本文」を、`<div2 type="body">` と、@type 属性によって、各ブロックに含まれるテキスト間の相対的な位置づけを記述するようにした。この「相対的」という意味に関しては、3-2 節で「狭義の本文」の階層性の説明の後にさらに説明する。

3-2．狭義の本文の階層性

`<div2>` 以降の要素は意味的階層性を表現することができるが、これは例えば「章」のような意味区分を記述するために用いることができる。次のような例を見てみたい。下記は T24『起世経』というテキストの概略である。{ } 内は各ブロックのタイトル箇所と開始地点を示している。このテキストは 12 の「品」（「ほん」と読む）から構成されるテキストである。この「品」は、おおむね「チャプター」に対応する「意味区分」であると考えて良い。このテキストの「狭義の本文」は、従って 12 個の `<div2>` ブロックによって区別される。

```
<div1 type="taisho_body">
  <div2 type="body" subtype="品" n="1">
   {title: 閻浮洲品第一 ; place: T0024_,01,0310a06} ... </div2>
  <div2 type="body" subtype="品" n="2">
   {title: 起世經鬱單越洲品第二之一 ; place: T0024_,01,0314a11} ... </div2>
  <div2 type="body" subtype="品" n="3">
   {title: 起世經轉輪聖王品第三 ; place: T0024_,01,0317a19} ... </div2>
  <div2 type="body" subtype="品" n="4">
   {title: 起世經地獄品第四之一 ; place: T0024_,01,0320b23} ... </div2>
  <div2 type="body" subtype="品" n="5">
   {title: 諸龍金翅鳥品第五 ; place: T0024_,01,0332b16} ... </div2>
  <div2 type="body" subtype="品" n="6">
   {title: 起世經阿修羅品第六之一 ; place: T0024_,01,0336a09} ... </div2>
  <div2 type="body" subtype="品" n="7">
   {title: 起世經四天王品第七 ; place: T0024_,01,0339c16} ... </div2>
  <div2 type="body" subtype="品" n="8">
   {title: 起世經三十三天品第八之一 ; place: T0024_,01,0341a06} ... </div2>
  <div2 type="body" subtype="品" n="9">
   {title: 起世經鬪戰品第九 ; place: T0024_,01,0349c20} ... </div2>
```

```
    <div2 type="body" subtype=" 品 " n="10">
      {title: 劫住品第十 ; place: T0024_,01,0353b22} ... </div2>
     <div2 type="body" subtype=" 品 " n="11">
      {title: 起世經世住品第十一 ; place: T0024_,01,0354b12} ... </div2>
     <div2 type="body" subtype=" 品 " n="12">
      {title: 起世經最勝品第十二之一 ; place: T0024_,01,0358a27} ... </div2>
  </div1>
```

これにより、どこからがある「品」であって、どこからが別の「品」であるかを明記することが可能となる。さらに、@subtype=" 品 " を用いて、「狭義の本文」のなかでもいかなる基準によってこれが分割されているのかを示している。この @subtype は、研究会内で強固な制限を用いておらず、人間にとってそのタグで囲まれる範囲の意味が分かりやすくなることを目的としている。これは @type="body" の要素だけではなく、@type="colophon"、@type="preface" 等の要素にも使用する場合があり、@type="body" 要素にも必須のものではない。その一方で、@type は、その要素が「狭義の本文」であるか、そうでないかが機械可読となることを目的としているため、必須としている。また、その「品」の番号は @n で表示することが可能となっている。

また、上記の例では <div2 type="body" subtype="品"> が「チャプター」に相当する「品」に割り当てられているが、数字付き <div> は相対的な階層付けであって、必ずしも「品」が <div2> によって表現される必要はない。次の【図 4】の例は T310『大宝積経』というテキストである。このテキストでは複数の「品」を「會」がまとめる形式をとっており、「會」という単位が「品」の上位にある。このような場合、<div2> が「會」に相当し、各「品」が <div3> に当てられることとなる。このように相対的な「サブチャプター」となったのであれば「品」には、<div3> が振り分けられることになる。

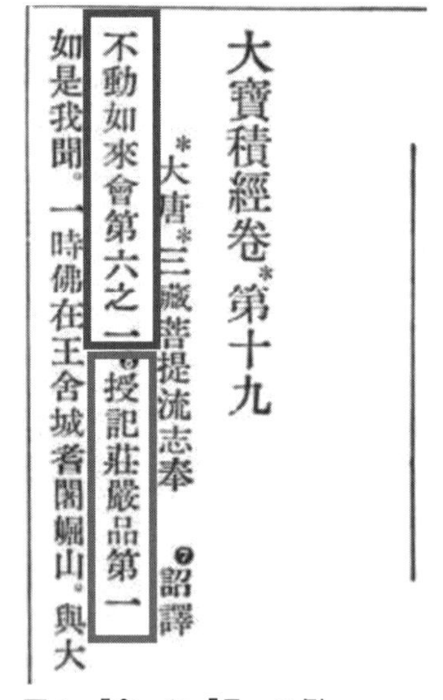
大寶積經卷*第十九
*大唐*三藏菩提流志奉 詔譯
不動如來會第六之一　授記莊嚴品第一
如是我聞。一時佛在王舍城耆闍崛山。與大

図 4　「會」と「品」の例

```
  <milestone unit="fascicle_beginning" n="19"/>
  <div2 type="body" subtype=" 會 " n="6">
      <div3 type="body" subtype=" 品 " n="6.1">
      <ab type="fascicle_beginning">
         <title type="fascicle_beginning"> 大寶積經卷＊第十九 </title>
         <persName role="translator" ref="http://viaf.org/
```

```
    viaf/372146997403518892907">大唐三藏菩提流志</persName>奉　詔譯
  </ab>
  <p><title type="desc">不動如來會第六之一授記莊嚴品第一</title>
```

また、「品」などの各意味単位のブロックにはその名称を示すタイトル部分に該当する記述が見られる場合があり、それには `<title type="desc">` を付与し、それがタイトルであることを明記する。また、各ブロックの末尾にはその章の終わりなどを示す「～～品終」などの記述があるが、これら全てに `<title type="subdesc">` を付与することとしてる。つまり、各ブロックを最も良く表すと考えられるタイトル部分を除き、全て @type="subdesc" を記し、その意味単位のタイトルを容易に獲得できるようにしている。

3-3．奥書に関して

先ほど「序文」や「奥書」が相対的であると述べた。「相対的」であるというのは、「序文」も「奥書」も、必ずそれに対応する「本文」を必要とする相対的な概念であるということである。つまり、本文全体に対する「序文」や「奥書」だけではなく、本文のなかの一部の単位に対する序文や奥書が挿入されていることもあり得る。@type="colophon" を持つ要素は、同一階層に属する @type="body" によってマークアップされた「狭義の本文」たる諸部分に対する、奥書等であると見做すことができる。

そのような、テキストの一部に対する奥書と、全体に対する奥書を区別しなければならない例を一つ上げたい。T2551『佛國禪師語録』を例にとってみよう。このテキストの全体の構造を略記したい。

```
div2: type: foreword; subtype:
    div3: type: foreword; n: 1
    div3: type: foreword; n: 2
    div3: type: foreword; subtype: 目録
div2: type: body; subtype: 雲巌禅寺語録
div2: type: body; subtype: 浄妙禪寺語録
div2: type: body; subtype: 浄智禪寺語録
div2: type: body; subtype: 再住浄智禪寺語録
div2: type: body; subtype: 建長禪寺語録
div2: type: body; subtype: 普説
div2: type: body; subtype: 法語
div2: type: body; subtype: 自讃
div2: type: body; subtype: 頌古
```

```
div2: type: body; subtype: 機縁問答
    div3: type: body; subtype: nominal
    div3: type: colophon; n: 1          ← ①
div2: type: body; subtype: 行録
div2: type: body; subtype: 行録補遺
div2: type: colophon; n: 2              ← ②
```

このうち、②はこのテキスト <div2 type="body"> 部分全体に対する奥書であり、①は「機縁問答」のみに対する奥書になっている。まず、奥書によく見られる要素を確認するためにも、より分かりやすい②から見てみたい。②の版面画像【図 5】とテキストを併せて上げる。奥書部分は【図 5】の四角で囲ってある部分である。ここで、狭義の意味の本文群と奥書は同じ <div2> の階層に属していることに注意して欲しい。

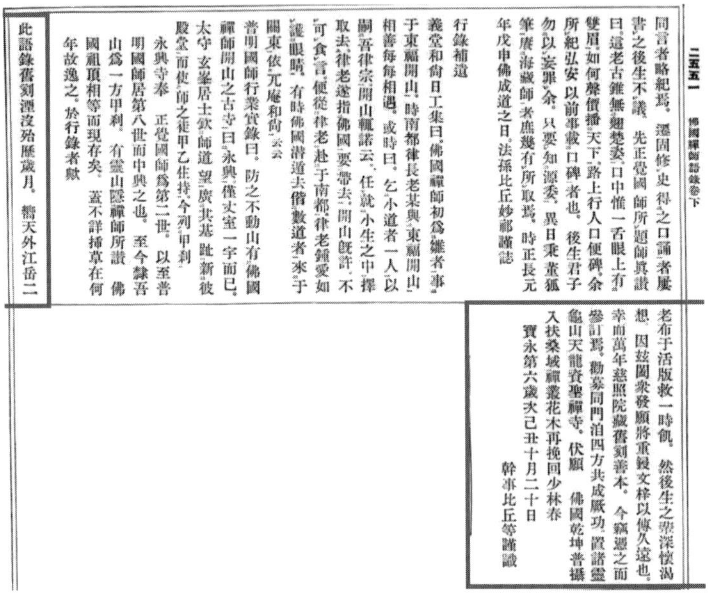

二五五一　佛國禪師語錄卷下

同言者略紀焉。遷固修史得之口誦者屢
書之後生不議。先正覺國師所題師眞讃
曰。這老古錐無翅楚委口中惟一舌眼上有
雙眉如何聲價播天下路上行人口便碑。余
所紀弘安以前事載口碑者也。後生君子
勿以妄罪余。只要知源委。異日秉董狐
筆庚海藏師者庶幾有所取焉。時正長元
年戊申佛成道之日。法孫比丘妙祁謹誌

行錄補遺
義堂和尚日工集曰。佛國禪師初爲雛者事
于東福開山。時南都律長老某與東福開山
相善毎毎相遇。或時曰。乞小道者一人以
嗣吾律宗。開山輒諾云。任就小生之中擇
取去。律老遂指佛國要帶去。開山既許。不
可食言。便從律老赴于南都。律老鍾愛如
護眼睛。有時佛國潜遁去借數道者來于
關東依兀庵和尚云云
普明國師行業實錄曰。防之不動山有佛國
禪師開山之古寺。曰永興。僅丈室一字而已。
太守玄鑒居士欽師道望廣其基趾新彼
殿堂而使師之徒甲乙住持。今列甲刹
永興寺奉　正覺國師爲第二世。以至普
明國師居第八世而中興之也。至今隸吾
山爲一方甲刹。有靈山隱禪師所讃　佛
國祖頂相等而現存矣。蓋不詳挿草在何
年故逸之。於行錄者歟

此語錄舊刻湮沒殆歷歲月。嚮天外江岳二
老布于活版救一時飢。然後生之輩深懷渴
想。因茲闔衆發願將重鋟文梓以傳久遠也。
幸而萬年慈照院藏舊刻善本。今竊憑之而
參訂焉。勸募同門洎四方共成厥功。置諸靈
龜山天龍資聖禪寺。伏願　佛國乾坤普攝
入扶桑域禪叢花木再挽回少林春
寶永第六歲次己丑十月二十日
幹事比丘等謹識

図 5　奥書の例

```
<div2 type="colophon" n="2"><p>
<lb n="T2551_,80,0284a29"/> 此語錄舊刻湮沒殆歷歲月。　嚮天外江岳二
<lb n="T2551_,80,0284b01"/> 老布于活版救一時飢。　然後生之輩深懷渴
<lb n="T2551_,80,0284b02"/> 想。　因茲闔衆發願將重鋟文梓以傳久遠也。
<lb n="T2551_,80,0284b03"/> 幸而萬年慈照院藏舊刻善本。　今竊憑之而
<lb n="T2551_,80,0284b04"/> 參訂焉。勸募同門洎四方共成厥功。置諸靈
<lb n="T2551_,80,0284b05"/> 龜山天龍資聖禪寺。　伏願　佛國乾坤普攝
<lb n="T2551_,80,0284b06"/> 入扶桑域禪叢花木再挽回少林春 </p><p>
<lb n="T2551_,80,0284b07"/><date when="1709-11-21"> 寶永第六歲次己丑十月二十日 </date></p><p>
<lb n="T2551_,80,0284b08"/> 幹事比丘等謹識 </p></div2>
```

奥書には日付が書かれている場合が多い。このような場合 <date> タグの @when 属性によって日付を明示することができる。この @when に記述できる文字列は ISO 8601 に従った yyyy-mm-dd 形式である。漢文資料に記載されている暦法は当然ユリウス・グレゴリオ暦のそれではないのであるが、和暦等を西暦に変換する HuTime というシステムを利用して、これを容易に変換することができる[9]。また、明確な日付が特定できない場合などには、ISO 8601 に従わない文字列であっても許容される @when-custom という属性が用意されており、それを用いることも可能である。

また、上にあげた構造の①の部分について説明したい。

```
div2: type: body; subtype: 機縁問答
    div3: type: body; subtype: nominal
    div3: type: colophon; n: 1
```

この部分のテキストを示すと次のようになる（一部省略）。

```
<div2 type="body" subtype=" 機縁問答 "><p>
<lb n="T2551_,80,0279b01"/><title type="desc"> 機縁問答 </title>
<lb n="T2551_,80,0279b02"/><persName role="edit" sameAs=" 天 岸 慧 廣 "
ref="http://viaf.org/viaf/119066623"> 參學比丘慧廣 </persName> 編 </p>
    <div3 type="body" subtype="nominal"><p>
    <lb n="T2551_,80,0279b03"/> 師始詣世良田長樂寺見無學和尚　勅諡
    ......
    <lb n="T2551_,80,0280b02"/> 作吼勢傾頭撞倒山。山呵呵大笑 </p>
    </div3>

    <div3 type="colophon" n="1"><p>
    <lb n="T2551_,80,0280b04"/> 佛祖大事脚跟下。洞明與本分人相見。一抑
    <lb n="T2551_,80,0280b05"/> 一揚無非掲示。箇一著子直是毫髮無間。所
    ......
    <lb n="T2551_,80,0280b13"/> 廣首座出此録爲示。爲題其後。時
    <lb n="T2551_,80,0280b14"/><date when="1326-04-08"> 泰定三年三月初五日 </
    date></p><p>
    <lb n="T2551_,80,0280b15"/> 金陵鳳臺住山 <note type="wari"> 清茂 </note> 題
    </p>
    </div3>
```

```
</div2>
```

この <div3 type="colophon"> 部分は「機縁問答」のみにおける奥書である。ここで、「機縁問答」の本文にあたる箇所は、いわば名目的に <div3> に階層が下げられている部分であり、これを <div3 type="body" subtype="nominal"> としている。仮にこの構造を

```
……
div2: type: body; subtype: 頌古
div2: type: body; subtype: 機縁問答
    div3: type: colophon; n: 1
div2: type: body; subtype: 行録
……
```

といったように、一部だけ階層を下げるならば、この奥書が先行するどの本文に対応するのか曖昧になり、また、従来のように対応する本文と奥書が同一階層に属するという方針に反してしまう。この @subtype="nominal" の使用について、これは重要であるからもう一例を挙げたい。

3-4.【補足】孤立的なブロックの階層性について

以下は T2553『一山國師語録（いっさんこくしごろく）』からの引用である。【図 6】のような詩節群がある。この箇所全体は、<div2 type="body" subtype=" 偈頌 "> というブロックのなかに含まれている。ここで各詩節に対するマークアップを行う場合を考えたい。「雪夜作」「紅白梅」等々のタイトルは直後の詩節に対してのみ付与されたタイトルであるが、「四時般若」というタイトルは「品物陽和」〜「千峯寒色」の四つの詩節全体に付与されているものであり階層を異にする。もしも「四

雪夜作
寒添少室齊腰恨。凍結鰲山客路情。一夜打
窓聲淅瀝。又因聞事長無明
紅白梅 和然翁禾上韻
花開五葉媚韶光。艶質雖同却異粧。可是
枝分南北後。搽坯抹粉鬪馨香
四時般若
品物陽和
暖風晴日山川媚。細雨輕煙草木薰。活意明
明如不委。桃花羞見老靈雲
園林清暑
殿閣薰風日正長。綠槐紅藕遍林塘。莫言人
世炎蒸甚。歇得馳求心自涼
萬里清光
爽籟蕭蕭玉宇寛。桂花芬馥月輪圓。韶陽體
露金風句。知是何人舉得全
千峯寒色
雪霽層巒爭聳玉。曉風高拂凍雲開。瑤英滿
樹天香遠。一夜清寒徹骨來
獨脱無依
萬物旣唯我。脩然只自由。宗乘竟何有。佛祖
是怨讐。天闊孤雲晩。風高一鶚秋。寥寥間造
目。新月又懸鉤

図 6　孤立的なブロックの例

時般若」のブロックだけを、【図 7】のように、仮に <div2> … { 偈頌 } … <div3> … { 四時般若 } … </div3> … { 偈頌 } … </div2> として部分的に <div3> とすることは、実のところそもそもXML の規定上許されない。

さらに言えば、このような記載であれば、「四時般若」ブロックに含まれている詩節が異なる階層に存在することになってしまう。そこで、全体を統一的に同一階層の詩節とするためには【図8】のように「四時般若」の前後に属するブロック全体をそれぞれ <div3> とすることになる。

このとき、「四時般若」の前後に位置する両 <div3> は「四時般若」と階層を同じくさせるために設けられた名目上（nominal）の <div3> である、ということを明記するために、<div3 type="body" subtype="nominal"> として記載する。実際のマークアップとしては以下のよ

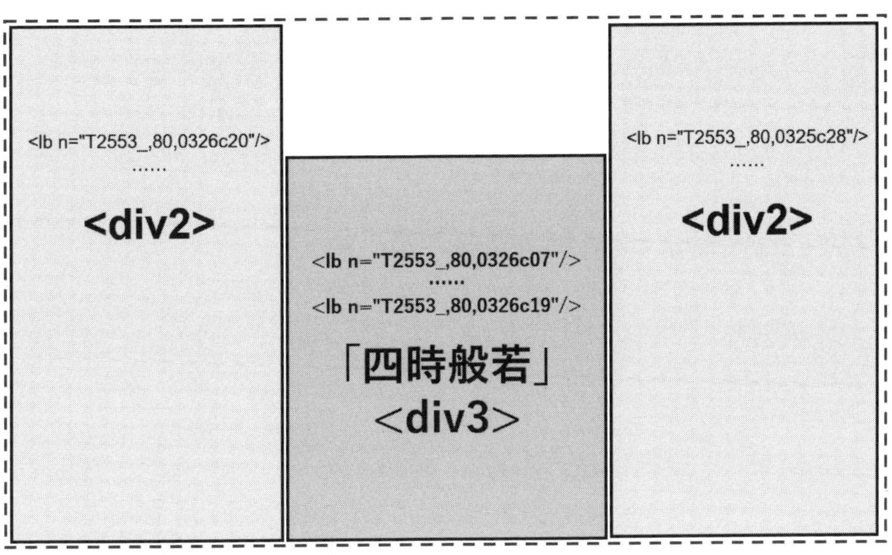

図 7　孤立的なブロックのイメージ

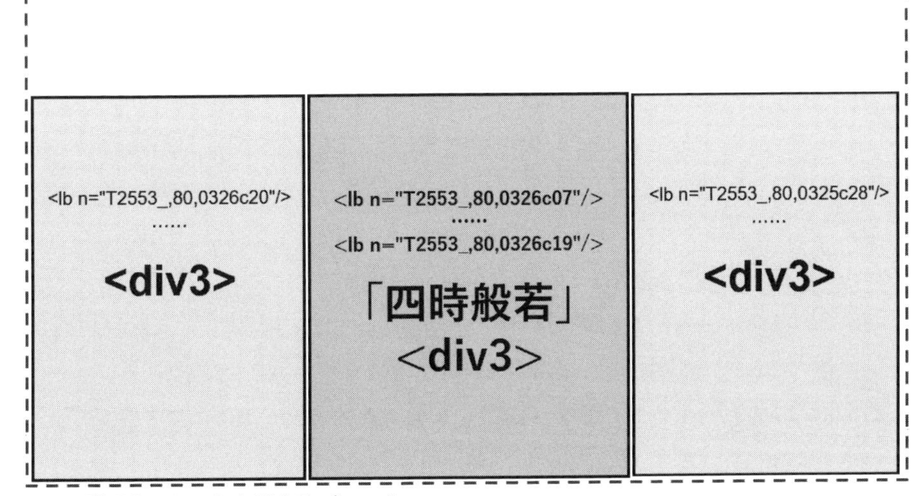

図 8　階層をととのえた孤立的ブロック

うになる。

```
<div2 type="body" subtype="偈頌">
<lb n="T2553_,80,0325c27"/><title type="desc">偈頌</title>
<div3 type="body" subtype="nominal"><p>
    <lb n="T2553_,80,0325c28"/><title type="subdesc">10) 古源</title></p><p>
    <lb n="T2553_,80,0325c29"/>一川虚漾淥粼粼。流注知經幾劫塵。桃破小
    <lb n="T2553_,80,0326a01"/>紅春著岸。可曾無路接秦人</p><p>
    ……
    <lb n="T2553_,80,0326c04"/><title type="subdesc">紅白梅<note
    type="wari">和然翁禾上韻</note></title></p><p>
    <lb n="T2553_,80,0326c05"/>花開五葉媚韶光。艶質雖同却異粧。可是
    <lb n="T2553_,80,0326c06"/>枝分南北。後探坯抹粉鬪馨香</p></div3>

    <div3 type="body" subtype="四時般若"><p>
    <lb n="T2553_,80,0326c07"/><title type="desc">四時般若</title></p><p>
    <lb n="T2553_,80,0326c08"/><title type="subdesc">品物陽和</title></p><p>
    <lb n="T2553_,80,0326c09"/>暖風晴日山川媚。細雨輕煙草木薫。活意明
    <lb n="T2553_,80,0326c10"/>明如不委。桃花羞見老靈雲</p><p>
    <lb n="T2553_,80,0326c11"/><title type="subdesc">園林清暑</title></p><p>
    <lb n="T2553_,80,0326c12"/>殿閣薫風日正長。緑槐紅藕遍林塘。莫言人
    <lb n="T2553_,80,0326c13"/>世炎蒸甚。歇得馳求心自涼</p><p>
    <lb n="T2553_,80,0326c14"/><title type="subdesc">萬里清光</title></p><p>
    <lb n="T2553_,80,0326c15"/>爽籟蕭蕭玉宇寛。桂花芬馥月輪圓。韶陽體
    <lb n="T2553_,80,0326c16"/>露金風句。知是何人擧得全</p><p>
    <lb n="T2553_,80,0326c17"/><title type="subdesc">千峯寒色</title></p><p>
    <lb n="T2553_,80,0326c18"/>雪霽層巒爭聳玉。曉風高拂凍雲開。瑤英滿
    <lb n="T2553_,80,0326c19"/>樹天香遠。一夜清寒徹骨來</p></div3>

    <div3 type="body" subtype="nominal"><p>
    <lb n="T2553_,80,0326c20"/><title type="subdesc">獨脱無依</title></p><p>
    <lb n="T2553_,80,0326c21"/>萬物既唯我。翛然只自由。宗乘竟何有。佛祖
    <lb n="T2553_,80,0326c22"/>是怨讐。天闊孤雲晩。風高一鶚秋。寥寥間送
    <lb n="T2553_,80,0326c23"/目。新月又懸鉤</p>
    ……
```

```
    </div3>
  </div2>
```

3-5.「巻」の区分

今までは大正蔵本文の「意味」に注目したマークアップ方針を述べてきた。現行の SAT データベースでは、この「意味」単位を基準とした区分けを表示できていない。その代わり、「巻」を単位とした区分けが表示されている。この「巻」とは、所謂「巻物」のことである。大正蔵は原則として高麗版大蔵経という先行する大蔵経を底本とすると考えられているが、この大蔵経はすでに印刷されたものであり、巻物の形態を脱していた。しかしながら、印刷以前はこれらのテキストは「巻物」の形で伝承されてきたものであり、その痕跡が印刷された大蔵経の上にも残存し、その結果として「巻物」の区切りの位置が印刷された本の上にも残されている（【図 9】参照）。この痕跡は、例えば注釈者が用いることもあり、蔑ろにはできない歴史的意味をもった単位であるため、電子テキストの上でも捨象されることなく何らかの形で表現されなければならない。

しかしながら「巻物」の区切りは、あくまでも「巻物」という物理的ユニットの更新地点を示すものであって、第一義的には意味区分の更新を意味するために使用されている番号付き `<div>` 等とは違う地平に属する単位である。「巻物」の更新地点は、例えばページの更新地点・行の更新地点を表示する要素の同一直線上に位置しなければならない。ページの更新地点は TEI/XML では `<pb/>`（page beginning）という、その内側に囲む要素を持たない空タグで表現され、行の更新地点は同じように `<lb/>`（line beginning）で表現される。これらと同様に、`<milestone unit="fascicle_beginning"/>` タグという空タグを用いて、「巻」の更新地点を表現することとした。また、@n 属性によって、巻数を表示する。さらに、狭義の意味の本文の開始地点を n="1" とするよう、序文の開始地点は n="0" としている。

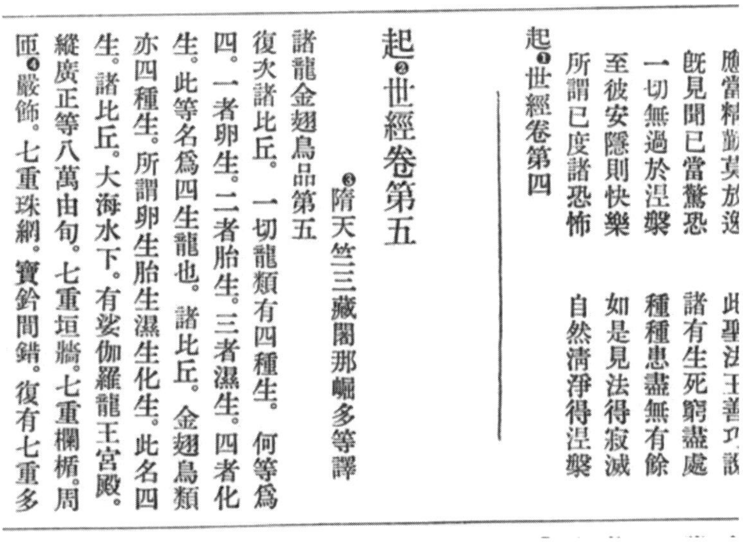

應當精勤莫放逸　此聖法王善巧說
既見聞已當驚恐　諸有生死窮盡處
一切無過於涅槃　種種患盡無有餘
至彼安隱則快樂　如是見法得寂滅
所謂已度諸恐怖　自然清淨得涅槃
起❶世經卷第四

起❷世經卷第五
❸隋天竺三藏闍那崛多等譯
諸龍金翅鳥品第五
復次諸比丘。一切龍類有四種生。何等爲四。一者卵生。二者胎生。三者濕生。四者化生。此等名爲四生龍也。諸比丘。金翅鳥類亦四種生。所謂卵生胎生濕生化生。此名四生。諸比丘。大海水下。有娑伽羅龍王宮殿。縱廣正等八萬由旬。七重垣牆。七重欄楯。周匝❹嚴飾。七重珠網。寶鈴間錯。復有七重多

図 9　巻冒頭のメタデータ例

3-6.「巻」に付随する要素

「巻」の開始地点には、その「巻」に関するメタ情報が付与されている場合が多い。例えば、上記の例で言えば、テキスト名・訳者名・巻数が記載されている。これらの情報は、物理区分である「巻」に付随する情報であり、一般の本文中の文章とは階層を異にするため、意味区分を表示する番号付き <div> を更新するなどして表現することはできない。そこで、これらの情報に対して、<ab type="fascicle_beginning">（anonimus block の意）タグを用いて、この記述を特別に記述することにしている。ここに記されるタイトル部分は <title type="fascicle_beginning"> でマークアップを施し、訳者・著者等は <persName> タグを付与する。さらに <persName> タグの @role 属性で、当該人物のそのテキスト内における役割を明示し、さらに @ref タグで VIAF を固有識別子として用いることによって、歴史上に同名の人物がいた場合であったり、呼称が複数ある人物であったとしても他ならぬその当該人物の実体を指定することができる。以下、『起世経』巻五を一例として提示する（【図 9】参照）。

```
<milestone unit="fascicle_beginning" n="5"/>
<ab type="fascicle_beginning">
    <title type="fascicle_beginning">起世經卷第五 </title>
    <persName role="translator" ref="http://viaf.org/viaf/113949457">隋天竺三
    藏闍那崛多 </persName>等譯
</ab>
```

以上説明してきた「巻」と「品」の区別が要求される具体例として、以下の『起世経』の例を挙げたい（【図 10】参照）。このテキストの「第四地獄品」を一例とする。この「品」は、第二巻の途中から始まり、第四巻の途中まで続いている。第三巻・第四巻の冒頭には、「地獄品第四

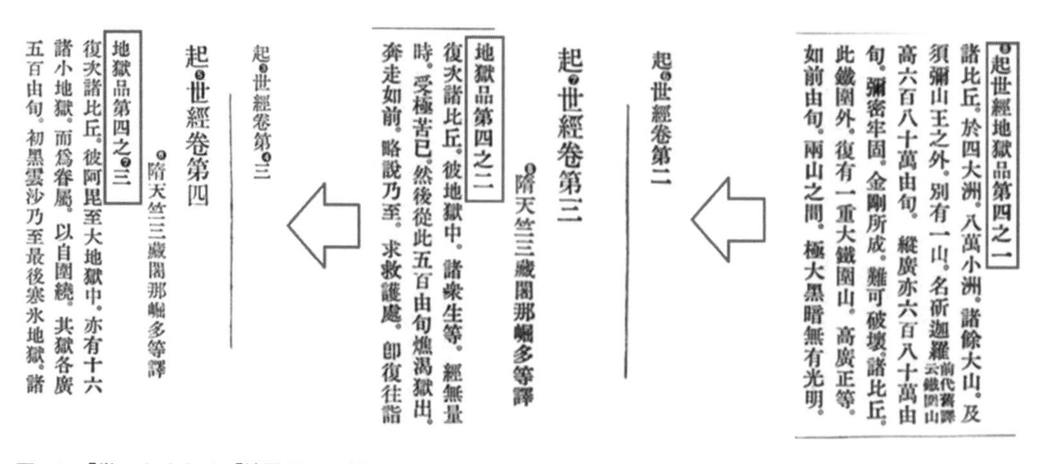
起世經地獄品第四之一
諸比丘。於四大洲。八萬小洲。諸餘大山。及
須彌山王之外。別有一山。名斫迦羅前代舊譯云鐵圍山
高六百八十萬由旬。縱廣亦六百八十萬由
旬。彌密牢固。金剛所成。難可破壞。諸比丘。
此鐵圍外。復有一重大鐵圍山。高廣正等。
如前由旬。兩山之間。極大黑暗無有光明。

起世經卷第二

起世經卷第三
隋天竺三藏闍那崛多等譯
地獄品第四之二
復次諸比丘。彼地獄中。諸衆生等。經無量
時。受極苦已。然後從此五百由旬燋渴獄出。
奔走如前。略說乃至。求救護處。即復往詣

起世經卷第三

起世經卷第四
隋天竺三藏闍那崛多等譯
地獄品第四之三
復次諸比丘。彼阿毘至大地獄中。亦有十六
諸小地獄。而爲眷屬。以自圍繞。其獄各廣
五百由旬。初黑雲沙乃至最後寒氷地獄。諸

図 10　「巻」をまたぐ「地獄品」の例

之二」「地獄品第四之三」と記述されているが、これは「地獄品」のなかでさらに意味上サブチャプターがあると述べられているのではなく、単に巻の更新に伴って生じている記載に過ぎない。このような場合の構造の概略を示そう。

```
<milestone unit="fascicle_beginning" n="2"/>
{ 二巻本文，第三品本文 }
</div2>

<div2 type="body" subtype=" 品 " n="4">
    <title type="desc"> 地獄品第四之一 </title>
    { 地獄品本文 }
    <ab type="fascicle_end">
    <title type="fascicle_end"> 起世経巻第二 </title>
    </ab>
<milestone unit="fascicle_beginning" n="3"/>
    <ab type="fascicle_beginning">
    <title type="fascicle_beginning"> … </title>
    <persName> … </persName>
    </ab>
    <title type="subdesc"> 地獄品第四之二 </title>
    { 起世経巻三 本文 }
    <ab type="fascicle_end">
    <title type="fascicle_end"> 起世経巻第三 </title>
    </ab>
<milestone unit="fascicle_beginning" n="4"/>
    <ab type="fascicle_beginning">
    <title type="fascicle_beginning"> … </title>
    <persName> … </persName>
    </ab>
    <title type="subdesc"> 地獄品第四之三 </title>
    { 起世経巻四 本文 }
</div2>
```

各巻の末尾には、その巻の終了を明記する記述があり、これも巻冒頭に倣い、<ab type="fascicle_end">、<title type="fascicle_end">としている。

また、「巻」に付随する奥書というものも存在する（【図 11】参照）。これは、各テキストの刊行当時の記述を示すものであって、「巻」に付随する記述として <div type="colophon"> とは区別される必要がある。このような場合、<ab> 内に <seg type="colophon"> というタグを用いて記述することとしている。同じく『起世経』からの例である。

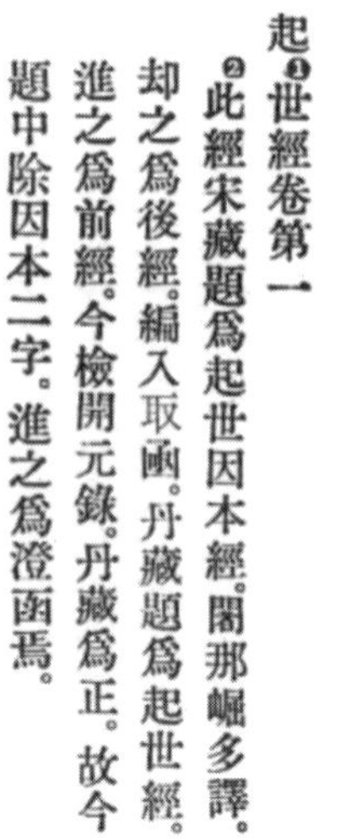

起❶世經卷第一
❷此經宋藏題爲起世因本經。闍那崛多譯。
却之爲後經。編入取函。丹藏題爲起世經。
進之爲前經。今檢開元錄。丹藏爲正。故今
題中除因本二字。進之爲澄函焉。

図 11　巻に付随する奥書の例

```
<ab type="fascicle_end">
<title type="fascicle_end">起世經卷第一</title>
    <seg type="colophon" style="indent">
            此經宋藏題爲起世因本經。闍那崛多譯。
    却之爲後經。編入取函。丹藏題爲起世經。
    進之爲前經。今檢開元録。丹藏爲正。故今
    題中除因本二字。進之爲澄函焉。</seg>
</ab>
```

また、ここではこの箇所の外見上の特徴をマークアップするために、@style="indent" を用いている。

4．脚注の構造化

大正蔵は三段組の本文の下に注釈を記している。そのうちの大部分は異読情報を示すものである。異読情報のマークアップ方針をまずは示したのち、それ以外のマークアップに関して解説し、そのあとでさまざまな例外的事例について触れたいと思う。

4-1．異読情報

大正蔵は異読（異文）情報を記述するにあたって独自の記号を用い、合理化・簡略化している。大部分の異読情報はそのルールに合致して記述されており[11]、また、電子テキストもほぼ正確にそれらを翻刻しているため、大正蔵全体で約 75 万件の脚注のうち大部分はスクリプトによる機械的な置き換えが可能であった。

そのルールのうち、基本的なものは以下の三つになる。以下、lem は lemma の略号で、rdg は reading(s)「異読」の略とする。以下 T263『正法華經（しょうほけきょう）』p.63 を例とする。

A. lem ＝ rdg <text>

B. 〔lem〕 − <text>

C. (rdg) ＋ lem <text> あるいは lem ＋ (rdg) <text>

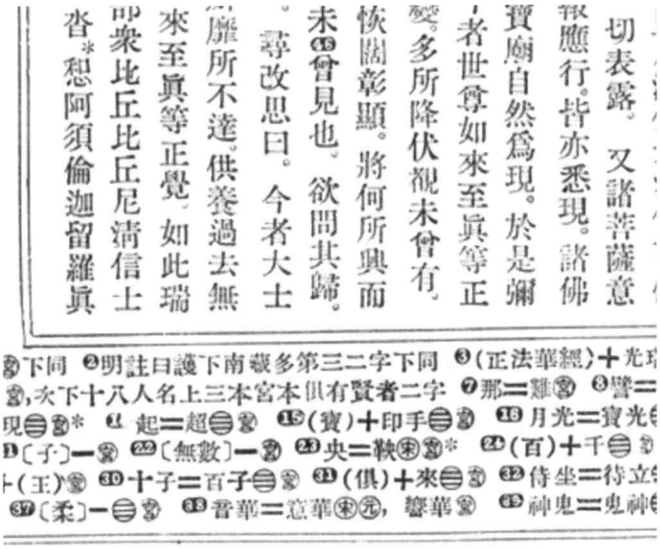

切表露。又諸菩薩意
報應行。皆亦悉現。諸佛
寶廟自然爲現。於是彌
者世尊如來至眞等正
變多所降伏覩未曾有。
恢闊彰顯。將何所興而
未曾見也。欲問其歸。
尋改思曰。今者大士
靡所不達。供養過去無
來至眞等正覺。如此瑞
部衆比丘比丘尼淸信士
沓*想阿須倫迦留羅眞

図 12　異読情報の例

Aのタイプ（【図 12】における註 7 など）は、左辺が大正蔵に見られる語形で、右辺が＜ ＞内に囲まれたテキストに見られる語形であることを示している。大正蔵原本では○で囲まれているが、既存の電子テキストではこれを＜ ＞で囲む形式で書き起こしている。続いて、B（【図 12】で註 22 など）は〔 〕で囲まれる要素が、＜ ＞で囲まれているテキストには存在していないことを示している。C（【図 12】で註 24 など）は逆に（ ）で囲まれる要素が、＜ ＞で囲まれるテキストには付け加えられていることを示している。

〔 〕と（ ）の使い方は一貫しており、〔 〕は大正蔵本文に採用された語形、（ ）は大正蔵本文に採用されなかった語形ということである。異読情報をマークアップする方法は多数あるが本研究会では Double End-Point Attachment Method と呼ばれる方法を用いてマークアップを行っている。これは @xml:id 属性を持つ、空タグ <anchor> の二つによって、本文 lemma 箇所を囲み、本文全て（これは <body> タグによって囲まれる箇所である）が終了した後に、<back> を設け、この内の <listApp>（App は apparatus の略）に、個々の異読情報を <app> タグとして書き込むものである [12]。

これらの具体例を以下に挙げていこう。まずはAの例である。【図 12】註 7 :「那＝難＜宮＞」を例とする。本文に以下のように二つの <anchor> タグが付与される。また、@xml:id には、そのページ数と注釈番号が記入され、後続するタグの @xml:id の末尾には “e”（ending の意）が書き加えられる。

```
阿<anchor xml:id="tft_0063_7"/>那<anchor xml:id="tft_0063_7e"/>律
```

これに対する註は以下の通りである。

```
<listApp>
 ……
   <app from="#tft_0063_7" to="#tft_0063_7e">
```

```
        <lem wit="#大正">那</lem>
        <rdg wit="#宮">難</rdg>
    </app>
……
</listApp>
```

<app> の @from と @to 属性で、対応する箇所に位置する @xml:id 属性を持つ <anchor> タグを指定している。そして、<lem> タグで指定される要素である「那」は本文の語形そのものであるはずで（例外については 4-5-1 節を参照）、これが <rdg>@wit 属性で指定される #宮、つまり「宮内庁書陵部宋版一切経」では「難」となっているということを述べていることになる。@wit では xml:id が参照される。そのため、TEI/teiHeader/fileDesc/sourceDesc/ 内の <listWit> において、以下のようにあらかじめ xml:id を定めておく必要がある。『正法華經』の <listWit> は次のようになっている。

```
<listWit>
    <witness xml:id="三">宋元明三本</witness>
    <witness xml:id="元">元普寧寺版大蔵経</witness>
    <witness xml:id="宋">宋思渓版大蔵経</witness>
    <witness xml:id="宮">宮内庁書陵部宋版一切経</witness>
    <witness xml:id="明">明万暦版大蔵経</witness>
    <witness xml:id="大正">大正新修大蔵経</witness>
</listWit>
```

続いて、同様にBは以下のようにマークアップされる。【図 12】註 22：「〔無数〕—＜宮＞」を例にとってみよう。# 宮に於いては「無數」という読みが存在しないということは、<rdg wit="# 宮 "></rdg> とすることによって表現される。

```
本文：
    與<anchor xml:id="tft_0063_22"/>無數<anchor xml:id="tft_0063_22e"/>大衆
    俱。

異読情報：
    <app from="#tft_0063_22" to="#tft_0063_22e">
        <lem wit="#大正">無數</lem>
        <rdg wit="#宮"></rdg>
```

```
</app>
```

Cは次のようになる。【図12】註24:「(百)+千<三><宮>」を例とする。二つの <anchor> タグで挟まれる文字列は存在しないが、そこに#三#宮 では「百」という文字が挿入されていることが示される。

```
本文:
    <anchor xml:id="tft_0063_24"/><anchor xml:id="tft_0063_24e"/> 千諸龍眷屬俱。

異読情報:
    <app from="#tft_0063_24" to="#tft_0063_24e">
        <lem wit="#大正"></lem>
        <rdg wit="#三 #宮"> 百 </rdg>
    </app>
```

4-2. 異読情報でない脚注

しかしながら、全ての注釈が異読情報であるわけではない。<app> として表記することが困難である註に関しては、<listApp> の前に <note> として記述することとしている。

【図13】に見られるように、このテキストの註5は「<原>大谷大學藏寫本,<甲>日本大藏經本」と述べており、異読情報ではなく、このテキストを校訂する際に用いた諸本の情報と略号を記している。このような情報はおおむね各テキストの最初の註として記載されていることが多い。これは <app> として記述することはできず、次のように <note> として記述する。まず <note> 内にさらに <note resp="#大正"> によって大正蔵に記載されている記述をそのまま書き込む[13]。<listBibl> タグで各記号が何に対応するのかを示している。

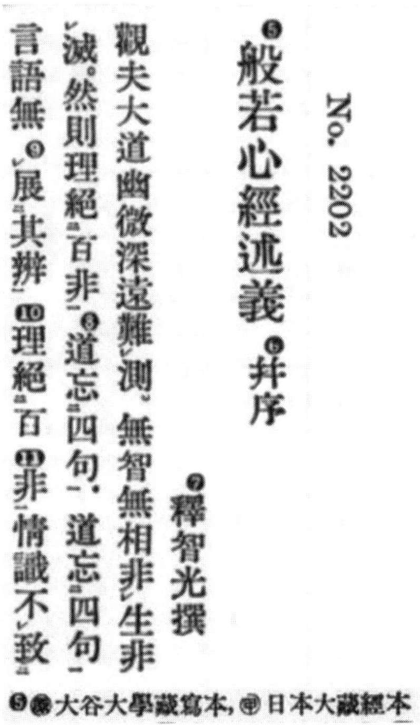
No. 2202
⑤般若心經述義⑥幷序
⑦釋智光撰
觀夫大道幽微深遠難測。無智無相非生非滅。然則理絕百非。⑧道忘四句。道忘四句言語無⑨展其辨。⑩理絕百⑪非。情識不致。
⑤〈原〉大谷大學藏寫本,〈甲〉日本大藏經本

図13　底本と略号の説明

```
</body>
<back>
<note target="#tft_0003_5" type="footnote">
  <note resp="#大正"> <原>大谷大學藏寫本, <甲>日本大藏經本 </note>
```

```
    <listBibl>
      <bibl sameAs="#原"> 大谷大学藏写本 </bibl>
      <bibl sameAs="#甲"> 日本大藏經本 </bibl>
    </listBibl>
  </note>
```

また、ここに記載してある底本情報は、@sameAs 属性によって xml:id を参照しているものであるが、その xml:id は同じく teiHeader/fileDesc/sourceDesc 内 <listWit> に、次のように記載しておく必要がある。

```
<listWit>
    <witness xml:id="大正"> 大正新脩大蔵経 </witness>
    <witness xml:id="原"> 大谷大學藏寫本 </witness>
    <witness xml:id="甲"> 日本大藏經本 </witness>
</listWit>
```

その他にも、異読ではない註の例として、漢語のサンスクリット対応語を示すものなどがある。次の【図 14】の例は T262『妙法蓮華經』である。

この註 10 は単に “Ājñātakauṇḍinya.” とだけ述べる。これは単に次のように <note> として記述する。

```
<note target="#tft_0001_10" targetEnd="#tft_0001_10e">
  Ājñātakauṇḍinya.
</note>
```

また、自動化の面での工夫として、註は異読情報かそうでないかの二通りしか存在しないと想定し、<app> として自動変換ができなかった場合には、変換できた範囲で <app> として自動出力するほかに、<listApp> 外に <note> として大正蔵の記載そのままを記録することとしている。後から電子テキストの誤転写などによって <app> として正規に変換されていないだけで、実際には <note> でなかったと判断された場合にはその <note> 部分を単にコメントアウトや削除すればよい。これは、実際の作業にあたって、新しくタグや属性を書き加えるよりも、最初から機械的に出力された記述をコメントアウト・削除する方が労力が軽減され、また人間が手入力する際に必ず生じる

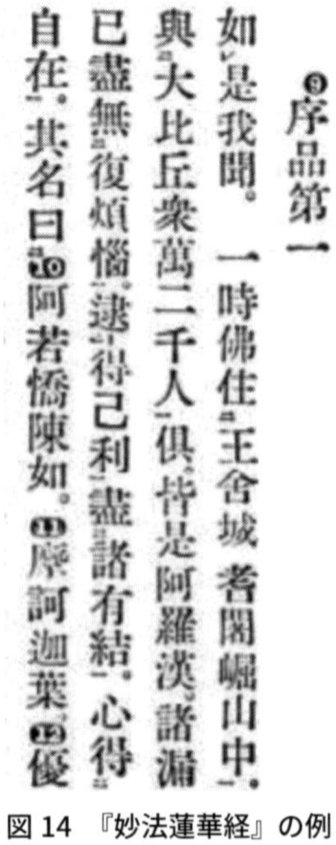

序品第一
如是我聞。一時佛住王舍城耆闍崛山中。
與大比丘衆萬二千人俱。皆是阿羅漢。諸漏
已盡無復煩惱。逮得己利。盡諸有結。心得
自在。其名曰⑩阿若憍陳如。⑪摩訶迦葉⑫優

図 14 『妙法蓮華経』の例

であろうミスも減らすことができると考えられるためである。

4-3. 複雑な異読情報

異読情報の記載方法について話を戻す。先述したような記号的な記述方法は、原則全て自動で TEI/XML に整形することができる。しかしながら、全ての異読が上記のように記号的に記載されているわけではない。下記【図 15】に示すのは T2202『般若心經述義』の例である。

この註 5 は「此細註甲本無之」と、前述したような記号を用いることなく述べている。この版面の細字になっている箇所（細註）が、「甲本」（日本大藏經本）には存在しないということを述べているのである。これは、<app> タグにより以下のように記述されるべきである。

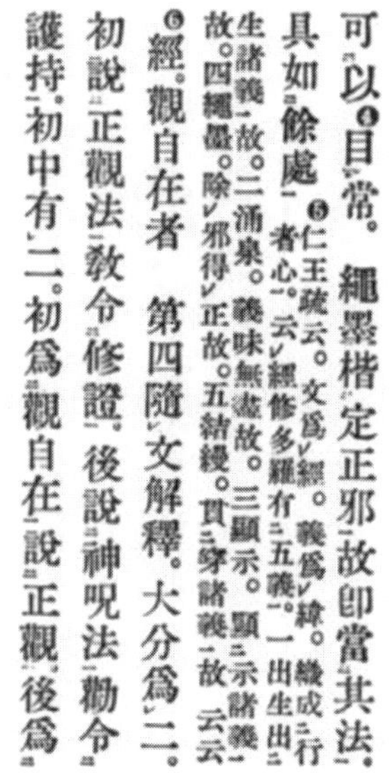

可以目常。繩墨楷定正邪故卽當其法。
具如餘處 ⑤仁王疏云。文爲經。義爲緯。織成行
者心。云經修多羅有五義。一出生出
生諸義故。二涌泉。義味無盡故。三顯示。顯示諸義
故。四繩墨。除邪得正故。五結鬘。貫穿諸義故 云云
⑥經。觀自在者 第四隨文解釋。大分爲二。
初說正觀法教令修證。後說神呪法勸令
護持。初中有二。初爲觀自在說正觀。後爲

図 15 『般若心經述義』の例

```
<app from="#tft_0005_5" to="#tft_0005_5e">
  <lem wit="#大正"> 仁王疏云。文爲經。義爲緯。織成行者心。云經修多羅有五義。一出生出
  生諸義故。二涌泉。義味無盡故。三顯示。顯示諸義故。四繩墨。除邪得正故。五結鬘。貫穿諸
  義故　云云 </lem>
  <rdg wit="#甲"></rdg>
  <note resp="#大正"> 此細註甲本無之 </note>
</app>
```

<lem> には、この細註全体を書き込み、それが # 甲 で指示されるテキストにおいて抜けているということを示している。また、<note resp="#大正"> によって、この註 5 の記載している文章そのものを残しておく。これは大正蔵の記述をその「誤り」も含めて（この場合は誤りではないが）電子テキスト上で保存するという本研究会の目的のためでもある。

このような記号を用いない注釈の書き方の場合は、スクリプトで自動的に上記のような完成品の <app> を出力することはできない。しかし、作業者に手渡される当初の XML/TEI ファイルは次のように途中までコメントアウトされたエラーメッセージとともに出力され、異常があることが一見して分かり、作業者にこの地点を確認・修正すべきであることを伝える。

```
<app from="#tft_0005_5" to="#tft_0005_5e">
  <lem wit="#大正"> </lem>
  <rdg wit="#???"><!-- This part could be (or include) a note or has a typo.
  Full-text: 此細註甲本無之 --></rdg>
```

```
</app>
```

このようなエラーを示すコメントアウトされたメッセージを見て、作業者自身が手作業で TEI/XML を直接編集し、上記の <app> タグを書き改める。またさらに、本文中の <anchor> タグの位置を手動で修正する必要がある。電子テキストが最初に作業者に手渡された段階では、

```
<anchor xml:id="tft_0005_5"/><anchor xml:id="tft_0005_5e"/> 仁王疏云。文爲經。義爲緯。織成行者心。云經修多羅有五義。一出生出
<lb n="T2202_,57,0005b20"/> 生諸義故。二涌泉。義味無盡故。三顯示。顯示諸義故。四繩墨。除邪得正故。五結縵。貫穿諸義故　云云
```

このような形で <anchor> の位置が開始部分と終了部分の間を置かない形になっているが（説明の簡便のために当該問題に於いて不必要なタグを省いている）、これを作業者は

```
<anchor xml:id="tft_0005_5"/> 仁王疏云。文爲經。義爲緯。織成行者心。云經修多羅有五義。一出生出
<lb n="T2202_,57,0005b20"/> 生諸義故。二涌泉。義味無盡故。三顯示。顯示諸義故。四繩墨。除邪得正故。五結縵。貫穿諸義故　云云 <anchor xml:id="tft_0005_5e"/>
```

このように終了 <anchor> タグを移動させる。このような場合に限らず、註の lemma 部分が自動的に獲得できない場合には、<anchor> タグの位置は開始・終了地点は間を置かない状態のままにしてあり、担当作業者は手動でこれを修正することが求められる。

4-4. 省略表記の処理

大正蔵が lemma 部分を省略して記載する場合がある。以下【図 16】の例を見てみよう。T2582『正法眼蔵（しょうぼうげんぞう）』からの例である。

この註 15 は、「〔イマ・・・ナリ〕二十三字－＜丙＞」と書かれている。これは〔〕－ <text> という上記 B タイプの異読表記を拡張したものであるが、要するに註 15「イマ」から 23 字後の「ナリ」までの 23 字が、丙本（琉璃光寺本）においては見られないという意味である。一定以上の文字数の lemma を全て書き起こす手間を避けるために大正蔵はかかる省略表記を頻繁に行うが、このような場合でも大正蔵の記述がルールに即しており、かつ、正確に翻刻されているのであれば機械的に変換するのは極めて容易である。

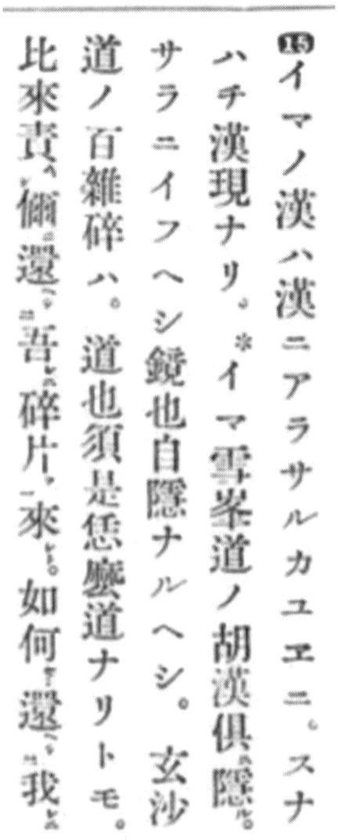

⑮イマノ漢ハ漢ニアラサルカユヱニ。スナ
ハチ漢現ナリ。＊イマ雲峯道ノ胡漢倶隱ル
サラニイフヘシ鏡也自隱ナルヘシ。玄沙
道ノ百雜碎ハ。道也須是恁麼道ナリトモ。
比來責儞還吾碎片來如何還我

図 16 『正法眼蔵』の例

このようなタイプの註の場合、「イマ」から読点・漢文訓読記号などに加えて、タグに使用していると考えられるローマ字・空白文字等、文字数のうちにカウントされるべきではない文字を除いた、平仮名・カタカナ・漢字 23 字分の文字列を抽出し、その末尾が註 15 で指定されている「ナリ」であったならば、この註の提示している文字数は正確なものであると考え、終了 <anchor> を自動的に移動し、次のような <app> を自動的に出力する。作られた <app> タグは以下の通りである。

```
<app from="#tft_0083_15" to="#tft_0083_15e">
    <lem wit="#大正"><note type="sic">〔イマ・・・ナリ〕二十三字 </note> イマノ漢ハ漢
    ニアラサルカユヱニスナハチ漢現ナリ </lem>
    <rdg wit="#丙"></rdg>
</app>
```

先刻、<note resp="# 大正 "> を用いたのと同じように <note type="sic"> タグによって、大正蔵そのものの記述を書き残している。すなわち、これにより <note type="sic"> を除いた箇所だけを取り出せば、lemma となる 23 字が残されるように考えられている[14)]。

続いて、同じく記号表記として【図 17】に、文字列の入れ替え記号の場合を示す。以下は T2569 から例を挙げる。

この註 1,2 は「(進上・・・給へ) 十七字∞ (十月・・・判) 九字」と述べている。この「∞」という記号はこの記号を境界とした左右のテキストを入れ替えるという意味である。これも同じく

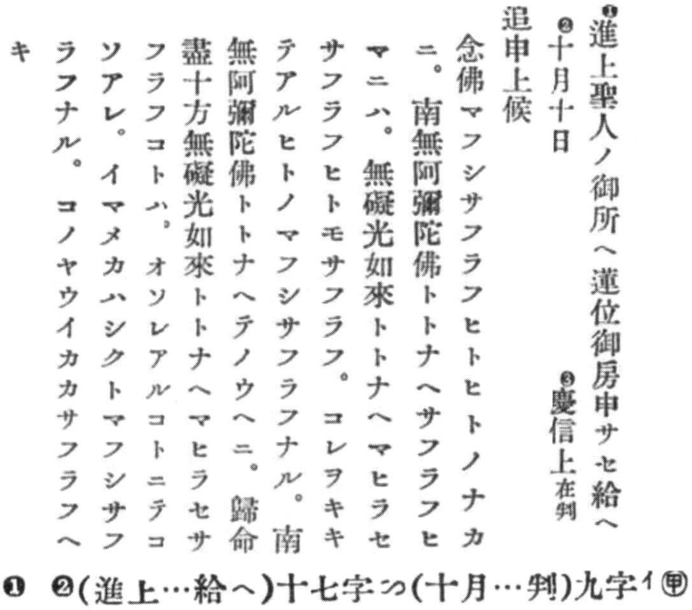

❶進上聖人ノ御所へ蓮位御房申サセ給へ
❷十月十日　❸慶信上在判
追申上候
念佛マフシサフラフヒトヒトノナカ
ニ。南無阿彌陀佛トトナヘサフラフヒ
マニハ。無礙光如來トトナヘマヒラセ
サフラフヒトモサフラフ。コレヲキキ
テアルヒトノマフシサフラフナル。南
無阿彌陀佛トトナヘテノウヘニ。歸命
盡十方無礙光如來トトナヘマヒラセサ
フラフコトハ。オソレアルコトニテコ
ソアレ。イマメカハシクトマフシサフ
ラフナル。コノヤウイカカサフラフラフヘ
キ

❶　❷(進上…給へ)十七字∽(十月…判)九字イ(甲)

図 17　テキスト入れ替え記号の例

スクリプトにより自動的に変換され、次のようになる。

```
本文（問題となるタグ以外は省略した）:
  <anchor xml:id="tft_0717_1"/>進上聖人ノ御所ヘ蓮位御房申サセ給ヘ
  <anchor xml:id="tft_0717_2"/><anchor xml:id="tft_0717_2e"/>十月十日慶信上在
  判<anchor xml:id="tft_0717_1e"/>

註1:
  <app from="#tft_0717_1" to="#tft_0717_1e">
      <lem wit="#大正"><note type="sic">（進上…給ヘ）十七字∽（十月…判）九字
      </note>進上聖人ノ御所ヘ蓮位御房申サセ給ヘ十月十日慶信上在判</lem>
      <rdg wit="#甲イ">十月十日慶信上在判進上聖人ノ御所ヘ蓮位御房申サセ給ヘ</rdg>
  </app>
```

ここでひとつ問題となるのが、大正蔵では註1と註2のふたつで記載していた#甲イ[15]での入れ替えが、<app>では註1だけで済んでしまうということである。このようなテキストの入れ替えを行うパターンでは、本文を入れ替える場合の区切りとなる境界位置にもうひとつ別の註番号（この場合は註2）が置かれていることが多い。この場合、註2がここに存在したという事実を残しておくことは電子上での大正蔵の再現のためには求められるはずである。しかし、註2は註1により役割を奪われた形になり、事実上<app>としての役割を実際に果たすことがない。そこで、先述した4-2節に倣い、単に<note>として記述することになる。

```
<note target="#tft_0717_2" targetEnd="#tft_0717_2e" type="footnote">
  （進上…給ヘ）十七字∽（十月…判）九字
</note>
```

また、4-7節に、この入れ替えの範囲があまりに長かった場合の処理について触れている。

4-5.「誤り」の記述

大正蔵の電子上の正確な再現のためには、大正蔵自体に起因する誤字等の「誤り」も、そのままの形で保存しつつ、しかしながら正しいと思われる形も記載したい。そのような場合のマークアップの例を本節では紹介したい。

4-5-1. 誤字の記載

下記【図18】に挙げたT425『賢劫經』p.48の註7のlemma部分と、それに対応する本文文字列を見比べて欲しい。

本文では「寶蓋」となっているところ、註 7 の lemma を示す左辺では「寶盖」と、これら二つが一致していないことが分かる。「蓋」と「盖」は異体字の関係にあり、意味的な違いは無いものではあるが、理屈の上では註 7 lemma 部分とそれに対応する本文部分は同一である必要があるため、これを一種の「誤記」として処理する。これは次のようにマークアップされる。

```
<app from="#tft_0048_7" to="#tft_0048_7e">
    <lem wit="#大正">
        <choice>
            <sic> 寶盖 </sic>
            <corr> 寶蓋 </corr>
        </choice>
    </lem>
    <rdg wit="#宋"> 宿善 </rdg>
    <rdg wit="#元 #明"> 宿意 </rdg>
</app>
```

<choice> タグ内の <sic> に、註 7 で記述された語形を記し、<corr> で大正蔵本文の、本来一致しているべき語形を記している。この <choice>、<sic>、<corr> は、註だけではなく、一般に大正蔵の「誤り」を残しつつ、正しいと思われる語形を記述する際に本研究会で使用している[16]。

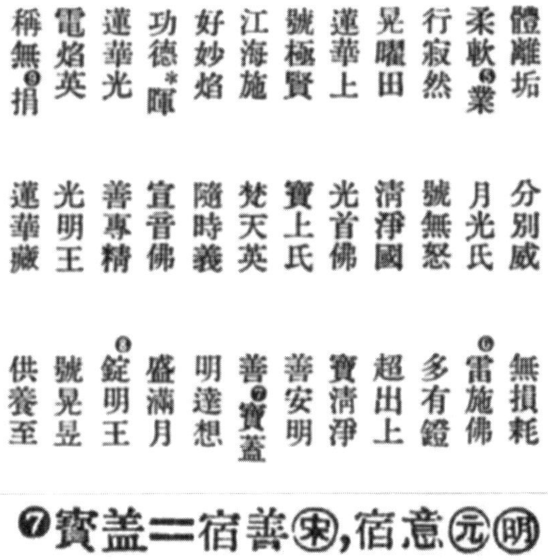

図 18　大正蔵に起因する誤字の例

4-5-2．アンカー位置の間違い

同じように大正蔵の誤りを記載すべき事例の一つとして、T2244『孔雀経音義』から下記【図 19】のような例を挙げておきたい。本文註 15 の位置は意味をなさない。恐らくは註の位置を一行間違えてしまったためだと考えられる。このときも、本文の註の誤った箇所は残しておきつつ、正しい位置に註 15 を置き定めたい。そこで、本文の

```
澁 <anchor xml:id="tft_0768_15"/><anchor xml:id="tft_0768_15e"/> 音借須
```

というアンカーの xml:id を

```
滥<anchor xml:id="tft_0768_15_sic"/><anchor xml:id="tft_0768_15_sic_e"/>音借
須
```

このように "_sic" を付けて位置だけは保存し、註 15 が本来あるべき次の行に <anchor> タグを作る。もちろん、この "tft_0768_15_sic" の位置に対応する <app> は記載されない。

```
俗作<anchor xml:id="tft_0768_15" resp="SAT"/>犇<anchor xml:id="tft_0768_15e"
resp="SAT"/>。正作大犇
```

ここで、@resp="SAT" を記載しているのは、大正蔵自体には、他ならぬこの地点に註番号が置かれていないため、あくまで本研究会がこれを記入したということを明記するためである。

4-6．註の追加

同じく、註番号は降られていないものの、事実上註があると見做しうる場合には、@resp="SAT" を用いて註番号を与える必要がある。以下【図 20】のような場合が一例である。

T443『五千五百佛名神呪除障滅罪經』の例である。「一百」という文字列が、註 24 が付けられたこの地点において「元」本にないと述べられているのであるが、それと同時に「一百十二」～「一百十九」まで、「元」本においては「一百」が抜けているということも述べられている。このような場合、異読情報は <anchor> を付与しなければ表記することはできないので、「一百十二」～「一百十九」の箇所にもアンカーを新たに付与しなければならない。本文は次のようにマークアップされる（説明の簡潔さのために当面不必要なタグを省いている）。

```
本文：
    底多寫一百一十婆師曳底<anchor xml:id="tft_0336_24"/>一百<anchor
    xml:id="tft_0336_24e"/>十一頞喻阿㛃那摩<anchor xml:id="tft_0336_24.1"
    resp="SAT"/>一百<anchor xml:id="tft_0336_24.1e" resp="SAT"/>十二 ……
```

このように、註 24 の内容を受けているタグなので、24.x と順次 xml:id を付与する。

続いて、<app> は次のように記載する[17)]。まずは註 24 は以下のようにする：

```
<app from="#tft_0336_24" to="#tft_0336_24e" xml:id="app_336_24">
    <lem wit="#大正">一百</lem>
    <rdg wit="#元"></rdg>
    <note resp="#大正">〔一百〕－<元>以下至百十九同</note>
</app>
```

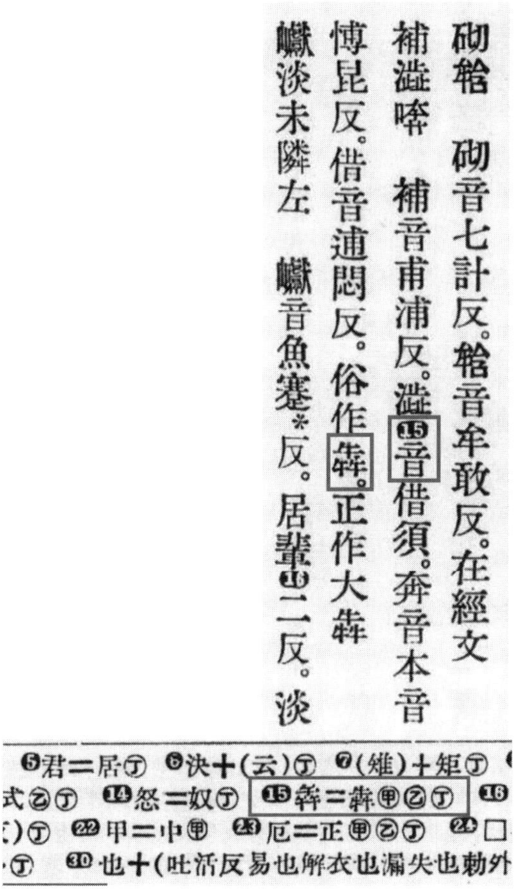
砌舩　砌音七計反。舩音牟敢反。在經文
補澁嗱　補音甫浦反。澁⑮音借須。奔音本音
愽昆反。借音逋悶反。俗作犇。正作大犇
巘淡未隣左　巘音魚蹇*反。居輩⑯二反。淡

❺君＝居㋣　❻決＋(云)㋣　❼(雉)＋矩㋣
式㋚㋣　⑭怒＝奴㋣　⑮犇＝犇㊙㋚㋣　⑯
)㋣　㉒甲＝中㊙　㉓厄＝正㊙㋚㋣　㉔□
㋣　㉚也＋(吐活反易也解衣也漏失也勅外

図 19　アンカー位置の間違いの例

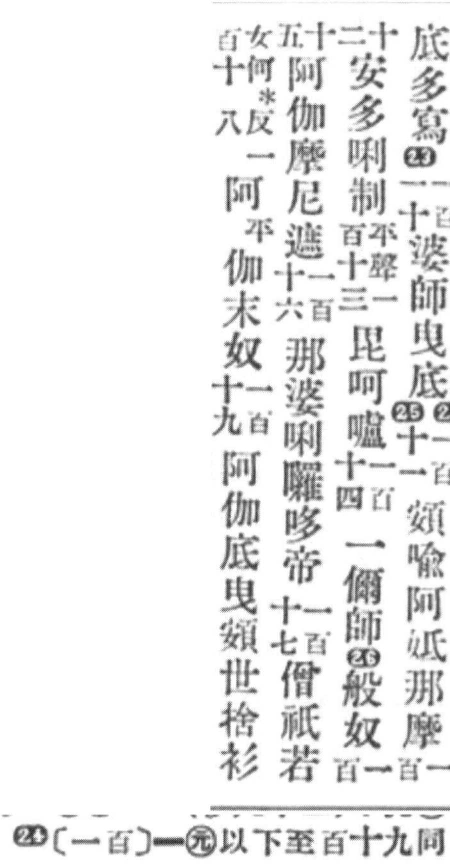
底多寫㉓一百二十婆師曳底㉔㉕一百二十一頌喻阿衹那摩一百
二十安多唎制平聲一百二十三毘呵嚧一百二十四一儞師㉖般奴一百
五十阿伽摩尼遮一百二十六那婆唎囉哆帝一百二十七僧祇若
女阿*反一阿平伽末奴一百二十九阿伽底曳頌世捨衫

㉔〔一百〕－㊄以下至百十九同

図 20　<app> の書き加えが必要な例

註全体の記載を <note resp="#大正"> タグにより残しておき、この <app> 全体に xml:id を付与し、続く 24.1 以降の註がこれを参照可能な状態にしておく。註 24.1 は次のようにする。

```
<app from="#tft_0336_24.1" to="#tft_0336_24.1e" source="#app_336_24"
resp="SAT">
    <lem wit="#大正"> 一百 </lem>
    <rdg wit="#元"></rdg>
</app>
```

@source 属性で、上記に定めた <app> 自体を参照する。そして、この註と、本文における註の位置は本研究会で作ったものであって、大正蔵の版面自体には存在しないものなので、@resp="SAT" により、これが本研究会で付与されたものであることを明示しておく。

4-7. <lem> が長くなる場合

最後に【図 21】T2582『正法眼蔵』pp.201–202 を例に、lemma が長くなる場合の表記を例示したい。この註 20 の位置に、次のように書かれている。

このように、長い行に渡るテキスト入れ替えに関する異読情報を書き記すとき（テキストの入れ替えについては 4-4 節参照）、<lem>、<rdg> をそのまま書き写すことは困難である。そのような場合、<anchor> タグの位置を用いて、<ref> タグによるテキスト参照を利用する方法がある。

まず、本文には次のように <anchor> タグが置かれる（説明のため余分なタグは省略している）。

```
知識ニシタカフナリ。<anchor xml:id="tft_0201_20"/> シルヘシ經卷知
……
リ。<anchor xml:id="tft_0201_33"/> シカアルニ三二十年ノ久學ト自稱ス
……
中ナリ。速道速道 <anchor xml:id="tft_0201_33e"/><anchor xml:id="tft_0201_20e"/>
```

註 20 は次のようにマークアップされる。

```
<app from="#tft_0201_20" to="#tft_0201_20e">
    <lem wit="#大正"><ref target="#tft_0201_20 #tft_0201_33"/><ref target="#tft_0201_33 #tft_0630_20e"/></lem>
    <rdg wit="#丙"><ref target="#tft_0201_33 #tft_0201_33e"/><ref target="#tft_0201_20 #tft_0201_33"/></rdg>
```

正法眼藏法性
(17)アルヒハ經卷ニシタカヒ。*アルヒハ知
識ニシタカヒテ參學スルニ。無師獨悟ス
ル(18)ナリ。無師獨悟ハ。法性ノ施爲ナリ。タ
トヒ生知*ナリトモ。カナラス尋師訪道ス
ヘシ。タトヒ無生知*ナリトモ。カナラス功
夫辨道スヘシ。イツレノ箇箇カ生知ニア
ラサラン。佛果菩提ニイタルマテモ。經卷
知識ニ(19)シタカフナリ。(20)シルヘシ經卷知
……
ナシ。タタ喫粥來。喫飯來。點茶來ノミ*ナ
リ。(33)シカアルニ三二十年ノ久學ト自稱ス
ルモノ。法性ノ(34)談ヲ見聞スル(35)トキ。茫然
……
衆生ヲヨンテ衆生トセハ。說似一物卽不
中ナリ。速道速道。
正法眼藏法性
于時日本寛元元年癸卯孟冬在越(36)州
吉峯精舍示衆

◎(20)(33)（シル…ナリ）二十一行∽（シカ…速道）八十八行(丙)

図 21　長い範囲のテキスト入れ替えの例 18)

```
    <note resp="#大正">◎（シル・・・ナリ）二十一行∽（シカ・・・速道）八十八行</note>
</app>
```

<ref> に記載される @target 属性で xml:id を持つ <anchor> タグ二つを参照している。<ref target="#tft_0201_20 #tft_0201_33"/> とは、この二つの <anchor> タグの間にある「(シル・・・ナリ) 二十一行」に対応する文字列を示し、<ref target="#tft_0201_33 #tft_0630_20e"/> とは同じくこの二つの <anchor> タグの間にある「(シカ・・・速道) 八十八行」に対応する文字列を示す。大正蔵では本文が <ref target="#tft_0201_20 #tft_0201_33"/>、<ref target="#tft_0201_33 #tft_0630_20e"/> という順番で記載されているのに対して、#丙 では逆に <ref target="#tft_0201_33 #tft_0201_33e"/>、<ref target="#tft_0201_20 #tft_0201_33"/> という順番であるということが、これらによって表現されたことになる[19)]。このように、本文中の文字列の位置を指定する際に、<anchor> タグに付与された @xml:id 属性を利用することができる。

5. 結びにかえて

以上のように、大正蔵 TEI 化の大まかな概略を示した。本研究会ではこれにとどまらないより細かい箇所のマークアップの方針をさらに議論している。これらの議論は Google Document で議事要旨としてまとめられ、いつでも検索・参照可能なようにしている。なお、本章で述べてきた方針はこれで完全に固定しているというものではなく、またわれわれはこの方針を以て最良であると自認しているわけでもないため、今後変更が生じる可能性がある点を最後にお断りしておきたい。本章が仏教文献はもとより、他の漢文資料のマークアップ等、幅広い分野の文献の構造化における参考となれば幸いである。

注

1 https://21dzk.l.u-tokyo.ac.jp/SAT/

2 https://tei-c.org/guidelines/p5/

3 https://github.com/cbeta-org/

4 これら漢訳大蔵経の諸本については、船山徹「漢語仏典―その初期の成立状況をめぐって」、『漢籍はおもしろい　京大人文研漢籍セミナー 1』（2008 年 3 月）、研文出版、pp. 71–118 参照。

5 以下、本論で引用する大正蔵の画像・テキストは全て SAT が公開しているものによる（https://21dzk.l.u-tokyo.ac.jp/SAT/）。

6 大正蔵の漢字符号化に関しては、王一凡「慧琳撰『一切経音義』の符号化をめぐって」、下田正弘・永崎研宣編『デジタル学術空間の作り方　仏教学から提起する次世代人文学のモデル』（2019 年 11 月）、文学通信、pp. 275–296 に詳しい。

7 サンプルとして https://github.com/wyoichiro1125/20211127symposium を用意している。

8　<lb/>（line beginning）は、行のはじまりを明記する空タグである。@n で大正蔵における位置を示している。T0024 は、このテキストの大正蔵番号を示しており、01.0310a01 は、左から順に大正蔵第一巻、p. 310、a 段、1 行目ということを示している。

9　http://www.hutime.jp/basicdata/calendar/form.html

10　ここで @type="subdesc" となっているのは、これら偈頌のタイトルはこの <div3 type="body" subtype="nominal"> 箇所を表現するに最も相応しいものであるとは言えず、同様の価値づけを持った偈頌タイトル群がこのブロックに並列されていることによる。全ての偈頌をさらに <div4 type="body"> によって一つずつマークアップするのであれば、各詩節をマークアップしている <div4> において、これらのタイトル名は各ブロックの名前として最も相応しいものとなるので、<title type="desc"> とされるべきである。これらの階層をどこまで深くするかは、一般に作業者の裁量に任される。

11　このような大正蔵異読情報に見られる記号に関しては、會谷佳光「『大正新脩大蔵経』の底本と校本―巻末「略符」・『大正新脩大蔵經勘同目録』・脚注の分析を通して」、『東洋文庫リポジトリ ERNEST 2019 年度科学研究費補助金研究成果』（2020 年 3 月）http://doi.org/10.24739/00007257 を参考とした。

12　https://tei-c.org/release/doc/tei-p5-doc/en/html/TC.html#TCAPDE 参照。他にも本文中に直接異読情報を書き込む Location-referenced Method などが存在する。この方法は使用する手順が少ないなど簡便ではあるものの、複数の異読が存在し、それらが指定する lemma 範囲が重なりあうような複雑な状況を想定すると、大正蔵全体において統一的に使用するのは困難であると思われる。以下の例は註 24 の lemma のなかに、註 26 の lemma が入り込んでいる場合である。

T440『佛説佛名經』本文：

```
<anchor xml:id="tft_0155_24"/> 南無觀法佛南無 <anchor xml:id="tft_0155_26"/> 天
<anchor xml:id="tft_0155_26e"/> 力師子奮迅佛 <anchor xml:id="tft_0155_24e"/>
```

註釈：

```
<app from="#tft_0155_24" to="#tft_0155_24e">
  <lem wit="#大正"> 南無觀法佛南無天力師子奮迅佛 </lem>
  <rdg wit="#聖"> 南無天力師子奮迅佛南無觀法佛 </rdg>
  <note resp="#大正"> 南無觀法佛∽南無天力師子奮迅佛＜聖＞ </note>
</app>
<app from="#tft_0155_26" to="#tft_0155_26e">
  <lem wit="#大正"> 捨 </lem>
  <rdg wit="#元 #明 #宮 #聖"> 大 </rdg>
</app>
```

13　<note resp="# 大正 "> は、<back> 内で使用し、特に <app> で主に用いる。これは後述するような <choice>、<sic>、<corr> によって表記しずらいような大正蔵に起因する誤りや、記号的に諸タグに変換される前の大正蔵の記載そのものを保存しておく必要がある場合にも使用する。一例を挙げる（T2782『大乘稻芋經隨聽疏』）。

```
<app from="#tft_0555_13" to="#tft_0555_13e">
    <lem wit="#大正"> 界 </lem>
    <rdg wit="#甲"></rdg>
    <note resp="#大正"> 界－＜甲＞ </note>
```

```
</app>
```

この註 13 を、大正蔵は「界－＜甲＞」と記載しているのであるが、正しい表記に従うならば「〔界〕－＜甲＞」となるはずである。しかしこの記述の意図自体は明白であるから、<app> としてこの記述の意図を作業者自身が記述することはできる。なお、このような記法の間違いが起った場合には <app> はスクリプトで自動変換できないため、作業者各人がこれを手動で修正する必要がある。

14 ただし、大正蔵自体が文字数を数え間違えている場合が考慮に入れられるべきであろう。そこで、註が指定する文字数丁度で期待された文字が見られない場合、指定する文字数の前後 1 割までの候補を探し出すこととしている。例（T1509『大智度論』）を挙げる。

```
<app from="#tft_0269_16" to="#tft_0269_16e">
  <lem wit="#大正"><note type="sic">〔一切求・・・蜜〕<choice><sic>二十九</sic><corr>
  二十八</corr></choice>字</note>一切求聲聞辟支佛人持戒時欲以隨喜心過其上者當學般若波
  羅蜜</lem>
  <rdg wit="#元 #明 #宮 #石"></rdg>
</app>
```

この場合、文字数の箇所に <choice>、<sic>、<corr> のタグを用いて表記し、大正蔵の誤っていると思われる文字数も自動的に記録を行っている。これらのタグの使用法については 4-5-1 節に後述する。

15 「『イ』は、底本・校本の原本に注記される校異（文字の異同に関する記録）を脚注に記載する時に使う記号」である（會谷 2020, p. 13)。つまり、この場面では甲本（大谷大學藏寫本）それ自体に記載されていた異読を指す。なお、"甲イ" という xml:id を参照している形をとるのであるから、<listWit> 内に <witness xml:id="甲イ"> 大谷大學藏寫本校異 </witness> と、これを別途定義しておく必要がある。

16 <corr> @resp により作業者の xml:id を指定することにより、本文の修正等を、作業者の責任において行うこともできる。

また、ここで <choice>、<corr>、<sic> を説明する理由として、<lem> とそれに対応する本文の不一致が、機械的に電子テキストを整形する際にかなりの数発見されたためという事情がある。電子テキストを仮の TEI/XML に変換するスクリプトは、まず註の lemma 指定部分の文字列の長さを読みとり、本文中の対応する <anchor> タグの位置からその文字列の長さ分だけ後ろを見て、<lem> タグが記載する lemma との比較を行い、両文字列が同一であるか否かを確かめる。もしこれら二つが同一であれば（そして大部分の異読は同一である)、終了 <anchor> タグを規定の位置まで移動させることができる。その一方、もしも同一でなかったら、そこに何かしらの問題が潜んでいることを示唆するため、注意を作業者に促すコメントアウトされたテキストを併せた <app> タグを自動生成する。作業者はこのコメントアウトされたメッセージのある註をチェックし、問題を突き止めることになる。この際、<lem> に記載された語形と本文の語形が一致しない場合、両者の字体が違うこと、本文で挙げたような誤字（これら二つは大正蔵自身に起因する問題である)、また、電子テキストの作成時に起因したミスというおおむね三通りの原因が確認された。このようにして発見された大正蔵に起因する両者不一致を処理するために <choice>、<sic>、<corr> の使用が本研究会で検討された。

17 id としての用を果せばよいので、必ずしも 24.1, 24.2 … といった書き方に拘泥する必要は必ずしもないのであるが、24a, 24b, 24c, 24e … としてしまうと、終了 <anchor> タグを意味するはずの末尾の e と使用が被り、機械可読性を下げる危険性があるためこのようにしている。

18 この註の画像は実際には「二十」と「一行」の間で改行されているが、見やすさのために編集し、改行が無かったかのようにしている。

19　実のところ、大正蔵自体には終点位置の <anchor> タグなる概念は存在しないのだから、複数の書き方がこの場合は平等に可能である。例えば、本文の <anchor> の位置は次のようにしてもよいはずである。

知識ニシタカフナリ。<anchor xml:id="tft_0201_20"/> シルヘシ經巻知

……

リ。<anchor xml:id="tft_0201_33"/>**<anchor xml:id="tft_0201_33e"/>** シ カ ア ル ニ 三二十年ノ久學ト自稱ス

……

中ナリ。速道速道 <anchor xml:id="tft_0201_20e"/>

第2章

日本仏教における研究成果のマークアップ：日本天台の文献研究に着目して

矢島正豊

1．はじめに

大正新脩大蔵経所収の日本撰述文献を TEI によってマークアップしていく際、その課題の一つとして挙げられるのが、これまでに蓄積されてきた研究成果を、どのようにマークアップに反映させていくかという点である。すなわち、日本へは飛鳥時代より多くの仏教経典や註釈書が将来されているのであり、それらを用いた日本の僧侶たちの膨大な研究の蓄積、そして、それをさらに研究した現代の研究者たちの蓄積をどのようにマークアップしていくのかが課題となるのである。そこで本章では、日本天台の文献研究に着目し、いくつかの文献をマークアップしていく過程を通じて、研究成果をマークアップする意義や今後の課題について少しく検討してみたい。

2．日本天台の文献研究における TEI 活用の意義

最澄（766/767–822）によって開宗された日本天台宗は、天台法華宗とも呼ばれる通り、『法華経』を中心とした天台教学に基づく宗派である。天台教学とは、中国隋代の天台大師智顗（538–597）の講説とされる天台三大部（『法華玄義』、『法華文句』、『摩訶止観』）を中心とした教学で、日本へは鑑真（687–763）が文献を将来し、それを学んだ最澄が一宗派として確立した。最澄以後は、円仁（794–864）、円珍（814–891）らによって密教の充足が図られ、安然（841–?）のころに天台宗の密教（台密）が集大成された。また、平安中期以降になると、良源（912–985）やその弟子の源信（942–1017）らによって、阿弥陀仏の西方極楽浄土へ往生することを希求する浄土思想が説かれ、末法思想や武士の台頭など、時代的な背景も影響して天台浄土教思想が興隆した。後にこの思想が良忍（1073?–1132）の融通念仏宗、法然（1133–1212）の浄土宗、親鸞（1173–1262）の浄土真宗、一遍（1239–1289）の時宗といった各宗へと展開していくことは周知の通りである。さらに、日本天台宗は比叡山を中心に展開したことから、山麓の日吉大社とも深い関係にあり、神仏習合思想も独自の発展をみせた。加えて、最澄が当時の日本仏教の正式な戒律であった具足戒を放棄し、大乗戒という新しい戒での独立を目指したことから、戒律の研究も盛んに行われて

いる。

このように日本天台宗は、『法華経』を中心とする宗派でありながら幅広い展開を見せている。そのため、文献研究をする場合には、多くの基礎的な文献を読解する必要があり、初学者にとって研究は容易ではない。しかし、領域が多岐にわたるが故に、それらを学んできた学問僧や近現代の研究者による研究成果の蓄積も多く残っている。よって、その成果を TEI でマークアップし整理することで、研究のしやすい環境を構築することが可能である。また、これまでの研究成果をマークアップしておくことで、研究成果の蓄積を次世代へと繋いでいくこともできよう。

そこで以下では、仏教学の分野でよくみられる科文（かもん）（科段（かだん）、科文分（かもんわ）けとも）を TEI の `<div>` タグによって階層化するマークアップを扱う。科文とは、文献の内容をわかりやすくするためにつくられる樹形図のような案内図で、中国仏教や日本仏教でひろく行われてきた研究法である。通常は文献が著された後の時代につくられるため、文献研究における研究成果の蓄積といえる。科文は現代の文献研究でも欠かすことができないものであり、日本天台の文献にも多くの科文が存在している。本章では以下に、『天台真言二宗同異章（てんだいしんごんにしゅうどういしょう）』と『真言宗教時義（しんごんしゅうきょうじぎ）』の二文献を例にとって科文のマークアップを検討してみたい。

3.『天台真言二宗同異章』のマークアップ

『天台真言二宗同異章』は、大正新脩大蔵経巻 75 に収録される文献で、比叡山延暦寺の総学頭の地位にあった証真（しょうしん）（1131 頃―1220 頃）の著作である。同書は天台学と真言学（密教学）の共通点と相違点を論じた比較的短い文献で、【図 1】の傍線部にある通り、文献の構成内容が文

No. 2372
天台眞言二宗同異章
二宗同異者兩家諍論也。高野和上云。一乘宗劣。叡山大師判二教義齊。他家意趣如十住心等。山門義勢如教時義等。學者各把掌中。立破皆明眼前。山家門人誰敢違者。而今天台末學之中。或云。法華宗猶不及祕教云云 此乃不知宗源不辨文理者也。今爲斷後輩之迷執。重鈔集先德之所述。文治四年冬十二月。叡山沙門證眞。因同朋勸。聊以草之。將明此義。略開二門。一立文理。二遮外難。初文理者。其意雖多。略寄四。教行人理二宗不別
第一明教同者。略出七同。一者二宗同明一佛乘。故金剛頂經說三摩地法云。演說如來三密門金剛一乘甚深教。義釋第八

図 1　『天台真言二宗同異章』冒頭

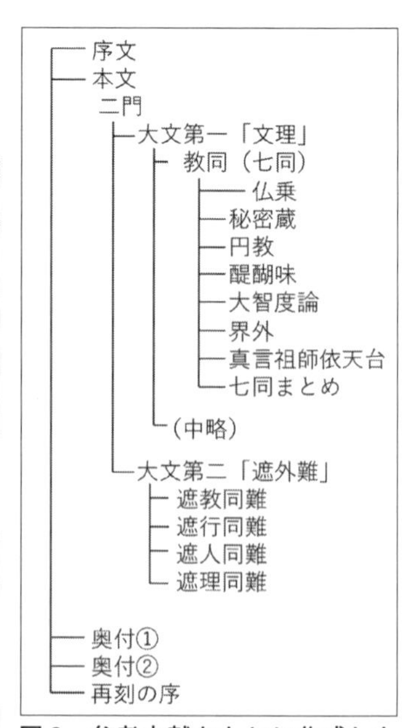

図 2　参考文献をもとに作成した科文（途中の一部略）

中である程度示されている。ちなみに、大正新脩大蔵経では、文献が示す構成に合わせた改行がなされている。この『天台真言二宗同異章』については、大久保良峻『増訂 天台教学と本覚思想』（法藏館、2021 年）に訳註があり、科文は示されていないものの、その内容から【図 2】のような科文を作成することができる（紙面の都合上、途中の一部を中略とした）。また、作成した科文を番号付き <div> タグによって階層化すると【図 3】のようになる。

【図 3】では、全体を構成する序文、本文、奥付以下を <div2> とし、それらの上位に <div1> を置いた。本文は大きく分けて 2 分割できるため、それぞれを <div3> とし、それより下位の内容は <div4>、<div5> としている。

また、<div> タグによる科文のマークアップは上記参考文献をもとに作成した科文に依ったため、【図 4】のように <teiHeader> 内に <editorialDecl> を設けて出典を明示し、番号付き <div> タグを付した経緯を記載した。

本例は非常に簡単なマークアップであるが、このように文献と研究成果をリンクさせておくことで、さまざまに応用が可能なデータを作ることができる。また、これによって文献の研究がしやすい環境を構築することもでき、新しい研究成果が示された際には、このデータに成果を追記していくことも可能である。文献そのものと研究成果をひとつのデータにまとめておくことで、成果を後世に伝えることもできよう。

ただし、本例は文献の構成内容について文中に記載があるため、科文の作成が容易で、マークアップもしやすい文献といえる。そこで次に、文中に構成内容の記載がない文献について検討してみたい。

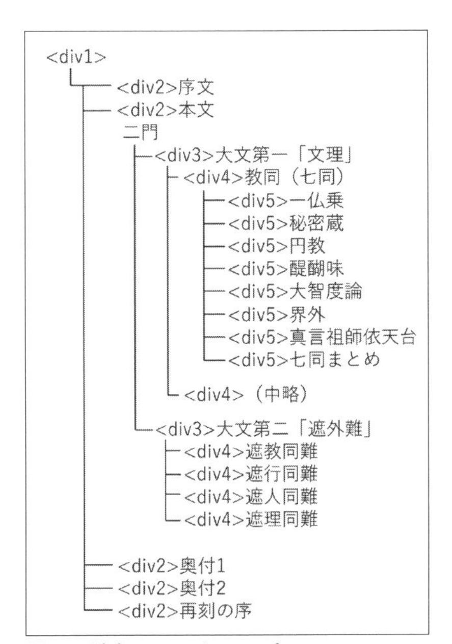

図 3　科文のマークアップ

```
<editorialDecl>
  <segmentation>
    <p>
     <gi>div</gi>タグをつける際には
     <bibl>
      <author>大久保良峻</author>
      <title>増訂 天台教学と本覚思想</title>
      <idno type="ISBN">978-4831877505</idno>
     </bibl>
     所収の「訳注 証真撰『天台真言二宗同異章』」を
     参照して科文分けを行い、それに基づいて
     <gi>div</gi>タグをつけた
    </p>
  </segmentation>
</editorialDecl>
```

図 4　<teiHeader> 内の <editorialDecl>

4.『真言宗教時義』のマークアップ

『真言宗教時義』（別名：『教時問答』）は、大正新脩大蔵経巻75に収録される文献で、最澄の孫弟子にあたる安然の著作である。前述の通り、安然は円仁と円珍の後を受けて台密（天台密教）の理論化を進めた学問僧で、台密教学の大成者と称されている。『真言宗教時義』は安然の主要な著作の一冊に数えられ、台密教学を研究する上では必読の書となっている。ただし、【図5】の通り、同書は冒頭から「問」と「答」が示される形式で、全4巻に示される300を超える問答中には全体の構成内容を伝える記述はない。そのため、初学者には読解が難しく、内容の把握は容易でない。

No. 2396

眞言宗教時義卷第一

五大院作

問。眞言宗立幾教時判攝三世十方一切佛教。答。眞言宗立一佛一時一處一教判攝三世十方一切佛教。問。一佛一時一處一教意何。答。一切佛名一佛。一切時名一時。一切處名一處。一切教名一教。問。何意立此一切佛一切時一切處一切教。答。常恒三世住一切時身口意金剛。一切諸佛菩薩清淨廣博藏如來於一切時於一切處常說一切教。今約此意立此義。問。何名一切佛一切時一切處一切教。答。無始無終本來常住之佛名一切佛。無始無終平等之時名一切時。無中無邊法界之宮名一切處。遍一切乘自心成佛之教名一切教。

図5 『真言宗教時義』冒頭

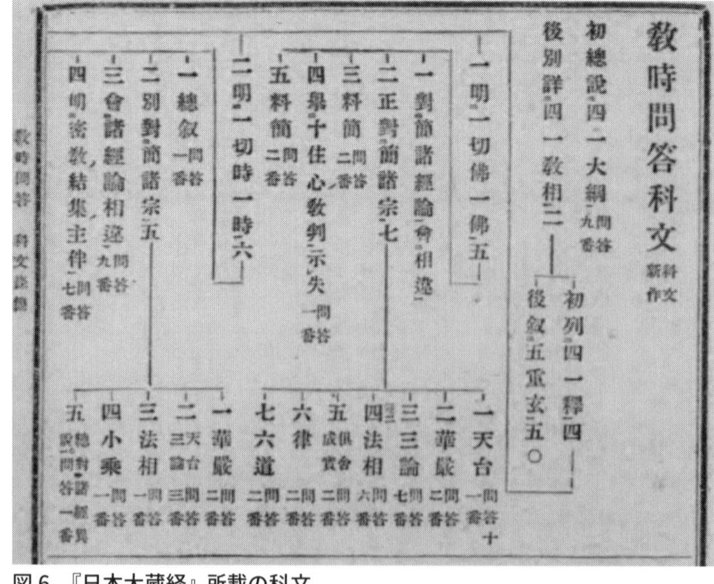
教時問答科文　新作科文

初總說四　一大綱　九問答

後別詳四　一教相二

初列四　一釋四

後叙五重玄五〇

一明一切佛一佛五

一對簡諸經論佛相違

二正對簡諸宗七

一天台　一問答十

二華嚴　二問答

三三論　七問答

四法相　六問答

五成俱實舍　二問答

六律　二問答

七六道　二問答

三料簡　二問答

四擧十住心教判示失　一問答

五料簡　二問答

二明一切時一時六

一總叙　一問答

二別對簡諸宗五

一華嚴　二問答

二天台三論　三問答

三法相　一問答

四小乘　一問答

五[illegible]　一問答

三會諸經論相違　九問答

四明密教結集主伴　七問答

教時問答　科文

図6 『日本大蔵経』所載の科文

同書については、すでにいくつかの研究成果があり、『日本大蔵経』巻48宗典部天台宗密教章疏3（【図6】）や、仏教文献の書き下しを収録した『国訳一切経』の解説部分、『仏書解説大辞典』などに科文が示されている。よって、それらを参照し、番号付き<div>タグを用いて階層化することで、対象の問答が全体のどこに位置し、どういった文脈の中で論じられているのかをデータ上で確認することが可能となる。

しかし、その際、一点の問題が生じる。それは、科文同士で細かな区分が若干ずれているという点である。つまり、難解な文献の場合、科文を作成した研究者間で認識のずれが生じ、それが科文にも反映される可能性があるのである。よって、科文などの研究成果をマークアップする際には、文献と科文の内容を検討しながらマークアップする必要があり、マークアップする側にもある程度の専門知識が求められることになる。

また、大正新脩大蔵経所収の日本撰述文献をマークアップする際には、マークアップの基準をどの程度揃えることができるか、という点も検討する必要がある。日本撰述文献には本章が扱ったような文献だけでなく、儀礼の所作や唱える文句を載せた文献、禅宗などの他宗とは異なる独自の構成をもつ文献などがあり、統一した記述の形式・構成があるわけではない。そのため、日本撰述文献内でどの程度まで統一したマークアップの基準が作れるか検討する必要がある。また、それに併せて、研究成果をどのように、どの程度まで詳細にマークアップしていくのかも検討しなければならない。

5．今後の課題

本章では、日本天台の文献研究に着目し、科文を番号付き `<div>` タグによってマークアップしていく過程を通じて、研究成果をマークアップする意義や今後の課題について検討した。これまでの研究成果をマークアップすることで、文献研究のしやすい環境を構築し、研究成果の蓄積を次世代へつないでいくことは可能といえる。一方、研究成果の検討が必要な場合もあるため、それらをマークアップする側にもある程度の専門知識が求められるという課題もある。また、大正新脩大蔵経には多種多様な日本の仏教文献が収録されているため、研究成果を踏まえてマークアップしていく際には、統一したマークアップの基準をどの程度まで選定するかという点も検討しなければならない。これらの検討には仏教学の各分野の専門知識を持った研究者の参加が必須である。多くの研究者によってマークアップが進められ、研究成果が蓄積されていけば、そのデータから新たな成果を生み出すこともできよう。よって、より多くの仏教学研究者にTEIの有用性を認識してもらうことも今後の重要な課題のひとつといえる。

※本稿は、一般財団法人仏教学術振興会の研究助成による成果の一部である。

第3章

禅籍の構造と TEI マークアップ：T2591 義雲和尚語録を例として

佐久間祐惟

1. はじめに

本章では、禅籍の中でも特に「語録」と呼ばれる形式の文献について、その構造をどのようにTEI マークアップしうるか、日本中世の禅僧の語録である『義雲和尚語録』（T2591）を例として検討する。

語録とは禅僧の言行録であり、一般には当該の禅僧の弟子により編纂される[1]。中国の唐・五代から編まれており、当初は弟子との間で個々に交わされる問答や修行者への説示が収録されていた。これに対し、禅宗の寺院組織・修行体系が制度化した宋代以降は、説法の形式が整えられ、また古則（先行の禅僧の言行）への批評・再解釈が盛んになったために、これらを収める語録の形式も整えられ、内容も多様になる。具体的には、住持（寺の長である僧）の正式な説法である「上堂」のほか、上堂に比べ非公式かつ内容も多岐にわたる説示「小参」、徳を讃える韻文である「賛」（仏祖の徳を讃歎する「仏祖賛」や自身の頂相に寄せる「自賛」等）、参学者に対し仏法の道理を示した「法語」、古則に対しその趣旨を詩に詠む「頌古」や散文で論評する「拈古」など、それぞれ形式の定まった内容ごとに別個に章立てされる場合が多い[2]。日本へ本格的に禅が移入したのは中国の宋代以降にあたるため、日本の禅僧の語録も全体の構成・内容の形式が整っており、今回扱う『義雲和尚語録』も例外ではない。

以下、T 2591『義雲和尚語録』を例として禅の語録のマークアップの作業方針を検討する。『義雲和尚語録』を取り上げるのは、当該文献が、上述したような多様な内容（章）をおおむね収めているのに加え、複数の刊行を経て増広されており、やや複雑な構造を有するからである。したがって本文献のマークアップは、大正新脩大蔵経や SAT 大蔵經テキストデータベースを一見しただけではわからない、文献そのものの構造について、これを容易に把握できるようにするための作業という意義を帯びる。

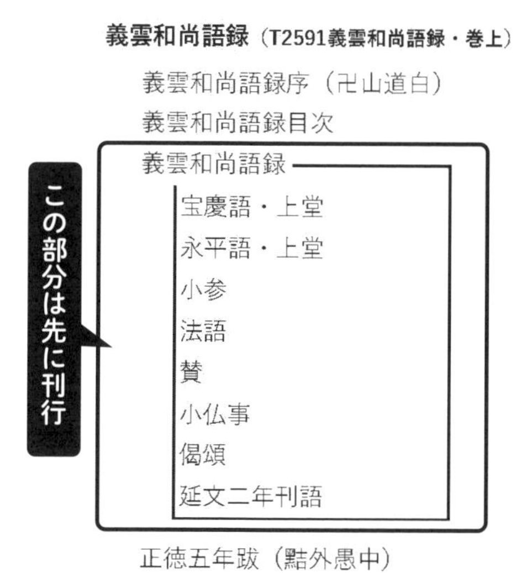

図 1

2．T2591 義雲和尚語録の構造

T2591 義雲和尚語録（大正新脩大蔵経第 82 巻所収）は、宝慶寺二世・永平寺五世の義雲（1253–1333）の語録である[3]。延文二（1357）年、義雲の法嗣（弟子）で永平寺六世の曇希（1288?–1326?）の校勘を経て刊行され（この際は一巻本であった）、宝慶寺および永平寺での上堂の語・小参・法語・小仏事（喪儀で唱えた文）・偈頌などが収められていた。その後、正徳五（1715）年、宝慶寺三十世龍堂即門（?–1721）は、先の延文年間刊行一巻本に加え、宝慶寺内で見出された、永平寺語録・小参・賛・偈・鐘銘（鐘に刻まれた銘文）・正法眼蔵品目頌（後述）などを併せて拾遺一巻とし、卍山道白（1636–1715）による序、黠外愚中（1679–1737）の跋、龍堂自身の拾遺序、義雲の略伝、面山瑞方（1683–1769）の跋を付し、二巻本として刊行した（実際の刊行年は正徳五年か、あるいは翌年以降それほど離れていない年と推定される。以下便宜上、正徳年間刊本と呼称したい）。この正徳年間刊本が大正蔵の底本であり、構造を図示すれば【図 1】のようになる。

3．語録の TEI マークアップ

実際にマークアップするに際し大きな方針としては、上堂・法語・賛といった内容（以下、章と呼ぶ）ごとに <div> タグで区切る。全体の構造を先に提示しておけば【図 2】のようになる。

以下、それぞれの章について具体的なマークアップ方針を検討していく。

①上堂のマークアップ

法堂に上って行われる住持の正式な説法である上堂は、語録の中でも中心的位置を占める。今

義雲和尚語録（＝T2591「義雲和尚語録巻上」）

```
<div2 type="foreword">
  <div3 type="foreword" subtype="義雲和尚語録序(卍山道白)">……</div3>
  <div3 type="foreword" subtype="義雲和尚語録目次">……</div3>
</div2>
<div2 type="body">
  <div3 type="body" subtype="義雲和尚語録(延文本)">
    <div4 type="body" subtype="寶慶語・上堂">……</div4>
    <div4 type="body" subtype="永平語・上堂">……</div4>
    <div4 type="body" subtype="小參">……</div4>
    <div4 type="body" subtype="法語">……</div4>
    <div4 type="body" subtype="贊">……</div4>
    <div4 type="body" subtype="小佛事">……</div4>
    <div4 type="body" subtype="偈頌">……</div4>
  </div3>
  <div3 type="body" subtype="colophon(延文二年刊語)">……</div3>
</div2>
<div2 type="colophon" subtype="正德五年跋(竆谷愚中)">……
</div2>
```

拾遺義雲和尚語録（＝T2591「義雲和尚語録巻下」）

```
<div2 type="foreword">
  <div3 type="foreword" subtype="拾遺義雲和尚語録序(龍堂即門)">……</div3>
  <div3 type="foreword" subtype="拾遺義雲和尚語目次">……</div3>
</div2>
<div2 type="body" subtype="拾遺義雲和尚語録">
  <div3 type="body" subtype="永平語・上堂">……</div3>
  <div3 type="body" subtype="小參">……</div3>
  <div3 type="body" subtype="贊">……</div3>
  <div3 type="body" subtype="偈">……</div3>
  <div3 type="body" subtype="銘">……</div3>
  <div3 type="body" subtype="正法眼藏品目頌">……</div3>
</div2>
<div2 type="body" subtype="義雲和尚略傳">……
</div2>
<div2 type="colophon" subtype="正德五年跋(面山瑞方)">……
</div2>
```

図 2

回は以下の如く上堂ごとに <p> タグで区切り、マークアップする[4]。

```
<p>歳旦上堂。擧。宏智禪師云。<quote source="T2001_.48.0050c16-17">歳朝坐禪。萬事自然。
心心絶待。佛佛現前。清白十分江上雪。謝即滿意釣魚船。</quote>師云。年朝會禪。衲子泰然。
萬物有慶。十方目前。山上同看梅與雪。江邊載月謝郎船</p>
<p>謝新舊兩班上堂。尋常用一面古鏡。胡漢現來曾不妨。賓主舊新無異轍。驀頭相見各承當</p>
<p>……</p>
```

なお上堂においては、先行の語録から語が引かれることが屡々あるが、その場合には <quote> タグを使って記述する。上では同じ大正蔵に出典を求める例として @source 属性を用いたが、無論、大正蔵以外の文献を引用元として記すことも可能である。例えば上記「宏智禪師云」以下の句の引用元を、大正蔵所収『宏智禅師広録』（T2001）ではなく、宋版『宏智録』の影印に求める場合、<back> タグ直下に以下のように <listBibl> タグを加え、@xml:id を付与した参考文献として設定しておく、という方法をとりうる。

```
<listBibl>
  <bibl xml:id="bib1"><title>宏智録（禪籍善本古注集成）上</title><date>1984</
  date><idno type="ISBN">4895512290</idno></bibl>
</listBibl>
```

本文中でマークアップする際には、「<quote source="#bib1_pp.210-211">歳朝坐禪。萬事自然。心心絶待。佛佛現前。清白十分江上雪。謝即滿意釣魚船。</quote>」のように @xml:id を使用し、ページ指定して引用元を記述することができる。

また語録によってはそれぞれの上堂の年月などがわかる場合もあり、その際には <date> タグに @when 属性等を用いて付加情報を細かくマークアップしていくことが可能である。

②法語のマークアップ

法語は冒頭にタイトルが立てられ、さらに個々の法語のタイトルが立てられる。【図 3】

この冒頭章題は <title type="desc"> とし、個々の法語のタイトルは <title type="subdesc"> とする（<div> でさらに分割するなど、他にもマークアップの仕方はあり得るであろう）。これは現時点での大正蔵 TEI 化研究会の方針として、<div> によって区分され、限定される各意味単位について、その当該単位を表示するに最もふさわしい title に対してのみ @type="desc" を用い、それ以下の title 箇所に対して @type="subdesc" を用いると取り決めていることに依る（属性値の使い分けについては渡邉要一郎氏の論文〈第 4 部第 1 章〉参照）。

```
<div4 type="body" subtype=" 法語 ">
<p><title type="desc"> 法語 </title></p>
<p><title type="subdesc"> 示禪人 </title></p>
<p> 受生於佛法流布處。聽法於祖師單傳門。廣
……
凡聖。弄從上祖宗之風焉。勉旃勉旃 </p>
<p><title type="subdesc"> 同 </title></p>
<p> 吾胸中宛如虛碧。……</p>
……
</div4>
```

尊韻而重宣此義。祖宗機要正分明。繩墨爲
規只麼行。雲倚青山子歸父。豁開鐵眼與
銅睛
解夏小參。 大功轉處解縛去黏。三期滿時
擔起拄杖。不從人傳。敎誰慕千聖。非是
自得。何更重己靈。一葉翻空林岳體露。大
洋涵月珊瑚映光。正恁麼時九十日飯錢還
了也未。若未還了。奪儞拄杖子。若又還了。
與儞本分草料。恁麼相應得。時不虛度。觸
處自由。還體悉麼。滿頭白髮離岩谷。羊夜穿
雲入市鄽。復擧。歸宗因僧辭。宗云。向什麼
處去。僧曰 諸方學五味禪去。宗云。吾者裡
只有一味禪。僧曰。如何是和尚一味禪。宗便
打。師曰 這箇一橛子如何透得去。 打凡打
聖家風顯示。一片打成禪本無味

法語

示禪人

受生於佛法流布處。聽法於祖師單傳門。廣
大劫際最稀也。此生不可空過。 是法豈不
開明耶。就中坐禪一行三昧中王三昧也。祖
師西來不務餘事面壁打坐而已。 儞直須
亡回光返照底之智翻迷頭認影底之愚
始得。不見道三級浪高魚化龍。 癡人猶戽
夜塘水。於此薦取。不愛世人愛處。不望諸
聖證階。不混塵中擧威音世外之步。超越
凡聖。弄從上祖宗之風焉。勉旃勉旃

同

吾胸中宛如虛碧。更無語句可與人。逢飯

二五九一　義雲和尚語錄卷上

図 3

その他、「仏祖贊」（T82.467b16-c19）・「小仏事」（T82.467c21-468b4）・「偈頌」（T82.468b6-28）なども同様に記述される。

③頌古のマークアップ

禅の語録には、古則（祖師が示した言行）に対して偈頌（韻文）でその趣旨を詠む、「頌古」と呼ばれる形式の文章が収められる。

【図 4】では、例えば、「第一現成公案」とあるのが道元（どうげん）（1200–1253）の著書『正法眼蔵』の巻題であり、「是什麼」とあるのがその「現成公案」巻に対する簡潔なコメント（「著語」と呼ばれる）、「面前一著莫蹉過。空劫春容此早梅。一字入公門内了。九牛盡力挽無廻」とあるのが頌（韻文）である。

これらについては階層を深めてそれぞれをマークアップする。

```
<div3 type="body" subtype=" 正法眼藏品目頌 ">
  <div4 type="body" subtype=" 序 "><p><title type="desc"> 永平正法眼藏品目頌并序
  </title></p>
  <p> 正法眼藏密傳密付。古之與今嫡佛嫡祖。……嘉暦四年中夏。曾孫義雲和南拜書 </p></
  div4>
  <div4 type="body" subtype=" 第一現成公案 ">
    <div5 type="body" subtype="nominal"><p><title type="desc"> 第一現成公案 </
    title></p></div5>
    <div5 type="body" subtype=" 著語 "><p> 是什麼 </p></div5>
    <div5 type="body" subtype=" 頌 "><p><lg><l> 面前一著莫蹉過。</l><l> 空劫春容此
    早梅。</l><l> 一字入公門内了。</l><l> 九牛盡力挽無迴 </l></lg></p></div5>
  </div4>
```

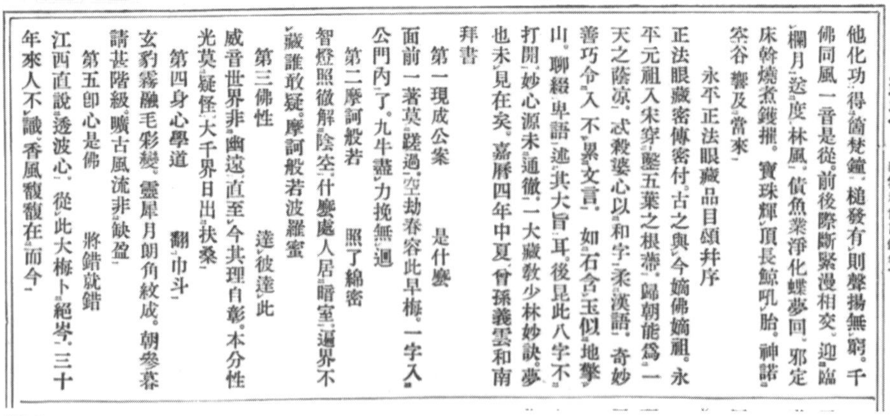

二五九一　義雲和尚語錄卷下

他化功得齒梵鐘槌發有則聲揚無窮。千
佛同風一音是從。前後際斷緊漫相交。迎臨
欄月迄度林風。債魚業淨化蝶夢回。邪定
床斡燒煮鑊摧。寶珠輝頂長鯨吼胎。神諾
㚆谷響及當來

永平正法眼藏品目頌并序

正法眼藏密傳密付。古之與今嫡佛嫡祖。永
平元祖入宋穿鑒五葉之根蔕。歸朝能爲一
天之蔭涼。弍穀婆心以和字柔漢語。奇妙
善巧令入不累文言。如石含玉似地擎
山。聊綴卑語述其大旨耳。後昆此八字不
打開妙心源未通徹。一大藏教少林妙訣。夢
也未見在矣。嘉曆四年中夏。曾孫義雲和南
拜書

第一現成公案　是什麼

面前一著莫蹉過。空劫春容此早梅。一字入
公門內了。九牛盡力挽無迴

第二摩訶般若　照了綿密

智燈照徹解陰空。什麼處人居暗室。遍界不
藏誰敢疑。摩訶般若波羅蜜

第三佛性　達彼達此

威音世界非幽遠。直至今共理自彰。本分性
光莫疑怪。大千界日出扶桑

第四身心學道　翻巾斗

玄豹霧融毛彩變。靈犀月朗角紋成。朝參暮
請甚階級。曠古風流非缺盈

第五卽心是佛　將錯就錯

江西直說透波心。從此大梅卜絕岑。三十
年來人不識。香風馥馥在而今

図 4

```
<div4 type="body" subtype="第二摩訶般若">
  <div5 type="body" subtype="nominal"><p><title type="desc">第二摩訶般若</
  title></p></div5>
  ……
</div4>
</div3>
```

「第一現成公案」「第二摩訶般若」など、『正法眼蔵』の品目（巻）ごとに <div> で分割した上で、さらに階層を深めて、それぞれのタイトル・著語・頌について <div> でマークアップし、それぞれの @subtype に「著語」・「頌」と記述していく。なおここで用いられる @subtype="nominal" は、大正蔵 TEI 化研究会において、意味上は必ずしも階層を落とす必要はないが、マークアップ時に便宜的に階層を落とす必要がある際に用いている（第 4 部第 1 章参照）。また韻文である頌については、<l> および <lg> でマークアップすることができる。

④刊語・奥書・跋文のマークアップ

すでに見たように『義雲和尚語録』は刊行が重ねられており、したがって途中に挿入される刊語・跋文も複層的な構造をなす。この colophon（刊語・奥書・跋文）[5] の階層の違いについては、意識を払いつつマークアップしなければならない。

【図 5】は、問題となる『義雲和尚語録』巻上の巻末であり、「義雲和尚語録終」の後「時　延文丁酉……」から「住持永平兼寶慶法嗣比丘曇希校勘」までは延文年間の刊語、その後「跋」から「城州窮谷小衲愚中拜撰」までは正徳年間の跋文である。

そこで、後から刊行された正徳年間刊本の跋文については <div> の属性を @type="colophon" としてマークアップし、先の延文年間の刊語については、時間的に大きな隔たりのある正徳年間刊本の時点から見たときに本文の一部と見做しうるので、<div> の属性を @type="body" @subtype="colophon" としてマークアップする。

送僧
同氣相通玄牝門毫端不隔一乾坤任他萬
里回途歩足下無雲月吐痕
師正慶二年癸酉十月十二日辭世頌曰
毀教謗禪八十一年天崩地裂沒火裏泉
義雲和尚語錄終

四六

時
延文丁酉受菩薩戒弟子寶慶大檀那野州
太守藤原朝臣知多發願開版矣所集鴻
福上報四恩下資三有者
助縁奉行比丘瑞雄維那
刊字奉行比丘等理藏主
洛陽永興比丘宏心書字
住持永平兼寶慶法嗣比丘曇希校勘
跋
雲禪師露靈乎千古未發之道於句後聲前
而頓傳盡大地蘇息一番焉宜哉當時盛乎
永平中興之道譽矣今日此錄再行于世國
之運也人之幸也雖然若欲向卷中相見
猶隔山之在呵呵
正德第五龍次乙未穐九月旦
城州窮谷小衲愚中拜撰

義雲和尚語錄卷下
拾遺義雲和尚語錄序
自非宗眼懸日月而縱妙辨傾江河而瀉
者安能晃燭乎長夜而津潤乎枯焦哉惟
夫雲祖紀幼掀翻教海長挑起宗燈智光烜
赫慧澤森茫暨其當祖庭衰晚之日奮然出
董永平者實傳積聞頓朗乾叢忽蘇可謂
回復祖道策勳於百代焉芝靈石贊師影
謂闡洞上宗風得寶慶密意振逸格機弘

図 5

```
<div2 type="body">
……
    <div3 type="body" subtype="colophon（延文二年刊語）">
    <p>時
    <date when="1357">延文丁酉</date>受菩薩戒弟子寶慶大檀那野州
    ……
    住持永平兼寶慶法嗣比丘曇希校勘</p>
    </div3>
</div2>
<div2 type="colophon" subtype="正徳五年跋（黠外愚中）">
<p><title type="desc">跋</title></p><p>
雲禪師。霹靂乎千古未發之道於句後聲前。
……
猶隔山之在。呵呵</p>
<p><date when="1715-09-28">正德第五龍次乙未穐九月旦</date></p>
<p>城州窮谷小衲愚中拜撰</p>
</div2>
```

このように記述することで、義雲和尚語録巻上の <div3> の階層では先に刊行された延文本の本文と刊語が区別して明示され、さらにこれら全体を広義本文（body）として包摂・保存する形で、<div2> の階層が正徳年間刊行本の序文・本文・跋文を分割する形となる（【図2】参照）。これにより、一見しただけで文献の構造を把握できるような記述となる。

4．おわりに

以上、禅の語録をどのようにTEIマークアップしうるか検討した。

語録は形式が整っている場合が多く、それぞれの内容（章）ごとに方針を定めつつ適宜階層を深めながらマークアップすることで、文献の構造を明瞭ならしめることができる。また、刊行が重ねられ刊記や跋文が複層的な構造をなす場合がしばしばあるが、今回は <div> の @type を区別することで階層の相違を明示した。

これらの方針は必ずしも語録のみに適用されるものではなく、他の多くの形式の文献に応用することが可能である。ただしそれぞれの文献をマークアップするにあたり、その特徴を理解できる専門的知識が必要になることには留意しなければならないであろう。

注

1 禅の語録の成立・展開については、柳田聖山「禅宗語録の形成」(『印度学仏教学研究』第18巻第1号、pp. 39–47、1969)・石井修道『大乗仏典〈中国・日本篇〉第12巻 禅語録』(中央公論社、1992)・小川隆『禅の語録 20「禅の語録」導読』(筑摩書房、2016)など参照。

2 ここに挙げた「上堂」や「小参」等の具体的内容・形式については、時代により、あるいは禅僧により、変わってくる場合も屡々ある。本章では、それぞれの歴史的変遷や個々の事例については立ち入らず、大まかかつ簡潔な記述にとどめる。

3 『義雲和尚語録』については、龍堂即門による序文(T82.468c22-469a9)のほか、篠原壽雄『日本の禅語録4 義雲』(講談社、1978)・伊藤秀真「龍堂即門と面山瑞方」(『愛知学院大学禅研究所 禅研究所紀要』第49号、pp. 111–126、2020)参照。

4 以下、実際のマークアップ例において、議論の内容と直接関係しないタグについては適宜省略している(たとえば大正蔵における行の始まりを明記する空タグ `<lb/>` など)。

5 大正蔵TEI化研究会において、@type="colophon"、@subtype="colophon"で示される要素は、本文ではない要素のうち、本文要素の後部にあるもの(すなわち序文を除く)を指す。したがって本章でも、刊記(刊語)・跋文等について厳密に区別せず、ひとまとめに「colophon」として扱っている。

※本研究はJSPS科研費JP20J20541、ならびに大蔵経研究推進会議の助成を受けたものです。

第4章

大正新修大蔵経テキストのTEI構造化における「私的パラグラフ」の設定

井野雅文

1. はじめに

大正新修大蔵経に収録されているテキストには一つの章（品）の中で、さらにパラグラフ（段落）を示す改行が行われている事がある。たとえば【図1】において中程にあたる14行目は「三藐三菩提記」の次に空白を残したまま改行されている。これが大正新修大蔵経におけるパラグラフの末尾である。

われわれ大正蔵TEI化作業チームは大正蔵の指示する通りの段落範囲（パラグラフ）を <p> … </p> で囲むという方針に従ってマークアップ作業を行っている。

しかし、そこで問題となる点がある。大正新修大蔵経所収のテキストには同一のサンスクリット原典の翻訳、もしくは同一の文献から発展したと見られるサンスクリット原典を漢訳した文献、いわゆる異訳が存在する場合がある。たとえば、『稲芉經（とうかんきょう）』（*Śālistambasūtra*）には下記の5種類の漢訳の存在が指摘されており、いずれも大正新修大蔵経に収録されている[1]。

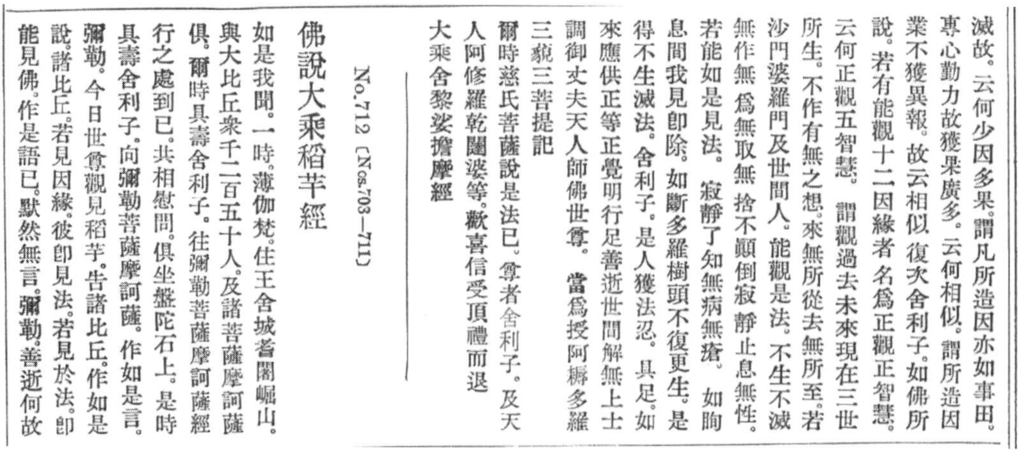

滅故。云何少因多果。謂凡所造因亦如事田。
專心勤力故獲果廣多。云何相似。謂所造因
業不獲異報。故云相似復次舍利子。如佛所
說。若有能觀十二因緣者名爲正觀正智慧。
云何正觀五智慧。 謂觀過去未來現在三世
所生。不作有無之想。來無所從去無所至。若
沙門婆羅門及世間人。能觀是法。不生不滅
無作無爲無取無捨不顚倒寂靜止息無性。
若能如是見法。 寂靜了知無病無瘡。 如胸
息間我見卽除。如斷多羅樹頭不復更生。是
得不生滅法。舍利子。是人獲法忍。具足。如
來應供正等正覺明行足善逝世間解無上士
調御丈夫天人師佛世尊。 當爲授阿耨多羅
三藐三菩提記
爾時慈氏菩薩說是法已。尊者舍利子。及天
人阿修羅乾闥婆等。歡喜信受頂禮而退
大乘舍黎娑擔摩經

No.712〔Nos.703—711〕
佛說大乘稻芉經
如是我聞。一時。薄伽梵。住王舍城耆闍崛山。
與大比丘衆千二百五十人。及諸菩薩摩訶薩
俱。爾時具壽舍利子。往彌勒菩薩摩訶薩經
行之處到已。共相慰問。俱坐盤陀石上。是時
具壽舍利子。向彌勒菩薩摩訶薩。作如是言。
彌勒。今日世尊觀見稻芉。告諸比丘。作如是
說。諸比丘。若見因緣。彼卽見法。若見於法。卽
能見佛。作是語已。默然無言。彌勒。善逝何故

図1

『稻竿經』の5種の漢訳

①了本生死經（T0708, 支謙譯）

②佛説稻竿經（T0709）

③慈氏菩薩所説大乘緣生稻𦼮喩經（T0710, 不空譯）

④大乘舍黎娑擔摩經（T0711, 施護譯）

⑤佛説大乘稻竿經（T0712）

このうち、最も古く訳出された①は経典として形式が未整備であり、現存蔵訳との相違が大きい。しかし、②～⑤については内容の構成がほぼ一致しており、段落ごとの対応が確認できる。

このほか、⑤佛説大乘稻竿經（T0712）の註解書として、『大乘稻竿經隨聽疏』（2782、法成集）[2] が大正蔵に収録されている。

2．問題の所在

これらの原典は、①を除き、多少の時代的な変遷はあるとしても、ほぼ同じ構成のものであり、相互に対応する段落が確認できる。

ところが、大正蔵の段落分けはその点が考慮されていない。TEI によるテキスト構造化では、大正新修大蔵経の版面通りにパラグラフを分けることを原則とするため、そのままではこれらのパラグラフが文献間で対応しない状態になる。

例として、上記の②と⑤の一節を比較したのが次の【図 2】である。

それぞれ赤い線で囲まれた部分は内容的に対応しているが、左の②『佛説稻竿經』ではパラグラフとして区分されているのに対し、右の⑤『佛説大乘稻竿經』ではパラグラフとして認識されていない。

文献の研究にあたって比較検討をするためには、内容に沿った段落区分があると便利である。内容を考慮して段落をそろえれば、漢訳同士、あるいはチベット語訳などとの比較を行う際に見

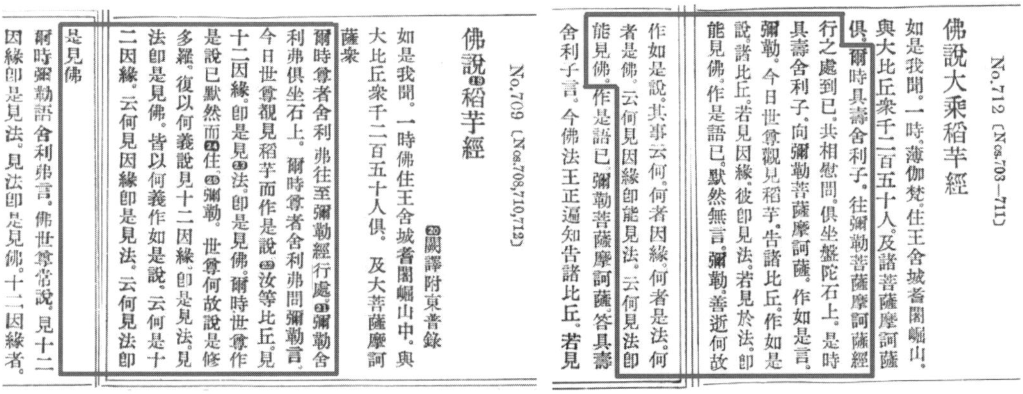

No.709 〔Nos.708,710,712〕

佛說⑲稻芉經

⑳闕譯附東晋錄

如是我聞。一時佛住王舍城耆闍崛山中。與大比丘衆千二百五十人俱。及大菩薩摩訶薩衆

爾時尊者舍利弗往至彌勒經行處㉑彌勒舍利弗俱坐石上。爾時尊者舍利弗問彌勒言。今日世尊覩見稻芉而作是說㉒汝等比丘。見十二因緣。卽是見㉓法。卽是見佛。爾時世尊作是說已默然而㉔住。㉕彌勒。世尊何故說是修多羅。復以何義說見十二因緣。卽是見法。見法卽是見佛。皆以何義作如是說。云何是十二因緣。云何見因緣卽是見法。云何見法卽是見佛

爾時彌勒語舍利弗言。佛世尊常說。見十二因緣卽是見法。見法卽是見佛。十二因緣者。

No.712 〔Nos.708—711〕

佛說大乘稻芉經

如是我聞。一時。薄伽梵。住王舍城耆闍崛山。與大比丘衆千二百五十人。及諸菩薩摩訶薩俱。爾時具壽舍利子。往彌勒菩薩摩訶薩經行之處到已。共相慰問。俱坐盤陀石上。是時具壽舍利子。向彌勒菩薩摩訶薩。作如是言。彌勒。今日世尊觀見稻芉。告諸比丘。作如是說。諸比丘。若見因緣。彼卽見法。若見於法。卽能見佛。作是語已。默然無言。彌勒。善逝何故作如是說。其事云何。何者因緣。何者是法。何者是佛。云何見因緣卽能見法。云何見法卽能見佛。作是語已。彌勒菩薩摩訶薩。答具壽舍利子言。今佛法王正遍知告諸比丘。若見

図 2

通しがよくなることが期待される。

3．対策

このような不都合は大正新修大蔵経のパラグラフとは異なる「私的パラグラフ」の情報を入力することにより解消できる。

TEIでは通常のパラグラフは<p>と</p>で挟むことにより表記されるが、これに対して大正新修大蔵経に本来存在しない段落を示す私的パラグラフは、そのパラグラフの開始の部分<p>に属性@resp="#{作業担当者xml:id}"を参照することで表記される。

また、作業者のxml:idは<teiHeader>内の<respStmt>タグに以下のように記載されている。

```
<respStmt>
  <resp>TEI Encoding</resp>
  <persName xml:id="ino">Masafumi Ino</persName>
</respStmt>
```

次に示す【図3】では、【図2】の赤線で囲まれた部分の段落の開始部分に<p resp="#ino">と入力されている。これが私的パラグラフの開始を意味する。

次に問題になるのは、その私的パラグラフの設定について、恣意性を低減するために基準にできるものはないかという点である。

これについて解決策はいくつかあり得ようが、筆者が担当した『稲竿經』については、古典的な註解書を参照することとした。

```
 <p resp="#ino">爾時具壽舍利子。往彌勒菩薩摩訶薩經
<lb n="T0712_,16,0823b25"/>行之處到已。共相慰問。俱坐盤陀石上。是時
<lb n="T0712_,16,0823b26"/>具壽舍利子。向彌勒菩薩摩訶薩。作如是言。
<lb n="T0712_,16,0823b27"/>彌勒。今日世尊觀見稻芉。告諸比丘。作如是
<lb n="T0712_,16,0823b28"/>説。諸比丘。若見因緣。彼即見法。若見於法。即
<lb n="T0712_,16,0823b29"/>能見佛。作是語已。默然無言。</p>
 <p resp="#ino">彌勒。善逝何故
<lb n="T0712_,16,0823c01"/>作如是説。其事云何。何者因緣。何者是法。何
<lb n="T0712_,16,0823c02"/>者是佛。云何見因緣即能見法。云何見法即
<lb n="T0712_,16,0823c03"/>能見佛。</p>
```
図3

具体的には大正新修大蔵経の古逸部・疑似部として 第85巻に収録されている文献の中に、『大乗稲芉經隨聽疏』(T2782、法成集)[3] という標題をもつ同経典の註解書が存在する。これは敦煌からの出土文献であり、管見が及ぶ限り唯一の経典全体の逐語的な註解書である。それを基準に私的なパラグラフを設定することとした。

この注釈書は、たとえば次のように経典に対応している(SAT テキストデータベースからの引用であるが注釈番号は省略した)。

これは上記の【図 2】に対応する部分の註解であり、「発起序」という段落名が付されている。太字部分が経典からの引用である。

T2782_.85.0547a29: 次明總攝門中第二發起序。文分爲五。一往。
T2782_.85.0547b01: 二恭敬。三就坐。四陳疑。五嶽問
T2782_.85.0547b02: **經。爾時具壽舍利子往彌勒菩薩摩訶薩經**
T2782_.85.0547b03: **行之處**　此初往也。言爾時者。佛在王舍聞
(中略)
T2782_.85.0547b12: 地也
T2782_.85.0547b13: **經。到已共相慰問**　此二互相恭敬也。爲談
T2782_.85.0547b14: 妙法無有嗔。客言善來。善來等名爲慰問。二
T2782_.85.0547b15: 倶尊故。但以慰問互不禮也。若致禮者。不成
T2782_.85.0547b16: 恭敬。有過失故
T2782_.85.0547b17: **經。倶坐盤陀石上**　此三就座言。倶座者。彌
T2782_.85.0547b18: 勒與身子。同於一座論妙法故不求餘座就
(中略)
T2782_.85.0547b21: 彌勒菩薩補處故能答
T2782_.85.0547b22: **經。是時具壽舍利子向彌勒菩薩摩訶薩作**
T2782_.85.0547b23: **如是言彌勒今日世尊觀見稻芉告諸比丘作**
T2782_.85.0547b24: **如是説諸比丘　若見因縁彼即見法若見於**
T2782_.85.0547b25: **法即能見佛 作是語已默然無言彌勒善逝何**
(省略)

このように大正蔵テキストの TEI 化に際し、私的パラグラフを追加することにより、異訳テキスト同士の比較や、テキストとその注釈書の比較対照が容易になることが期待される。

4．今後の課題

今回、作業の対象とした『稻芉經』には明確な段落分けを示す古典的な註解書が存在したので、

それを基準として私的パラグラフを設定することができた。しかし、異訳が存在する全ての文献について、古典的な注釈書や研究書など、私的パラグラフ設定のための適当な基準が存在するとは限らない。

また、古典的な註解書といえども、その著作者固有の思想が反映されているものであるため、厳密な意味で客観的な基準にはなり得ないという問題もある。

たとえば、今回のように古典的な註解が存在する場合であっても、注釈者が示す各段落の長さが極端に不均一な場合がある。

具体的に言えば、『大乗稲竿經隨聽疏』[4]には次に示すとおり、七つの段落の区分が提示される。[5]このうちでは経典の主要部分である第 6 段落が極端に長く [6]、テキストの比較研究のためにはさらなる細分を行わなければ不便はあまり解消されない。【図 4】

『大乗稲竿經隨聽疏』における稲竿經の段落区分：

1. 序分　（全体の導入として、ある時、世尊が霊鷲山で説法したと述べる）
2. 発起序　（縁起、法、仏に関する世尊の言葉を巡り、舎利子が弥勒と問答を始める）
3. 所知事　（弥勒が十二支縁起を説く）
4. 所知性　（弥勒が法とは八正道であると説く）
5. 所知果　（弥勒が仏とは一切智者であると説く）
6. 云何所知　（経の主題である因縁について詳細に説かれる　ここが主要部であり最も長い）
7. 經之所要　（十二支縁起の重要性を再説して経典を締めくくる）

5．結論

私的パラグラフを TEI 化テキストに組み込むことにより、内容が対応するテキスト間の比較は容易になる。このような私的パラグラフの設定によって、従来の活字版大正蔵所収の比較可能な文献間における段落区分の不整合が改善されるであろう。

ただし、私的パラグラフの設定には、テキストの内容の理解が必須であり、古典的な註解書を参照して設定する事が研究上便利な場合もある。

しかし、現状では私的パラグラフの設定に関して、一般に公正妥当と認められる基準が存在しないため、作業者の裁量によって恣意的な区分が為される可能性もある。今後はその点について何らかの対応が必要となってくるかもしれない。

注

1　『「稲竿経」漢訳諸本の構成とその思想』﨑山忠道（2018）、「印度學佛教學研究」67-1 pp.405–402。

2　『カマラシーラ造「稲竿經釋」法成譯の推定』芳村修基（1956）、「印度學佛教學研究」7-1 pp.128–129。

3　この文献には著者名が明記されいないが、初めから 1/4 以降に相当する部分の内容はチベット大蔵経所

参考画像:
Pelliot 2284 より

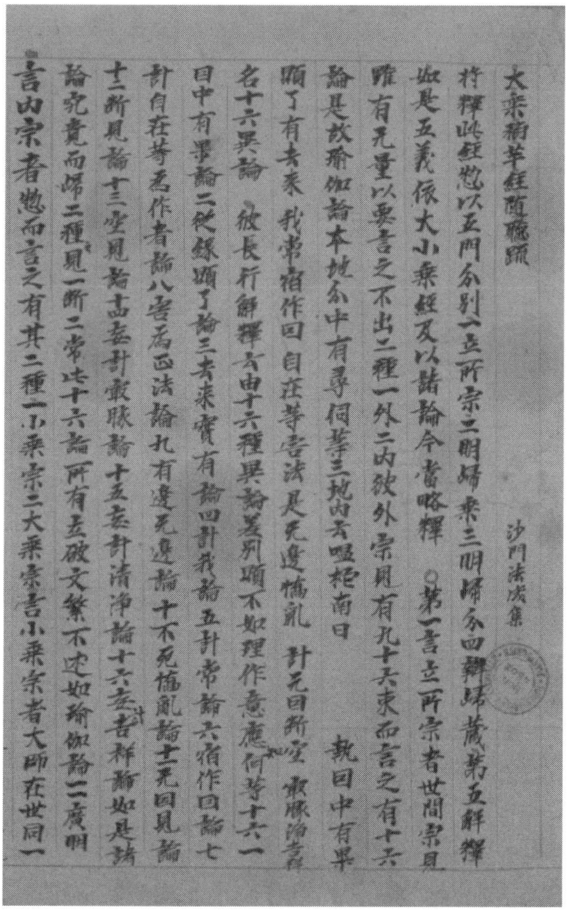

図 5

収カマラシーラ著『稲竿經広註』(འཕགས་པ་ས་ལུ་ལྗང་པ་རྒྱ་ཆེར་འགྲེལ་པ, デルゲ版 4001, mdo grel, ji, 145b5–163b4）に対応することが知られている。そこに引用される経典は上記の⑤である。

4 大正新修大蔵経　古逸部・疑似部 Vol. 85 pp. 543–556『大乘稻竿經隨聽疏』(No. 2782 法成集)。

5 Pelliot 2284　画像出典：Bibliothèque Nationale de France, https://gallica.bnf.fr/view3if/ga/ark:/12148/btv1b83018746/f3.

6 経文全体を 7 段落に分けて註解しているが、第 6 段落が非常に長い。第 4 段落の註釈対象がわずか 32 字であるのに対し、第 6 段落の註釈対象はおよそ 100 倍の約 3,200 字にも及ぶ。

※本論考は仏教学術振興会の助成を受けたものです。

第5章

『續一切経音義』を通じた外字と割注の課題

王一凡

1. はじめに

『大正新脩大藏經』（大正蔵）は、漢文仏典を網羅的に集成した大蔵経の一種であり、大正13（1924）年から昭和9（1934）年にかけて日本で編纂されたものである。底本として高麗版大蔵経などの善本とされる典拠を採用したことに加え、伝統的な大蔵経の形式を離れ、近代仏教学の知見を取り入れた学術的な校訂を施しており、仏教研究における標準テキストとして広く利用されている。大正蔵自体は本文にあたる85巻と図像部など15巻を合わせた全100巻にのぼる大部であり、3,000種近くの多様な経典が収録されている。

文献研究においてテキストデータを構造的に記述することは、当該研究に際して用いられた解釈や知見を共有してその後の研究発展の礎とする上で有用であり、それは機械可読性が高ければ高いほど効果的なものとなる。TEI（Text Encoding Initiative）ガイドラインは、まさにそれを実現するための枠組みの一つであり、近年は東アジア・日本資料への適用も徐々に広がりつつある。SAT大藏經テキストデータベース研究会では、大正蔵の電子化テキストを独自形式で入力し、ウェブ上でデータベースとして公開しているが、標準化推進の一環として、またオープンな人文学テキスト利用の普及を図るため、既存テキストのTEI化を試みている。

筆者は大正蔵54巻所収の『續一切經音義』のTEI化に取り組んでいるが、複雑な内容を持つ本文献をTEI形式に適合させる過程で、規格自身の限界に直面することがたびたびある。ここでは、それをTEI規格の拡張によって克服しようとする取り組みを述べたい。

2.『續一切經音義』の性質

そもそも『續一切經音義』という文献は遼代（916年～1125年）の燕京（現・北京）の僧であった希麟が著したもので、当時存在していた漢文仏典中にみられる術語、難語などを経典内での出現順に集成した「（仏教）音義書」と呼ばれる種類の辞典である。中国語の辞典として同時代に並んで一般的であった「字書」「韻書」の形式とは異なり、見出し語には通常、単字ではなく、二字語や句が立てられている。語を構成する字それぞれの発音・意味・字形に対する説明は、その解説の中で適宜施されている［1］（個別の字の説明が特に施されていない場合もある）。

『續一切經音義』の配列順は、収録する経典の巻分けと、その本文に語句が出現した順に忠実に従っていると考えられる。そのため、以前の巻もしくは経ですでに解説された語が再度現れても、またその場で解説が行われる（「已釋」などの標示がなされていることもあるが、それにかかわらず再度解説されることが多い）。ここから、想定している用途は経典を読む際に、同書を脇に置きながら逐次参照する形であり、一種の参考書であったと考えられる。

『續一切經音義』は全10巻の構成であり、その全内容に照らしておおむね量的に等しく分割されている。一つの経典が複数巻にまたがることもあれば、一巻に数十の経典が収まっていることもあるが、巻の区切りは収録する経典の形式的区切り（巻など）と一致するよう設けられており、経巻の途中で分巻することはない。『續一切經音義』の巻は元来巻子本時代の物理的な切れ目であったと思われるが、後世の刊本に収録される際に必ずしもそれが物理的に踏襲されたわけではなく、底本である大正蔵（活版印刷）では10巻を連続して配置しているため、同書のページ区切りとも一致しない。

『續一切經音義』の本文系統は比較的単純である。現存が確認されている完本は、木版本では高麗大蔵経（高麗蔵）再雕本（13世紀）と獅谷白蓮社本（18世紀）、近代以降の活字本または影印として大日本校訂縮刷大蔵経（縮刷蔵）本、頻伽精舎本、大正蔵本、中華大蔵経本があるが、すべて高麗蔵を祖とする系統に連なる。特に形態上は、高麗蔵を含めすべて版本（整版ないし活版）であることが特徴的だが、版式は諸本で特に一貫しているわけではない。高麗蔵の版木は現在まで残っているが、長年の使用による摩耗により後世の刷りには補刻の跡があるとされる［2］。諸本に出現する字形も、覆刻が行われた時代・地域の影響でしばしば改変されていることがある［3］。大正蔵はおおむね近代までに分岐した各本を比較対校したものとされているが、それも完全ではない［4］。

遼は『契丹大蔵経』を開板するなど仏教を信仰していたが、宋への書物の輸出を制限していた（書禁）。『續一切經音義』は後続の中国王朝には伝わらず、高麗にのみ伝存した。日本でその価値を再発掘したのは獅谷白蓮社本を編纂した忍澂であり、中国で再度知られるようになったのは近代の清末である。そのため後世の歴代中国王朝で刊行された大蔵経に収録された文献と異なり、字種の系統立った正規化がなされていない。それは一方で伝写による訛誤を多く孕むということであるが、同時に後の字体規範の影響を免れているという面もある。同じ遼代には、仏典に出現する異体字を多く収集し、稀字を多数含むことで知られる『龍龕手鏡』という字書が編纂されているが、実際に『續一切經音義』にはこれと相照らす字形など、興味深い用例が数多く現れることから、当時の書記習慣の実態が反映されているものと考えられる。従って、文献中に出現する異体字の情報はできるだけ保存する価値があるものである。

3．外字の問題

『續一切經音義』は総字数にして 5 万字あまりの文献であるが、写本の字形を解説または引用する性質上、本文中に（現代では）極めて稀な字形を多数含んでいる（【図 1】）。その一部は過去の文字符号化規格にみられないもので、したがって電子テキストとして扱う準備が整っていない。

ところで、TEI は XML 標準で記述することになっており、XML はソースをすべて Unicode 符号で記述することを求めている。Unicode は 1990 年代はじめに成立した規格であり、従来地域ごとに存在した文字符号化規格を統合し、拡張したものである。約 30 年の開発により、執筆時時点までに 159 の文字体系から計 144,697 文字を収録しており、現在も少数民族の文字などを活発に取り入れ続けている［5］。Unicode は全世界で使用される文字を網羅することを理念としており、実際に現在では、主要な言語で日常的に使用する分には不足することがほぼなくなったといえる。

しかし、専門的用途に使用する場合には、依然として未収録字、いわゆる「外字」の問題を無視することができない。ここでいう外字とは、規格上まだ表現することができない文字のことである。現実にはここでいう外字を含まないデータであっても、人間が扱うためには入力（ユーザーの操作によって字を呼び出すことができること）や表示（対応するフォントが実装され正しい字形が見えること）、検索（文字列の中から字の異同を区別して正しく照合することができること）の困難なども絡む場合があるため、無条件に「使える文字」であるとは言い切れない。しかし符号化されていなければそのような処理を行う前提すら満たされず、逆に符号化が可能なデータであれば、少なくとも正しく保存でき、そして適切な処理を行う可能性を担保できるため、外字であるかどうかは質的な違いをもたらす。

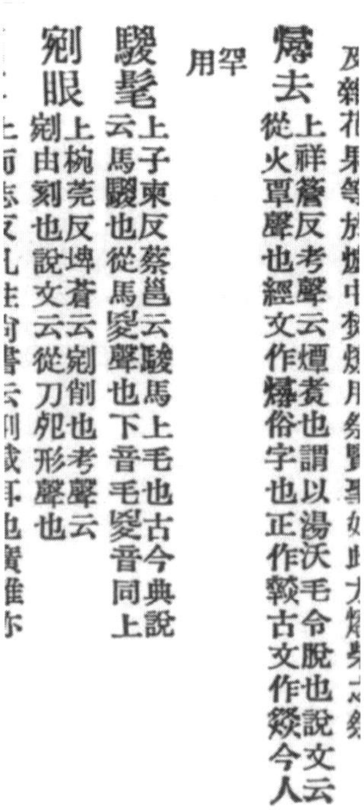

図 1　難字を含む箇所の例

図 2

図 3

漢字の外字について言えば、Unicode の拡張に伴い、純粋な外字に出会うことはほぼなくなり、漢字字典に収載されているような字であればまず符号化可能と言ってもよい。近年では Unicode に𰻞（ビャン）（【図 2】）や𱁬（たいと）（【図 3】）などの難解な字が収録されたことが注目を集めているが、現在外字として登録を待っているものは必ずしもこのような奇字や珍字というわけではない。むしろ大多数はかつて一部の時代で使われていたか、古文献に記録されている歴史的な文字や廃字、また局所的に実在する方言字、地名字、人名字、動植物・生薬などの博物学的な専門用字などである。これらは、近代活版印刷の資料を底本とする『太陽コーパス』[6] や『明六雑誌コーパス』[7] 構築時にも遭遇したと報告されており、ましてや東アジアの前近代の文献をデジタル化するにあたっては避けて通れない類の問題である。

TEI の現有の枠組みでも外字（ここでは、XML 標準の準拠する Unicode 規格に対する外字を指す）を記述するための基本的なモジュールが定義されており、TEI 文書内で外字を注釈することが可能である。次の例 [8] は、TEI ガイドラインに掲載されている、中世のラテン語略記文字を記述する方法である。

```
<TEI>
  <teiHeader>
    <encodingDesc>
      <charDecl>
        <glyph xml:id="per">
          <localProp name="Name" value="LATIN ABBREVIATION PER"/>
          <figure>
            <graphic url="per.png"/>
          </figure>
        </glyph>
      </charDecl>
    </encodingDesc>
  </teiHeader>
  <text>
    <body>
      <p> ... <abbr><g ref="#per">per </g></abbr> ardua ...</p>
    </body>
  </text>
</TEI>
```

しかし、東アジア（特に前近代）文献における外字の立ち位置は、このような少数の理論的に閉じた文字集合を前提とする書記体系と比べ次のような差異がある。

（1） 既存の符号化文字に還元できない外字が無視できない頻度で出現する

（2） 外字の出現は偶発的ではなく構造的であり、Unicode 標準の実務的制約によって表現す

ることができない「待機文字」の比率が多い

(3) 外字をすでに収録している非 Unicode 系の外部文字集合が存在することがある

(1) に関して、ラテン文字圏でも前近代の写本では複雑な合字などが多用され、その中には Unicode に未収録の文字も多数存在する [9]。しかしこれらは表記法の情報を除けば基本的に現代の字母の組み合わせに還元できるもの、すなわち異綴りのような存在であり、外字はたとえ既存の文字に置換してしまっても、あるいは注記情報自体が（前記の例のように）簡易なものであっても、意味を了解するという点では問題になることが少ない。そしてそのような対応づけが困難なものは、そもそも未判読文字であることが多い。それに対し、東アジア文献においては、特に漢字は部品を組み立てて造字することが可能なため、明確に判読できるにもかかわらず字義が不明であるとか、意味上は既存字と等価とみなせるが異同が甚だしい（古字・俗字など）ために、外字によってしか満足に表現できないケースも多い。

また、(2) を理解する前提として、Unicode に文字を収録するためには、単なる申請と受理ではなく、担当委員会による審査を経なければならないという背景がある。ラテン文字など、比較的記号種の少ない文字体系の場合、既存の文字に同一視しがたい新たな文字が発見されても、その数は限られているため、比較的審査が迅速に済むことが多い。一方で漢字については、長年の標準化の努力を経た今でも数万字にのぼる未収録字が残っていると見込まれているが、1 字 1 字の文字情報の信頼性や既収録字との衝突を検査するため、現時点では約 2～3 年ごとに 5,000 字前後のペースでしか新規収録が行えない（もちろん学術用字のみならず、人名・地名・その他地域・方言専用字などが多く含まれる）。したがって、存在と必要性が明らかに確認されているにもかかわらず、手続き上の理由によって長期間 Unicode への収録が見込めない待機文字が多く存在する。さらに、Unicode の漢字対応は徐々に複雑化しており、収録を望む文字を IVS と呼ばれるしくみによって修飾符号つきの変種（規格上の異体字）として登録することが勧告されることもある。この場合は、基底文字となる符号位置が並行して審査中である場合、完全な収録までに 2 段階のプロセスを経る必要がある。なお、審査は各地域の代表の合議によって行われるため、必ずしも提案者や個別の当事者にとって一貫した時期・一貫した方式で登録されるとは限らない。

このように、TEI 文書のエンコーディング作業者にとっては、できるだけ統一的に記述すべきにもかかわらず、時期と規格の制約によって、個々の字を異なる手段で記述しなければならず、さらに、標準化作業の進展に伴って収録字が徐々に増加していくと、過去に作成した文書、あるいは異なる時期に作成した文書どうしで記述方式が異なることで、文字の同定や比較が難しくなる恐れがある。これを避けて東アジア文献の TEI 文書の永続性を保つためには、外字に対するアイデンティティの追跡を可能にする手段を講じなければならない。

(3) について、漢字圏における電子テキストで表現可能な字種の不足は長年の課題であり、特に Unicode を含め各種規格の収録字種・字形数が既存出版物と比べても顕著に不足していた 2000 年代中頃までは、学術的な大規模文字集合の構築をめざして多様な試みが行われた。そこでは技術的にもインターフェイス的にもさまざまなレイヤーによる解決策が模索された。日本国内における代表的な事例として「今昔文字鏡」(画像形式・文字集合・共有システム)「GT書体」(フォント形式・符号化文字集合)「e漢字」(公開終了、文字集合・データベース)などが知られる。前世紀末頃の文献([10] など)ではこれらの技術の得失や適応を盛んに論じており、当時の普及の程度がうかがえる。現在では、量的にUnicodeがすべてをカバーしつつあるが、このような非Unicode集合を使用するテキストが残存していることに加え、Unicodeとの符号化方針の差異により、対応関係が必ずしも明確ではなく、変換が自明ではないという問題がある。そのような公共的な集合でなくとも、大正蔵のように、扱う文献の規模が大きければ、管理のために一定規模の外字集合を規定していることもある。

一般化すれば、このような文献における外字の発生はTEIが基盤とする諸技術の情報的空隙に根差す本質的な欠如であり、単によりリッチな表現を可能にするための補助的な上位レイヤーという道具立てでは不足することが多い。これに対処するためには、例外的に発生する外字に対するその場限りのマークアップ機構のみならず、当該字の同定に必要な文字情報を包含しうるだけの記述力を外字モジュールに持たせなければならない。

ちなみに、Unicodeには私用領域と呼ばれる定義のない多数の符号位置が確保されており、これらは有効なUnicode符号とみなされるため、簡易的に外字を割り当てて文書を記述することは可能である。しかし、それらは一般的に通用する意味を持たないため、外字を未標準化の状態で一時的に運用することは可能でも、広く公開するデータで固定した意味を指示させるためには、別に取り決めが必要となる。TEI文書は一般に文書単体でのデータの永続性を重視するため、このような方法は支障があり、ここでは取り扱わない。

執筆時現在のTEI外字モジュール [8] の機能では、ヘッダー内に書かれる文字定義要素に主に以下の内容を含めることが可能である。なお、Unihanとは、Unicode内で漢字に該当する文字にのみ規定された統一的な追加情報の形式であり、実質的にUnicode規格と一体になっている。

- Unicodeの文字属性(`<unicodeProp>`)
- Unihanの文字属性(`<unihanProp>`)
- カスタムの文字属性(`<localProp>`)
- 対応字もしくは類字(`<mapping>`)
- 画像など(`<graphic>`)

以上の道具立てでは、Unicodeに準拠した情報の入力は手厚くサポートされているが、外字が有している情報への対応は、いまだ貧弱である。特にUnicode以外はすべて「カスタム」という扱いのためか、外部情報と対応づけを行う属性が設けられておらず、基本的には文書内で個別に出現した字形の自由記述という性格が強い。これは上述(3)の観点から問題となる。

また、(2)に関して、漢字はしばしばある文字が標準化(またはそれ以前)のプロセスで複数の符号化表示が割り当てられることがあるが、その履歴を記録するための機構がないことが問題となる。さらにこれに関連して調査したところ、現在のTEIの意味論では、Unicode規格にも存在するバージョン間で変更される可能性のある属性の記述にやや不便があることがわかった。

```
<char xml:id="myChar" source="http://gaiji.example.com/gaiji-00000">
  <unicodeProp name="Name" value="CJK UNIFIED IDEOGRAPH-NNNNN"
version="1X.0">
  <unihanProp name="kIRG_USource" value="U-012345"
    minVer="1X.0" maxVer="1Y.0" />
  <unihanProp name="kIRG_SSource" value="S-567890" minVer="1Z.0" />
  <localProp name="Name" value="MY GAIJI" />
  <localProp name="Reading" value="GAI"
    scheme="http://gaiji.example.com" version="2012.10" />
  <localProp name="Info" value="foobar"
    scheme="http://gaiji.example.com"
    minVer="2012.10" maxVer="2015.01" />
  <mapping type="internal">0xABCD</mapping>
  <mapping type="PUA" from="2012-01-01" to="2018-03-31">
    U+FXXX</mapping>
  <mapping type="standard" from="2018-04-01" to="2019-10-15">
    U+YYYYY</mapping>
  <mapping type="standard" from="2019-10-16">U+YYYYY U+E0100</mapping>
</char>
※<mapping>の値は、実際の文字を記入することが想定されている。ここでは説明のためにコードポイント表記で示している。
```

図4　外字モジュールの拡張案（斜体が拡張部分）

このような問題を解決するために、TEIガイドラインに以下の拡張を提案しており、現在議論中である（属性名はすべて仮称）。

- 文字属性要素への非Unicode符号化方式情報属性の追加（@scheme）
- 文字属性要素への最小（追加）・最大（廃止）バージョン番号属性の追加（@minVer, @maxVer）
- <mapping>要素への日時記述用属性群（att.datable）の導入

これらの追加によって、【図4】のような記述が可能となり、外字を含むTEI文書の永続的な文字情報の対照・同定に寄与すると考えられる。

4. 割注形式の問題

東アジア文献でよく現れる形式として、本文の行を分割して注釈などを書き込む割注が存在する。『續一切經音義』の記述フォーマットは、全体にわたって見出し語の後に二行立ての割注で釈文を記載している（【図5】）。

今同異。雖依憑據。叓俟來英。冀再披詳。庶無
惑爾
音大乘理趣六波羅蜜多經一帙十卷
右從第一盡十此卷續音
大乘理趣六波羅蜜多經卷第一并經序中字
大朴上徒盖反蒼頡篇云大巨也易曰大哉乾元萬物資始下普剝反正作樸字說文云木素也聲類云凡物未雕刻曰樸王弼云樸眞也猶氣像未分也莊子云純朴不殘孰爲犧罇又曰夫殘樸以爲器工匠之罪也毀道德爲仁義聖人之過也
萬籟上無盤反合作万字筭經云十千曰万今作萬本蟲名州名人姓也相承借爲万字下落大反樂器名也說文云大籟小籥郭璞注尒雅云大籥二十三管長尺四寸小者十六管長尺二寸一名籟也字從竹賴聲也序文從草作藾藾名也非此用
紛綸上芳文反廣雅云紛衆多貌也考聲亂也下律迍反易曰綸經理也注太玄經云綸絡也今桉紛綸即雜遝交絡盛貌也說文二字並從糸分侖聲也糸音覓也
旭日上凶玉反切韻云日初出也說文云日旦出也考聲云旭明也從日九九亦聲也下仁一反說文曰實也太陽精不虧也從口一聲也口音爾非反像口匝之形也
罽賓上居乂反西域國名或云个溼蜜羅亦云迦葉彌羅皆梵言訛轉也正云羯溼弭羅此翻爲阿誰入謂此國未建都時有大龍池人莫敢近也有一羅漢見地形勢宜人居止從龍乞容一膝地時龍許之羅漢變身漸大膝滿龍池龍以言信捨之而去羅漢復以神力乾竭其水遂建城郭衆人咸言我等不因聖師阿誰敢入因有此語乃立國名
空䨏上苦紅反切韻大也又通也說文云從穴工聲下符仲反字書云理也考聲云明也亦皮變反切韻云訓也今案空䨏二字僧名也
梗槩上古杏反尒雅云梗直也廣雅云略也鄭注禮記云平斛也蔣註東都賦云梗槩不纖密也釋文大略也二字並從木更既聲
薄伽梵上傍各反梵語或云婆伽婆亦云薄伽伴正云婆誐鑁音誐賀反鑁音亾范反翻經沙門慧琳云古譯爲世尊謂世出世間咸尊重故又十號之中第十號也大智度論云如來尊號有無量名略言六種謂自在熾盛端

図5　大正蔵『續一切經音義』の本文の体裁

現時点の『續一切經音義』マークアップでは、一時的に割注範囲を <seg type="wari">、割注内の改行を <lb type="wari"/> で示しているのみである（『續一切經音義』ではおおむね割注は釈文専用であるが、本文の意味的マークアップにはまだ立ち入っていないため、汎用要素で対応しているにすぎない）。

割注という形式自体は意味中立的な道具であり、内容のマークアップにおいて割注であるか否かはさほど重要ではないが、割注は一行を対等な複数行に割るという特殊な操作にもかかわらず、東アジア文献に普遍的に出現する形態であって形式上の均質性が高いことから、東アジア文献を記述したTEI文書の可搬性・通用性を確保するためにも、何らかの規格上のサポートが必要ではないかと思われる。

特に、割注において問題となるのは改行の標示である。TEIにおいては基本的に同一レベルの行が連続する様態を想定しているため、行（段落）を入れ子にしたり、改行がどの階層に属するかを示したりする標準的な機構が存在しない。『續一切經音義』にもみられるように、割注はさまざまな要因によって常に左右に等分されるとは限らないうえ、より複雑な例（【図6】）では時折2階層以上深くなる場合があるため、汎用的に入れ子された注記内それぞれの階層の改行を区別可能なマークアップ手段が求められている。

すでにある自由度の高い属性を利用し、<lb rend="warichu"/> ないしは <lb type="warichu"/> と表現することも不可能ではないが、これが普遍的な形式であることを考えると、できる限りあい

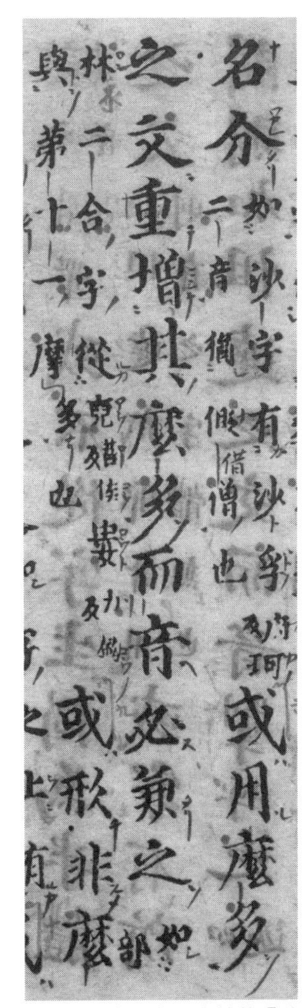

図6　国立国会図書館蔵『悉曇字記』の入れ子状の割注

まい性の生じない記述方式が望ましいだろう。この時、技術的な実装方針として、大きく２点の論点が現れることになる。

（1） 割注（の改行）に対して特別の要素を用意するか、もしくは小さな行として扱う（<lb/>と要素を共有する）か

（2） 割注（の改行）の階層の表現として、深さを示す属性を追加するか、もしくは特定の範囲を親（包含要素）として指定することでその内部の改行であることを示すか

（1）について述べると、割注の改行要素と一般の改行要素 <lb/> の区別を設けるかどうかについては、割注が親となる行への埋め込みであり、親行の改行は必ず割注の改行を兼ねるといえる（さらに一般化すれば、上の階層の行の改行は必ずそれが含む下の階層の要素すべてに波及する）。これを考えると、割注の改行そのものに特別な要素を割り当てる必要はなく、むしろ <lb/> に一本化することでルールが簡潔になると考えられる。

次に、（2）についていうと、「深さを示す属性」を採用した場合は、上図のテキストが例えば以下のようにマークアップされることとなる。

```
<p>
  ...<phr xml:id="a"> 或用麼多
  <lb depth="1" /> 之文重增其麼多而音必兼之 </phr>
  <note target="#a" type="double">
    <lb depth="2" /> 如
    <lb depth="2" /> 部
    <lb /> 林二合字從
    <w xml:id="b">
      <g ref="#xxx" />
    </w>
    <gloss target="#b" type="double">
      <lb depth="3" /> 菩侯
      <lb depth="3" /> 反
    </gloss>
    <w xml:id="c"> 婁 </w>
    <gloss target="#c" type="double">
      <lb depth="3" /> 力鉤
      <lb depth="3" /> 反
    </gloss>
    <lb depth="2" /> 與第十一摩多也
  </note>
```

```
</p>
```

この例では、@depthという属性を導入し、最上位の本文からみて何階層目の行内の改行であるかを示そうとしている。

また、「特定の範囲を指定」というのは、例えばこのようなマークアップである。

```
<p>
  ...<phr xml:id="a">或用麼多
  <lb />之文重増其麼多而音必兼之</phr>
  <note xml:id="xyz" target="#a"
  type="double">
  <lb corresp="#xyz" />如
  <lb corresp="#xyz" />部
  <lb />林二合字從
  <w xml:id="b">
    <g ref="#xxx" />
  </w>
  <gloss xml:id="zxy" target="#b"
    type="double">
    <lb corresp="#zxy" />菩侯
    <lb corresp="#zxy" />反
  </gloss>
  <w xml:id="c">婁</w>
  <gloss xml:id="yzx" target="#c"
    type="double">
    <lb corresp="#yzx" />力鉤
    <lb corresp="#yzx" />反
  </gloss>
    <lb corresp="#xyz" />與第十一摩多也
  </note>
</p>
```

ここでは、割注が関わる要素に@xml:id属性を与え、それを改行要素と結びつけることで、どのレベルの改行であるかを示そうとするものである。

割注それ自体の固定した意味は乏しく、一つの行を書記方向に対して平行に複数段に分割することが特徴であると考えると、仮に親要素への参照を介して割注の階層を指定する場合、幅広い種類の親要素を取ることとなり、加えて、原理上個々の範囲ごとに異なる識別子を与えなければならない。これはレンダリング上もクエリ（割注だけを抽出するなど）上も負担が大きいと考えられ、またXMLソースの記述も繁雑になるきらいがある。割注はほとんどの場合範囲要素に囲まれた形で出現すると期待できるとしても、他要素に依存せず、割注改行要素自身の属性のみによって意味論を構成する方が堅牢かつ簡便であろうと考えられる。

なお、割注全体の表示（視覚）面での調整は、親要素への @style もしくは @rendition 属性と当該改行要素の拡張を組み合わせることで対応可能であると考えている。

したがって、割注への正しい対応のためには、`<lb/>` 要素に以下のふるまいを持つ属性一つを付け加えるべきである。

- 数値を値として取り、指定がない場合は1とする（通常行の改行を意味する）
- 属性値はこの `<lb/>` 要素の属する階層の深さを意味し、ある要素は同時に自身より大きい値の階層すべてにおける改行を意味する

このような方向でTEIガイドラインへの提案を行う予定である。

付記：本稿は王一凡ほか「『續一切經音義』からみる漢文文献のTEIマークアップの課題」『じんもんこん2021論文集』2021、2021年、pp. 234–239に大幅な加筆・修正をしたものである。

参考文献

[1] 徐時儀．一切經音義三種校本合刊緒論．徐時儀（校注）．一切經音義三種校本合刊．上海古籍出版社，2012，修訂版，pp.1–155.

[2] 京都仏教各宗学校連合会．大蔵経：成立と変遷．法藏館，2020，新編．

[3] 王一凡．慧琳撰『一切経音義』の符号化をめぐって．下田正弘，永崎研宣（編）．デジタル学術空間の作り方：仏教学から提起する次世代人文学のモデル．文学通信，2019，pp.275–296.

[4] 永崎研宣．SAT大蔵経データベースをめぐる漢字情報．高田智和，馬場基，横山詔一，石塚晴通（編）．字体と漢字情報．勉誠出版，2016，pp.265–280.

[5] “History of Unicode”. https://unicode.org/history/,（参照2022-02-21）.

[6] 木村睦子ほか．『太陽』コーパスの漢字処理：『太陽』1901の漢字調査．国立国語研究所，1992.

[7] 須永哲也ほか．明治前期雑誌の異体漢字と文字コード―『明六雑誌』を事例として―．じんもんこん2011論文集，2011，No. 8，pp.381–388.

[8] “Characters, Glyphs, and Writing Modes”. https://tei-c.org/Vault/P5/4.3.0/doc/tei-p5-doc/en/html/WD.html,（参照2021-09-06）.

[9] Medieval Unicode Font Initiative. https://mufi.info/,（参照2021-11-01）.

[10] 漢字文献情報処理研究会（編）．電脳中国学．好文出版，1998.

第6章

知識グラフを表現する：『愚禿鈔』のマークアップを例として

左藤仁宏

1．はじめに

SAT 大蔵経テキストデータベースプロジェクトがデジタル化を進める『大正新脩大蔵経』には、さまざまな形式、性格を持ったテキストが含まれている。本章では、その『大正新脩大蔵経』に含まれる数多の文献の中でも、極めて特殊な文体で書かれる、親鸞聖人（以下、親鸞）の著作である『愚禿鈔』（13 世紀成立）［1］という文献の TEI マークアップを主題とする。

この『愚禿鈔』は、親鸞による教相判釈をその大綱としている。教相判釈とは、数ある仏教教説、宗派的立場をその上下、優劣などでもって解釈、分類する教義学のことだ。『愚禿鈔』は教相判釈、すなわち教義学的な分類を、かなり独特で図表的な体裁でもって整理し伝える文献である。

ところで TEI の世界でも、特殊な事情をもったテキストをマークアップするための準備が次々に整えられている。2020 年 8 月には TEI P5 ガイドライン version 4.1.0 において、model.standOffPart を含む <standOff> エレメントが追加された。TEI に新たに備わった、RDF（Resource Description Framework）に基づく Linked Data を典籍の本文と共存させつつ配布するこの手法は、『愚禿鈔』のような概念整理を目論んだ文献のマークアップに有効と思われる。

もし『愚禿鈔』において図表的に描かれるそれぞれの概念同士の関係性を TEI として適切にマークアップできれば、それら概念の相関図を <standOff> エレメントを用いて知識グラフの形式で出力することができる。本章では、『愚禿鈔』を題材としながら、知識グラフ作成のためのマークアップの方法について現在まで検討した結果と、それによって明らかになった課題について紹介したい。

2．TEI における <standOff> エレメントの意義

近年、思想的な概念体系も含むさまざまな関係記述の手法として RDF（Resource Description Framework）に基づく Linked Data を用いる手法が、セマンティック Web を中心として広く普及しつつある。そうした流れを受けて、TEI P5 ガイドラインの version 4.1.0 において

`<standOff>` エレメントが追加された。ガイドラインによるこのエレメントについての説明は以下の通りである。

> Functions as a container element for linked data, contextual information, and stand-off annotations embedded in a TEI document. [2]

これによって Linked Data を典籍の本文と共存させつつ配布する手法が国際的に提供された形となった。

典籍に基づく研究においては、ある情報がいかにテキストから離れて抽象化されていたとしても、テキストにおいてその根拠となる箇所を参照できることの重要性が失われることはない。根拠となるテキストの参照が困難な情報は、それがもたらしうる可能性の多くを失ってしまっているのである。テキストにまつわるすべての情報をひと所に提供することは不可能だとしても、それら情報の根拠となる箇所を参照できる状態にしておくことは、研究成果の検証可能性の担保やその継承と発展において不可欠なものである。

しかし、Linked Data のようなグラフによる知識記述は、グラフの形式に落とし込めないデータを扱うことができず、たとえばテキストに含まれる部分的な要素を対象とした記述を行うに際しては、何らかの工夫を必要とする。典型的な方法としては、なんらかの特別な仕組みを作成して URL でテキストを部分参照できるようにするか、あるいはテキスト中に ID 付きのアンカーを埋め込んでこれを参照する方法等が考えられる。

前者に関しては西洋古典学における CTS（Canonical Text Services）[3] や、漢文仏典における SAT 大蔵経データベースの 2012 年版以降 [4] などが例にあげられるだろう。これらのデータベースでは Web を介して URN や URL でテキストを部分参照できるようにする仕組みが実装されており、これらを用いることで、そのデータベースが取り扱うテキストに関してはテキストの部分参照が可能となっている。しかしながら、この仕組みでは URN/URL 等と任意の箇所を対応づけるための何らかのプログラムが必要であり、さらに現時点では、歴史的に長い時間をかけて整備され充実した目録が提供されているテキストでしか実現できておらず、目録が十分に作成されていないテキストデータでは実装することが難しい。したがって、汎用性を確保するという観点では十分とは言えない段階である。

一方、後者の方向性では、TEI ガイドラインを利用することである程度対応可能ではある。たとえば、本文中の任意の箇所に人名 `<persName>` や地名 `<placeName>` 等の固有表現のタグや、あるいは参照文字列 `<rs>` や任意の句 `<seg>` 等のタグを用いてマークアップした上で、それぞれに xml:id を付与して、Linked Data の対象となる文字列を他所から参照できるようにしておく。その上で、TEI 以外のスキーマを記述して TEI 文書に内包するための xenoData エレメント [5] にそれらを対照とした RDF/XML を記述するというのが一つの方法である。しかしながら xenoData は、どんなスキーマでも記述してよいことになっており、記述や処理を共通化して利便性を高めるという観点からは十分なものではない。すなわち、TEIガイドラインのそれまでの枠組みにおいては本文の内容に対応させる形でLinked Dataを適切に記述することは、不可能ではないものの、容易なことではなかったと言える。

TEIガイドラインにおいて`<standOff>`が導入されたことは、上記のような事情により記述が困難であったものを同一の電子文書の中で実現できる仕組みが提供されたという点で画期的であった。

このような技術は、思想概念を整理する内容を持つ資料から、そこに記される概念の知識グラフを作成するにあたり有用である。そして、そのためのTEIマークアップの方法を整備していくことは、例えば日本仏教文献に存在する、思想概念を整理するメモ書きのようなテキストをマークアップしていくに際して有益であろう。

そこで本章では、『愚禿鈔』という書物を事例として、思想概念の整理を主題とするような他の文献への適用を目論みながら、この記述手法の可能性と課題について検討したい。

3.『愚禿鈔』の抱える事情とマークアップ方針

『愚禿鈔』の概要

ここで、本章で取り扱う『愚禿鈔』という文献について、その概要を説明しておきたい。

『愚禿鈔』は、浄土真宗の開祖である親鸞（1173–1263）の著作である。上下の二巻からなり、上巻では主に教相判釈を主題とし、下巻は特に信心を中心とする教義を論じている。親鸞の真蹟本は現存せず、古写本は（1）覚如書写本系、（2）顕智書写本系、（3）存覚書写本系の三種の系統に大別される。『大正新脩大蔵経』第八十三巻に収められている『愚禿鈔』は、能登本念寺蔵の覚如筆写本を底本として、高田専修寺蔵の顕智書写本、龍谷大学蔵常楽寺所伝の存覚筆写影写本、古橋願得寺蔵の実悟所持本によって対校したものである［6］。

『愚禿鈔』の撰述時期については諸説ある。『愚禿鈔』上下両巻の奥書には「建長七歳（年）乙卯八月二十七日書之　愚禿親鸞八十三歳」［7］とあり、この記述を信じるのであれば、親鸞が83歳の建長7年、すなわち西暦1255年に書かれたものであることになる。

しかし、高齢の親鸞が上下両巻の奥書に記されるこの同日、ただ一日の間に上下の二巻を書ききったとは考えにくい。そこで、村上専精博士は、奥書に記される「建長七歳（年）乙卯八月二十七日」を後年の書写、あるいは清書の日にちであると見做し、その教義的な内容が親鸞の主著である『教行信証』より未熟であるとして、『愚禿鈔』の成立自体は親鸞30歳前半ごろの吉水修学時代であり、これがメモ書きのような文献であると主張した［8］。そしてこれは、後述するような『愚禿鈔』の独特な体裁、文体を受けての推定でもあった。

しかし、村上博士の解釈は繰り返し批判されており、現在ではかなりの程度修正されている。例えば『愚禿鈔』に引用される『般舟讃』というテキストが親鸞45歳、西暦1217年に発見されたものであることが指摘されており［9］、仮に部分的にではあったとしても、『愚禿鈔』に親鸞の45歳以降の思想が含まれているとは見ていいと思われる。宗学の文脈では、『愚禿鈔』の成立が親鸞50歳以降の主著である『教行信証』より以前であるか以後であるかによって、その教学的評価が別れるので、むしろ論点はそこにあるようだ。『愚禿鈔』は『教行信証』の成立前の覚書的な性格を持つという評価もある一方、最も信頼に足ると考えられる写本（顕智書写本）の訓読が親鸞の晩年の思想を反映していると指摘されるなど、成立時期について定まった見解はないようである［10］。

そして『愚禿鈔』の成立問題が議論される背景には、その独特な文体が親鸞による覚書、メモのように見えるという、以下に述べていくような事情がある。

『愚禿鈔』の図表的文体

『愚禿鈔』の文体は親鸞の著作の中でも際立って独特で、例えば『文類聚鈔』のような散文でもなければ、『入出二門偈』のような韻文でもない。仏教思想体系に含まれる概念を分類するためのメモ書きのような体裁で書かれている。この独特な体裁をして、村上専精博士は「図表的文体」と称している［11］。

下【図1】は、『大正新脩大蔵経』に収録される『愚禿鈔』の冒頭部分である。ここでは、著者である親鸞の立場から複数の仏教教説を分類した、伝統的に「二双四重」と呼ばれる教相判釈が描かれている。少しその内容を紹介しておくと、一行目の＜聖道浄土教＞（仏教全般を指すと考えていい）の下に＜大乗教＞と＜小乗教＞、いわゆる大乗仏教と小乗仏教があり、それら大乗仏教と小乗仏教の下にそれぞれ各宗派的立場が分類されるということが、ここでは図表的文体でもって表現されている。

分類される概念に対して、改行とインデント（字下げ）、割注を多用することで、それぞれの概念同士の上下関係を示すという形式を用いているのである。

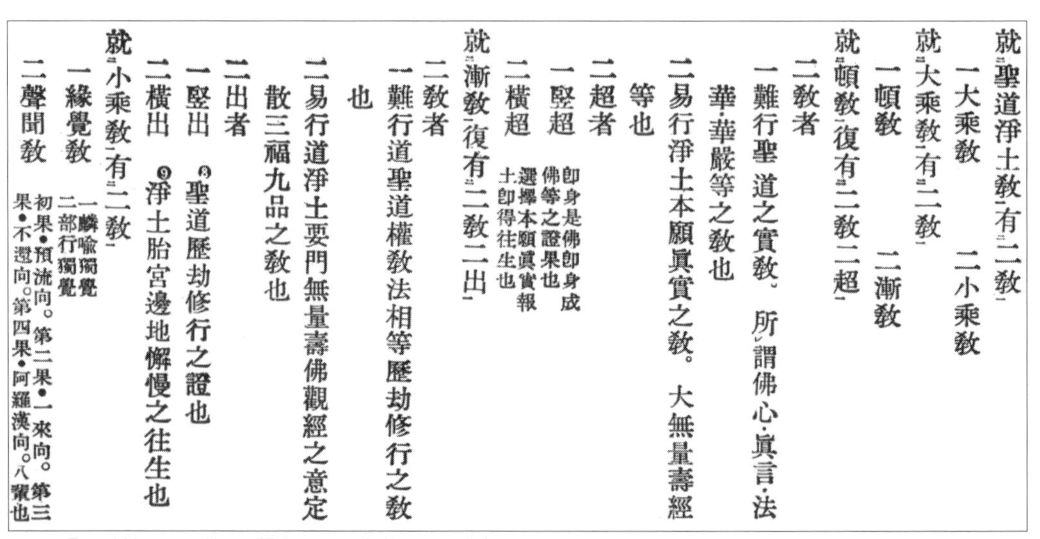

就聖道淨土教有二教
一大乘教　二小乘教
就大乘教有二教
一頓教　二漸教
就頓教復有二教二超
二教者
一難行聖道之實教。所謂佛心・眞言・法
華・華嚴等之教也
二易行淨土本願眞實之教。大無量壽經
等也
二超者
一竪超　即身是佛即身成佛等之證果也
二横超　選擇本願眞實報土即得往生也
就漸教復有二教二出
二教者
一難行道聖道權教法相等歷劫修行之教
也
二易行道淨土要門無量壽佛觀經之意定
散三福九品之教也
二出者
一竪出　聖道歷劫修行之證也
二横出　淨土胎宮邊地懈慢之往生也
就小乘教有二教
一緣覺教　一麟喩獨覺　二部行獨覺
二聲聞教　初果・預流向。第二果・一來向。第三果・不還向。第四果・阿羅漢向。八輩也

図1　『愚禿鈔』冒頭箇所（『大正新脩大蔵経』収録）

例えば右【図2】は上【図1】の一部であるが、ここでも本文部分とインデント（字下げ）の部分、割注の三つの階層にそれぞれの概念を置くことで概念が整理されていることがわかる。本文中の「小乗教」が大区分に置かれ、その下に「一縁覺教」「二聲聞教」がインデントされた中区分に置かれ、それぞれの下に割注として「一麟喩獨覺」「二部行獨覺」及び「初果・預流向。第二果・一來向。第三果・不還向。第四果・阿羅漢向。八輩」が小区分に置かれる。これによって、それぞれの概念同士の関係が視覚的に明瞭な形で描かれる。

就二小乗教一有二二教一
一縁覺教　一麟喩獨覺　二部行獨覺
二聲聞教　初果•預流向。第二果•一來向。第三果•不還向。第四果•阿羅漢向。八輩也

図2　小乗教の記述

この図表的文体は『大正新脩大蔵経』の版に限ったことではなく、下【図3】に示すように古写本の場合も同様である。さらに写本の場合には、句節などの文字の上に、大区分には「∴」、中区分には「‥」、小区分には「・」の朱点が施されている。もっとも全体を通してみると写本における朱点の使い方は必ずしも整理統一されていないようだ［12］。

『愚禿鈔』には親鸞の真蹟本が現存しないため、これらの朱点が親鸞によるものか否かは確定しえないが、少なくとも現存最古の写本である高田派専修寺蔵顕智書写本（1293年書写）をはじめとする多くの古写本が朱点を提示していることからすれば［13］、『愚禿鈔』というテキストが自らの図表的文体による三階層構造に強い自覚を持っていたとは評することができるだろう。

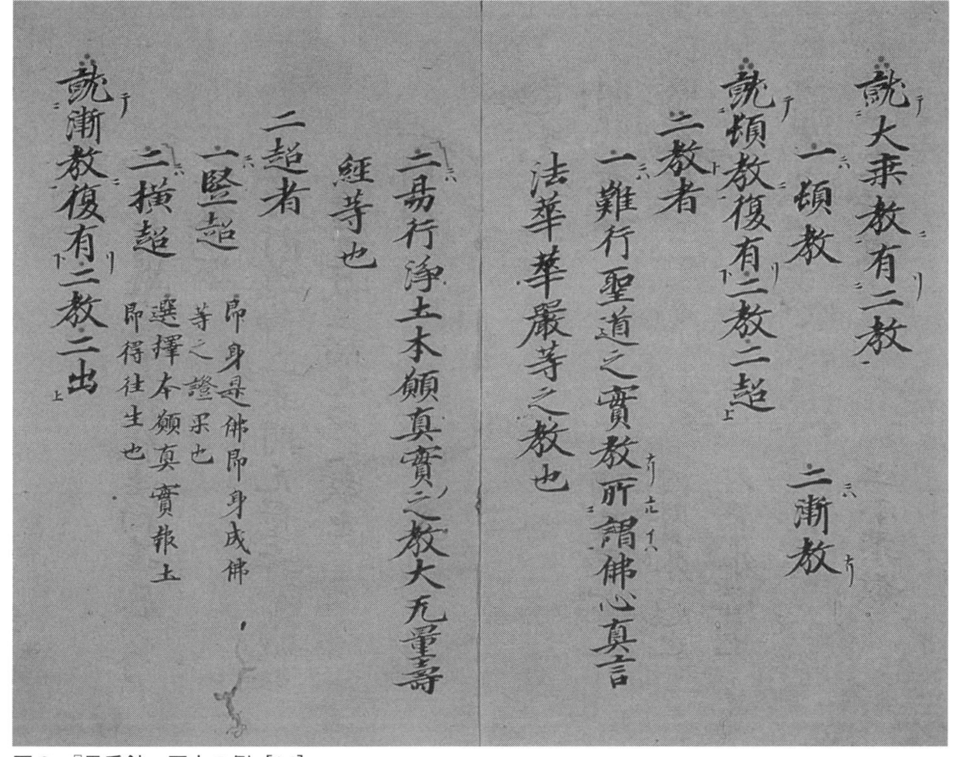
就大乗教有二教
一頓教
二漸教
就頓教復有二教二超
二教者
一難行聖道之實教所謂佛心真言
法華華嚴等之教也
二易行淨土本願真實之教大无量壽
經等也
二超者
一竪超　即身是佛即身成佛等之證果也
二横超　選擇本願真實報土即得往生也
就漸教復有二教二出

図3　『愚禿鈔』写本の例［14］

『愚禿鈔』の文体に対する TEI マークアップ方針

さて、このような独特な文体を有した『愚禿鈔』をいかに TEI 上で表現するか。ここでこの三階層構造を表現する既存の手段としては、<div> タグを用いる方法が考えられる。例えば、『愚禿鈔』の冒頭部分、上【図 1】で示した箇所のマークアップを考えてみる。

本文を <div3>、インデント（字下げ）の箇所を <div4>、割注部分を <div5> として以下のように全体をマークアップしておけば、三階層構造は表現できる（以下の例では簡便のため返点や <lb><p><metamark> などのタグを省略している）。

```
<div3> 就聖道淨土教有二教
              <div4> 一大乘教二小乘教 </div4></div3>
              ...（中略）....
<div3> 就小乘教有二教
              <div4> 一縁覺教
                <div5> 一麟喩獨覺二部行獨覺 </div5></div4>
              <div4> 二聲聞教
                <div5> 初果・預流向。第二果・一來向。第三
                果・不還向。第四果・阿羅漢向。八輩也 </div5></div4></div3>
```

このようなマークアップ方法は、文献の示す階層構造をそのまま正確に保存できるという特徴を持っている。しかし、この三階層構造は、それ自体が文献の内容が示す概念体系図からは距離がある。文献の示唆する概念図からすれば、一行目＜聖道淨土教＞の下に置かれるべき四行目＜小乘教＞も、ここでは同じ階層 <div3> として処理されてしまっている。

またそもそもこの三階層構造が『大正新脩大蔵経』や古写本が抱えていた（あるいは親鸞の手になる原本が抱えていた）、紙幅の限界という事情に由来して採用されていたものであろう。そのことを思えば、われわれが電子テキスト上でその構造に固執してこれを保存する必要は乏しいかもしれない。

前掲【図 1】の記述がその内容として示しているのは、すなわち下【図 4】のような概念図、知識グラフである。

テキスト上で概念整理をしている箇所を適切にマークアップして下【図 4】のような概念図を TEI として表現できれば、それはこのような独特な文献を TEI/ XML 形式で記述する一つの意義になるのではないか、というのが本章が持つ問題意識である。そこで以下では、文中に現れるそれぞれの概念同士の関係性の種類を五つに区分し、それに相応する TEI マークアップの方法を説明して、図表的文体を持った電子テキストから、そのテキストの内容に即した、より精度と利便性の高い知識グラフを出力する表現法について紹介していきたい。

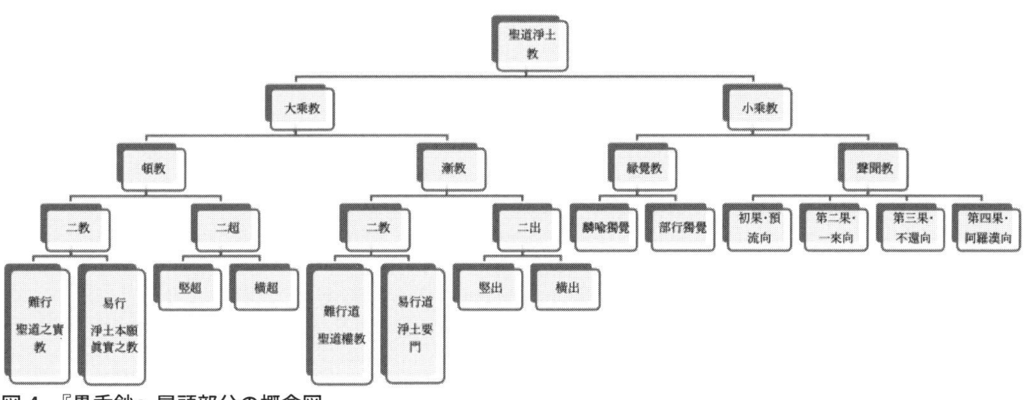

図 4 『愚禿鈔』冒頭部分の概念図

4．諸概念の関係の種類とマークアップ方法

A．親子関係（hasParent）

例えば、『愚禿鈔』本文中では「＜聖道浄土教＞について二教あり、一つには＜大乘教＞、二つには＜小乗教＞なり」と記される例がある【図 5】。ここでは、＜聖道浄土教＞という名詞概念が親、＜（一）大乗教＞、＜（二）小乗教＞という名詞概念がそれぞれ子に相当し、これらの概念が親子関係をなしていることは明らかである。

そこでまず、ここで表現したい知識グラフ中の root 概念である＜聖道浄土教＞という語が本文中に最初に出現したとき、これに <seg> タグを用いて @xml:id 属性を付与する。具体的には次のように記述する。

```
<seg xml:id=" 聖道淨土教 "> 聖道淨土教 </seg>
```

その後、この概念の下位階層に属する概念である＜大乗教＞という語が現れた箇所を以下のようにマークアップする。

```
<seg xml:id=" 一大乘教 " type="hasParent" corresp="# 聖道淨土教 "> 一大乘教 </seg>
```

このとき、@xml:id には本文に出ている通りの形を登録し、@corresp で親に相当する概念を参照する。

このようなマークアップを読み込み、<graph> 内に

```
<node corresp="# 聖道淨土教 "/>  <node corresp="# 一大乘教 "/> <arc to="# 聖道淨土
教 " from="# 一大乘教 " ana="hasParent"/>
```

という記載を自動的に作成するようなスクリプトを作成した。以下、B以降の項目についても、<graph>内の記述に関しては@anaを適宜変更するだけであるから省略する。

B．同一関係（sameAs）

また『愚禿鈔』本文では前項Aで取り扱った記述の直後に、「<大乗教>について二教あり、一つには<頓教>、二つには<漸教>なり」と記される【図6】。ここで現れる<大乗教>という名詞概念は、前文に出現した<大乗教>【図5】と同義語であることから、両者が同一関係をなしていることが認められる。この同一関係は、後述する「E. 類似関係」よりも強い、完全な同義語、文字列として外見上も同一であり、かつ意味上も同一対象を指し示していると考えられる語の反復使用に対して認められる（なお、ここでも二度目の<大乗教>の子概念として<頓教>と<漸教>の二つが置かれており、前述の親子関係が示されていることがわかる）。

この直後に現れる「大乗教」は、前述した通り「一大乗教」と同一の概念なので、この二つの語を同一視するため、以下のように記述する。

```
<seg xml:id="大乗教" sameAs="#一大乗教">大乗教</seg>
```

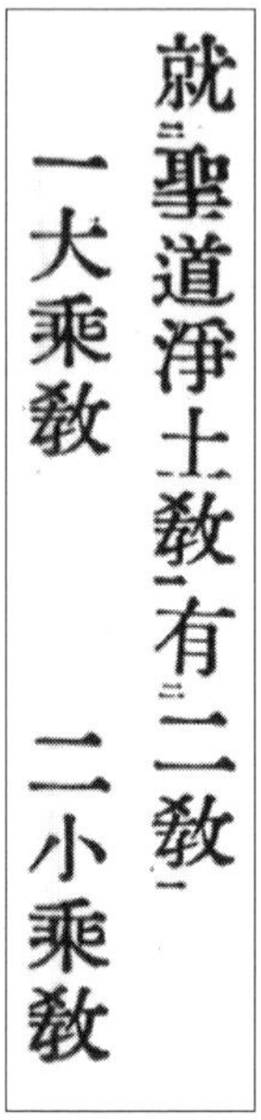

なおこのとき、複数の語に対して同一のxml:idを付与することはそもそもxml:idの規格上許容されないので、二回目、三回目以降に現れる語には<大乗教1><大乗教2>や<大乗教a><大乗教b>などのidを与える必要がある。

以上のA、Bの記述方法を用いれば、知識グラフの基礎となりうる、名詞概念の親子関係を表現することができる。例えば以下のような電子テキストの記述によって、次の【図7】のような知識グラフを表現することが可能になる（以下のマークアップは簡便のため返点や不要なタグを省略している）。

```
<seg xml:id="聖道浄土教">聖道浄土教</seg>
<seg xml:id="一大乗教" type="hasParent" corresp="#聖道浄土教">
一大乗教</seg>
<seg xml:id="二小乗教" type="hasParent" corresp="#聖道浄土教">
二小乗教</seg>
就<seg xml:id="大乗教" sameAs="#一大乗教">大乗教</seg>有二教
<seg xml:id="一頓教" type="hasParent" corresp="#大乗教">一頓教
</seg>
```

就聖道浄土教有二教　一大乗教　二小乗教

図5　聖道浄土教の記述

就大乗教有二教　一頓教　二漸教

図6　大乗教の記述

```
<seg xml:id="二漸教" type="hasParent"
corresp="#大乗教">二漸教</seg>
```

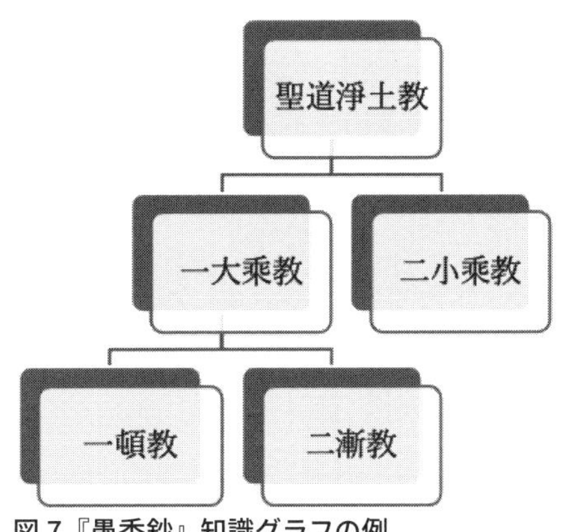

図7『愚禿鈔』知識グラフの例

C．説明関係（explanationOf）

ある概念に対して、別の名詞概念、形容詞概念、形容句概念が補語として説明を加えている場合に、そこに説明関係があると見做すことができる。以下でその実例を紹介しよう．

右【図8】は、前項A、Bで示した本文の続きである。例えばここでは「＜二出＞とは、一つには＜竪出＞、＜聖道＞、＜歴劫修行之證＞なり」（【図8】、7–8行目）と記される。＜二出＞の子概念として＜（一）竪出＞という概念が置かれ、この＜竪出＞が＜聖道＞（自力で悟りを得ようとする道）であり、＜歴劫修行之證＞（量り知れない時を経た修行によって悟ること）であると述べられている。このようなとき、＜聖道＞、＜歴劫修行之證＞の二つの概念は独立した名詞概念というよりも、＜竪出＞に対する説明の関係に置かれるノードとして理解される。

就漸教復有二教二出
二教者
一難行道聖道權教法相等歷劫修行之教
也
二易行道淨土要門無量壽佛觀經之意定
散三福九品之教也
二出者
一竪出 ❽聖道歷劫修行之證也
二横出 ❾淨土胎宮邊地懈慢之往生也

図8　二出の記述

このような説明関係を持つ概念をマークアップするときには、説明のための概念にあたる語に対して<seg>タグの属性 -@type="explanationOf" を記し、@corresp="#説明対象のid" で説明対象の概念を示す。上の例では、＜聖道＞という語が、＜竪出＞という語を説明しているので、

```
<seg type="explanationOf" xml:id="聖道" corresp="#一竪出">聖道</seg>
```

とこのように記述する。

以上のA、B、Cの方策を用意しておけば、『愚禿鈔』冒頭部分である【図1】で見たような諸概念の関係性は記述できる。またこれらに加えて、以下のような事例に対応するために、D. 兄弟関係、及びE. 類似関係について考えたい。

D．兄弟関係（hasSibling）

本文中には、ある概念が別の概念と同階層として並列される場合があり、これを兄弟関係として認めたい。

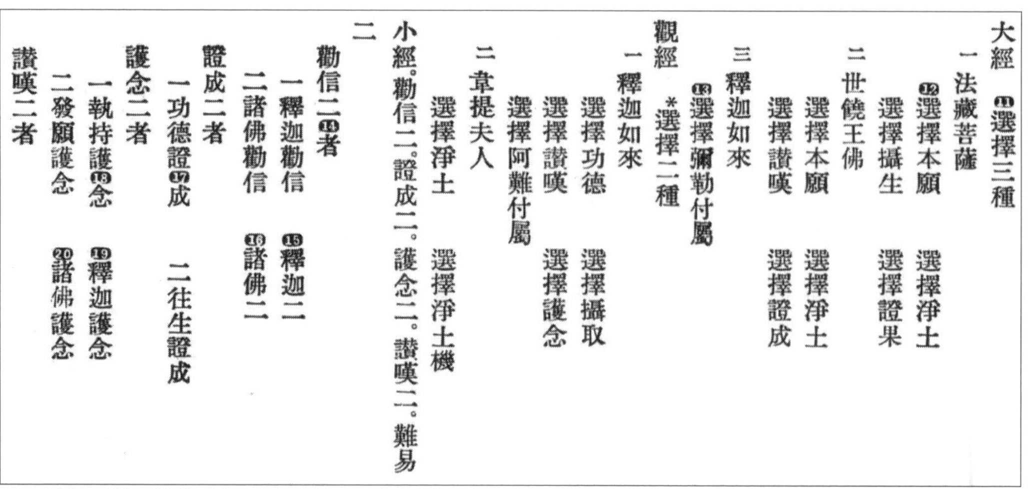

大經 ⑪選擇三種
一 法藏菩薩
⑫選擇本願　選擇淨土
選擇攝生　選擇證果
二 世饒王佛
選擇本願　選擇淨土
選擇讃嘆　選擇證成
三 釋迦如來
⑬選擇彌勒付屬
觀經 *選擇二種
一 釋迦如來
選擇功德　選擇攝取
選擇讃嘆　選擇護念
選擇阿難付屬
二 韋提夫人
選擇淨土　選擇淨土機
小經。勸信二。證成二。護念二。讃嘆二。難易
二
勸信二⑭者
一 釋迦勸信　⑮釋迦二
二 諸佛勸信　⑯諸佛二
證成二者
一 功德證⑰成　二 往生證成
護念二者
一 執持護⑱念　⑲釋迦護念
二 發願護念　⑳諸佛護念
讃嘆二者

図 9 『愚禿鈔』浄土三部経の記述

例えば、上【図 9】には「＜大經＞には＜選擇＞に三種あり、（中略）＜觀經＞には＜選擇＞に二種あり、（中略）＜小經＞には＜勸信＞に二つ、＜證成＞に二つ＜護念＞に二つ、＜讃嘆＞に二つ、＜難易＞に二つあり」と記されている。本文中には、＜大經＞＜觀經＞＜小經＞の親に相当するような概念は現れていないものの、一般に浄土教の文脈においては大經・觀經・小經は『無量寿経』『観無量寿経』『阿弥陀経』の略称として用いられ、これらが浄土三部経という、最も尊崇されるべき三つの経典として取り扱われることからも、これらの三つの概念が同じ階層で並列されていることは明白である。このようなとき、＜大經＞＜觀經＞＜小經＞は兄弟関係にあると見做せるだろう。このマークアップの方法も用意する必要がある。

この際の兄弟関係のマークアップは、最低一つの概念にその関係を記述しておけば十分である。例えば「大徑」が出現する箇所に対して

```
<seg xml:id=" 大經 " type="hasSibling" corresp="# 觀經 # 小經 "> 大經 </seg>
```

とマークアップを施し、テキスト中に出現する「觀經」「小經」に対しては

```
<seg xml:id=" 觀經 "> 觀經 </seg>, <seg xml:id=" 小經 "> 小經 </seg>
```

とだけ記述する。兄弟関係は双方向的であるので、自動的に三者間に兄弟関係のネットワークが <graph> 内に生成されるようにする。

E．類似関係（similarWith）

また、前項「B. 同一関係」で論じた場合と違い、ある語が固定的な名詞概念とは言えない、定義がぶれやすい形容的概念であり、かつその語と少なくとも表面上は同一の語が別の文脈で文

中に出現する場合には、それらを「B. 同一関係」よりも緩やかな、類似関係として見做した方がいい場合がある。

例えば、「<漸教廻心機>は<自力>なり」(【図10】、3行目）と上巻で記されたあと、文脈が変わった下巻において「<竪超>は<自力>なり」(【図11】、4行目）と記されている。

両者の<自力>はともに直前の名詞概念に対する補語、説明のための概念になっており、同じ言葉であることがわかる。しかし、これらを同じ語であるからといって完全な同一概念と見做していいのかどうか、判断するためには高度な文脈を読解する必要があり、作業者にとっては判然としない場合がある。こういった場合の方策として、ここでは両者の<自力>を類似関係として見做したい。これによって、同形の語を全て同義語と見做した場合に発生するような、知識グラフの煩雑化を緩和する狙いもある。

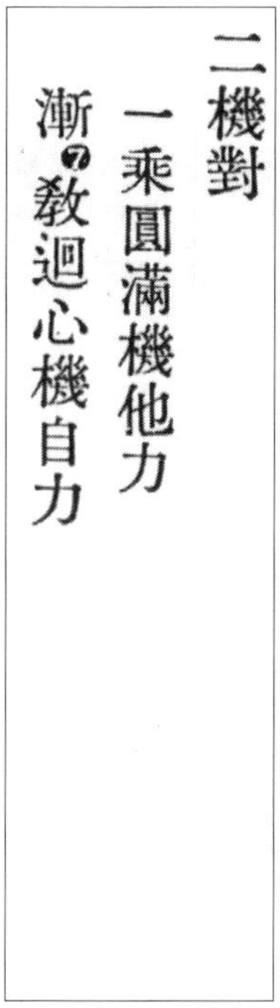

二機對
一乘圓滿機他力
漸❼教廻心機自力

図10 『愚禿鈔』上巻

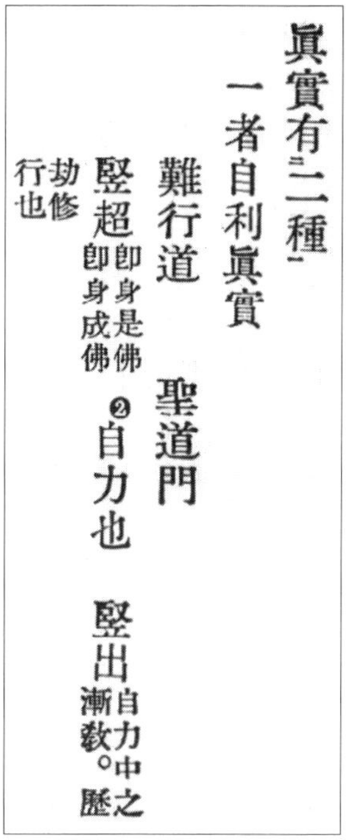

眞實有二種
一者自利眞實
難行道　聖道門
竪超 即身是佛 即身成佛 ❷自力也　竪出 自力中之 漸教。歷劫修行也

図11 『愚禿鈔』下巻

知識グラフの煩雑化を避けて、この「E. 類似関係」を「B. 同一関係」とは別に立項する理由については、例えば以下のような一連の文章をマークアップし知識グラフを表現するケースを考えたい。

・甲：<山田太郎>には<一郎>と<花子>という二人の子供がいる.
・乙：<一郎>は<善人>である.
・丙：<前アメリカ大統領>は<善人>である.

山括弧で括った語をマークアップし、それらの概念で知識グラフを作るとする。上述の甲に示される内容をファミリー・ツリーとして描けば、左【図12】のようになるだろう。

そしてここに、乙で示されている「善人」という説明的概念を一郎に紐づけると【図13】のような概念図が描ける。

一方で丙には再び「善人」という同語が現れるが、これを乙に現れる「善人」と完全に同義語として取り扱い、「B. 同一関係」で述べたように@sameAsで処理すると、以下の【図14】のような、説明概念のための逆向きのツリーが出来上がってしまう。

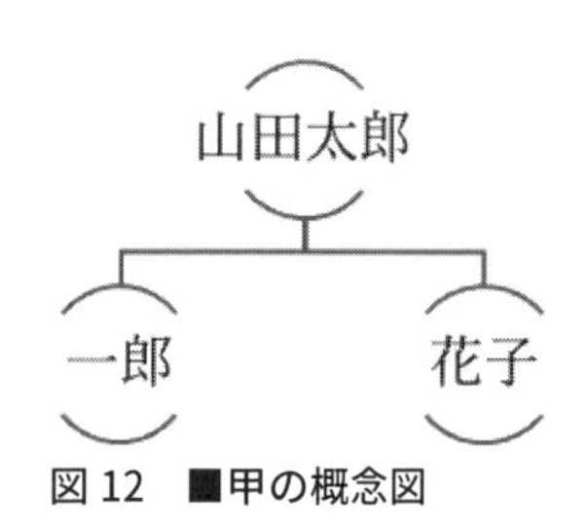

図12　■甲の概念図

名詞概念の親子関係を記述することをツリーの基本構造としてい

た中に、このような説明的な形容概念のためのツリー構造が混在することを避けるため、また、山田家の一郎が「善人」であるという甲の紹介と、前アメリカ大統領が「善人」であるという丙とで、その「善人」の語のニュアンスが異なっている可能性を残しておくためにも、ここで類似関係（similarWith）を立項しておき、甲の「善人」と丙の「善人」を以下の【図 15】のように緩やかに結んでおきたい。

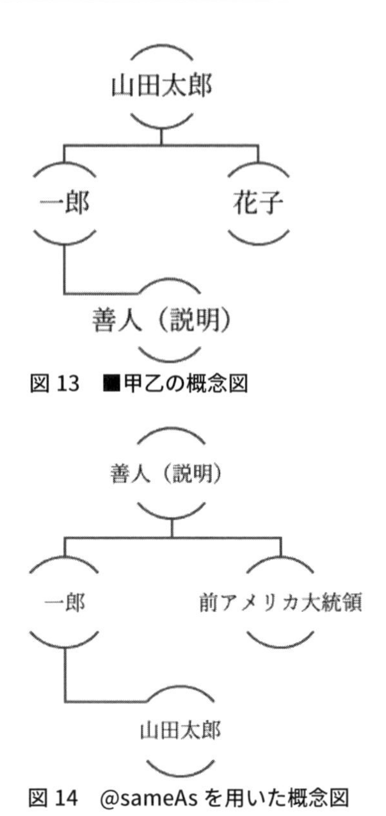

図 13　■甲乙の概念図

図 14　@sameAs を用いた概念図

さて、『愚禿鈔』の中の例文に戻れば、このマークアップについては、最初に現れる < 自力 > は < 漸教迴心機 > に対する説明概念になっているので、これを

```
<seg type="explanationOf" xml:id=" 自 力 " corresp="# 漸教迴心機 "> 自力 </seg>
```

と記述する。

次に、再び文中に現れる < 自力 > は、< 竪超 > に対して説明関係にあり、かつ前出の < 自力 > に対しては類似関係にあるという、二つの関係を有しているため、以下のように二重にマークアップすることとする。

```
<seg type="explanationOf" xml:id=" 自 力 1" corresp="# 竪 超 "><seg type="similarWith" corresp="# 自力 "> 自力 </seg></seg>
```

なおこのとき、xml:id の重複は規格上許されないため、二度目に出現する「自力」の語については < 自力 1> などの xml:id を付与する。

以上の、A. 親子関係（hasParent）、B. 同一関係（sameAs）、C. 説明関係（explanationOf）、D.

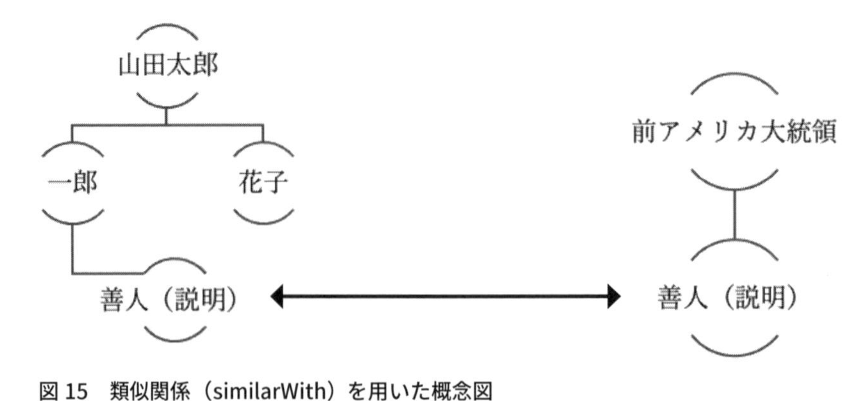

図 15　類似関係（similarWith）を用いた概念図

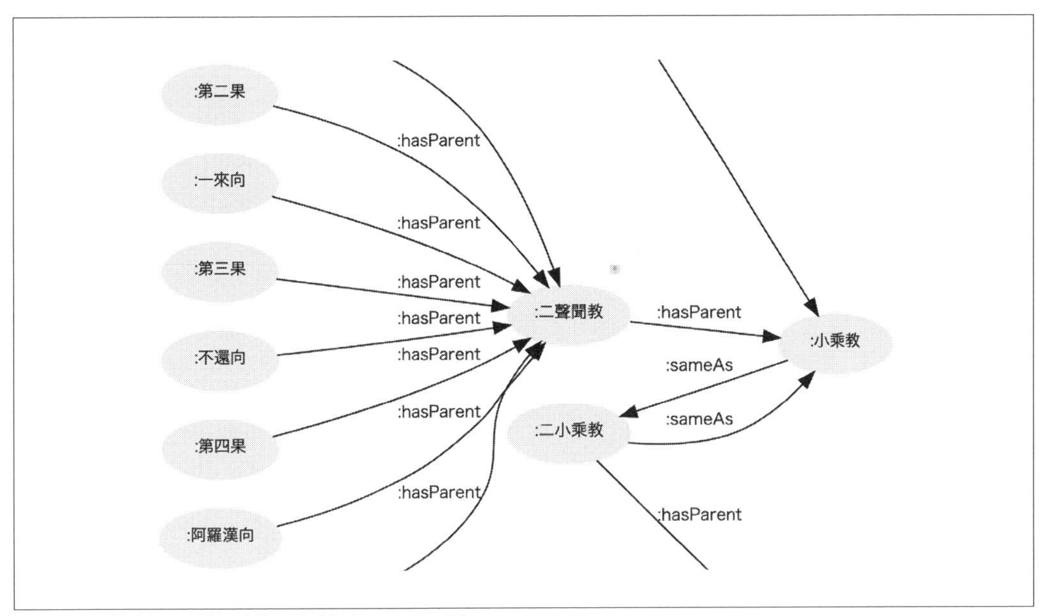

図 16　出力済みの『愚禿鈔』知識グラフの一例

兄弟関係（hasSibling）、E. 類似関係（similarWith）の合計五種類で、『愚禿鈔』の概念体系が記述可能である。

5．本研究の課題

前項で提案した記述方式によってマークアップした『愚禿鈔』は公開中である［15］が、そのテキストをもとに作成した知識グラフ、概念同士の関係性の可視化の一例が上【図 16】である［16］。

また、本研究には以下のような課題も残されている。これまで述べてきたようにマークアップされたテキストから `<graph>` の `<node>` を作成するとき、例えば前節「B. 同一関係」（sameAs）で扱った例では、@xml:id は異なるが同じノードとして扱うべきものである。この場合、そのまま `<arc>` に変換するのみでなく、@type="sameAs" を参照しつつ一つのノードとなるように処理する必要がある。

また、例えば D では「大經」「觀經」「小經」などの兄弟概念のさらに親概念として、文献中には見出されない「浄土経典」などの概念を設定しておくことが、より知識グラフの有用性を高めるであろう。これについては自動処理が困難であり、`<node>` と `<arc>` に手動で入力せざるを得ないのが現状である。

TEI における `<standOff>` の活用には他にもさまざまな課題があり得るが、典拠に基づく知識グラフ記述の手法として、今後も検討を続けていきたい。

なお、本章は『じんもんこん 2021 論文集』に掲載した論文［17］をもとに補筆、修正したものである。

参考文献

[1]『大正新脩大蔵経』大正一切経刊行会、No.2648、Vol.83、pp.647a-654a。

[2] “TEI P5 Guidelines, 16.10 The <standOff> Container”. https://www.tei-c.org/release/doc/tei-p5-doc/en/html/SA.html#SASOstdf（参照 2022-3-7）.

[3] “The Canonical Text Services URN specification, version 2.0.rc.1”. http://cite-architecture.github.io/ctsurn_spec/（参照 2022-3-7）.

[4] 永崎研宣他、大蔵経における多言語対訳コーパスの構築、『じんもんこん 2009 論文集』2009(16), pp.129–134, 2009-12-11。

[5] “<xenoData>”. https://tei-c.org/release/doc/tei-p5-doc/en/html/ref-xenoData.html（参照 2022-3-7）.

[6]『顕智上人集　上』（影印高田古典　第二巻）、真宗高田派教学院、1999-4-1、pp.650–651。

[7]『大正新脩大蔵経』大正一切経刊行会、No.2648、Vol.83、p.649c, 654a。

[8] 村上専精『愚禿鈔の愚禿草』村上専精博士功績紀念會、1928-5-5。

[9]『定本親鸞聖人全集』（第二巻）、親鸞聖人全集刊行会、pp.187–197、1969-11。

[10] 田代俊孝、『『愚禿鈔』講讃―教相判釈と真宗開顕―』東本願寺出版、2019-7。
深見慧隆、『愚禿紗』の撰述時期について、『山口真宗教学』（30）、pp.27–60、2019-5。

[11] 村上専精『愚禿鈔の愚禿草』村上専精博士功績紀念會、1928-5-5、p.26。

[12]『顕智上人集　上』（影印高田古典　第二巻）、真宗高田派教学院、1999-4-1、p.640。

[13] “貴重資料画像データベース「龍谷蔵」、愚禿鈔［021-168-2］”、http://www.afc.ryukoku.ac.jp/kicho/cont_01/pages_01/v_menu/0109.html?l=0&q=%E6%84%9A%E7%A6%BF%E9%88%94（参照 2022-3-28）。

[14]『顕智上人集　上』（影印高田古典　第二巻）、真宗高田派教学院、1999-4-1。

[15] “愚禿鈔の RDF”. https://github.com/wyoichiro1125/gutokusyou_rdf（参照 2022-3-7）.

[16] https://github.com/wyoichiro1125/gutokusyou_rdf/blob/main/graph-draw_2648.svg（参照 2022-3-7）. 作成にあたり https://www.kanzaki.com/works/2009/pub/graph-draw（参照 2022-3-7）を使用した。

[17] 左藤仁宏他、仏教思想の概念体系の記述手法としての TEI マークアップの現状と課題、『じんもんこん 2021 論文集』2021、pp.288–293、2021-12-4。

第7章

大正新脩大蔵経 TEI 化作業の中国古典籍への援用

片倉峻平

1．はじめに

筆者が大正新脩大蔵経 TEI 化プロジェクトに参加したのは 2021 年の春からである。自身の専門は中国学であり本来仏教学とは縁遠い世界に身を置いていたのであるが、中国古典籍のデジタル処理化にも関心を寄せていたことから漢訳仏典を扱う本プロジェクトへの参加を希望したところ、門外漢の中途からの要請にも関わらず快く受け入れていただくことができた。

プロジェクトで扱う『大正新脩大蔵経』は漢籍が多く収録されていることから、多くの中国古典籍と似た体裁を持っている。そのためこれまでの作業で確立してきたTEIマークアップ方針は、中国古典籍の TEI 化を行う際にも大きく援用できるものが多数存在する。本章では、本プロジェクトがこれまで蓄積してきた TEI マークアップのノウハウが、他の代表的な中国古典籍の TEI 化作業に対してどのように援用できるかという例をいくつか紹介する。なおここで紹介する例はまだ着想段階のものであり、筆者が実際に中国古典籍の TEI 化作業に取り掛かっているというわけではないことを付言しておく。

2．中国古典籍に TEI 記述が求められる背景

まずは中国古典籍への TEI マークアップの必要性を、そのデジタル情報化の現状と、現状のデジタル化では満足に扱えていない中国古典籍の特徴という 2 点から考えてみる。

2-1．中国古典籍デジタル情報化の現状

中国古典籍の多くはデジタル情報化が進められており、テキストデータとしての利用が可能となっている。例えば中国の北京愛如生数字化技術研究中心[1)] が作成したデータベース「中国基本古籍庫」は、一万種もの書籍を収録しており、これは中国最大の叢書『四庫全書』の約 3 倍の数に相当するという[2)]。またこれら既存のテキストデータをさらに応用させる動きも加速しており、例えば中国古典籍の電子図書館である「Chinese Text Project」[3)] では人文情報学利用のため

に独自のテキストマイニング機能を追加している[4]。

一方で、テキストデータをTEI化することで今後の利用に備えようとする試みは、いまだ充分に達成されているとは言えない。渡邉要一郎氏が記すように「中華電子仏典協会（CBETA）」によるマークアップ方針は存在しているものの、同氏の述べる通りこれではまだ不充分であり、さらなる応用的利用を目指すためにはより良い方法でのマークアップ方針を定めておくことが肝要である[5]。

2-2．中国古典籍の特徴

中国古典籍には、複数の構造に区分けできる記述がその記述の種類や境界を明示されずに並列されるという特徴がある。こうした特徴は、2-1節で確認したような単純なテキストデータの情報だけでは充分に扱うことが難しい。

【図1】に代表的な中国古典籍の一つである『論語』の注釈書、『論語注疏』を示した。例1では「音義」[6] と記された下部に「焉。於虔反。下同。亡。如字。無也。」と記述されているが、これを構造ごとに考えると、「焉。於虔反。下同。」「亡。如字。」「無也。」の三箇所に大別することができる。最初の箇所は「焉」字の音韻情報を、次の箇所は「亡」字の音韻情報を、そして最後の箇所は「亡」字の字義情報を示している。このように三箇所それぞれが異なる情報を提示しているのであるが、原文ではそれぞれの文章がどういった情報を述べているかということも、またこの三つの構造を区分する明確な境界も示されていない。

例2には「凡二十五章。」という記述があり、これは例1と同じく「音義」の下に位置するのであるが、今度は音韻情報でも字義情報でもなく、篇の構成情報を示している。しかしながらこれもまた何の情報を提示しているのかは原文では明示されていない。

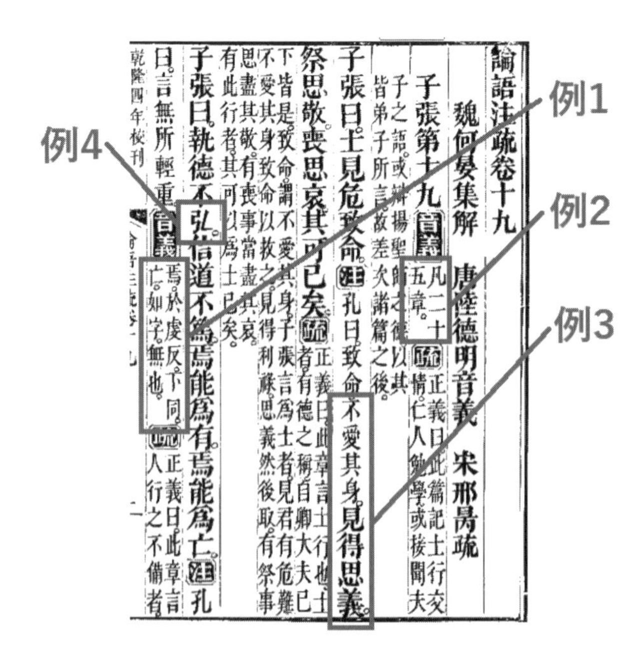

図1　『論語注疏』（武英殿十三経注疏本）子張篇（画像情報は Chinese Text Project より引用）

例3は「不愛其身。見得思義。」という八文字の記述であるが、画像で確認すると「不愛其身。」と「見得思義。」ではその文字の太さ及び大きさの若干の違いが確認できるであろう。これは、前半の「不愛其身。」が注釈に当たる部分であるため、後半の「見得思義。」という本文よりも多少細く小さく記述されているのである。このように画像をよく見てみると構造の区別は確認できるのであるが、それは言葉で明示されているわけではないため、この箇所の文章を「…不愛其身。見得思義。…」などとテキストデータとしてベタ打ちしているだけではどこまでが注釈部分に該当するのかということは見当が付かない。

また中国古典籍においては、避諱による欠筆や異体字などの影響から、主要な字形とは異なる字形で文字が記述される場合も存在する。例4には「弘」という字形が見られるが、これは本来「弘」という字形で書かれるはずが､避諱に影響されて最後の一画を欠損させたものである[7]。なかなかに珍しい字形である一方 Unicode には登録があるために[8]、本章のようにテキストデータとして表現することは可能となっている。そしてこの字が本来「弘」字であって避諱という現象から「弘」という字形になってしまっているという情報は、デジタル情報として盛り込んでおく必要がある。というのも、例えば原文に忠実にただ「弘」としてテキストデータを残しておくだけでは、「弘」と検索した際にヒットさせることができなくなってしまうなど、不具合を生じさせる可能性が残ってしまうからである。

上述した例1～4は、どれもテキストデータにマークアップ処理を加えるという対応が想定でき、それには TEI が選択肢として存在する。

3．大正新脩大蔵経 TEI 化作業で確立した手法の援用

本プロジェクトの中では『大正新脩大蔵経』という漢籍を多く含む叢書に対してさまざまな TEI マークアップ手法が確立されてきた。以下では、これら手法が他の中国古典籍に対して具体的にどう援用できるのかをいくつか例示する。

a．巻頭・巻末情報

中国古典籍の多くは巻頭・巻末に題目や編者などのメタデータが記述される。【図2】には『論語注疏』学而篇の巻頭及び巻末の部分を挙げた。巻頭（【図2】右側）にはまず「論語注疏巻一」と題目・巻次が記されている。次の行に「魏何晏集解　唐陸徳明音義　宋邢昺疏」とあるのは編者の情報である。巻末（【図2】左側）には「論語注疏巻一」と題目・巻次が再び記されるとともに、「按察使銜兼署廣東按察使

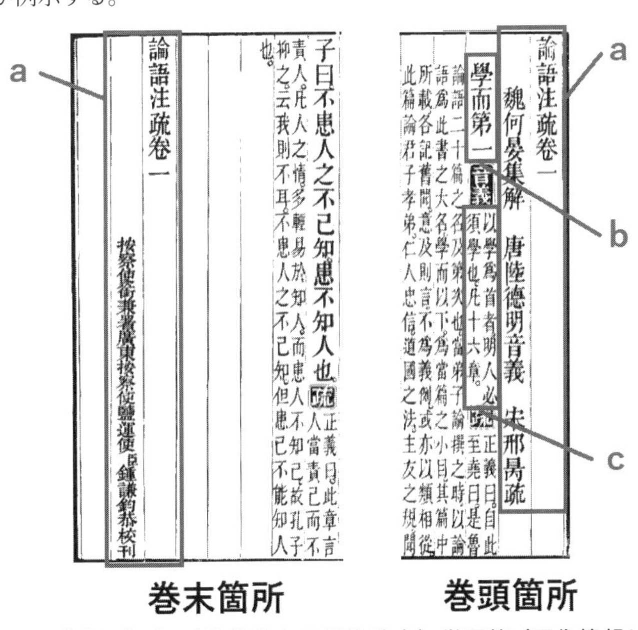

図2 『論語注疏』（武英殿十三経注疏本）学而篇（画像情報は Chinese Text Project より引用）

鹽運使臣鍾謙鈞恭校刊」[9] という情報も示されており、これはこの版本の校刊者の情報に該当する [10]。

プロジェクトではこれら巻頭・巻末のメタデータは <ab> タグでマークアップを行い、さらに内容によって <title> タグや <persName> タグを追加するという手法を採っている [11]。また巻の始まりに <milestone> タグを記しそれを明示する。実際にこの部分をプロジェクトの手法に従いマークアップしてみると、以下のような記述を行うことができる（太字は原文箇所）。

巻頭箇所

```
<milestone unit="fascicle_beginning" n="1"/>
<ab type="fascicle_beginning">
    <title type="fascicle_beginning">論語注疏巻一</title>
    <persName role="集解" ref="http://viaf.org/viaf/50310566">魏何晏</persName>集解 <persName role="音義" ref=" http://viaf.org/viaf/37253950">唐陸德明</persName>音義 <persName role="疏" ref="http://viaf.org/viaf/6416929">宋邢昺</persName>疏
</ab>
```

巻末箇所

```
<ab type="fascicle_end">
<title type="fascicle_end">論語注疏巻一</title><persName role="校刊" ref="http://viaf.org/viaf/2147663040960552202">按察使銜兼署廣東按察使鹽運使臣鍾謙鈞</persName>恭校刊
</ab>
```

b．篇題情報

『論語注疏』はいくつかの篇に分かれており、篇題の記述により区分されている。【図 2】ではbで囲んだ「學而第一」という箇所が篇題（及び篇次）である。

プロジェクトでは本文箇所に <div1> タグで大きなまとまりを与えているのであるが、篇ごとには <div2> タグでさらに細かくまとまりを区切り、篇題には <title> タグを与える。実際にマークアップしてみると、以下のように書けるであろう。

```
<div1 type="lunyu_body">………………
    <div2 type="body" subtype="chapter" n="1">
        <title type="desc">學而第一</title>…………………
    </div2>
```

```
</div1>
```

c．割注

中国古典籍では割書で注釈が記されることが多く（これを割注と呼ぶ）、『論語注疏』も例外ではない。【図 2】では c で囲んだ「以學爲首者。明人必須學也。凡十六章。」という箇所をピックアップしておいた。

プロジェクトではこうした割注に <note> タグを与え、その改行には <lb> タグを用いている。なお <lb> タグは改行全般に広く用いられるが、割注のなかの改行は通常の改行と区別する必要があるため、@type 属性として "wari" を追記しておく。これを適用させると、【図 2】の c 部分は以下のように書くことができる。

```
<note type="wari"> 以學爲首者。明人必
    <lb type="wari"> 須學也。凡十六章。
</note>
```

d．韻文

中国古典籍の韻文の例として、【図 3】に『詩経』の注釈書である『毛詩正義』を挙げた。ここでは「大雅」という分類にある「文王」という詩の一部を掲載している。「文王」は四字句を基本とし、八句で一つの章を構成している。

TEI としては、韻文は行ごとに <l> を [12]、その一定のまとまり（stanza など）ごとに <lg> タグを [13] それぞれ用意している。プロジェクトではこれを援用して、『大正新脩大蔵経』に韻文が出てきた場合は句ごとに <l> を、その一定のまとまりである節や章ごとに <lg> を与えている [14]。すると、【図 3】の d の網掛けで示した箇所は合わせて八句となっており、全体で一つの章と見なせるため、以下のように記すことができる。

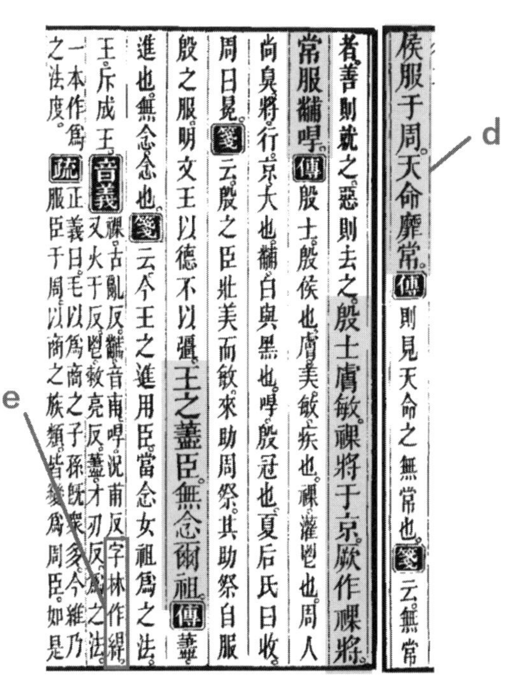
侯服于周。天命靡常。傳 則見天命之無常也。箋 云無常
者。善則就之。惡則去之。殷士膚敏。祼將于京。厥作祼將。
常服黼冔。傳 殷士殷侯也。膚美。敏疾也。祼灌鬯也。周人
尚臭。將行。京大也。黼白與黑也。冔殷冠也。夏后氏曰收。
周曰冕。箋 云殷之臣壯美而敏來助周祭。其助祭自服
殷之服。明文王以德不以彊。王之藎臣。無念爾祖。傳 藎
進也。無念念也。箋 云今王之進用臣當念女祖爲之法。
王斥成王。音義 祼古亂反。黼音甫。冔況甫反。字林作縡 又火于反。鬯敕亮反。藎才刃反。爲之法
一本作爲 之法度。疏 正義曰毛以爲商之子孫既衆多今維乃 服臣于周以商之族類皆變爲周臣。如是

図 3 『毛詩正義』大雅（武英殿十三経注疏本）（画像情報は Chinese Text Project より引用）

```
<lg>
    <l> 侯服于周。</l><l> 天命靡常。</l>…………
```

第4部 事例編②

```
        <l> 殷士膚敏。</l><l> 祼將于京。</l><l> 厥作祼將。</l><l> 常服黼冔。</l>…………
        <l> 王之藎臣。</l><l> 無念爾祖。</l>…………
    </lg>
```

e．異読情報

中国古典籍の注釈では文字の異同、すなわち「異読」(「異文」や「校勘」とも言う）についての情報が記される場合もある。【図 3】では e で囲んだ「字林作冔[15]」というのが異読情報についての注釈である。これは､本文にある「冔」という字が『字林』という書物では「冔」字になっている、ということを示している。

プロジェクトではこうした異読情報に対して、<app> タグの記述により対応している。その中で本文には <lem> タグを、異読情報には <rdg> タグを用いることで文字の異同を過不足なく示し、場合によっては <note> タグにより原文の記述をそのまま保存している。これを適用させると、【図 3】の e 部分は以下のように書くことができる。

```
<app>
    <lem wit="# 毛詩正義 "> 冔 </lem>
    <rdg wit="# 字林 "> 冔 </rdg>
    <note resp="# 經典釋文 "> 字林作冔 </note>
</app>
```

4．おわりに

TEI マークアップによる利便性というのはすでに多く議論され実践に移されているが、述べてきた通り中国古典籍テキストデータの TEI 化も大きな需要があり、そのデータを作成しておくことで今後の中国学研究には大きな利益をもたらすはずである。漢籍として似た構造を持つ『大正新脩大蔵経』を TEI 化するという本プロジェクトでの作業は、その方針の多くが中国古典籍にも援用できるものとなっている。本章で試みに行った『論語注疏』及び『毛詩正義』の TEI マークアップは、資料のわずかな部分を扱ったに過ぎないが、今後もプロジェクトで蓄積されてゆく方針の数々を新たに適用したり、またそれをさらに中国古典籍向けに応用させたりすることで、2-2 節で述べたような中国古典籍で TEI マークアップが大きく活躍するような状況にも対応できるようになるであろうことを筆者は想定している。本プロジェクトは漢籍テキストデータの TEI 化を大きく牽引する先駆的なものであり、今後さらに重要性が高まりますます参照されてゆくであろうことは想像に難くない。

また、少し角度を変えて本プロジェクトの意義を考えてみると、人文学系の協働作業としての貴重な実践例であることも確認できる。今後類似した新たな協働計画が発足した場合、『大正新脩大蔵経』の作業過程で積み上げたワークフローは非常に参考となるはずである。また筆者のように専門分野の異なる人間がこの協働作業に直接加担できたという経験は、今度は自身の分野での類似した計画、例えば中国古典籍TEI化などの計画にそのまま活かすこともできる。言わば分野横断的な協働の可能性を本プロジェクトは兼ね備えているのである。いずれ自身の分野の開墾にこの経験を役立てることができれば幸いである。

謝辞：本研究は科研費21J12110、仏教学術振興会の助成を受けたものです。また本稿を記すにあたり、プロジェクトの皆様から大きなご助言を多数いただきました。とりわけ永崎研宣先生（人文情報学研究所）及び渡邉要一郎先生（東京大学史料編纂所）からは情報学分野に関して懇切丁寧なご指導を賜りました。また中国学分野に関しては大西克也先生（東京大学大学院）に大きくご指導を賜りました。深く御礼申し上げます。

注

1 http://er07.com/（参照 2022-02-07）

2 http://er07.com/home/pro_3.html（参照 2022-02-07）

3 https://ctext.org/（参照 2022-02-07）

4 https://ctext.org/digital-humanities（参照 2022-02-07）

5 渡邉要一郎氏論文（第4部第1章）を参照。

6 唐・陸徳明による音義書『経典釈文』の記述ということを示している。

7 清・乾隆帝の諱「弘暦」から「弘」字は避諱字である。（王彦坤『歴代避諱字彙典』（中華書局、2009）pp.99–100）

8 U+2239E

9 「按察使銜兼署廣東按察使鹽運使」までが役職名で、「臣鍾謙鈞恭校刊」は鍾謙鈞という人物が校刊したということを表す。

10 本論からは少し外れるが、こうした版本に関する情報は <teiHeader> 内 <sourceDesc> に記述するやり方が考えられ、例えば封面に示される版本情報などはここに記述ができよう。一方で版心に毎葉示される版本のメタデータ（版心題・葉番号・刻工名・字数など）は、テキスト全体の情報を記すことを想定されている <sourceDesc> に記述するのは適切ではないかもしれない。本章では具体的な方針を定めないが、これら版本情報の記述は実際に中国古典籍をTEI化する際には大きな課題となり得、いずれ議論しなければならないものであろう。

11 各タグの説明はTEIガイドラインから確認できる。https://tei-c.org/guidelines/（参照 2022-02-07）

12 ガイドラインに「<l> (verse line) contains a single, possibly incomplete, line of verse.」とある。https://www.tei-c.org/release/doc/tei-p5-doc/en/html/ref-l.html（参照 2022-02-10）

13 ガイドラインに「<lg> (line group) contains one or more verse lines functioning as a formal unit, e.g. a stanza, refrain, verse paragraph, etc.」とある。https://www.tei-c.org/release/doc/tei-p5-doc/en/html/ref-lg.html（参照 2022-02-10）

14 厳密には、インド語韻文においてpādaに相当する箇所を <l> とし、ślokaに対応する箇所を <lg> とする、という方針である。

15 この字は図版では「⿰糸⿱日于」という形で示されているが、該当するUnicodeが存在しないため構成要素を同じくした「[illegible]」字で代用している。

COLUMN 4

著作権法改正で Google Books のような
検索サイトを作れるようになる？

南亮一

1．はじめに

著作権法改正というと、TPP11 の発効で著作権の保護期間が 70 年になって、これからあと 20 年、パブリック・ドメインになる著作物は出てこなくなるとか、最近では、スクショするだけで違法になる（？）ような法改正の動きがあるとか、著作物を使う側にとっては「何だよー！」ということを思い浮かべる人も多いと思いますが、実際にはそうではありません。

2018 年 5 月の著作権法の一部改正により「第 47 条の 5（電子計算機による情報処理及びその結果の提供に付随する軽微利用等）」が新設されました。これは、米国著作権法にある「フェアユース」という条項を日本の著作権法でも設けるべきだという、いわゆる「日本版フェアユース」構想の産物の一つです。

この条項が設けられた背景には、IoT やビッグデータ、AI といった新たな技術を活用して、著作物を含む情報を大量に集めてそれを組み合わせたり解析したりすることで、新たなサービスを生み出す環境が技術的には整いつつあるということがあります。他方、日本の著作権法では個別具体的な行為ごとに権利制限規定が定められているため、権利者に及ぼす不利益はないかごくわずかなものなのに、形式的に違法となり、そのようなサービスを行うことをためらうことで、このような新たなサービスの芽が潰されることになるのではないか、という指摘があったようです。そういえば、インターネット検索サービス業が日本で衰退したのは、日本にフェアユースの規定がないからだ、という主張もありました（文化庁の報告書[1]には「合理性を見いだすことができない」と書かれていますが）。

そこで、文化庁では、さまざまな理由から、米国著作権法にある「フェアユース」の条項を日本に導入するのは妥当ではないとした上で、その代わりに、権利者に及び得る不利益の度合いに応じて分類した三つの「層」のうちで、権利者に及ぼす不利益が少ない「第 1 層」（権利者の利益を通常害さないと評価できる行為類型）と「第 2 層」（権利者に及び得る不利益が軽微な行為類型）について、「柔軟性のある権利制限規定」を整備することとしました[2]。

著作権法第 47 条の 5 は、このうちの「第 2 層」の類型の行為を定めるために設けられたもので、「インターネット検索サービスの提供に伴い必要な限度で著作物の一部分を表示する場合など、著作物の本来的利用には該当せず、権利者に及び得る不利益が軽微なものがこれに該当する」とした上で、「所在検索サービス」[3]と「情報分析サービス」[4]の結果提供の際に行われる著作物等の表示行為等を、この類型に該当する行為と位置づけています。

表題に掲げました「Google Books のような検索サイト」は、これらのうちの「所在検索サービス」の一種(「書籍検索サービス」に該当します)として掲げられています[5]。このため、「Google Books のような検索サイト」を構築する行為は、著作権法第 47 条の 5 を適用することで、著作権者からの許諾を得なくても行うことができるということになります。つまり、この改正法が施行された 2019 年 1 月 1 日以降は、著作権者からの許諾を得なくても、「Google Books のような検索サイト」を構築し、公開することができるようになった、ということになります。米国では、2005 年からの長年にわたる「Google Books 裁判」の結果、11 年後の 2016 年にようやく、フェアユースに該当することが確定し、著作権者からの許諾を得る必要がないという解釈が確定したわけですが、日本ではこの条項を新設することで、合法的にこの行為を行うことが可能なことを明確にしたということになります[6]。これで安心ですね。

2．検索サイトを作るための条件

そういうわけで、表題に掲げた行為を行うことは明確にできますよ、と言い切ることができるのですが、「Google Books のような検索サイトを作って流すことができるようになりました、おめでとうございます！」というだけでは、あまりにも大雑把過ぎるような気がしますので、ここからは、どういう要件を満たせば「作って流すことができるようにな」るかを説明します。

同条では、(1) 電子計算機による情報処理及びその結果の提供に付随する著作物の軽微な利用(第 1 項)と、(2) その準備のための著作物の利用(第 2 項)の二つを定めています。すなわち、書籍のデータを検索するためのテキストデータの製作には第 2 項を、そしてこのデータを使って書籍の特定の場所を検索し、書籍中のキーワードを含む文章の一部分を提供する行為には第 1 項(第 1 号)[7]が、それぞれ適用されることになります。

同条ではまず、同条の適用を受けることができる者について次のとおり規定しています。

> 電子計算機を用いた情報処理により新たな知見又は情報を創出することによつて著作物の利用の促進に資する次の各号に掲げる行為を行う者(当該行為の一部を行う者を含み、当該行為を政令で定める基準に従つて行う者に限る。)

最初の「電子計算機…次の各号に掲げる行為」というのは、前述の「所在検索サービス」と「情報分析サービス」のことです。「所在検索サービス」には、Google Books のような「書籍検索サービス」が含まれますので、「Google Books のような検索サイト」を作って流そうとする方々はもちろん含まれることになります。そして、その後の括弧書きのところで「当該行為の一部を行う者を含み」とありますので、例えば、書籍のスキャニングを行うだけの人ですとか、OCR を掛けるだけの人なども含まれることになります。

問題は、その次の「当該行為を政令で定める基準に従つて行う者に限る」とある点です。ただ単に「Google Books のような検索サイト」を作って流す人なら全員 OK というわけではない、政令で定める基準に従って行っていない人は対象から外れるというのです。これは大問題です。

それではこの「政令で定める基準」とは何かを説明します。この「政令」とは、著作権法の下位法令である「著作権法施行令」のことで、著作権法の改正に合わせて改正されたものです。その改正後の第 7 条の 4 によると、インターネット情報検索サービス以外のサービス（もちろん「書籍検索サービス」の場合も含みます）については、（1）サービス実施のために蓄積している著作物等の複製物に係る情報の漏えいの防止のために必要な措置を講ずること（第 1 項第 2 号及び第 2 項第 2 号）と、(2)「所在検索サービス」（もちろん「書籍検索サービス」も含みます）や「情報分析サービス」などを適切に行うために必要な措置として文部科学省令で定める措置を講ずること（第 1 項第 3 号）の二つが求められます。なお、（1）の具体的な措置の内容は「事業者に委ねられるものであり、過度な負担を課すことは意図して」おらず、「事業者の円滑な対応に資するよう、本条の解釈については、今後、解説等で明らかにしていくことを予定してい」ることとされています[8)]。（2）については、これも著作権法の改正に合わせて改正された著作権法施行規則の第 4 条の 5 に、次の二つが定められています。

一　当該行為に係る著作物等の利用が法第四十七条の五第一項に規定する要件に適合するものとなるよう、あらかじめ、当該要件の解釈を記載した書類の閲覧、学識経験者に対する相談その他の必要な取組を行うこと。
二　当該行為に関する問合せを受けるための連絡先その他の情報を、当該行為の態様に応じ合理的と認められる方法及び程度により明示すること。

なお、これらの具体的に意味することについても、前述の解説等で明らかにすることが予定されていますが[9)]、第 1 号の内容については、サービスの適法性を担保するために、同条の解説書や解説記事をきちんと参照するとか、サービスの適法性について著作権法に詳しい弁護士や研究者に照会をするとか、そういうことをきちんとしてくださいね、という意味かと思います。なお、2020 年 3 月に刊行された『書籍検索サービスに係るガイドラインに関する調査研究報告書』（公益社団法人著作権情報センター附属著作権研究所著、著作権情報センター、2020 年 3 月刊行）（以下「2020 年報告書」）では、「事業者において、書籍検索サービスに関するガイドラインを開発し、それを遵守するように取り組むこと」（p. 69、74–75）をその一例として挙げています。すなわち、ガイドラインが策定されれば、それを遵守することで、この要件を満たすここと になる、ということになります。

また、第２号の内容については、そのサービスを行うウェブサイトのトップページなどに、きちんと問い合わせ先を明記してくださいね、という意味かと思います。いずれも、このようなサービスを行うのであれば、当然取り組んだり表示したりするものだと思いますので、大したハードルにはならないものと思います。

すなわち、以上をまとめますと、「Google Books のような検索サイト」を作って公開する際に同条の適用を受けようとするためには、(1) 蓄積したデータの漏洩防止措置を講じ、(2) サービスの適法性を担保するために、同条の解説書や解説記事の閲覧や著作権法の専門家への照会、ガイドラインが策定されればそのガイドラインを遵守することなどの取り組みをきちんと行い、(3) 検索サイトのトップページなどに連絡先を明記する、この三つを行えばよいことになります。

3．表示できる著作物の範囲は？

次は、「Google Books のような検索サイト」で「軽微な」表示ができる著作物の範囲について定められています。すなわち、「公衆への提供又は提示（送信可能化を含む。以下この条において同じ。）が行われた著作物（以下この条及び次条第二項第二号において「公衆提供提示著作物」という。）（公表された著作物又は送信可能化された著作物に限る。）」と定められています。

これは、(1) インターネット上の著作物と、(2) 公表された著作物、という意味です。インターネット上に掲載された著作物であれば、誰もアクセスしていないものも含まれるのですが、それ以外の著作物、典型的には何かの物に固定された著作物（書籍、手紙、レコード、DVD など）の場合は、公表されたものに限定される、ということです。「Google Books のような検索サイト」に収載される著作物は、通常はインターネット上の著作物ではないと思いますので、すべて公表されているものである必要があります。したがって、日記や書簡をスキャニングしてテキストデータ化し、中身を検索できるようなデータベースを作ろうとする場合には、これらの日記や書簡は公表されている必要があることになります。なお 2020 年報告書では、「公表された」とあることから、過去に公衆への提供または提示がなされていれば足りることになりますので、絶版書籍も対象となることとされています。また、「Google Books のような検索サイト」に収載される著作物の範囲は、この「軽微な」表示ができる著作物の範囲よりも広く、「権限ある者によって公衆に提供又は提示されているか等」を「確認する必要はない」とも記されています（p. 75）。

次は、どこまで利用できるか、すなわち、「軽微な」表示とは何かについてです。こちらについては、次のとおり定められています。

> 当該各号に掲げる行為の目的上必要と認められる限度において、当該行為に付随して、いずれの方法によるかを問わず、利用（当該公衆提供提示著作物のうちその利用に供される部分の占める割合、その利用に供される部分の量、その利用に供される際の表示の精度その他の要素に照らし軽微なものに限る。以下この条において「軽微利用」という。）を行

うことができる。

まず、「目的上必要と認められる限度」とされています。これについては、「例えば、サービスの利用者が情報処理の結果が自己の関心に沿うものであるか否かを確認できるようにしたり、情報処理の信憑性・信頼性を証明したりする上で必要な範囲内であることが求められ、こうした目的を離れて独立して著作物を提供することは認められない」[10]と解説されています。すなわち、書籍検索サービスの場合には、検索をした人が、検索結果が自らの検索の目的と合致しているかを検証できるのに必要な範囲での表示に限定される、ということかと思います。

また、利用の縛りとしては、次の「当該行為に付随して」という要件もあります。この要件については、文化庁の解説でも詳しく解説されていますので、理解がしやすいと思います。すなわち、「「各号に掲げる行為（情報処理の結果）の提供」（例えば、インターネット情報検索サービスでは検索結果としてのURL（情報処理の結果）の提供）と「著作物の利用」（例えば、インターネット情報検索サービスでは、スニペットやサムネイル（著作物）の提供）を区分して捉えた上で、前者が主たるもの、後者が従たるものという位置付けであることが求められる。このため、本項各号に掲げる行為（情報処理の結果の提供）が著作物そのものの提供である場合には、当該行為と著作物の利用が一体化しており、当該行為に「付随して」著作物を利用するものとは評価できないと考えられる」[11]とあります。主従関係とは、引用の要件みたいですが、著作物の表示は、検索結果の表示と同時に行わなければならず、検索結果の表示なしに著作物だけ表示するとか、検索結果の表示よりも著作物の表示部分の方が多すぎるとか、そういう場合には本条は適用しませんよ、ということになるのではないかと思います。

そしていよいよ、どこまで表示できるか、という話になります。これについては、「利用に供される部分の占める割合、その利用に供される部分の量、その利用に供される際の表示の精度その他の要素に照らし軽微なもの」と定められています。このうち、「割合」については「例えば楽曲であれば全体の演奏時間のうち何パーセントに当たる時間が利用されているか」と、「量」については「例えば小説であればどの程度の文字数が利用されているか」と、「表示の精度」については「例えば写真の画像データであればどの程度の画素数で利用されているか」と、「その他の要素」については「例えば紙媒体での「表示の大きさ」などが想定され、写真の紙面の掲載であれば何平方センチメートルの大きさで利用されているか」といったことがそれぞれ意味されるものと考えられる、と説明されています[12]。先に説明しましたように、本条は、「第2層」の行為類型について定めたものですので、権利者の不利益の度合いが「軽微」かどうかがポイントになります。そのため、ここでは利用の目的（公益性など）は考慮されることはなく、純粋に分量のみで判断されることになります。

ところが、解説記事では、具体的に何パーセント使ったら、何文字だったら、何画素だったら、何平方センチメートルの大きさだったら「軽微」ではなくなる、ということが示されていません。他方、報告書では、この「軽微」のところの説明の際、Google Booksでの表示（ユーザーに対して表示される検索結果に表示されるのは通常1ページの8分の1であり、書籍全体のうち10%の領域はあらかじめ表示対象から除外されている。また、辞書、レシピ、俳句のような短文詩は表示対象から除外される）が例示として示されていることを根拠として、このGoogle Booksでの表示を目安とすることができるのではないかと思います。あと、「表示の精度」や「表示の大きさ」については、先例として、絵画や写真のネットオークションでの画像表示に適用される権利制限規定（著作権法第47条の2）において「著作権者の利益を不当に害しないための措置」として定められている「表示の精度」（DRMを掛けている場合は9万画素以下、掛けていない場合は32,400画素以下）及び「表示の大きさ」（50平方センチメートル以下）が参考になるのではないかと個人的には思います。

この表示できる範囲につき、2020年報告書では詳細に記されていますので、ご参考にしていただけるのではないかと思います。

すなわち、「軽微表示」を①スニペット表示と②サムネイル表示に分けて検討しており、それぞれの結論につき、次のとおりまとめています（pp. 26–29、46–54）。

〇スニペット表示
・短歌・俳句・短詩等は表示を禁止
・1ページの1/8 ～ 1/10とし、3行を減じないこと。
・1ページにつき1個とし、同時に複数の検索語による検索の場合も同じとする。書籍全体としては3個～ 10個とすること。
・限界出力の設定は不要。
・目次は全体の表示を全ての書籍について許容すること。
・タイトル・見出し・演題・要旨・リード文は、全て本文と一体と捉え、検索やスニペット表示の対象とすること。
・著作物の捉え方は書籍単位を基本とすること。
・行によらないページのレイアウトの場合は、ページ内のレイアウトが左右又は上下2欄あるいはその他の複数欄によって分けられた場合については、各欄を1ページとして考察すること。
〇サムネイル表示
・書影や美術・写真の著作物は全部の表示を認め、画素数は32,400画素を1つの目安とすることが考えられる。
・画集や写真集に掲載された個々の美術・写真の著作物は、全部でよいとする見解とスニペット表示に準ずるべきとの見解がみられた。
・マンガについては1コマ・4コマの場合は表示を禁止とし、その他については慎重に検討することとされた。

また、本条には「ただし書」が付いています。「当該公衆提供提示著作物の種類及び用途並びに当該複製又は頒布の部数及び当該複製、公衆への頒布の態様に照らし著作権者の利益を不当に害することとなる場合」は、本条を適用できない、とされています。さらに、検索結果の表示の方（第1項）については、さらに、「当該公衆提供提示著作物に係る公衆への提供又は提示が著作権を侵害するものであること…を知りながら当該軽微利用を行う場合」も、本条を適用できない、とされています。

前者については、「辞書のように複数ある語義のうち一部のみでも確認されれば本来の役割を果たすような著作物について当該一部を表示することや、映画の核心部分のように一般的に利用者の有している当該著作物の視聴等にかかわる欲求を充足するような著作物について当該核心部分を著作物の一部分として表示すること」が例示として示されています。これはおそらくGoogle Booksが採用している基準とも一致するでしょうし、まぁそうだろうな、と、常識的に判断できそうな気がします。

後者については、権利者の経済的利益への侵害の度合いからではなく、「違法な著作物の拡散を助長する」ことになるという理由から設けられています。すなわち、海賊版対策という意味合いがあるということになります。こちらについては、「例えば、市販の映画や音楽が違法にアップロードされたもの（海賊版）について、それが海賊版と知りながら軽微利用に供する行為」がこれに該当する、と説明されています[13]。なお、こちらについては、前述のとおり、表示のときだけですので、蓄積の時には適用はありません。これはおそらく、蓄積の時には自動的に（人手を介さずに）行うこともあり得るということで、いちいちこれは海賊版だとか違法アップロードがされたものだとかを確認することは困難ということが理由なのではないかと個人的には考えています。

4．おわりに

以上、長々と書いてきましたが、結局、「Google Booksのような検索サイトを作るためには、次の九つの要件を満たせばよい、ということになりそうです。

- 蓄積したデータの漏洩防止措置を講じること。
- サービスの適法性を担保するために、同条の解説書や解説記事の閲覧や著作権法の専門家への照会などの取り組みをきちんと行うこと。
- 検索サイトのトップページなどに連絡先を明記すること。
- 表示をする著作物は、インターネット上の著作物か、公表されている著作物であること。
- サムネイルやスニペット表示の分量が、検索の目的に沿った検索結果となっているかを検証するのに必要となる分量に留まっていること。
- サムネイルやスニペット表示が、検索結果の表示に付随した場合だけ行われること。
- 表示される割合や量や精度、大きさが軽微（Google Booksでの運用やネットオークションでの画像表示において許容されている程度）であること。

・著作権者の利益を不当に害するような表示(表示を見たら著作物の享受ができるような表示)をしないこと。

・海賊版であることを知りながら表示をしないこと。

まだまだはっきりしない点は残っていますが、現時点ではっきりしていることは本コラムである程度は明らかにできたと思います。本コラムが契機となって、本条の研究が進み、日本のデジタルアーカイブの進展に資することになればうれしいです。今後の進展を期待しております[14]。

注

1　文化審議会著作権分科会「文化審議会著作権分科会報告書」（平成29年4月）, p. 30, https://www.bunka.go.jp/seisaku/bunkashingikai/chosakuken/pdf/h2904_shingi_hokokusho.pdf.

2　ちなみに、もう一つの階層である「第3層」は、「著作物の本来的利用を伴う場合も含むが、文化の発展等の公益的政策目的の実現のため権利者の利益との調整が求められる行為類型」とされています。

　これには､図書館の複写サービス(第31条第1項第1号)ですとか､授業の過程での使用のためのコピー(第35条第1項)ですとか､そういう､普通の権利制限規定がカバーする行為類型が該当します。前掲注1, p. 39.

3　検索により求める情報の特定または所在に関する情報を検索し、及びその結果を提供するサービスをいうこととされています。その上で、「書籍検索サービス」（特定のキーワードを含む書籍を検索し、その書誌情報や所在に関する情報の提供に付随して、書籍中の当該キーワードを含む文章の一部分を提供する行為）が例示されています。「著作権法の一部を改正する法律（平成30年改正）について（解説）」文化庁ウェブサイト, p. 31, http://www.bunka.go.jp/seisaku/chosakuken/hokaisei/h30_hokaisei/pdf/r1406693_11.pdf, 及び前掲注1, p. 17.

4　広く公衆がアクセス可能な情報を収集して分析し、求めに応じて分析結果を提供するサービスをいうとされています。その中には、特定の情報についての評判に関する情報についてブログや新聞、雑誌等で掲載されているのか等を調べられるサービスである「評判情報分析サービス」や、検索対象の論文について、その論文と同じ記述を有する他の論文の根拠を示すことにより、論文の剽窃の可能性を検出するサービスである「論文剽窃検出サービス」が含まれるとされています。前掲注1, p. 19.

5　前掲注1, p. 17.

6　松田政行「31 Google Books事件がもたらしたもの」「電子出版クロニクル　増補改訂版」のページ（日本電子出版協会ウェブサイト）http://www.jepa.or.jp/jepa/chronicle/31-2/

7　ちなみに第2号は情報分析サービスに適用されます。第3号は「前二号に掲げるもののほか、電子計算機による情報処理により、新たな知見又は情報を創出し、及びその結果を提供する行為であって、国民生活の利便性の向上に寄与するものとして政令で定めるもの」とされていますが、「現時点における具体的なニーズを把握した上で文化審議会法制・基本問題小委員会において検討した結果、把握されたニーズは全て、(1) 新法第47条の5第1項第1号（所在検索サービス）又は第2号（情報解析サービス）に該当し得るものであること、(2) 同項に定める「各号に掲げる行為に付随して著作物を利用すること」の要件に該当しないことが明らかであるが、当該要件に適合しない疑いが相当程度存在することから、現時点では、特段の規定を設けないこととなってい」ます。「「著作権法施行令の一部を改正する政令（案）及び「著作権法施行規則の一部を改正する省令（案）」の概要について」文化庁ウェブサイト,

p. 4, https://www.bunka.go.jp/seisaku/bunkashingikai/chosakuken/bunkakai/52/pdf/r1412314_04.pdf.

8 文化庁著作権課「「著作権法施行令の一部を改正する政令（案）」及び「著作権法施行規則の一部を改正する省令（案）」に関するパブリックコメント（意見公募手続）の結果について」（平成 30 年 12 月 28 日）, pp. 6–7. 国立国会図書館インターネット資料収集保存事業ウェブサイト . https://warp.da.ndl.go.jp/info:ndljp/pid/11237648/search.e-gov.go.jp/servlet/PcmFileDownload?seqNo=0000181533

9 同上 , p. 7.

10 前掲注 3, p. 32.

11 同上

12 同上

13 同上

14 私はある程度著作権法についての知識は有していますし、関連の法律書の読み方もある程度は心得てはおりますが、法律の専門家ではありません。本コラムの執筆に当たっては、これまで明らかになった立法担当者の見解をもとに可能な限り正確性を保つことを心がけてはおりますが、あくまでもこのような非専門家が執筆したものという前提でお読みいただければと思います。すなわち、本コラムは、一般的な情報提供のために掲載するものでして、法的・専門的なアドバイスを目的とするものではありません。実際に著作権法第 47 条の 5 の規定を適用してデジタルアーカイブを構築しようとされる方は、本コラムに示した典拠文書をご自身でご確認いただいた上で、法律の専門家の助言を受けられることをお勧めいたします。この点、ご留意いただきますようお願いいたします。また、本コラムの意見にわたる部分は、筆者の個人的見解でして、筆者の所属する組織の見解を代表するものではありませんので、よろしくご承知おきのほど、お願いします。

（注：本稿は、メールマガジン「人文情報学月報」第 91 号所収の記事を改稿したものです）

あとがき

永崎研宣・大向一輝

人文学におけるテキストデータは、単なる文字の集合ではなく、人間が行っている 2 種類の「読み」、すなわち視覚を通じて得られる画像から文字列を認識すること、そして文字列に内在する意味を理解すること、その双方の知的作業の結果を記録し、広く共有するための重要な媒体である。一方、日本では、テキストデータ構築に関する取り組みは、多大な手間を要する反面、研究成果としての評価が得られにくい時代が長らく続いたことから、独自形式でのデータの作成や公開、それらを用いた視覚化や分析といった研究は散見されるものの、大規模かつ協働的なデータの整備や利活用の事例は多くない。そのような状況の中で、本書では近年発展が著しい自動文字起こし技術や、マークアップの標準ルールである TEI ガイドラインを取り上げ、情報技術や国際的なコミュニティのサポートを得ながら相互運用性の高いテキストデータを構築し、流通させるための方法論を示した。

すでに情報技術は長大なテキストを「読む」ことなくその内容を自動的に要約、翻訳、あるいは生成することが可能であると主張されており、人間の側にもそれを受容する心構えが少しずつ醸成されつつある。人文学において『遠読（Distant reading)』という概念が登場して 10 年以上が経過しているが、ディープラーニング技術の高度化によって、現代語についてはあたかもコンピュータが意味を理解できたかに見えるような場面が出現している。古語・古典語に関しては、本書でも取り上げたように、くずし字や手書き文字等、従来は困難であった自動での文字読み取りが一定程度可能になったという段階の場合が多いようだが、それでも長足の進歩を遂げている。しかしながら、人がテキストを精読することは依然として重要であり、また、楽しいことでもある。デジタルデータとしてアクセスできなければ顧みられることが難しくなりつつある現在、TEI ガイドラインは、われわれの「読み」のありようを残していくうえできわめて有益な手段である。

一方で、TEI ガイドラインは、遠読に資する柔軟性を備えており、欧州ではまさにそれを期したプロジェクト“Distant Reading for European Literary History”が EU の Horizon 2020 プログラムの下で展開された。遠読に関しては、必ずしも TEI ガイドラインに基づく必要はないものの、準拠することで広がる可能性について考慮する価値があることをこのプロジェクトは示した。

欧米の言語資料に関しては TEI ガイドラインに準拠した豊富なテキストデータが提供されている一方で、日本語資料についてはこれから作成することになる。しかし、欧米先進国で必ずしもうまくいかなかった部分や、後に進展した技術によって乗り越えられたり効率化されたりする部分もあるため、先例を注意深く分析し、後発であることのメリットを享受することも可能であろう。データを作る目的は人によって異なるが、たとえば、浅くであれ深くであれ、われわれの「読み」を将来世代に継承していくために TEI ガイドラインは多くの糧を提供してくれる。これに限らず、自らの取り組みのなかで何かを見いだすことができそうであれば、ぜひ TEI ガイドラインに取り組んでみていただきたい。

まだ日本ではこの道は始まったばかりであり、本書の刊行はその一里塚として位置づけられるものである。とはいえ、ここに至るまでには多くの方々の貢献があった。すべての人を挙げることはできないが、まず、この一連の取り組みの重要性をいちはやく認識し、科学研究費補助金の基盤研究（A）・（S）・（A）3 件の研究代表者としてテキストデータ構造化の取り組みに思想的な背景を提供するとともにこれを推進した東京大学大学院人文社会系研究科次世代人文学開発センター人文情報学部門の部門長でもある同研究科教授の下田正弘氏を挙げておきたい。また、同科研研究課題及び同センターで活躍したチャールズ・ミュラー氏もまた、日本における TEI ガイドラインの活用と普及の先駆者の一人であり、TEI 協会東アジア／日本語分科会設立の立役者の一人でもあった。そして、同センターから提供される TEI の授業を大向・永崎とともに担当する同研究科准教授の高橋晃一氏は、仏教学における TEI/XML の高度な利用のみならず XSLT の活用についてもその教育を含めた貴重な貢献がある。貢献者のうちで本書の執筆陣に加わっていただいた方々や本文・コラム中で言及した方々についてはその取り組みの内容も詳らかであるため、割愛させていただくが、これ以外には、TEI 技術委員会の座長をつとめ日本での普及に貢献した一人である京都大学人文科学研究所教授の Christian Wittern 氏のお名前を特に挙げておきたい。

また、この動向は、国際的な TEI 協会の方々の積極的な協力なくしては進まなかったものであり、特に、日本で数度にわたり TEI ワークショップを開催したマーストリヒト大学の Susan Schreibman 氏、日本での会員総会 TEI2018 を積極的に推進した時期の TEI 協会理事長を務めたウィートン・カレッジの Kathryn Tomasek 氏とインディアナ大学図書館の Michelle Dalmau 氏の貢献は多大なものがあった。そして、人文学の要請と日本語資料、既存のガイドラインとの間の技術的な課題の調整に積極的に取り組んでくれた技術委員会メンバーとして、特に、ノースイースタン大学図書館の XML プログラマ・アナリスト Syd Bauman 氏、デューク大学図書館の DH シニアプログラマ Hugh Cayless 氏、ヴィクトリア大学ヒューマニティーズコンピュータとメディアセンターのプログラマ兼コンサルタント Martin Holmes 氏、メリーランド大学人文学技術研究所の研究プログラマ Raffaele Viglianti 氏、そして、座長であるグラーツ大学情報モデルセンターのシニアサイエンティスト Martina Scholger 氏のお名前を挙げておきたい。また、国際標準化機構 ISO や欧州人文学デジタルインフラ構築事業 DARIAH での活動を踏まえ、折に触れ的確なアドバイスをくださったフランス INRIA の Laurent Romary 氏の貢献も欠かせないものであった。そして、TEI のみならず人文学デジタル化全般にわたる深く長い経験から得た知見を常に惜しげもなく提供してくれたニューカッスル大学の James Cummings 氏なくしてはこの一連の取り組みも本書の存在もあり得なかっただろう。他にも多くの方々の協力によってこの一連の活動はようやくこの一里塚に至っている。皆様に深く感謝したい。

また、本書の刊行にあたっては、文学通信の岡田圭介社長、西内友美氏に大変お世話になった。

企画段階より刊行に至るまで、さまざまに有益な助言をいただいた結果として、一つの書籍としてまとめることができた。心より感謝したい。

本書に掲載しきれなかった関連資料やその後の新規情報に関しては、以下の URL に集約しているので、参照されたい。

https://www.dhii.jp/dh/tei/

本書で示した人文学のためのテキストデータ構築のための手法が、読者のみなさまの研究や取り組みに多少なりともお役に立つことを祈りつつ、まとめとしたい。

最後に、本書の編著者の一人であり、その刊行の準備中に急逝された渡邉要一郎氏について述べておきたい。渡邉氏は若くしてインド学仏教学を中心に幅広い研鑽を重ね、さらにこれにデジタル技術を活用する方法論の研究にも関心を拡げ、やがて本書第 4 部の基礎となった大蔵経 TEI 化研究会を主導するに至った。仏典テキストに内在する構造的記述に関する的確な洞察には驚かされることも多く、本書に掲載された論考はその一端を示したに過ぎない。その鮮烈な感性と深い思索によって展開し続けた全体像を明らかにすることができなかったのは大変に残念なことであった。同時に、渡邉氏は細やかな気遣いのできる人でもあり、研究会をはじめ様々な場面で彼に助けられた人も多かっただろう。渡邉氏と切磋琢磨できたかけがえのない時間を将来へと大切につないでいくことに、残された我々としては丁寧に取り組んでいきたい。

また、この事態を受け、本書に収録された渡邉氏の遺作となる貴重な論考を世に出すために、渡邉氏の指導教員であった下田正弘氏が、そのことによってもたらされる大きな意義を親族の方々に丁寧にご説明してくださった。本書刊行が実現したのはひとえにその熱意のおかげであり、深く感謝したい。そして、このことの重要性を理解しご了承くださった親族の方々、とりわけ、渡邉壮一郎氏と岩渕未紀子氏、そしてご長男の岩渕昌徳氏にも深謝したい。

用語タグ索引

☞各論からキーワードを抄出しグルーピングしました。

» **組織**

» **対象資料**

» **タグ**

» **付帯情報**

» **文字表記**

XML タグ索引

☞各論・コラムに登場する主要な XML タグを適宜抄出しました。

用語解説

☞各論から専門用語を抄出し解説を付しました。

ADHO	The Alliance of Digital Humanities Organizations（国際デジタルヒューマニティーズ学会連合）の略。豪州、カナダ、米国、南アフリカ、欧州、日本、台湾などのデジタルヒューマニティーズ学会が加盟している。
API	Application Programming Interface の略。ウェブサービスやソフトウェアが持つデータや機能の一部を、外部のプログラムから呼び出して二次利用するために提供側が用意する仕組み。
CSS	Cascading Style Sheets の略。文書の内容的な構造とスタイルの記述を分離するという考え方に基づき、ウェブページのスタイルを指定するための技術仕様。
difff	二つのテキストデータ同士の差分を文字単位で比較・抽出するサービス。 http://difff.jp/ で利用可能。
docker	コンテナ仮想化技術を用い、一つの OS 上で別の OS を構築してアプリケーションを実行するプラットフォーム。異なる OS 環境が必要となる場面で広く使われている。
GitHub	プログラムのソースコードを複数人で共同作成・公開するためのウェブサービス。近年はテキストデータやガイドラインなどの作成・共有にも用いられている。2018年にマイクロソフト社に買収された。
GitLab	Git を用いた、共同作業のためのバージョン管理システムのオープンソースのプラットフォームの一つ。
Glyphwiki	明朝体の漢字字形（glyph）の登録と管理を行い、共有することを目的としたウィキ（Wiki）。ウィキは、ウェブサイトの管理システムの一つであり、複数人でウェブブラウザを通じたウェブページの作成や編集をすることができる。
Google Colab	Google Colaboratory（グーグルコラボラトリー）の略で、グーグルコラボと読む。ネットワーク上で共同利用できる共同実験室（collaboratory）に由来すると思われる。プログラミング言語 Python をウェブブラウザで利用することのできる Google のサービス。
GUI	Graphical User Interface（グラフィカル・ユーザ・インターフェース）の略。マウスでアイコンをクリックするなど、画面上での視覚的表現に基づいて操作をする手法を指す。
HathiTrust	電子図書館 HathiTrust Digital Library を運営する非営利団体ハーティトラストのこと。米国の大学図書館を中心に、世界各国の図書館が所管する資料を電子化し、利用に供し、保存している。
HTML	Hyper Text Markup Language の略。ウェブページを記述するためのマークアップ言語である。
IIIF	International Image Interoperability Framework の略。デジタルアーカイブ上の画像・動画・音声などに対するアクセス手段を統一する API を策定し、コンテンツの相互運用性の向上を図る国際的な枠組みである。
IIIF manifest	IIIF において、メタデータやデジタル画像、アノテーション等の資料を構成する情報をひとまとめにしたデータ。IIIF Presentation API に準拠して記述されている。

IRG（Ideographic Research Group）	国際符号化文字集合であるISO/IEC 10646における漢字の扱いについて、国際標準化機構及び国際電気標準会議（ISO/IEC JTC 1/SC 2/WG 2）に勧告する組織。Unicodeに漢字を登録する場合、この組織で最初に議論される。
ISO/IEC 10646	文字コードの国際標準規格の一つ。業界標準規格であるUnicodeと互換性を有しており、国際的に広く用いられている。
IVD（Ideographic Variation Database）	IVSに基づく字形のコレクションのデータベース。Adobe-Japan1、Hanyo-Denshi、Moji_Joho等のコレクションが登録されている。
IVS（Ideographic Variation Sequenice）	Unicodeにおける、漢字の字体をより詳細に指定するためのセレクタ（選択子）。同じ字でも字形を区別する必要がある場合等に用いられる。
JavaScript	プログラミング言語の一つ。ユーザのブラウザ上で動作するプログラムを作成することができる。主にGUIの開発や情報の可視化に用いられる。
JSONフォーマット	JavaScript Object Notationの略。JavaScriptにおいてデータをテキスト形式で交換する際に利用されるフォーマット。ウェブ上のデータ交換手段としてXMLと並んで広く利用される。
LAMP（Linux, Apache, MySQL, PHP）	動的なウェブコンテンツを含むウェブサイトの構築によく用いられるオープンソースのソフトウェア群を指す名称。LinuxはOS、ApacheはWebサーバソフト、MySQLはデータベースソフト、PHPはプログラミング言語である。
Linked Data	リンクトデータと読む。ウェブ上にあるデータのつながり（リンク）を、コンピュータで自動処理することのできる形で公開・共有したもの。
Linked Open Data	構造化されたデータをウェブ上で公開し、URIを介して相互にリンクすることで大規模なデータのネットワークを構築するための方法論。クリエイティブ・コモンズなどのオープンライセンスに基づき自由に利用することができる。
Medieval Unicode Font Initiative	中世写本に登場する特殊な文字をUnicodeに登録するための組織。
OAI-PMH	OAI（Open Archives Initiative）によって定められた通信プロトコルであり、各地のサーバに分散するメタデータを機械的に収集するためのもの。
OAIS参照モデル	Reference Model for an Open Archival Information System。デジタル情報を長期保存するためのシステム構築に関する指針を定めたもの。国際標準規格にもなっている。
OpenCV	オープンソースのコンピュータビジョン（CV）向けライブラリ。さまざまなプログラミング言語から画像を処理するために利用されている。
Perl	プログラミング言語の一つ。文字列の検索・置換などのテキスト処理機能に優れているため、初期のウェブプログラミングにおいて広く用いられた。
PHP	プログラミング言語の一つ。ウェブプログラミングのために設計され、MediaWiki・Drupal・Omekaなど、さまざまなCMSにおいて採用されている。
Project Gutenberg	1971年に開始された、活版印刷を発明したグーテンベルクの名に由来する電子図書館。著作権の切れた作品を電子化し、インターネット上で公開している。
Python	プログラミング言語の一つ。自然言語処理や人工知能技術のライブラリが充実しており、テキストの分析に広く用いられる。
R	プログラミング言語の一つ。1993年にオークランド大学で開発された。統計解析に適している。
RDF	Resource Description Framework（資源記述の枠組み）の略。主語、述語、目的語の3つのデータ（triple）を基本とし、特定のアプリケーションに依存しないデータ交換を可能とする。

Roma	TEI ガイドラインにおいて、XML スキーマをカスタマイズするための Web アプリケーション。TEI 協会の公式サイトからアクセス可能。
Ruby	プログラミング言語の一つ。まつもとゆきひろ氏によって 1995 年に一般公開された。
Scripto	オープンソースのメタデータ共同管理システム Omeka のプラグインであり、Omeka 上のコンテンツの共同翻刻を可能とするもの。
SEI（Script Encoding Initiative）	カリフォルニア大学バークレー校で運営されているプロジェクト。ISO/IEC 10646 に未符号化文字を符号化提案する活動に従事している。
SGML	Standard Generalized Markup Language（標準一般化マークアップ言語）の略。XML の前身であり、複雑なデータ構造の表現が可能である。
TEI/XML	TEI（Text Encoding Initiative）協会が策定する、人文学を中心とするテキスト構造化のためのデータ形式である。現在は XML（Extensible Markup Language）技術に基づき実装されている。西洋諸国のデジタル・ヒューマニティーズのプロジェクトにおいては事実上の標準として TEI/XML 形式での文献データの作成・共有が広く行われている。
UI	User Interface（ユーザ・インターフェース）の略。人間とコンピューターの間で情報を受け渡しするための仕組みや規約、ハードウェア、ソフトウェア、枠組みなどの総称。たとえば、入力装置（キーボード、マウスなど）や、画面の表示方法などがそれにあたる。
Unicode	符号化された文字集合の国際規格。世界中の文字に符号を割り当て、普遍的にどのコンピュータでも表示できるようにする枠組み。
VIAF（Virtual International Authority File）	バーチャル国際典拠ファイル。世界各地の国立図書館等により、著者名・書名等に関する典拠情報が集約され、共通の ID が付与されている。
XSLT	W3C によって標準化された XML 文書のための変換用言語。XPath を用いて XML の要素を指定し任意の形式に変換する。
グラウンド・トゥルース	機械学習においては、機械に正解を学習させるための教師データやトレーニングデータのこと。人工衛星から測定した地表のデータと比較するため、森林や海などの地表物体を実際に測定した地上検証データ（Ground Truth）に由来する。
形態素解析	自然言語処理分野のテーマの一つであり、注記等のない自然言語のテキストを形態素に分割し、それぞれの品詞等を分析する処理を指す。
現代日本語書き言葉均衡コーパス（BCCWJ）	国立国語研究所によって開発された、現代日本語の書き言葉コーパスで、ソースはジャンルごとに均衡になるように選ばれており、データは 1 億 430 万語にのぼる。
ディスレクシア	読み書きに困難をもつこと。ギリシャ語の「困難（dys）」と「読む（lexia）」に由来する。
データセット	プログラムで処理されるデータの集合。分野・用途によって集合の共通項はさまざまに定められる。
テキストエンコーディング	テキストデータへのタグ付け（マークアップ）により付随的な情報（メタデータ）を記述すること。西洋諸国では TEI ガイドラインに準拠することが事実上の標準である。
ファセット	複数のデータに共通し得る属性。絞り込み検索の際に用いられる。
マークアップ	文献やテキストに対して、コンピュータやプログラムが処理できるようにするために、ある特定の方法で情報を付与していくこと。
メタデータ	データについてのデータ。書籍に対する書誌情報など、あるデータに対して説明となる付帯情報を指す。

編者＆執筆者一覧（五十音順）

☞ QR コードは各執筆者の researchmap（リサーチマップ）にとびます。

●編者

石田友梨（いしだ・ゆり）

岡山大学学術研究院社会文化科学学域助教（特任）。論文に「18 世紀インドにおけるカリフ制社会論―イスラーム改革思想家シャー・ワリーウッラーの『究極のアッラーの明証』より―」（『アジア太平洋討究』25、2015 年、49–68 頁）、「インドにおけるイスラーム神秘主義の霊魂論―シャー・ワリーウッラー・ディフラウィーを例に―」（International Journal of the Asian Philosophical Association 9-1, 2016, pp. 111–131）、「イスラーム研究におけるデジタル・ヒューマニティーズの活用に向けて―シャー・ワリーウッラー『ハラマインの師たちの瞳孔』に基づく一七 – 一八世紀ハラマインの学者ネットワーク分析―」（『イスラーム地域研究ジャーナル』8、2016 年、25–36 頁）など。

大向一輝（おおむかい・いっき）

東京大学大学院人文社会系研究科准教授。著書に『ウェブがわかる本』（岩波書店、2007 年）、『ウェブらしさを考える本』（丸善出版、2012 年、共著）、論文に「オープンサイエンスと研究データ共有」（『心理学評論』61-1、2018 年）など。

小風綾乃（こかぜ・あやの）

お茶の水女子大学大学院博士後期課程（近世フランス史、デジタル・ヒストリー）。論文に、「摂政期のフランス王権とパリ王立科学アカデミー：1716 年の会員制度改定を中心に」（『人間文化創成科学論叢』第 21 巻、2019 年）、「18 世紀パリ王立科学アカデミー集会の出席会員分析に向けたデータ構築と可視化」（『研究報告人文科学とコンピュータ（CH）』第 2020-CH-123 巻 3 号、2020 年）など。

永崎研宣（ながさき・きよのり）

一般財団法人人文情報学研究所主席研究員（デジタル・ヒューマニティーズ、仏教学）。博士（関西大学・文化交渉学）。著書、論文に『日本の文化をデジタル世界に伝える』（樹村房、2019 年）、「仏教学のためのデジタル学術編集システムの構築に向けたモデルの提案と実装」（共著、『情報処理学会論文誌』2022 年）、“Contexts of Digital Humanities in Japan”, *Digital Humanities and Scholarly Research Trends in the Asia-Pacific*, IGI-Global, 2019. など。

宮川創（みやがわ・そう）

1989 年生まれ。人間文化研究機構国立国語研究所研究系テニュアトラック助教。ゲッティンゲン大学エジプト学コプト学専修博士課程修了。Dokter der Philosophie（Dr.phil.: 哲学博士）。ドイツ研究振興協会特別研究領域研究員、関西大学アジア・オープン・リサーチセンター PD、京都大学大学院文学研究科助教を経て現職。論文に、'Optical Character Recognition of Typeset Coptic Text with Neural Networks'（筆頭著者、Digital Scholarship in the Humanities 34, *Suppl. 1*、2019 年）、「ローマ・ビザ

ンツ期エジプトのデジタルヒストリー：コプト語著述家・アトリペのシェヌーテを中心に」（『西洋史学』270、2020年）、「コプト教父・アトリペのシェヌーテによる古代のコプト語訳聖書からの引用」（『東方キリスト教世界研究』5、2021年）など。

渡邉要一郎（わたなべ・よういちろう）

東京大学史料編纂所特任研究員（仏教学）
［著書・論文］「Saddanīti における文法学の位置づけ」（『インド哲学仏教学研究』26、2018年、35–46頁）、渡邉要一郎・永崎研宣・朴賢珍・王一凡・村瀬友洋・渡邉眞儀・大向一輝・下田正弘「大正新脩大蔵経の構造的記述に向けて」（『じんもんこん2020論文集』2020、2020年、61–66頁）など。

●執筆者

井上さやか（いのうえ・さやか）

公益財団法人沢栄一記念財団　情報資源センター 専門司書（図書館学）
［著書・論文］東京文化財研究所編集［共同編集］『東京文化財研究所七十五年史』資料編・本文編（中央公論美術出版、2008～2010年）、井上さやか・若狭正俊「渋沢栄一記念財団におけるデジタルアーカイブの構築」（『専門図書館』291、2018年9月、63–67頁）、金甫榮・中村覚・小風尚樹・橋本雄太・井上さやか・茂原暢・永崎研宣「TEIを用いた『渋沢栄一伝記資料』テキストデータの再構築」（『じんもんこん2020論文集』2020、2020年12月、47–52頁）など。

井野雅文（いの・まさふみ）

東京大学大学院博士課程（仏教学）
［著書・論文］「『修習次第初篇』が引用する『楞伽経』X.256-258と菩薩の階位との対応について」（『インド哲学仏教学研究』23、2015年3月、57–71頁）、「『修習次第初篇』が引用する『楞伽経』X.256-258の異読とその背景」（『インド哲学仏教学研究』25、2017年3月、85–96頁）など。

王一凡（おう・いふぁん）

東京大学大学院博士課程／人文情報学研究所（准研究員）（書記体系、音義書、異体字、文字符号化）
［著書・論文］「慧琳撰『一切経音義』の符号化をめぐって」（『デジタル学術空間の作り方』文学通信、2019年）、“What Are We Calling ‘Latin Script’? Name and Reality in the Grammatological Terminology”, Graphemics in the 21st Century, *Proceedings*, 2019, pp. 91-109、「『續一切經音義』からみる漢文文献のTEIマークアップの課題」（『じんもんこん2021論文集』2021、2021年、234-239頁）など。

岡田一祐（おかだ・かずひろ）

北海学園大学講師（日本語学、デジタル人文学）
［著書・論文］『ネット文化資源の読み方・作り方　図書館・自治体・研究者必携ガイド』（文学通信、2019年）、Kazuhiro Okada, Satoru Nakamura, and Kiyonori Nagasaki, "Rubi as a text: A note on the ruby gloss encoding" (Journal of Text Encoding Initiative 14) など。

小川潤（おがわ・じゅん）

ROIS-DS 人文学オープンデータ共同利用センター（西洋古代史、デジタル・ヒューマニティーズ）
［著書・論文］『欧米圏デジタル・ヒューマニティーズの基礎知識』（共編、文学通信、2021 年）、小川潤・永崎研宣・大向一輝「一次史料における時間的コンテキストを含む社会関係記述モデルの提案と実践 」（『情報処理学会論文誌』63-2、2022 年、258–268 頁）、「元首政期ローマ帝国西方における都市周縁共同体とパトロネジ：ガリア南部におけるウィクス・パグスとパトロヌス」（『西洋古典学研究』69、2022 年、38–50 頁）など。

片倉峻平（かたくら・しゅんぺい）

東京大学大学院博士後期課程（上古中国語）
［著書・論文］「清華簡を中心とした楚簡の用字避複についての考察」（『中國出土資料研究』24、2020 年、1–23 頁）、「新規「新出土資料デジタルアーカイブ」の課題と提案」（『日本漢字學會報』3、2021 年、93–111 頁）、「中国出土資料テキストデータにおける隷定・釈読データ横断検索システムの実装 」（『じんもんこん 2021 論文集』2021、2021 年、64-71 頁）など。

金甫榮（きむ・ぼよん）

公益財団法人渋沢栄一記念財団　デジタルキュレーター（アーカイブズ学）
［著書・論文］「イギリスと日本におけるビジネス・アーカイブズのための戦略に関する研究：全国ビジネス・アーカイブズ登録簿構築を目指して」（『レコード・マネジメント』70、2016 年、15–36 頁）、「業務分析に基づく民間組織の記録とアーカイブズの管理に関する試論」（『アーカイブズ学研究』29、2018 年、4–29 頁）、「アーカイブズ資料情報システムの構築と運用：AtoM（Access to Memory）を事例に」（『アーカイブズ学研究』32、2020 年、4–29 頁）など。

小風尚樹（こかぜ・なおき）

千葉大学助教（近代イギリス史、デジタル・ヒストリー）
［著書・論文］『欧米圏デジタル・ヒューマニティーズの基礎知識』（共編、文学通信、2021 年）、「イギリス海軍における節約と旧式艦の処分：クリミア戦争からワシントン海軍軍縮条約を中心に」（『国際武器移転史』8、2019 年 7 月、127–156 頁）、纓田宗紀 , 小風尚樹「アトリエに吹く風：デジタル・ヒストリーと史料」（『西洋史学』268、2019 年 12 月、36–49 頁）など。

佐久間祐惟（さくま・ゆうい）

東京大学大学院博士課程／日本学術振興会特別研究員 DC（日本中世禅）
［著書・論文］「虎関師錬の禅風論―『正修論』「質惑第七」における四種禅風批判の考察―」（『インド哲学仏教学研究』29、2021 年 3 月、67–85 頁）、「虎関師錬の修証観―大慧宗杲の「工夫」観との比較検討―」（『印度学仏教学研究』70–1、2021 年 12 月、225–228 頁）など。

左藤仁宏（さとう・よしひろ）

東京大学大学院博士課程／インド哲学仏教学研究室特任研究員（インド仏教）
［著書・論文］「Mahāvastu における ava-√lok の用例」（『インド哲学仏教学研究』27、2019 年、55–70 頁）、「Similarities between the Two Avalokita Sūtras in the Mahāvastu」（『印度学仏教学研究』68-3、2020 年、59–62 頁）など。

中村覚（なかむら・さとる）

東京大学助教（情報学、人文情報学）
[著書・論文]「Linked Data を用いた歴史研究者の史料管理と活用を支援するシステムの開発」（共同執筆、『情報処理学会論文誌』59（2）、2018 年）、「Linked Data とデジタルアーカイブを用いた史料分析支援システムの開発」（共同執筆、『デジタル・ヒューマニティーズ』1、2018 年）、「歴史データをつなぐこと—画像データ」（『歴史情報学の教科書』文学通信、2019 年）など。

南亮一（みなみ・りょういち）

国立国会図書館
1996 年 4 月から 2 年間文化庁に出向し、平成 8・9 年著作権法改正作業に従事。その後国会向けの著作権制度の調査業務などを担当。図書館関係団体の著作権委員を務め、原稿執筆や研修講師などを多数行う。現在、一橋大学大学院法学研究科博士後期課程で図書館と著作権について研究中。

矢島正豊（やじま・しょうほう）

早稲田大学大学院博士後期課程（仏教儀礼）
[著書・論文]「如法懺法について」（『天台学報』63、2020 年）、「弥勒・弥陀信仰よりみる『法華三昧行法』と法華懺法」（『東洋の思想と宗教』39、2022 年）など。

監修

一般財団法人 人文情報学研究所

2010年、SAT大蔵経テキストデータベースの運用を支援しつつ、これを基礎とする仏教学のためのデジタル研究環境構築を目指し、人文情報学的知見を開発して人文知の宝庫である仏教の研究を推進し、さらに、これをとおして人文学全体を振興するとともに、広く人類精神文化の発展に寄与する目的をもって設立された研究所。仏教経典研究部門、仏教写本研究部門、人文情報学研究部門の三部門を擁する。これらの各部門における研究活動に加えて、2011年より月刊の無料メールマガジン『人文情報学月報』を発行し、日本デジタル・ヒューマニティーズ学会の事務局を引き受ける等、人文情報学に関わる情報共有と連携を重点事項の一つと位置づけて取り組みを続けている。ハンブルク大学、国文学研究資料館等と連携協定を結んでいる。

https://www.dhii.jp/　東京都文京区本郷 5-26-4-11F　TEL:03-6801-8411　FAX:03-6801-8412

編者

石田友梨
大向一輝
小風綾乃
永崎研宣
宮川　創
渡邉要一郎

※プロフィールは419ページ参照

人文学のためのテキストデータ構築入門

TEIガイドラインに準拠した取り組みにむけて

2022（令和4）年7月25日　第1版第1刷発行

ISBN978-4-909658-84-5　C0020

発行所　株式会社 文学通信

〒114-0001　東京都北区東十条 1-18-1 東十条ビル 1-101

電話 03-5939-9027　Fax 03-5939-9094

メール info@bungaku-report.com　ウェブ http://bungaku-report.com

発行人　岡田圭介

印刷・製本　モリモト印刷

ご意見・ご感想はこちらからも送れます。上記のQRコードを読み取ってください。

※乱丁・落丁本はお取り替えいたしますので、ご一報ください。書影は自由にお使いください。

好評発売中 ［全国の書店でご注文出来ます］

欧米圏デジタル・ヒューマニティーズの基礎知識

【監修】一般財団法人人文情報学研究所【編集】小風尚樹／小川潤／纓田宗紀／長野壮一／山中美潮／宮川創／大向一輝／永崎研宣
ISBN978-4-909658-58-6 C0020　A5 判・並製・496 頁　定価：本体 2,800 円（税別）

デジタル技術と人文学の新たな関係が求められているいま、押さえておきたい思想と技術が学べる本。日本で西洋世界のデジタル・ヒューマニティーズに関する情報を入手するための手だてはいまだ乏しい。メールマガジン『人文情報学月報』に掲載された記事を加筆・修正する形で、西洋世界におけるデジタル・ヒューマニティーズの研究・教育の成果を知る本を編集。最先端の DH 事情がここに。

デジタル学術空間の作り方　仏教学から提起する次世代人文学のモデル

【編】下田正弘・永崎研宣編
ISBN978-4-909658-19-7 C0020　A5 判・並製・384 頁　定価：本体 2,800 円（税別）

ライブラリアン、コンピュータサイエンティスト、人文学者…複数のプレイヤーによって共同で創りあげる、デジタル学術空間という「知」のかつてない新たな形態に、これまでどう対応してきたのか。そしてこれから、どうデジタル学術空間を創っていくのか。仏教学から提起する書。今後の人文学の展開には、日々生まれつつあるデジタル学知との対話が不可欠なものとなった現在、私たちは何をどう創り未来へと進むのか。その良きガイドになる書。

REKIHAKU　特集・人工知能の現代史

【編】国立歴史民俗博物館・橋本雄太・澤田和人 【発行】国立歴史民俗博物館
ISBN978-4-909658-81-4 C0021　A5 判・並製・112 頁・フルカラー　定価：本体 1,091 円（税別）

人間の知的ふるまいをコンピューターに再現させる方法を研究する分野を「人工知能（AI）」と呼ぶが、2012 年頃に「深層学習」と呼ばれる技術が登場し、AI は急速な発展を遂げ、いまもその技術の進化はとどまることを知らない。例えば自動車の自動運転、言語の翻訳、音声・画像認識、ロボット制御、病理診断等々、その技術は社会のすみずみに浸透している。だがこの技術は、急に現れたものではなく、実は長い歴史を有するものであった。本特集では、その歴史を「人工知能」前史から説きおこす。

ネット文化資源の読み方・作り方　図書館・自治体・研究者必携ガイド

【著】岡田一祐
ISBN978-4-909658-14-2 C0020　A5 判・並製・232 頁　定価：本体 2,400 円（税別）

私たちが残すものは、私たちそのものだ。インターネット環境において、文化資源のコレクションをバーチャル空間に作り上げる営みについて、多くの事例から縦横無尽に論じる書。日々変わりゆく社会のなかで、資料の公開やその方法論をどう考えて、理路を立てていけば良いか。文化を残すとはどういうことなのかという根源的な事柄から、デジタル・ヒューマニティーズの最新の成果や、情報発信の問題等々、これからのガイドとして、入門として、必読の書。

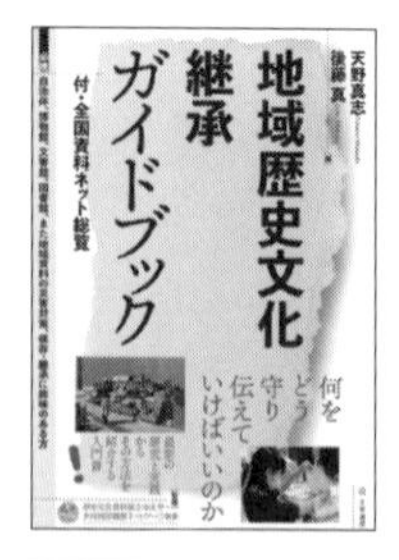

地域歴史文化継承ガイドブック　付・全国資料ネット総覧

【監修】人間文化研究機構「歴史文化資料保全の大学・共同利用機関ネットワーク事業」
【編】天野真志・後藤　真
ISBN978-4-909658-72-2 C0021　A5 判・並製・248 頁　定価：本体 1,600 円（税別）

地域の歴史や文化の、何をどう守り伝えていけばいいのか。最新の研究と実践からその方法を紹介する入門書。自治体、博物館、文書館、図書館、また地域資料の災害対策、保存・継承に興味のある方必携。本書により、多くの方々が地域の歴史文化に関心を深め、新たな地域の担い手として活躍できるようになるよう編集。

歴史情報学の教科書　歴史のデータが世界をひらく

【監修】国立歴史民俗博物館【編】後藤 真・橋本雄太
ISBN978-4-909658-12-8 C0020　A5 判・並製・208 頁　定価：本体 1,900 円（税別）

人文学に必要なこれからの情報基盤の作り方とは。複数の手段を用いて、新たな歴史像に迫るために。情報を共有して課題を解決するプラットフォームを構築するために。情報を可視化して、社会の深層にコミットしていくために。人文学は社会そのものを考え、社会のあるべき姿を考える学問である。その可能性を追求するために、強力な援軍となっている歴史情報学の現在と未来を解説し、学問の基盤の今後を問いかけ、参加を促す。歴史情報学で出来ることを、まずは知るところからはじめよう。